**АНДРЭ**

# НОРТОН

▼▼▼
## Буря над планетой
## КОЛДУН

▼▼▼
## Испытания
## в ДРУГОМ-ГДЕ

▼▼▼
## Вторжение
## к далеким предкам

▼▼▼

РОМАНЫ

ЭКСМО

**2003**
▼▼▼

УДК 820(73)
ББК 84(7 США)
   Н 82

Andre NORTON

STORM OVER WARLOCK
ORDEAL IN OTHERWHERE
FORERUNNER FORAY

Серийное оформление художника *С. Курбатова*

Серия основана в 1997 году

**Нортон А.**
Н 82    Буря над планетой Колдун: Фантастические романы /
Пер. с англ. — М.: Изд-во Эксмо, 2003. — 448 с. (Серия
«Стальная Крыса»).

ISBN 5-699-01839-5

   Планета Колдун не зря получила свое название. Земные поселенцы,
высадившиеся на ней, подверглись опустошительной атаке ужасающих жукоголовых инопланетных тварей. Немногие из людей остались в живых, да и они
были бы обречены на мучительную гибель, если бы не помощь, пришедшая
от исконных жителей планеты Колдун, обладающих врожденными экстрасен-
сорными способностями...

                                                       УДК 820(73)
                                                       ББК 84(7 США)

ISBN 5-699-01839-5

# Буря
# над
# планетой
# КОЛДУН

Andre Norton. Storm Over Warlock. 1960.

# Глава 1. Бедствие

Экспедиционный корпус трогов внезапно напал на разведлагерь терран за несколько минут до рассвета. Пришельцы-захватчики с методической точностью посылали глазами энергетические лучи, испепеляющие все вокруг. И единственный спрятавшийся свидетель происходящего, забравшийся в расщелину скалы немногими метрами выше, понимал, что как только погаснет последний желто-красный энергетический луч, внизу не останется ни одного живого существа. Он изо всех сил впился зубами в обшлаг рукава своей тоненькой гимнастерки, еле сдерживая пронзительный вопль ужаса и ярости, исходящий из глубин его души. Сердце готово было выскочить из груди от страха.

Чтобы не выдать себя, он вжался в узкую расщелину. Наблюдая за жуткой бойней, происходящей внизу, Шенн Ланти не в силах был пошевелиться. Сокрушительная и бессмысленно-жестокая атака трогов мгновенно лишила его сил. Одно дело — слышать рассказы о нападениях трогов, жукоголовых, и совсем другое — быть непосредственным свидетелем их зверств. Тело Ланти содрогалось, несмотря на утепленную униформу разведотряда.

До сих пор он не видел ни одного из пришельцев, а только их летающие аппараты в форме тарелок. Они могли оставаться в воздухе, пока их дальнобойные орудия сметали всех противников. Как же им удалось напрочь уничтожить силы терран? Судя по последнему сообщению, ближайшая база трогов находилась по меньшей мере на расстоянии двух планетных систем от Колдуна. А патрульная полоса проходила около системы Цирцея в ту минуту, когда разведотряд зафиксировал свою вторую планету, готовую к колонизации. Так или иначе, троги просочились через предполагаемый прочный кордон и теперь смогут закрепиться на захваченной местности с обычной для них скоростью. А они захватят ее без труда, раз сумели покончить с небольшим отрядом терран при помощи энергетической атаки.

Месяцем-двумя позднее они, вероятно, не смогли бы этого делать. Специальные защитные сети были бы подняты, и с любым летательным аппаратом трогов, рискнувшим появиться в янтарном небе Колдуна, было бы сразу покончено. В гонке за выживание в качестве галактической силы терране имели небольшой перевес над целой тучей врагов. Терране должны были постоянно наблюдать за новой, недавно обнаруженной планетой и всегда иметь на ее поверхности уже собранные специальные сети; только тогда планета будет защищена от нашествия трогов. Критический период наступил между обнаружением первой подходящей для колонизации планеты и окончательной отладкой защитных сетей. В прошлом планеты бывали потеряны за время этой вынужденной задержки; точно так же, как Колдун был утерян для Земли сейчас.

Троги и терране... Больше века по планетарному времени они вели между собой беспощадную войну среди звезд. Терране охотились за планетами, чтобы сделать их своими колониями; необходимость, ощущаемая Землей всегда, когда она посылала своих людей для захвата незаселенных миров, далеко-далеко от Солнечной системы. К далеким звездам. И эти бесполезные, бесплодные планеты, лишенные разумной жизни и природы, открывались колонистами. Их было слишком мало, и все они были разбросаны по галактике на огромные расстояния друг от друга. Полдюжины таких планет были обнаружены за четверть века; и из этой шестерки лишь одна подходила для нормальной жизни человека, то есть не требовалось адаптации к новым условиям, стоившей непомерно дорого. Колдун и оказался такой счастливой планетой, что бывало крайне редко...

Троги были хищниками-грабителями, существующими благодаря разбою. До сих пор люди никак не могли обнаружить места их постоянного обитания, равно как ни одна живая душа не знала, с какой они планеты. Наверное, они вечно обитали на своих летающих тарелках, и для того, чтобы выжить, были вынуждены постоянно скитаться по вселенной, нападая и разрушая планеты, на которых они поначалу жили. Во всяком случае, теперь они стали налетчиками, опустошая беззащитные планеты, забирая себе богатства разрушенных городов, в которых не оставляли никого в живых. Хотя их временные тайные базы были разбросаны по всем уголкам галактики, они не меньше терран нуждались в планетах, атмосфера которой была такая же, как на Земле. Несмотря на гротескные насекомоподобные тела и совершенно чуждый разум, троги были теплокровные существа и, подобно человеку, дышали кислородом.

После первых пока еще небольших столкновений ранние путешественники-колонисты с Земли изо всех сил старались заключить с этими особями нечто вроде мирного договора (изучать только нейтральные места, находящиеся между терранами и трогами), полнейшее различие в ментальных процессах привело лишь к непреодолимому непониманию сторон. У них не нашлось ни одной точки соприкосновения. Так что терранам пришлось выносить одно поражение за другим, до тех пор, пока они не довели до ума защитные сети. Теперь их колонии находились в безопасности; по крайней мере, время работало на них.

Чего не произошло на Колдуне.

Последняя ярко-красная вспышка взрыва над горой развалин внизу. Шенн заморгал, и чуть наполовину не ослеп от резкого света. Он до боли сжал челюсти. Это конец. Прерывисто дыша, он приподнял голову, начиная осознавать, что остался совершенно один в этом чужом негостеприимном мире, теперь находящемся под полным контролем врагов. Да, он один, без убежища, воды и пищи.

Он глубже протолкнулся спиной в узкую расщелину, которая была входом в его укрытие. Как представитель рода человеческого, Шенн вообще не производил ни на кого особого впечатления, а в эти мгновения, когда его тело сотрясала дрожь, он и не пытался с нею справиться; и выглядел сейчас даже меньше и уязвимее. Шенн уткнулся коленями в подбородок. Капюшон его куртки, смахивающей на одежду дровосека, он откинул на спину, несмотря на утренний морозец, после чего начал хлестать себя тыльной стороной ладони по губам и подбородку этаким старинным ребячьим жестом.

Никто из людей внизу, которые еще несколько минут тому назад были живы, не могли считаться его близкими друзьями. Шенн так ни с кем и не познакомился за свою короткую бродячую жизнь. Большинство людей не обращали на него никакого внимания, кроме тех случаев, когда ему отдавались приказы, а к двоим из них Ланти относился с неприязнью — особенно к Гарту Торвальду. Лицо Шенна исказилось в болезненной гримасе, когда он вспомнил недавнее прошлое, а спустя некоторое время гримаса исчезла, сменившись удивлением. Если бы младший Торвальд намеренно не навлек на голову Шенна неприятности, открыв клетку с росомахами, Шенна бы сейчас не было бы здесь — целым и невредимым, ибо в эти мгновения он находился бы внизу вместе с остальными.

Росомахи! Впервые с тех пор, как Шенн услышал грохот атаки трогов, он вспомнил причину, по которой оказался здесь, на горе. Из всех людей разведотряда Шенн Ланти считался самым незначительным. Его никто и в грош не ставил, поэтому вся грязная, утомительная и рутинная работа, не требующая технической подготовки, но которую обязательно нужно было выполнить для удобной и отлаженной работы лагеря, всегда доставалась ему. И он принимал свой «статус» охотно, просто потому, что ему очень хотелось, чтобы его когда-нибудь включили в персональный штат исследовательской группы. Не то чтобы Шенн грезил слабой надеждой подняться вверх по иерархической лестнице; он даже не мечтал быть включенным в группу «S-E-3».

Итак, в его обязанности входила чистка клеток с животными. И тут Шенн Ланти обнаружил для себя нечто новое, что-то настолько захватывающее, что большая часть тупых, утомительных работ, выполняемых им, словно перестали для него существовать. Теперь он старался скорее выполнить все остальные работы, чтобы вновь вернуться к этим очаровательным животным.

Еще задолго до описываемых событий его группа обнаружила преимущество использования животных-мутантов или тех, что прошли специальную тренировку на Земле в качестве своего рода помощников в исследовании незнакомых планет. Из биологических лабораторий или земных ферм, где их выращивали, часто присылали таких специализированных «ассистентов» для сопровождения человека в космосе. Некоторые из животных были жестокими бойцами, молчаливыми и исполнительными, и намного опаснее, нежели оружие, которое люди носили у себя на поясе или в руках. У некоторых были пронзительные, зоркие глаза, носы, намного чувствительнее человеческих; они были разведчиками намного опытнее и хитрее, чем мог когда-либо породить человеческий род. Они были созданы для разных целей. Некоторых отбирали по уму, некоторых — по размеру, других — по степени адаптации к чужеземным условиям, и эти животные-разведчики с Земли очень высоко ценились.

Росомахи, древние «дьяволы» северных областей Земли, испытывались первое время на Колдуне. Их сверхосторожность, обостренное чувство опасности, высочайшее качество породы, делало их лучшими разведчиками новых территорий. Способные разорвать на части животное, втрое превосходящее их в размерах, они считались превосходными защитниками для людей, которых сопровождали в дикие, неизведанные места. Их свирепый нрав, умение великолепно лазить по горам и плавать, и кроме того — их необузданное любопытство — считались весьма ценными качествами.

Шенн начал знакомство с ними с чистки их клеток; и в конце концов эти миниатюрные медведи с коротенькими пушистыми хвостами очаровали его. И его безграничная любовь и внимание к своим питомцам стало взаимным. В присутствии Тагги и Тоги он был личностью, причем — важной личностью. Эти зубы, способные разодрать чью-либо плоть на мелкие кусочки, нежно щекотали его пальцы. Без всякого принуждения они давались ему в руки, облизывая при этом его нос и подбородок. Поэтому, дважды, когда они сбегали, побег не имел успеха; оба раза Шенн находил их по следам и возвращал в лагерь, и несколько раз препятствовал им делать набеги на съестные припасы отряда.

Но во второй раз его застал за этим Фадакар, главный наблюдатель за животными, и поймал до того, как Шенн успел запереть нарушителей в клетку. Воспоминания о грязных ругательствах, которыми Фадакар усыпал Ланти, до сих пор заставляла его лицо багроветь от бессильного гнева. Все объяснения Шенна были самым отвратительным образом отвергнуты, и ему поставили ультиматум. Если он еще хотя бы один раз проявит свою нежность к питомцам, то немедленно будет отправлен на Землю на первом же торговом корабле, причем с «волчьим» билетом, запрещающем впредь работать в этой области. Тем самым он остался навсегда работником самого низшего уровня до конца своей жизни.

А все из-за подлого поступка Гарта Торвальда за ночь до этого. Именно из-за Торвальда Ланти был вынужден искать сбежавших животных в кромешной темноте ночью и в полном одиночестве. Он должен был найти их и вернуть в лагерь до рассвета, прежде чем Фадакар будет проводить утреннюю инспекцию.

Так что глупая попытка Торвальда навлечь на Шенна неприятности спасла ему жизнь.

Шенн набросил на голову капюшон, от чего его тщедушная фигура стала казаться еще меньше. Один из летательных аппаратов трогов бесшумно возник в утреннем небе, словно выплывая из тумана, едва подкрашенного янтарным цветом. Корабль на какое-то время завис над затихшим лагерем. Пришельцы, по-видимому, проверяли место своей блистательной победы над противником. И самым безопасным местом для любого террани на теперь было находиться настолько дальше от ужасных руин, оставшихся от лагеря, насколько близко в данный момент от них укрывался Шенн. Тщедушное тело Шенна было для него преимуществом, ибо только благодаря своей худобе он сумел забраться в узкую расщелину на склоне скалы. Он полез туда, потому что знал все тропинки, по которым могли удрать росомахи, потому и последовал за ними по одному из их маршрутов. Несколько минут ходьбы по их хитрым, извилистым дорожкам, и вот он очутился в чашеобразной котловине и ошарашенным взором разглядывал непроходимые кусты Колдуна с пурпурными листьями. С другой стороны Ланти увидел еле заметный проход на отлогой стене горы, ведущий в еще одну котловину, не такую широкую, на которой разбили лагерь, но весьма подходящую для укрытия среди деревьев и буйно разросшихся кустов.

Легкий ветерок гулял среди деревьев, и дважды Шенн слышал шорохи, постукивания, чье-то щелкающее «клак-клак» — очень напоминающее удары теннисного мяча по ракетке. Он понял, что это пролетела какая-то птица с кожаными крыльями, обитающая в горных расщелинах. Просто его неожиданное появление нарушило постоянную «музыку» этих пустынных мест, где не ступала нога чужака. Ибо это «клак-клак» громко и настойчиво-угрожающе предупреждало его, что он явился охотиться не на свою территорию.

Шенн заколебался. Он понимал, что ему надо убираться из этого проклятого места, и как можно подальше от разгромленного лагеря. Тем более что совсем недалеко приземлился корабль трогов. Однако привлекшее его внимание это назойливое «клак-клак» буквально притягивало его. Наверное, умнее было бы остаться в одиночестве на вершине горы, чем рискнуть спуститься вниз в поисках укрытия, особенно, тогда, когда корабль противника патрулирует окрестности.

Небольшая пыльная полянка, укрытая зубообразной скалой, первой подсказала Ланти, что Тагги и его подруга по клетке недавно прошли перед ним, ибо он увидел отчетливые отпечатки знакомых когтей росомах. Шенн лелеял себя надеждой, что оба зверя нашли себе убежище в диких зарослях.

Он облизал пересохшие губы. Покинув лагерь тайно, Ланти не захватил с собой НЗ, и теперь Шенн сделал мысленную опись своего имущества — полевая сумка, сверхпрочная рубашка, короткая куртка с капюшоном с прилагаемыми к ней рукавицами. На груди Ланти поблескивал значок разведотряда. На ремне пристегнута кобура со станнером, поражающим жертву электротоком, и широкий нож для рубки кустарника, а в прошитых толстенным швом карманах покоились три кредитных жетона, моток провода для укрепления клетки, в которой жили росомахи, упаковка таблеток от сна, две идентификационных и рабочих карточки и длинный кусок веревки. Ни запаса пищи и воды — спасение храбрецов, — ни дополнительной обоймы для станнера. Но все равно его куртка оттягивалась вниз из-за прикрепленного к ней маленького, но очень мощного светильника.

Тропинка, по которой он шел, внезапно оборвалась на самом краю скалы, и лицо Шенна исказилось от запаха, поднимающегося снизу. Несмотря на то, что означала эта вонь, Шенн спустился вниз в лощину, совершенно не боясь привлечь внимание неведомого «клак-клак». Возле скалы поднимались вонючие пары от химических минеральных источников, тем самым защищая любую птицу, гнездившуюся в этом месте.

Шенн вновь поднял капюшон и натянул на лицо прозрачную маску. Он должен уходить отсюда, чтобы найти пищу, воду, убежище. Это было волей к жизни, которая заставляла Шенна Ланти вступать в несчетное количество сражений в прошлом; это было приказом, выполняемым им с тупой решительностью.

Зловонные пары клубились вокруг, поднимаясь ввысь и обволакивая легким туманом его по пояс, но он упрямо шел вперед, двигаясь к открытой местности и чистому воздуху. Запах лавандовых кустов, окаймляющих источник, смешиваясь с ядовитыми испарениями, вызывал тошноту. Ланти видел, что кусты буквально погружены в источник, и щурился от их пурпурно-зеленого цвета. Потом он оказался в какой-то роще, а ветки деревьев, устремленные к небу под абсолютно прямым углом, торчали из их ржаво-красных стволов.

Что-то маленькое внезапно поднялось в воздух с поросшей мхом земли, издавая тревожный пронзительный крик, и исчезло из вида так же внезапно, как и появилось. Шенн сжался между двух деревьев и остановился. Ствол большего дерева был испещрен глубокими царапинами, кора содрана, и Шенн видел вязкую голую древесину, из которой сочилась живица, пенящийся ярко-алый сок. Это Тагги оставил свою метку, и не так уж давно.

На мягком ковре из мха когти росомах не оставили следов, но Ланти подумал, что догадался о цели животных — озеро внизу долины. Теперь Шенн начал продумывать план дальнейших действий. Троги не стали разрушать лагерь полностью; сперва они хотели убедиться в гибели всех его обитателей. Это означало, что какие-нибудь сооружения они должны использовать. Поскольку в полевом лагере разведотряда поживиться было сравнительно нечем, да еще тем, кто захватил сокровища целых городов по всей галактики. Тогда зачем им сооружения? Что нужно этим проклятым трогам? И будут ли пришельцы-захватчики находиться в оккупированном лагере еще какое-то время?

Словно воочию Шенн вновь увидел перед собой безжалостную атаку трогов. Однако с самого раннего детства ему приходилось бороться за жизнь, которая почти всегда находилась на границе со смертью — особенно в Бараках Тира — ему приходилось использовать весь свой жизненный опыт и хитрость, чтобы сохранить свое худое маленькое тело в живых. Тем не менее, с тех пор, как он оказался на довольствии разведотряда, он больше не был совсем уж худым.

Его официальное образование было близко к нулю, однако неформальное — весьма необычное и, можно сказать, довольно обширное. А теперь, с годами работы, произошел обычный в подобных случаях процесс: Шенн пообтесался в жизни, сделался более жестким, что помогало ему во многих сложных ситуациях; он научился быстро приспосабливаться к новым жизненным условиям, в основном — опасным. Он остался один в совершенно чужом и, скорее всего — враждебном мире. Вода, пища, безопасное убежище, вот что теперь самое важное. И снова и снова его не оставляла мысль: надо как можно дальше убраться от лагеря, где он руководствовался желаниями и требованиями других. Теперь, в одиночку, он планировал свою жизнь на свободе. Позднее (его рука машинально опустилась к станнеру), возможно позднее, он сумеет найти способ извлечь пользу и от жукоголовых.

Но сейчас он должен держаться подальше от трогов, что означало — подальше от лагеря. Вдруг сквозь аметистовую листву перед ним показалось зеленое пятно — озеро! Шенн с трудом преодолел последнюю преграду из кустарника и остановился, чтобы оглядеться вокруг. Шенн, сложив пальцы, сунул их в рот и свистнул. Глянцевая лоснящаяся коричневая голова тотчас показалось на его поверхности. Голова повернулась, черные глаза-пуговки устремились на него, короткие лапы начали взбалтывать воду. К радости Шенна, пловец подчинился его призыву.

13

Тагги вышел на берег, остановился на гладком сером песке на краю озера и начал неистово отряхивать с себя воду. Затем росомаха неуклюжим галопом побежала к Шенну. Неизведанное доселе чувство переполняло терранина, когда он опустился на колени и запустил обе руки в жесткую коричневую шерсть. Он ощутил теплоту в сердце, когда Тагги бурно приветствовала его появление.

— А Тоги? — спросил Ланти, словно смог бы услышать ответ. Он вглядывался в поверхность озера, но спутницы Тагги нигде не было видно.

Тупая, почти квадратная голова под его ладонью то и дело поворачивалась, черная кнопка носа указывала на север. Шенн точно не знал, насколько умны росомахи. Он подозревал, что Фадакар и другие специалисты всегда недооценивали их, и оба зверя понимали намного больше, чем считалось. Теперь Шенну предстояло убедиться на деле в том, что он уже пробовал сделать несколько раз, но ни разу не доводил до конца. Поглаживая плоскую голову Тагги, Шенн думал о трогах и их нападении, пытаясь вызвать у животного ответную реакцию на собственные страх и ярость.

И Тагги среагировал. Его тихое бормотание превратилось в злобный рык, зубы зловеще лязгнули — эти жестокие зубы плотоядного зверя, его страшное оружие. Опасность... Шенн подумал «опасность». Потом поднял голову, и росомаха резко отстранилась от него и направилась на север. Человек последовал за зверем.

Они обнаружили Тоги в небольшой пещере с неровными краями, где росомаха скрывалась от последнего прилива. Она уже плотно позавтракала, о чем говорили останки водяной крысы, которые животное предусмотрительно закопало на будущее, если снова возникнет необходимость в пище. Увидев Шенна, она посмотрела на него, и в ее глазах он прочел молчаливый вопрос.

Здесь была вода и хорошая охота. Но это место находилось слишком близко от трогов. Если один из их летательных аппаратов-разведчиков засечет их, то маленькой группе наступит конец. Поэтому лучше будет спрятаться, что и должны сделать трое беглецов. Шенн нахмурился, но не на Тоги, а на ландшафт. Он страшно устал и был голоден, но должен продолжать идти.

Из пещеры вытекал небольшой ручеек, ведущий на запад, своего рода — указатель. Со своим ограниченным знанием местности, Шенн решил последовать за ручейком.

Солнце над головой образовывало на небе обычный золотой туман. Озерные гуси, собравшиеся на утренний завтрак, оставляли за собой отчетливые зеленые полоски на глянцевой поверхности воды. Озерные гуси были отличной пищей, но у Шенна не было времени на охоту. Тоги шлепала по берегу ручейка, Тагги следовал за ней. Либо они уже мысленно нашли дорогу отсюда, либо брели наугад.

Внимание Шенна привлекла какая-то бесформенная куча сломанных веток. Он свернул к ней и спустя некоторое время уже имел оружие собственного изготовления — увесистую дубину. Низко нагибаясь под ветвями, он шел вслед за росомахами.

Примерно через полчаса он тоже позавтракал. Парочку подбитых дубиной небольших птичек он связал вместе крепкой травой и подвесил к ремню. Конечно, это не деликатес, но все-таки какое-никакое мясо.

Все трое, человек и росомахи, продолжали идти по берегу ручейка к низине, пробираясь сквозь горки и холмы, изрезанные глубокими оврагами. Когда добрались до устья ручья, они увидели водопад, и наконец, разбили свой первый лагерь. Судя по сгущающемуся туману, Шенн понял, что можно разложить небольшой костер. Он скорее высушил, чем поджарил подбитых птичек, после чего содрал с них кожу и отделил мясо от тоненьких косточек, и, наконец, немного поел. Росомахи лежали бок о бок на галечнике, время от времени тревожно поднимая головы и принюхиваясь. Или просто всматривались вдаль.

Внезапно из глубины глотки Тагги раздался предупреждающий рык. Шенн быстро забросал огонь костра пригоршнями песка. У него осталось время только на то, чтобы упасть лицом вниз, надеясь, что выцветшая тускло-коричневая униформа сольется с цветом земли, на которой он лежал с напряженными до боли мышцами.

Совсем рядом с холмом проплыла тень. Шенн вжал голову в плечи и, казалось, сделался еще меньше. Этот страх был ему знаком еще в расщелине, когда он с ужасом ожидал, как луч, направленный сверху, лизнет по нему, как это случилось прежде с его друзьями. Троги вышли на охоту...

## Глава 2. Гибель корабля

Вздох потревоженного воздуха не громче бриза, однако он отозвался в ушах Шенна чудовищно громким эхом. Он не мог поверить своему счастью, когда звук постепенно начал затихать над лощиной, а после и вовсе исчез. С бесконечной осторожностью он поднял голову, по-прежнему с трудом осознавая тот факт, что продолжал лежать не дыша, пока троги и их корабль не скрылись из виду.

Но эта черная тарелка кружилась где-то в тумане, едва подсвеченном солнцем. Один из трогов мог заподозрить, что из лагеря терран удалось кому-то сбежать, и распорядился выслать дополнительный патруль. В конце концов, откуда пришельцы могли знать наверняка, что перебили всех в лагере, кроме одного? Все летательные аппараты-разведчики, принадлежащие лагерю, находились на земле, а погибшие так и остались на своих спальных местах, атака вполне могла казаться завершенной до конца.

Когда Шенн пошевелился, Тагги и Тоги тоже подали признаки жизни. Они быстро заходили по земле, и человек был уверен, что животные почуяли опасность. И не в первый раз Ланти осознал свое похороненное в глубине души желание иметь формальное образование, которого у него никогда не было. Находясь в лагере, он только выслушивал приказы, исполнял скучную рутинную работу, чтобы «нечаянно» подслушать сообщения и разговоры специалистов, поднаторевших в своей особенной работе. Шенну удалось накопить столько информации, что даже его цепкой памяти не удавалось переварить ее всю, равно как понять и разложить по полочкам. Это было сродни тому, когда человек пытается сложить головоломку, имея при себе только четверть ее элементов. К примеру, Шенн не знал, насколько был велик контроль над животными-разведчиками, то есть над его пушистыми или пернатыми помощниками? И была ли часть их мастерства ментальной связи между человеком и животным у них в крови или создана путем долгих тренировок?

Насколько росомахи будут повиноваться ему, особенно, когда они уже не вернутся в лагерь в свои клетки, ожидающие их, как символ человеческого превосходства? Не приведет ли их путешествие по дикой природе к бунту ради приобретенния свободы? Если Шенн будет зависеть от животных, это станет серьезной проблемой. Не только их более развитые способности к охоте, чтобы добывать пищу для всех троих, но и их обостренные чувства разведчиков, намного превосходящие его, могут создать весьма тонкую стенку между жизнью и смертью.

Разведчиками с Земли были обнаружены несколько крупных животных, обитающих на Колдуне. И ни одно из них (а их было пять или шесть) не проявило враждебности, если его не провоцировали к этому. Но это ничего не означало здесь, в самом сердце дикой природы, куда еще глубже забирался Шенн, не имея никаких знаний о планете, как таковой. Вероятно, им могут повстречаться какие-нибудь твари, намного хитрее и кровожаднее росомах, даже приведенных в ярость.

Тогда, раньше, в лагере это были только странные сны-видения, которые положили начало многим дискуссиям и спорам. Шенн высыпал колкий песок из сапог и задумался. Так были они или их вовсе не существовало? Можно было спорить сколько угодно, сделав окончательное заявление о чем-либо или против чего-либо, но именно странные, необъяснимые сны появились вместе с первым кораблем-разведчиком, приземлившимся на этой планете.

Система Цирцеи, в которой Колдун, одна из трех планет, был второй по величине, впервые начали исследовать четыре года назад одним из кораблей-разведчиков путешественниководиночек разведслужбы. Кто-то знал, что Первые Корабли-Разведчики были неземного происхождения, чуть ли не порождение мутантов с Земли — подобные сообщения были весьма распространены среди неземных наблюдателей.

Поэтому тревога относительно Цирцеи, желтой звезды солнечного типа, и ее трех планет не была ни для кого новостью. Ведьма, планета, расположенная на орбите, ближайшей к Цирцее, была слишком раскалена и потому не приспособлена для человеческого обитания без применения специальных мер. А это было очень дорогостоящее мероприятие, и поэтому Ведьму оставили в покое. Чародей, третья планета от солнца, вся была покрыта голыми скалами и очень ядовитой водой. Но Колдун, вращающийся между своими брошенными на произвол судьбы соседями, казался как раз тем, что надо; поэтому и был отдан приказ об его колонизации.

Неожиданно пилот корабля-разведчика, даже находясь в безопасном коконе своего вооруженного до зубов корабля-носителя, начал видеть странные сны. И из этих кошмарных снов и возникла планета, случайно появившаяся из пустоты. Разведчик-одиночка поскорее вернулся, чтобы не сойти с ума. После, для проверки этого, на Колдун прислали второй корабль — планеты были настолько хорошо приспособлены к эмиграции людей, что просто нельзя было от них отказаться. И при этом не было череды кошмарных неестественных снов или свидетельства о каком-то потустороннем влиянии на высокочувствительное и технически сложное оборудование корабля-носителя. Поэтому вскоре туда была послана команда разведчиков, чтобы подготовить все для приема первых колонистов, и ни один из них больше не видел снов — по крайней мере необычных. И все же нашлись те, кто отмечали, что между первым и вторым посещением Колдуна на Колдуне произошла смена сезонов. Первый корабль-разведчик приземлился на планету летом; его преемники прибыли на Колдун осенью и зимой. Они спорили, что попытку освоения планеты нельзя считать удачной, пока Колдун не завершит свой полный годовой цикл.

Но давление со стороны Эмиграционного Контроля вынудило разведчиков поступить вопреки своим утверждениям, и вот страхи оправдались — на планету напали троги. Так что большое начальство явно поспешило с заявлением о том, что Колдун — открытая планета. Только Рагнар Торвальд яростно протестовал против этого решения и месяц тому назад возвратился в штаб-квартиру, где с пеной у рта еще раз попытался выступить с заявлением насчет очень осторожного исследования Колдуна.

Шенн закончил отряхивать песок с плотных фабричного производства сапог, доходящих ему почти до колен. Рагнар Торвальд... Шенну снова припомнилась бетонированная площадка посадочной полосы космопорта чужой планеты, и вспоминал он это с чувством глубокой потери, которую никак не мог постичь до конца. Почти заканчивался второй самый длинный день в его короткой жизни; первый длинный день в его жизни был раньше: когда ему разрешили наняться на работу в разведотряд.

Он, спотыкаясь, брел, не разбирая дороги, неся свой незамысловатый груз, вещевой мешок — очень тощий мешок, который он перекинул через худое плечо, а в глубине его души разгоралось горячее желание, стремление к какой-то заветной цели, которую он и сам толком еще не знал, и так продолжалось до тех пор, пока Ланти не осознал, что он не сможет придушить в себе это состояние дикого счастья. Его ожидал звездолет. И он — Шенн Ланти — из Бараков Тира — недалекий человек, не закончивший даже обычной школы — направлялся к кораблю в коричнево-зеленой униформе разведотряда!

Потом он заколебался и никак не мог осмелиться пересечь несколько футов бетонного покрытия, отделяющего его от небольшой группы людей, одетых в точно такую же униформу — только с небольшой разницей в виде знаков отличия и их рангов. Но он направлялся к ним с бессознательной самоуверенностью человека, который совершал это прежде и не один раз.

Однако пролетело мгновение, и вся группа к его собственному стыду стала оценивать только квалификацию одного человека — Рагнара Торвальда. В своем несчастном и вечно ущемленном детстве, а впоследствии и в потерянном юношестве Шенн никогда прежде не знал никого, перед кем стояло бы поклоняться, как перед героем. Поэтому он не смог бы дать название новому ощущению, охватившему его так внезапно; своему горячему желанию доказать на деле, что он все умеет, что он никого не подведет, и что он будет занимать не только свою крохотную нишу в разведотряде, в который попал с таким трудом, но будет стараться подняться еще выше и выше, и будет подниматься до тех пор, пока не сможет стоять точно так же, как члены эти группы, и свободно разговаривать с высоким человеком с непокрытой головой, кажущейся золотой в лучах солнца, да, именно с этим человеком, чьи холодные серо-стальные глаза резко выделялись на загорелом лице.

Не то чтобы эти безумные мысли родились у Шенна именно в те минуты; теперь он понимал, что думал об этом и в последующие месяцы. Наверное, эти мечты были настолько же безумны, как и донесения с первого корабля-разведчика с Колдуна. Сейчас Шенн лишь хмуро усмехался своим мальчишеским надеждам и уверенности, что ему удастся совершить великие дела. В лагере один только человек никогда не обращал внимания на Шенна, и это был Гарт, младший брат Рагнара Торвальда. Шенн для него просто не существовал.

Гарт Торвальд — совершенно невыразительная — кто-нибудь сказал бы «расплывчатая» — копия своего брата. Рагнар никогда не расхаживал по лагерю с наглой улыбкой щеголя; Гарт же в своей первой миссии был всего лишь в звании кадета. Он все время пытался унизить Шенна, заставляя его осознать разницу между человеком, занимающимся ручным трудом, и офицером в полном смысле этого слова. При этом он любил размахивать своим с трудом приобретенным дипломом. Казалось, что с их первой встречи он отлично знал, как превратить жизнь Шенна в сплошные мученья.

Теперь, сидя возле погасшего костерка, вдали от разрушенного трогами лагеря, Шенн почувствовал, как пальцы впервые сжались в кулаки. Он заколотил ими по земле, представляя себе, как с ним случалось очень часто, что лупит ими по ухмыляющейся красивой физиономии Гарта; по его прекрасной лепки лицу. Никто не смог бы выжить в Бараках Тира, не умея вовремя воспользоваться кулаками, башмаками и целой кучей всевозможных трюков, которым не обучают ни в одной академии. Шенн не сомневался, что всегда сумеет победить Гарта, если они схлестнутся. Но если бы он дал волю кулакам, не сумел бы сдержаться и клюнул бы на провокацию, то не видать ему разведотряда, как своих ушей. Гарт же доказывал себе, что умеет разговаривать с ним, избегая любой ссоры, он мягко, но очень обидно корил его даже за самую незначительную должностную провинность, и, конечно же, рангом он был гораздо выше Шенна. Рабочему с Тира приходилось проглатывать все, за что другой бы на его месте двинул бы по физиономии. Шенн надеялся, что в своем следующем назначении его сделают членом другой команды, только не младшего Торвальда. Хотя из-за Гарта Торвальда «дань» Шенна черному списку росла с угрожающей быстротой, и с каждым днем его шанс попасть в другую команду становился все туманнее.

Шенн рассмеялся. Смех у него был горьким. Это было одной из тех неприятных вещей, о которых ему не придется больше беспокоиться. Больше у него не будет новых назначений. Троги уж как-нибудь позаботится об этом. А Гарт... что ж, теперь больше между ними не будет ни словесных, ни кулачных стычек. Ланти поднялся. Корабль трогов исчез; они могли продолжать свой поход.

Он нашел трещину в скале, по которой можно было подняться, и поманил за собой росомах. Когда они взобрались на вершину, откуда виднелся водопад, Тагги и Тоги терлись об его бока, и тихим рычанием привлекали его внимание. Казалось, они тоже нуждались в утешении, которое хотели получить от него, ибо оба зверя тоже были чужаками на этой враждебной планете, правда, относились к представителям другого вида.

Пока Шенн не имел никакой определенной цели, он продолжал идти по течению ручья по совершенно плоскому плато. Солнце жарило беспощадно, поэтому он снял куртку и перекинул ее через плечо. Тагги и Тоги медленно бежали впереди, дважды по пути поймав небольших птичек, которых с наслаждением съели. По голой стене скалы скользила чья-то тень, и терранин вновь подумал об укрытии, пока не заметил, что ее отбрасывает огромный сокол, выискивающий дичь где-то на вершине скалы. Но чтобы окончательно увериться в безопасности, Шенн снова стал искать укрытие, мысленно ругая себя за беспечность.

Только к вечеру они добрались до самого конца плато, упирающемуся в крутой подъем на высокую гору с запорошенной снегом вершиной. В это время солнце светило мягким персиковым цветом. Шенн огляделся в поисках более или менее удобной тропинки, но все равно засомневался, хватит ли ему сил преодолеть ее без соответствующей экипировки. Он должен свернуть либо на север, либо на юг, хотя из-за этого ему придется отойти от ручья с живительной водой. Ночью он разбил бы лагерь прямо на том месте, где находился. Он даже еще не осознавал, насколько устал, пока не нашел некое углубление в скале, смахивающее на небольшую пещеру. И тогда Ланти забрался в нее. Разводить огонь в таком месте было слишком опасно; поэтому ему пришлось довольствоваться теми «удобствами», которые у него имелись.

К счастью, росомахи протиснулись в пещеру вместе с ним и полностью заполнили ее. Их теплые, покрытые шерстью тела окружили его со всех сторон, так что все трое образовали нечто вроде сэндвича, и он начал задремывать. Он широко зевнул и задремал, прислушиваясь к ночным звукам: пронзительным крикам птиц, свисту, рявканью... Дикая природа Колдуна жила своей ночной жизнью. Порой кто-нибудь из росомах поскуливал и беспокойно ерзал во сне.

Солнечные лучи буквально вонзились в Шенна, словно копья, и он тотчас же открыл глаза и быстро зажмурился. Потом пошевелил затекшими членами, несколько раз моргнул, отгоняя сон, неспособный в первые мгновения понять, почему нежнобелая гипсовая стена его естественного ночлега превратилась в неотесанный красный камень. И тут он вспомнил. Он был один, и с бешеной скоростью выскочил из пещеры, испугавшись, что росомахи ушли прочь. Но тотчас же успокоился. Оба зверя точили когти о гальку, причем делали это с неистовым упорством, словно за этими усилиями стояла какая-то важная цель.

Острое жало вонзилось ему в тыльную сторону ладони, и Шенн стремительно отдернул руку. Оказывается, росомахи отыскали норку земляной осы и устроили охоту на ее сытных личинок, тем самым подняв всех обитателей норки «на ноги». И, естественно, приведя их в праведное негодование.

Шенн столкнулся с довольно сложной проблемой собственного завтрака. Как и всем членам разведотряда, ему сделали уколы для поддержания иммунитета, и он принял условия игры, заведенной еще первыми исследовательскими партиями. Прививки окрестили «безопасностью». Однако теперь он пребывал в полной растерянности, не зная, сколько может продержаться человек на эрзаце натуральной пищи. Рано или поздно ему придется проводить эксперименты над самим собой. Он уже выпил воды из ручья, предварительно не добавив в нее очистителя, но пока еще не чувствовал никаких признаков недомогания. Ручей предполагает наличие в нем рыбы. Но вместе нее он выбрал другого водного обитателя, который выбрался на берег немного позагорать. Им оказалось медлительное неповоротливое полосатое существо, с плавниками и тонкими слабыми ножками, торчащими из тела, покрытого пластинчатой броней. Очень легкая добыча для его дубины.

Шенн предложил голову и кишки существа Тоги, которая только что отошла от осиного гнезда. Она осторожно принюхалась к пище и только потом проглотила ее. Шенн развел небольшой костер и обжарил на огне зеленоватую плоть. Вкус жаркого был пресный, особенно без соли, но еда быстро заполнила пустоту в его желудке. Приободренный, Ланти пристально посмотрел на юг, надеясь обнаружить, нет ли там какой-либо воды.

В полдень его оптимизм оправдался, ибо он обнаружил ручей, а росомахи притащили откуда-то тонконогого зверька, который прятался в тени густого кустарника с пурпурными листьями. Зверек оказался намного меньше земного оленя, с вытянутой безрогой головой и весь покрытый густой шерстью, достигающей в некоторых местах почти двенадцати дюймов длины. Шенн неумело нарубил из него нечто вроде бифштексов с неровными краями, в то время как росомахи искренне ликовали, аккуратно закапывая голову жертвы в землю.

Когда Шенн встал на колени возле ручья, чтобы умыться, он услышал знакомое «клак-клак». Он не слышал и не видел ни одного летательного аппарата с тех пор, как покинул долину с озером. Но теперь этот шум становился все громче и громче, пока не достиг оглушительной мощности, и Шенн решил, что где-то неподалеку обосновалась огромная колония птиц, и ее обитатели кричат, почуяв надвигающуюся опасность.

Он по-пластунски добрался до ближайшего укрытия, направляясь к источнику шума. Если это клацанье издает разведотряд трогов, то он хотел в этом удостовериться.

Распластавшись на земле и прикрывшись ветками, терранин пристально вглядывался в вытянутую полоску песка, которая круто спускалась к югу и могла привести их к той местности, которую они сейчас пересекали, только намного ниже их местоположения.

Клацанье раздавалось тут и там, затем оно превратилось в пронзительное стаккато призыва к войне. Шенн, делая беспорядочные движения, полз в направлении летающей, как он считал, группе, и решил, что из-за того, что они находятся наверху, в

21

этом месте их никто не увидит. Почему бы ему просто не убраться отсюда, пока неприятности не окажутся совсем близко? Это подсказывала ему осторожность; и все-таки он колебался.

Ему не хотелось идти на север или попытаться преодолеть горы. Не-ет, юг — самый лучший путь; к тому же он не сомневался, что эта дорога была самой близкой, прежде чем он отступит назад.

С тех пор, как к шуму прибавилось клацанье, а их возможно разыскивает враг, терранин пополз в заросли высокой травы, которая сыграла роль своего рода экрана на вершине горы. Там он быстро остановился и замер, а его руки машинально стали рыть землю.

Внизу с земли поднялся огромный клуб пара, и Шенн увидел стоящую на земле ракету, выбросившую из своего сопла яркокрасное пламя, а буйная трава мгновенно превратилась в серую кучку пепла. Внизу готовился подняться в воздух маленький разведывательный корабль. Но когда Ланти поднялся во весь рост, чтобы приветствовать его, крик застрял у него в горле. Один из стабилизаторов ракеты подкосился, и корабль накренился вбок, что не давало ему возможности совершить попытку взлета. И вдруг над низким холмом с запада появилась огромная темная тарелка трогов.

Корабль трогов приближался с невиданной скоростью, и Шенн напряженно ожидал каких-либо ответных действий со стороны корабля-разведчика. Эти крохотные быстроходные земные корабли были благоразумно снабжены смертельным оружием, причем соответствующим их размерам. Шенн не сомневался, что корабль терран не сдаст свои позиции трогам; он даже решил, что терране уничтожат проклятую тарелку противника. Однако из корабля терран не выстрелили. Троги осторожно кружили над ним, очевидно ожидая западни. Ведь никто не стрелял! Дважды аппарат трогов отлетал назад, туда, откуда прилетел. Когда он возвратился из своего второго полета, в янтарном небе Колдуна появилась еще одна черная точка.

Шенн ощутил головокружение, тошноту и жуткую слабость. Теперь корабль терран лишился всех своих преимуществ и, возможно, — надежды. Троги могли разделаться с ним, разрезать сбитый корабль на мелкие кусочки при помощи своих энергетических лучей. Шенну безумно захотелось уползти куда-нибудь подальше, чтобы не стать свидетелем последней катастрофы людей, к роду которых он относился. Но внезапно его телом овладел непреодолимый ступор.

Троги начали кружить над пропащим кораблем; они издавали громкое «клак-клак», зависали над своей жертвой, пролетали мимо накренившегося носа корабля терран. Затем применили свои смертоносные лучи, последствия которых Шенну уже довелось видеть после разгрома его лагеря. Мощный энергетический луч полоснул по самому центру корабля. Человек, пилотирующий корабль терран, если уже не умер (что могло объяснять отсутствие каких-либо защитных действий), то должно быть пал жертвой этого луча. Но троги, как всегда, решили удостовериться в своей окончательной победе. Появился их второй корабль. Он довольно долго балансировал в небе над спаленным кораблем терран, затем выпустил еще один заряд. Шенн зажмурился от нестерпимо яркого света, а по всему его телу пробежали мурашки, которые постепенно исчезли вместе с последней надеждой на чудо.

Что же все-таки случилось, когда сверхосторожные троги были захвачены врасплох появлением этого корабля? Шенн, плакал, выл от бессильной злобы, зарываясь лицом в ладони, когда алая шутиха вернула его зрение в нормальное состояние. Но тотчас же все для Шенна снова погрузилось во тьму. Это был взрыв, оглушительный. Ланти сперва показалось, что он оглох и ослеп. Только спустя некоторое время, когда он пришел в себя, он попытался осознать, что произошло.

Сквозь слезы он видел расплывчатые очертания летательного аппарата трогов, теперь уже не обращающего внимания на довольно серьезную силу тяготения Колдуна, а летающего кругами по небу. Их корабль сейчас напоминал поднятый ветром с земли опавший лист. Обод их тарелки едва не касался ржаво-красной скалы, иногда он налетал на нее и отскакивал рикошетом, издавая при этом скрежещущий звук, режущий слух. Затем троги опустились, отлетев примерно на полмили от дымящегося кратера, в котором покоились искореженные остатки корабля терран.

Должно быть, смертельно раненый пилот терран решил сыграть с противником в последнюю отчаянно-смертельную игру, использовав свой корабль, как приманку.

И терранину все же удалось забрать один из кораблей трогов с собою на тот свет. Шенн протер глаза, и теперь смог наблюдать, как вторая тарелка быстро скользит по небу на запад. Возможно, из-за дыма, испарений и взрывов зрение Шенна ухудшилось, но ему показалось, что тарелка трогов летит как-то неуверенно, словно ее пилот боится второго выстрела или, вероятно, корабль противника получил какие-то повреждения.

Над лощиной поднимались ядовитые кислотные пары, и Шенн долго кашлял. Глаза его слезились. Теперь из разведчиков терран никого не осталось в живых, и он не мог этому поверить. Равно как и не мог поверить, что трог остался жив в своей искореженной поврежденной тарелке. Но вскоре здесь окажутся другие жукообразные! Они не рискнут покинуть Колдун, как следует не изучив планету. Шенн думал о том разведчике. Неужели троги следили за лагерем разведотряда; ведь отсутствие хотя бы одного рейдера подняло их по тревоге, и они сделал специальный крюк, чтобы обезвредить его? Или троги попытались напасть на корабль терран в верхних слоях атмосферы, подбить его там, заставив сделать вынужденную посадку? Но по крайней мере этот бой стоил трогам одного из их кораблей, хотя это и слишком малая цена за уничтоженный лагерь.

Для Шенна время между посадкой корабля терран и нападением на него трогов, пролетело настолько быстро, что он действительно не видел никакой надежды на спасение. Корабль терран был совершенно разрушен. С другой стороны, видя, какой урон понесли троги, Шенн понимал, что в их сознании подорвано их превосходство. Он не имел никакой возможности обзавестись запасами с подбитого корабля. Но у него были Тагги, Тоги и его разум. С тех пор, как волею судьбы он был вынужден стать вечным жителем на Колдуне, они должны найти хоть какой-нибудь способ отомстить жукам за их бесчинства.

Он облизал губы. Эффективная военная акция против пришельцев требовала долгого и отлично проработанного плана. Шенну придется узнать побольше о том, что сделало трогов трогами; во всяком случае, он должен узнать намного больше того, о чем рассказывали бесконечные и неправдоподобные истории, которые он слышал в течение многих лет. Должен же найтись *какой-нибудь* эффективный способ уничтожить жукоголовых. К тому же, у него было много времени, возможно, вся оставшаяся жизнь, для того чтобы разрешить все эти вопросы. Та тарелка трогов явно повредилась, ударившись о подножие скалы... возможно, ему удастся провести небольшое расследование, прежде чем на Колдуне появиться спасательный отряд. Шенн подумал, что такое решение — лучшее из всего, что он мог предпринять, и он свистнул своим росомахам.

## Глава 3. Сомкнуть ряды!

Шенн сделал крюк, чтобы обойти огромную дымящуюся воронку, где лежали искореженные обломки корабля терран. Когда он подошел к летающей тарелке трогов, то не заметил рядом с ней никаких признаков жизни. Примерно четверть ее корпуса в задней части была сжата, поэтому Ланти был уверен, что в такой «давильне» никто из пришельцев не выжил, даже несмотря на свои жесткие ороговевшие панцири.

Он чихнул. Отвратительный, тяжелый запах носился в утреннем воздухе, но такое зловоние не смог бы вынести ни один человеческий нос. Входной люк черного корабля пришельцев остался открытым, вероятно после сокрушительного удара о скалу. Шенн приблизился было к нему, как вдруг в площадку, отделяющую его от тарелки, ударило несколько мощных энергетических зарядов, а край покореженного входного люка тотчас же покраснел.

Шенн рухнул на землю, вытащил станнер, в эти секунды понимая, что подобное оружие против бластера все равно, что соломинка против горящего угля. Им овладело холодное оцепенение, когда он ожидал второго залпа, способного превратить его в головешку. Значит, кто-то из трогов все-таки выжил.

Однако шло время, а трог не подавал признаков жизни. Пока противник по какой-то причине не собирался легко покончить с Шенном, тот собирался с мыслями. Только один выстрел! Почему? Неужели враг настолько сильно ранен, что он не способен даже удостовериться в том, погибла ли его почти беззащитная жертва или нет? Троги редко захватывали пленников. А когда они это делали...

Шенн крепко сжал губы. Он провел рукой по телу, распростертому на земле, нащупывая рукоятку ножа. С его помощью он смог бы быстро убраться отсюда, чтобы не стать пленником трога, и он сделал бы это с радостью, если бы надеялся сбежать. А вдруг в бластере противника остался еще один заряд? Шенн лихорадочно перебирал в мозгу массу причин, почему трог не подает признаков жизни, и Шенн даже не осмеливался оглянуться, опасаясь получить выстрел в спину. Он также боялся и посмотреть, что сейчас может делать трог.

Разыгралось ли у него воображение или зловоние за несколько последних секунд значительно усилилось? Мог ли трог незаметно подкрасться к нему? Шенн навострил уши, стараясь уловить любой посторонний звук. Рядом с тарелкой раздалось несколько «клак-клак», а это значит, что трог все-таки жив, и тогда Шенн решился на контратаку.

Он свистнул росомахам. Парочка не слишком охотно последовала за ним вниз по лощине. Им пришлось сделать огромный круг, чтобы обойти воронку. Однако если росомахи слушаются его, значит, у него точно есть шанс!

Вот! Вот он звук, а вонь стала еще нестерпимее. Наверняка, трог незаметно идет за ним. Шенн снова свистнул, мысленно собрав в кулак всю свою ненависть к жукоголовому и думая только об уничтожении пришельца. Если животные понимали мысли и чувства своего компаньона-человека, то для него как раз наступило время отдать им бесшумный приказ.

Шенн сильно хлопнул ладошкой по земле и перекатился на бок, держа взведенный станнер наготове.

И теперь он увидел гротескное существо, бредущее за ними, качаясь из стороны в сторону на своих тонких ножках. В середине уродливого туловища Шенн заметил приподнятый бластер. Вдруг трог остановился; возможно, Тагги он напомнил своим силуэтом какое-то четвероногое, на которое он часто охотился.

Ибо росомаха молниеносно прыгнула на его покрытые панцирем плечи.

От такого прямого нападения трог прогнулся и немного продвинулся вперед. Но Тагги, по-видимому, не способный вынести смрада, исходящего от атакуемого им существа, пронзительно закричал и отступил назад. У Шенна появилась прекрасная возможность для «развлечения». Он выстрелил, и мощный луч из его станнера угодил прямо в плоскую тарелкообразную голову пришельца.

От страшного удара, способного лишить сознания мамонта, трог лишь накренился вбок. Шенн вновь перекатился по земле и нашел себе временное укрытие за подбитым кораблем. Его тело изогнулось от боли, когда раскаленный металл чуть не спалил его куртку. Затем Шенн увидел отблеск выстрела второго выстрела бластера, произведенного секундой позднее.

Теперь трог связал Шенна по рукам и ногам. Но чтобы захватить терранина, трогу пришлось бы показаться, и тем самым у Шенна появился один шанс из пятидесяти, что, конечно, делало его положение лучше, нежели еще три минуты назад, когда его шансы соотносились один к ста. Он понимал, что не может рассчитывать на помощь росомах и тем более заставлять их ему помогать. Отвращение Тагги было слишком явным; Шенн даже обрадовался, что животное совершило неудачную атаку.

Вероятно, позорное бегство человека и росомахи сделали трога безрассудно-опрометчивым. Шенн не мог разобраться в мыслительных процессах этого существа, поэтому его вовсе не удивило, что трог начал, пошатываясь, ходить вокруг кромки летающей тарелки; его пальцы, больше напоминающие когти, неловко сжимали оружие. Терранин произвел еще один выстрел из станнера, надеясь хотя бы остановить врага. Но это было всего лишь обманом самого себя. Если бы он повернулся и начал взбираться на скалу, трог очень просто схватил бы его.

Со скалы свалился огромный камень, со страшной силой ударив куполообразную, лысую голову трога. Его покрытое панцирем тело дернулось вперед, ударилось о борт летательного аппарата и отрикошетило на землю. Шенн ринулся вперед за бластером, нещадно стал бить ногами по пальцам-когтям, наконец выронившим его; он схватил оружие и прижался к скале с бластером в руке. Его сердце бешено колотилось в груди.

Камень, свалившийся со скалы, не мог упасть оттуда случайно; Шенн не сомневался, что кто-то тщательно прицелился в свою жертву перед тем как сбросить этот громадный кусок горной породы. Трог не мог убить одного из своих товарищей. Или мог? Предположим, думал Шенн, что трог получил приказ доставить пленника на корабль и ослушался его. Но тогда почему камень, а не выстрел из бластера?

Шенн медленно обошел летательный аппарат трогов с отбитым краем, который являлся превосходной защитой от любого нападения сверху. Он надеялся отыскать в этом убежище своего неизвестного спасителя.

И снова совсем рядом от земли послышалось «клак-клак». Кто-то смело осветил панцирь неподвижно лежащего трога; луч неуклюже прошелся по гребню поверженного врага. С бластером в руке, Шенн продолжал ждать. Его терпение было вознаграждено, когда это изучающее клацанье сменилось несколькими гневными фразами. Шенн услышал на скале звук, похожий на скрип сапог, но это вполне могло оказаться трением роговистого тела о камни.

Потом тот, другой, находившийся наверху, наверное, поскользнулся, причем не очень далеко от Шенна. И тут вниз посыпались мелкие камешки и комья земли, и вместе с ними в нескольких ярдах от Шенна вниз соскользнул человек. Шенн пригнулся и ждал, его бластер был направлен на человека, который только теперь поднялся на ноги. Сердце Шенна екнуло. Он не мог ошибиться ни в знакомой униформе, ни в человеке. Шенн не знал, как и для чего Рагнар Торвальд очутился в этом особенном месте на Колдуне. Однако он был здесь, и это не мираж.

Шенн устремился вперед. Как только он увидел Торвальда, то осознал, насколько нестерпимо и горько его одиночество. Теперь на Колдуне находились двое терран, и он не хочет ни знать, ни понимать — почему! Главное, их двое! Торвальд пристально смотрел на него и явно не узнавал.

— Кто ты? — осведомился он, и в этом вопросе прозвучало чуть ли не подозрение.

Услышав звук другого голоса и его тон, Шенн внезапно ощутил, как доверие словно водой смыло. Он почувствовал в голосе Торвальда некую угрозу, которая уже успела зародиться и в нем, пока он блуждал в одиночестве среди дикой природы. Но всего три слова вновь превратили его в Ланти, неквалифицированного рабочего.

— Я — Ланти, — ответил он. — Я из лагеря...

Не дав ему закончить, Торвальд быстро спросил:

— Скольким удалось уйти? Где остальные? — теперь он смотрел куда-то мимо Шенна, на отлогую вершину и долину, словно надеясь там увидеть сотрудников лагеря, копошащихся в траве.

— Только я и росомахи, — ответил Шенн бесцветным голосом. Он опустил бластер к бедру и немного отвернулся от офицера.

— Ты... и росомахи? — Торвальд был явно ошарашен. — Но... где? Как?

— Троги напали на лагерь ранним утром. Они перебили весь лагерь. Росомахи сбежали из своих клеток, а я отправился на их поиски...

27

Шенн поведал Торвальду свою историю без прикрас. Все, как было на самом деле.

— Ты уверен насчет остальных? — в голосе Торвальда Шенн услышал стальные нотки ярости.

«Словно своим гневом ты сможешь что-то изменить, — подумал Шенн. — Ты, наверное, просто не веришь, что единственный выживший — это никчемный Шенн Ланти, в то время, когда более важные персоны все погибли».

— Я наблюдал за нападением сверху, с горы, — произнес он словно в свою защиту. Ведь он в самом деле жив, разве не так? Или Торвальд думает, что он должен был сломя голову бежать вниз и перебить всех жукоголовых с жалким станнером в руке? Они использовали энергетические лучи... до тех пор, пока все не погибли.

— Я почувствовал, что происходит что-то неладное, когда лагерь не отвечал на наши сигналы при входе в атмосферу, — растерянно проговорил Торвальд. — Затем на тормозной орбите появилась одна из их тарелок, и тут моего пилота убили. Когда мы сели при помощи автопилота, у меня было времени только на то, чтобы устроить небольшой сюрприз кое-кому из вражеских разведчиков, прежде чем я добрался до скалы...

— Один из них сбит, — показал Шенн.

— Да, их зацепило ракетой-носителем; впрочем, она не сможет подняться еще раз. Но они вернутся, чтобы забрать остатки корабля.

Шенн взглянул на мертвого трога.

— Спасибо за помощь. — На этот раз его голос был холоден, как у Торвальда. — Я направляюсь на юг... И, — прибавил он тихо, — я намерен продолжить свой путь. После нападения трогов разведотряд перестал существовать.

Он не обязан повиноваться Торвальду, и он не клялся ему на верность. Ему и так хорошо с тех пор, как лагерь разбили враги.

— Юг, — повторил Торвальд задумчиво. — Что ж, неплохое направление, тем более сейчас.

Однако они не стали объединяться. Шенн нашел росомах, поманил их к себе и ласково приказал следовать за ним окольным путем, чтобы держаться подальше от обоих погибших кораблей. Торвальд поднялся на гору, словно собирался двинуться далее вперед размеренным шагом с походной сумкой, перекинутой через плечо. Потом он остановился, наблюдая за Шенном и животными.

Затем рука Торвальда опустилась к дулу бластера. Рука Шенна сжала оружие, напряглась, словно ему частично передалась сила Торвальда.

— Может быть, давайте... — начал тот.

— Зачем? — спросил Шенн, предполагая, что из-за метко брошенного Торвальдом камня, убившего трога, офицер собирается заняться этим постоянно, чтобы добыть побольше военных трофеев, и Ланти испытал чувство глубокого возмущения.

— Мы не будем уносить это отсюда, — сказал Торвальд, ловко поигрывая оружием.

К глубокому изумлению Шенна, Торвальд вернулся и опустился на колени рядом с мертвым трогом. Он приподнял его вялую когтистую лапу и подложил под нее бластер, затем внимательно изучил, что получилось. Шенн громко возразил:

— Нам он понадобится!

— Разумеется, с бластером нам будет очень хорошо там, где... — Торвальд замолчал и потом прибавил хриплым, нетерпеливым голосом, словно ему очень не нравилось вдаваться в объяснения: — Нам нет никакого смысла рекламировать то, что мы остались в живых. Если троги обнаружат пропажу бластера, они задумаются над этим и начнут рыскать повсюду. А мне бы хотелось сделать передышку перед тем, как начать охоту за этими мерзавцами.

Подобное объяснение, несомненно, имело смысл. Но Шенну было жалко расставаться с таким совершенным оружием. Теперь они вообще не смогут захватить летающую тарелку в качестве трофея. Он молча повернулся и стал смотреть на юг, туда, куда ему предстояло пробираться с огромным трудом. Он не надеялся, что Торвальд возьмет его с собой.

На некотором расстоянии от выжженной площадки росомахи пустились вперед своим неуклюжим галопом, достигая при этом удивительной скорости. Шенн знал, что их чутье намного превосходит человеческое, и что люди, последующие за этими животными будут предупреждены об опасности еще задолго до ее появления. Поэтому, ничего не сказав своему компаньону, он выслал их вперед, к небольшому лесочку, который станет их убежищем на случай прилета еще одного корабля трогов.

Когда настало время, он начал подумывать о подходящем месте для ночной стоянки. Лес был отличным убежищем.

— В этом лесу есть вода, — сказал Торвальд, нарушая тишину в первый раз с тех пор, как они покинули обломки кораблей.

Шенн понимал, что его спутник обладает большим опытом, и это заключается не только в знании местности; он разбирается и в технических средствах, в чем Шенн был полный профан. Но то, что Торвальд напомнил ему об этом, привело его в крайнее раздражение, даже большее, чем перестраховка с бластером. Не промолвив ни слова, Шенн принялся искать обещанную воду.

Росомахи первые обнаружили небольшое озерцо и разгуливали по берегу, когда к ним присоединились люди. Торвальд принялся за работу по разбивке лагеря, но к удивлению Шенна, он не отстегнул со своего ремня боевой топор. Согнув несколько молоденьких деревьев, он обложил их корни камнями, соорудив таким образом нечто вроде шалаша с небольшим отверстием, куда могло протиснуться его стройное изящное тело. Шенн вытащил нож, чтобы взяться за другое молодое дерево, когда Торвальд остановил его коротким приказом:

— Используй для этого камень, как я.

Шенн не видел никакого смысла в таком трудоемком процессе. Если Торвальд не желает пользоваться топором, то почему Шенн не может применить для работы свой тяжелый нож? Он заколебался, готовый всадить лезвие в тонкий ствол дерева.

— Послушай... — вновь раздался строгий голос офицера; казалось, необходимость объясняться действовала ему на нервы. — Рано или поздно, троги могут выследить нас и обнаружат этот лагерь. Если это случится, они *не найдут* ни одного следа человеческой деятельности.

— Но кто же еще мог здесь побывать, кроме нас? — протестующим тоном, осведомился Шенн. — Насколько мне известно, на Колдуне нет местного населения.

Торвальд перебрасывал с руки на руку свой импровизированный каменный топор.

— А откуда трогам об этом знать?

Еще дома подобная мысль уже приходила в голову Шенна. Теперь он начинал понимать, что, вероятно, намеревается делать Торвальд. Похоже, он раскусил его планы.

— Теперь здесь *будет* местное население, — произнес Шенн вместо очередного вопроса, и заметил, что офицер наблюдает за ним с каким-то новым выражением лица, будто он в последний раз признал в нем человека без звания и личного дела и мысленно присвоил ему самый низший чин — сотрудник разведотряда.

— Да, теперь здесь будет местное население, — подтвердил Торвальд.

Шенн вложил нож в ножны и отправился к берегу озера в поисках подходящих камней для обустройства лагеря. И даже теперь, он все равно выполнял работу более тяжелую, нежели Торвальд. Он выбирал одно деревце за другим, пока кожа на его ладонях не покрылась волдырями, а дышать стало так трудно, что у него заныли ребра. Торвальд тем временем занимался другим делом: он отрывал концы у длинной неподатливой виноградной лозы, обдирал с нее листья и выкладывал ими землю, причем очень толстым слоем, словно они пролежали здесь долгие годы.

Вдвоем с офицером Шенн связал вместе верхушки столбиков, вбив их расщепленные концы в землю, так, что у них получилось сооружение конической формы. Вход в этот своеобразный шалаш они закрыли ветвями с крупными листьями, так что попасть в шалаш можно было лишь на четвереньках. Их жилище было обращено выходом к озеру. Их убежище было компактным и довольно уютным, и Шенн ничего подобного прежде не видел, ибо оно весьма отличалось от сооружений уже несуществующего лагеря. И, растирая зудящие от боли руки, он сказал об этом Торвальду.

— Это очень древняя форма строений, которые сооружали примитивные земные народы, — пояснил тот. — Безусловно, что жукоголовые не пойдут сперва через озеро.

— Неужели мы не останемся здесь? Или мы проделали такой адский труд ради одной ночи?

Торвальд проверил прочность убежища, несколько раз резко его тряхнув. Зашелестели листья, но каркас стоял прочно.

— Это всего лишь маскировка. Как на сцене, — улыбнулся Торвальд. — Нет, мы здесь долго не задержимся. Это — доказательство в поддержку нашей игры. Даже троги не настолько тупы, чтобы поверить, что аборигены проделали путь через всю планету, не оставив никаких следов своего пребывания.

Шенн со вздохом сел. У него уже не было сил ни спорить, ни возражать. Он закрыл глаза и сразу увидел Торвальда, продвигающегося на юг и повсюду методически воздвигающего подобные хижины. И все для того, чтобы сбить с толку проклятых трогов. А офицера уже занимала другая проблема.

— Нам понадобится оружие...

— У нас есть станнеры, боевой топор и ножи, — проговорил Шенн. Он не добавил, как сильно ему хотелось бы, чтобы у них были бластеры.

— Оружие аборигенов, — задумчиво промолвил Торвальд со своей обычной резкостью. Он ушел на пляж и возвратился оттуда с целой грудой камней, выковырянных из гравия.

Шенн вырыл крохотную ямку прямо перед хижиной и разложил небольшой костер. Он был голоден и с тоскою поглядывал на походный ранец Торвальда. Осмелится ли он порыться в нем в поисках пищи. Ведь, вне всякого сомнения, у Торвальда есть с собой концентраты.

— Кто же тебя научил так раскладывать костер? — раздался знакомый голос.

Торвальд снова вернулся с озера, и теперь начал отбирать круглые камни размером примерно с его кулак.

— А что, есть правила? — с вызовом спросил Шенн.

— Да, есть правила, — согласился Торвальд. Он уложил камни в ряд, а затем бросил ранец Шенну. — Слишком поздно для охоты. Но нам придется довольствоваться этой пищей, пока мы не сумеем раздобыть еще.

— Где?

Неужели Торвальд знал о каком-то запасе провианта, который они смогли бы присвоить?

— У трогов, — ответил Торвальд тоном, не допускающим возражений.

— Но они не едят нашу пищу...

— Для них было бы самым благоразумным оставить в лагере нетронутыми съестные припасы.

— В лагере?

Сначала губы Торвальда изогнулись в некоем подобии улыбки, которую нельзя было назвать ни веселой, ни теплой.

— Налет аборигенов на лагерь захватчиков. Что может быть естественнее? И для нас лучше будет сделать это как можно быстрее.

— Но как? — Подобное предложение казалось Шенну совершенным безумием.

— Когда-то на Земле существовали древние экспедиционные корпуса, — сказал Торвальд. — И у них был девиз. «Невероятное мы совершаем мгновенно; невозможное — чуть дольше». Что, по-твоему, мы будем делать? Сидеть тут и хандрить в этом чертовом лесу и дать возможность трогам объявить Колдун одной из их пиратских баз, не оказав им сопротивления?

С этого мгновения Шенн представлял себе только одно будущее, и он был вполне готов принять суровую правду; только некоторая мрачность в голосе офицера удерживала его от того, чтобы высказать свои мысли вслух.


## Глава 4. Вылазка

Наконец, через пять суток они добрались до юга, как раз в то место, откуда Шенну удалось увидеть лагерь терран совершенно с иной стороны. С первого взгляда могло показаться, что в нем произошли совсем небольшие перемены. Шенна интересовало, воспользовались ли чужаки лагерными постройками, как убежищами для себя. Даже в сумерках несложно было заметить, побывали ли троги на станции связи со шпилем-антенной передатчика, пронзающего ее крышу, и в огромном помещении склада.

— Две их тарелочки приземлились на посадочной полосе, — донеслось до Ланти.

Это Торвальд материализовался из тени, его командный голос сейчас превратился в шепот.

Шенн почувствовал, как росомахи беспокойно трутся о его бока. С тех пор, как Тагги набросился на трога, больше ни одно животное не осмелилось появиться рядом с тем местом, где ощущался зловонный запах пришельцев. Так что лагерь, куда они добрались, был ближайшей точкой, к которой человек смог бы подманить какое-нибудь животное, кроме росомах, что явилось для Шенна неприятной неожиданностью, поскольку росомахи были бы превосходнейшими партнерами для неожиданной вылазки, планируемой ночью. Они разделили бы с людьми опасность. Но проклятая вонь от трога...

Шенн гладил животных по холке, покрытой жесткой шестью, стараясь снять с них напряжение и давая тем самым сигнал, что надо немного подождать. Но теперь он сомневался в их послушании. Вообще набег на лагерь, занятый противником, казался ему безумной идеей, и Шенн даже удивлялся, как он мог согласиться на подобное безумие. Однако он по-прежнему шел рядом с Торвальдом, даже позволил тому добавить ему дополнительный груз, такой, например, как жесткий мешок, набитый листьями, зажатый в эти минуты у него между колен.

Торвальд уверенно шагал вперед, всматриваясь на запад, где он надеялся «окопаться». Шенн по-прежнему ожидал еще одного сигнала, как вдруг из лагеря раздался жуткий звук, способный привести в ужас любого. Этот протяжный вой не мог исходить из горла нормального живого существа, человека или зверя. Шенн ощутил боль в барабанных перепонках, а вой постепенно затихал, отдаваясь мощным эхом, чтобы прозвучать опять, на этот раз с еще большей силой.

Росомахи, казалось, обезумели. Шенн видел, как они убивали своих жертв в лесу, однако подобный всплеск злобной ярости он заметил у них впервые. Они словно отвечали страшному призыву из лагеря, опустив головы и издавая протяжные вопли, прикрывая морды лапами. И вот оба животных резко остановились, затем миновали первое строение, а потом исчезли в непроглядной мгле. В нескольких футах справа Шенн увидел какую-то искорку; Торвальд уже был готов идти, так что у Шенна не оставалось времени подозвать к себе животных.

Он то и дело ощупывал шарики из влажного мха в своем травяном мешке. Пропитанные едким химическим веществом, они заглушали затхлую вонь от трогов, разносимую ветром по территории лагеря. Шенн приготовился швырнуть первый катышек мха в ослепляющий их огонь, и наконец бросил его четким отработанным движениям. Мох вспыхнул в огне, потом свернулся и тотчас же потух.

Стороннему наблюдателю могло бы показаться, что из воздуха появилась ракета; так что эффект оказался куда лучше, нежели ожидал Шенн.

Второй шарик — искры... вспышка... потух. Первая «ракета» упала на землю рядом со станцией связи; мощь от ее воздействия была такова, что легковоспламеняющиеся стены станции вспыхнули с невероятной силой. Шенну почудилось, что вокруг сооружения разлетелись ярко-красные брызги. Еще через секунду он хорошенько прицелился, и всю землю на два фута вокруг объяло пламенем.

Вновь раздался жуткий вой, от которого у Шенна чуть не лопнули барабанные перепонки. Он совершил третий бросок, четвертый. Невероятное чувство духовного подъема овладело им, ибо в эти мгновения ему казалось, что он выступает перед огромной аудиторией. В отблесках огненных луж беспорядочно метались троги, их уродливые тела отбрасывали таинственные тени на стенах здания. Они пытались погасить огонь, но Шенн уже по своему опыту знал, что один зажженный шарик, ударяясь о другой, тотчас воспламеняет его, как и третий и четвертый и пятый, поэтому этот костер будет гореть до тех пор, пока не выжжет все, находящееся поблизости.

Тут и Торвальд принялся за дело. Внезапно один из трогов резко остановился, судорожно сжался, словно пружина, и перелетел через пожарище. Его обуглившиеся ножки угодили в своеобразное лассо, изобретенное Торвальдом в первую ночь его знакомства с Шенном. Тогда Торвальд прикрепил к концу виноградной лозы по довольно тяжелому круглому камню. Торвальд продемонстрировал эффективность своего устройства, уложив одним ударом маленького лесного «оленя», животного достаточно быстрого, чтобы чувствовать себя в полной безопасности как от человека, так и зверя. И теперь трог попался в ловушку, как тот олененок.

Швырнув свой последний огненный шар из мха, Шенн стремительно переменил позицию, переместившись к востоку от лагерных строений. Там он вступил в бой с врагом с помощью еще одного примитивного оружия, изобретенного Торвальдом: копий, которые он бросал во врагов изо всех сил. Эти копья были намного опаснее обычных, так как их концы были объяты пламенем. Может быть, что эти «ракеты» никого не убили, но могли тяжело ранить. Невероятное количество копий угодили в искривленные, покрытые панцирем спины трогов и в их незащищенные брюшки, представляющие собой отличную мишень. Одна из жертв Шенна уже валялась на земле, отчаянно суча ножками, что говорило о том, что этот противник очень серьезно ранен.

Огненные шары, копья... Торвальд продолжал свое убийственное занятие. Теперь он с каким-то неистовством устроил на поле боя целый ураган из тонких, но довольно увесистых стрел с круглым глиняным катышком у каждой на конце. Большинство этих стрел угодили в цель, как и предполагали терране. И они уже не обращали внимания на вонь. Ибо зловоние, издаваемое жукообразными, смешивалось с кислотой, саднящими горло ядовитыми парами, исходящими из горячего источника. Оказывали ли эти едкие пары такое же неблагоприятное воздействие на дыхательные пути трогов, как и на людей, нападающие сказать не могли, но они надеялись, что такая могучая бомбардировка вызовет у врагов серьезное замешательство.

Шенн начал выпускать стрелы более аккуратно, стараясь во что бы то ни стало поразить цель. Он понимал, что рано или поздно их боеприпасы кончатся, хотя они с Торвальдом все свободное от сна время в течение нескольких дней посвятили его изготовлению и испытанию. К счастью, в лагере у трогов не было оружия с энергетическими лучами. Кроме того, они находились слишком далеко от своих тарелок, а подняться к ним за оружием не могли.

Но трогам все же удалось постепенно прийти в себя и сосредоточиться. Огонь из бластеров озарил сумерки. Теперь пришельцы распластались на земле, посылая нескончаемую полосу огня по периметру лагеря. Темный силуэт возник между Шенном и ближайшей к нему поляной горящего мха. Терранин поднял было копье, но тут ощутил едкий запах росомахи, разгоряченной жаркой схваткой. Шенн тихонько свистнул, подманивая к себе зверя. Ведь его животные были в страшной опасности под яростным огнем трогов.

Квадратная голова шевельнулась. Шенн заметил, как сверкают глаза на покрытой шестью морде; Тагги это или его подруга? В конце концов жуткая смесь зловония трогов и химических веществ, носящиеся над лагерем, могла привлечь к себе росомах. Животное закашлялось и побежало на запад мимо Шенна.

Хватит ли Торвальду времени и возможности совершить запланированный им налет на лагерный склад провизии? В такой суматохе время летит незаметно, и Шенн сомневался, что Торвальд сможет выполнить задуманное. И он начал считать, вслух, громко, как они и договаривались. Когда он досчитает до ста, это значит, что он должен начать отступление; когда досчитает до двухсот, то он должен бежать к реке, что протекала в полумиле от лагеря.

Широкий ручей привел бы беглецов к морю, береговая линия которого изрезана неровной бахромой фиордов, весьма богатых великолепными убежищами. Троги редко изучали какую-либо территорию пешком. Для них пуститься в пешее путешествие было равносильно угодить в руки терран, на которых они же и охотились. А их летательные аппараты могли прочесывать территорию с воздуха, и видели они из них только скалы, поросшие диким лесом. И больше ничего...

Шенн досчитал до ста. Дважды за это время его заставил зажмуриться заряд, выпущенный из бластера и разорвавшийся совсем близко от него. Однако большинство зарядов пролетали над его головой. У Шенна кончились все его копья, кроме одного, который он сохранил, надеясь поразить свою последнюю отличную мишень. Один из трогов, отделившийся от остальной группы и командующий обстрелом, оказался как раз напротив Шенна. Какая превосходная возможность поразить командира трогов! — подумал Шенн, тотчас избрав его своей жертвой.

Терранин не строил иллюзий насчет меткости своей стрельбы. Самое большее, на что он надеялся, это то, что его примитивное орудие причинит довольно сильную боль врагу, защищенному крепким панцирем. Возможно, если Шенну повезет, ему удастся сбить противника с его когтистых лап. Однако этот довольно зыбкий шанс, витавший над полем сражения, обратился на пользу Шенна. Как раз в нужный для Шенна момент трог вытянул голову из ее обычного положения, когда ороговевший панцирь служил защитой для всех уязвимых частей тела пришельца, и Шенн увидел совершенно открытый низ его горла. И объятое пламенем острие копья глубоко вонзилось в незащищенное место. Троги всегда молчали, или по крайней мере ни один терранин ни разу не слышал звука их голосов. Этот тоже не закричал. Но он заковылял куда-то вперед с поднятыми передними лапками, когтистые пальцы пытались выдернуть из горла удушающее копье, угодившее точно под верхнюю челюсть, а голова противника была повернута под неестественным углом. Не обращая никакого внимания на своих собратьев по оружию, трог неуклюже побежал прямо на Шенна, словно мог видеть его в темноте и стремился лично отомстить терранину. В этом странном беге было что-то настолько жуткое, что Шенн решил отступить со своей позиции. Когда его рука выхватила из ножен, прикрепленных к ремню, нож, каблук его сапога зацепился за какой-то корень, скрытый высокой травой, и Шенн потерял равновесие. Раненый трог, по-прежнему пытаясь вытащить из горла копье, возвышающееся над его грудной клеткой, продолжал нестись вперед.

Шенн отполз назад и тотчас же угодил в нежные объятья кустарника, так что он не смог достичь земли. Он схватил в охапку несколько острых веток и, расчистив ими довольно широкий участок земли, лег. Потом он вновь услышал тот пронзительный вой из лагеря, от которого у него в первый раз заледенела душа. Вой подбодрил его; он понял, что победил. Он свободен. Но он не мог обернуться на раненого трога и продолжал отступать в сторону.

В темноте трог уже успел выбраться из лагеря. Он шел напролом через кустарник, сметая все на своем пути. Двое из трогов с линии огня последовали за своим командиром. Шенн снова ощутил их запах, а раненый трог все еще двигался наобум, без всякой цели, как робот.

Самое лучшее — это продвигаться к реке. Высокая трава цеплялась Шенну за ноги, когда он пустился бежать. Несмотря на темноту, он сомневался, что сумеет пересечь совершенно открытое пространство. Ночью флора на Колдуне особенно загадочна. Трава приобретает десять... двадцать оттенков, а деревья издают бледное фосфоресцирующее свечение, разнообразное по силе, но все же создавая некое подобие света. И дорога перед Шенном теперь переливалась неровными пятнами этого свечения, но не настолько сильного, как пропитанные химическим составом горящие шары из мха, которыми нападающие усеяли лагерь точно свечами. Зато этого тусклого света вполне хватало, чтобы выдать с головой любое неосторожное существо, пересекающее территорию. К тому же у Шенна не было никаких причин считать, что зрение трогов слабее человеческого; возможно, напротив, они видели куда лучше его. Шенн пригнулся, и, перепрыгивая через кочки, зигзагами добрался до спасительного берега реки.

Примерно где-то в миле вниз по течению должен находиться плот, сооруженный терранами, на котором Торвальд надеялся добраться до моря, лежащего в пятидесяти земных миль к западу. Однако в эти мгновения, ему необходимо преодолеть всего одну милю.

Росомахи? Торвальд? Существовал единственный способ, могущий заставить животных встретиться. Тагги завалил «оленя» совсем незадолго до того, как они оставили здесь плот. И тогда вместо того, чтобы разрешить животным устроить себе праздник с сытным обедом, Шенн бросился к хлипкой платформе из связанных лианами ветвей и бревнышек, и подтолкнул плот по течению, несмотря на то, что он по-прежнему был привязан к берегу.

Росомахи всегда прячут часть добычи, которую они не доели, и, как правило, закапывают останки жертвы в землю. Поэтому Шенн надеялся, что, уйдя из хижины, оба зверя, когда проголодаются, возвратятся туда, где зарыли «оленя». А они голодны, потому что как следует не ели практически целый день.

Торвальд? Что ж, офицер разведотряда, сумевший претворить в жизнь план, который готовил пять суток, не пропадет. Шенн достаточно хорошо успел узнать его и понял, что его непростой компаньон гораздо сообразительней и способнее его на открытой природе, что он и сумел доказать, в то время когда Шенна обуревали мрачные сомнения насчет правильности направления пути к выживанию.

Он прикинул в уме свой последующий путь отступления, лежащий вдоль берега реки. Когда он бежал, сердце было готово выскочить из груди, но не из-за физической нагрузки, а из-за леденящего душу жуткого воя, вновь донесшегося из лагеря. Более сильный свет обозначил край проема между холмов, куда убегал водный поток, о чем Шенн раньше не знал. Он ринулся вниз, и, крепко прижимаясь к земле, стал ползком преодолевать последние несколько футов.

То, что он увидел внизу, можно было легко принять за неясное бледное свечение. Шенн облизнул пересохшие губы и попробовал на вкус вязкий сок, оставшийся на его лице во время его борьбы с почти непроходимым кустарником. Когда, наконец, перед ним расстелилась полоска луга, поросшая низенькими растениями, проем внизу оказался довольно широкой лощиной, заросшей старыми ивами, склоняющимися над водою. Итак, спускаться вниз было равносильно тому, чтобы обратить на себя внимание любого преследующего его трога. Так что Шенн мог идти только по верхнему оврагу, надеясь добраться до конца светящейся растительности внизу.

Шенн находился всего ярдах в пяти от места, откуда он мог начать спуск к реке, когда внезапный шум за спиной поверг его в ужас и заставил осторожно оглянуться. Лагерь был виден наполовину, а костры уже догорали. Но прямо на него через лужайку катился огромный, спутанный, живой клубок.

Торвальд отбивается от врагов? Или росомахи? Шенн приподнялся, чтобы приготовиться наброситься на противника. Он колебался, чем лучше воспользоваться в драке — станнером или ножом? В стычке с раненым трогом станнер не причинит ему сильного вреда. И тогда Шенн решил испробовать на враге нож. Сможет ли он, изготовленный из суперпрочной стали, пробить бронированный панцирь противника?

Он вновь посмотрел на двигающуюся массу. Безусловно, шла борьба не на жизнь, а на смерть. Что-то страшно уродливое наконец рухнуло наземь и покатилось вниз прямо на ярко освещенные деревца. Шенн увидел тускло мерцающий панцирь трога и... ни следа шерсти, плоти или одежды. Неужели это сражались два чужака? Но почему?

Одна из фигур с трудом поднялась и согнулась над безжизненной грудой, лежащей на земле, и что-то тянула к себе. Шенн едва сумел разглядеть древко своего копья. Фигура, лежащая на земле, не шевелилась, когда копье, наконец, было выдернуто. Неужели командир трогов мертв? Шенн очень надеялся, что это так. Он спрятал нож обратно в ножны, похлопал по его рукоятке, чтобы убедиться, что нож четко покоится на своем месте, и пополз прочь. Река, извиваясь тут и там, впереди впадала в небольшое озеро, окаймленное высокой тенистой травой. Берег, поросший ивами, резко оборвался. Со своего места Шенн посмотрел на место сражения и заметил второго трога, стремительно пересекающего лужок. Шенн проследил, как он подошел к своему товарищу и, взвалив его на спину, понес обратно в лагерь.

Троги могут казаться неуязвимыми, однако Шенн недавно стал свидетелем, как один из них прикончил другого, при помощи удачи и более мощного оружия.

Это укрепило уверенность Шенна в собственной смелости, и он осторожно начал спускаться вниз, преодолевая ступенчатый берег, пока не оказался у кромки воды. Когда его ноги вступили в маслянистую воду, он быстро начал идти по течению вниз, чувствуя, как вода заливается ему в сапоги, сначала по лодыжку, затем по икры. Сезон для сильного разлива реки еще не наступил, поэтому он не боялся наводнения, а впереди поток был широк и глубок, хотя течение было несильным.

Ему несколько раз пришлось огибать небольшие островки со светящимися деревцами, а один раз ему попалось молодое дерево, буквально купающееся в розоватом свечении, хотя остальные светились призрачно-серым сиянием. В туманной дымке, образованной сомкнувшимися над водою ветвями, перелетали с места на место крошечные птички, какие-то насекомые; в воздухе стоял тяжелый аромат наполовину раскрытых бутонов неведомых цветов, но Шенн просто не обращал на него внимания.

Он рискнул свистнуть: издал приглушенный звук, надеясь, что росомахи услышат и ответят на его призыв через проем в высоких берегах. Но хотя он остановился и прислушивался до тех пор, пока каждая клеточка его хилого тела не почувствовала усталости, он не услышал ответа ни от росомах, ни от Торвальда. Никто из троих не удостоил его даже намеком о своем присутствии.

Что же предпринять дальше, если никто из его спутников не присоединится к нему где-нибудь внизу по течению? Торвальд заявил, что не станет задерживаться здесь до наступления сумерек. Еще Шенн понимал, что если его действительно разыскивает вражеский патруль, он станет ждать только до тех пор, пока не узнает точно, какая судьба постигла остальных. Ведь Тагги и Тоги для него важны не менее, чем офицер разведотряда. Возможно, росомахи важны для него даже больше, сказал он сам себе. И еще он понимал их лишь до определенного уровня, равно как и то, что их «партнерство» не требовало от него ничего взамен, чего он не мог сказать о человеке.

Почему же тогда Торвальд настаивал на том, чтобы идти к берегу моря? Шенну казалось, что его первоначальный замысел отправиться к восточным горам куда благоразумнее и удобнее. На этих вершинах столько же убежищ и укрытий, как и в фиордах. Но Торвальд совершенно внезапно начал категорически настаивать на путешествии на запад, и Шенн поддался его уговорам. Хотя Шенн в глубине души боролся с предложением офицера, однако принял его, подчиняясь приказу старшего как по званию, так и по возрасту. Странно, что только когда он остается один, как сейчас, то сразу начинает интересоваться как мотивами, двигающими Торвальдом, так и его авторитетом.

Три тоненьких веточки светящегося куста с полураскрытыми почками образовывали треугольник. Своего рода опознавательный знак. Шенн остановился и выбрался на берег. Он начал вытряхивать воду из сапог, подобно тому, как Тагги отряхивал свое косматое тело. Возможно, это было неким знаком, чтобы отметить место их встречи...

Шенн резко повернулся, выхватил станнер. Он заметил на поверхности воды темное пятно в нескольких футах впереди. И вдруг чуть не свалился. Не из-за того, что случайно снова угодил в воду и провалился в какую-то яму. Или его понесло течением. Он услышал возмущенное рычание и тотчас расслабился. Затем громко рассмеялся. Ему не нужно волноваться за росомах; эта «ловушка» сработала как нельзя лучше. Оба зверя с удовольствием поглощали еду, хотя им пришлось устроить свой праздник на их плоту, а это временное средство передвижения было довольно хлипким.

Когда он медленно приблизился к росомахам, они не обратили на него никакого внимания. Когда он подошел совсем близко, они вытягивали из воды виноградную лозу, служащую швартовым. Должно быть, ветер донес до них знакомый запах. Когда вода дошла до его плеч, Шенн положил руку на крайнее бревно плота. Одна из росомах издала тихий рык, предупреждая, что ей мешают. Неужели это относилось к нему?

Шенн застыл на месте, напряженно прислушиваясь. Да, откуда-то сверху раздался шлепающий звук. Кто бы ни следовал за ним по пятам, он не собирался скрывать это, а шаг новоприбывшего был настолько стремительным, что его появление явно сулило неприятности.

Троги? Терранин напряженно ожидал реакции росомах. Он был уверен, что если чужаки выследили его, то оба зверя предупредили бы его. Ушли же они прочь, когда из лагеря доносился жуткий вой. Тогда они решили избежать встречи с врагами.

Но из всех многочисленных звуков, носящихся над рекою, ни один не заставил росомах оторваться от еды. Выходит, неизвестное существо не было жукоголовым. С другой стороны, почему бы тому же Торвальду так не афишировать свое появление, если по каким-то причинам необходимость идти как можно быстрее сильнее осторожности? Шенн туго натянул швартов, вытащил нож и стал пристально всматриваться сквозь туманную мглу. Фигура миновала опознавательный знак из трех веточек и быстро подошла к плоту.

— Ланти? — донесся до Шенна хриплый, требовательный шепот.

— Я.

— Все, заканчиваем. Надо убираться отсюда!

Торвальд ринулся вперед, и оба мужчины взобрались на плот. Весьма непрочный каркас частично погрузился в воду под их тяжестью. Но прежде чем росомахи смогли улизнуть, самодельный швартов из виноградной лозы лопнул, и их понесло по течению. Чувствуя, что плот носит из стороны в сторону и кружит, как волчок, росомахи заскулили, и сжались посередине того, что теперь казалось очень хлипким сооружением.

За ними, достаточно далеко, но весьма отчетливо раздавался жуткий вой, приносимый дыханием вечернего ветра.

— Я видел... — начал Торвальд, однако запнулся и замолчал, будто наполнил в легкие воздух настолько, что словам не оставалось места. — Они начали *охоту!* Вот что я слышал.

# Глава 5. Преследование

Когда плот, продолжая медленно вращаться на воде, еле-еле скользил вниз по реке, Шенн заметил, что вскоре он стал двигаться быстрее, ибо течение усилилось, увлекая за собой их утлое средство передвижения. Росомахи крепко прижались к Шенну, и он почувствовал, как его всего обволакивает мускусный запах их косматых тел. Одна из росомах глухо заурчала, вероятно в ответ на страшный вой из лагеря.

— Охоту? — переспросил Шенн, поворачиваясь к Торвальду.

Тот сидел рядом с ним и управлял, как веслом, одной из толстых ветвей, выправляя ход плота по воде. Судя по сосредоточенно-раздраженному выражению его лица, ему нужен был более длинный шест, чтобы свободно проводить плот между скал и крупных подводных камней. Тем более, течение становилось все быстрее и быстрее.

— Какая еще охота? — вновь спросил Шенн, на этот раз резко и требовательно. Он негодовал на своего спутника, не получив незамедлительного ответа.

— Троги пустят по нашим следам охотника. Но почему они вообще привезли его с собой? — В голосе Торвальда явно ощущалось недоумение. Спустя несколько секунд· он прибавил со своей обычной решительностью: — Теперь мы можем угодить в серьезную передрягу.

— Почему?

— Когда троги используют охотника, это значит, что они хотят захватить пленников...

Когда Торвальд отвечал, то казалось, что он тщательно раскладывал свои мысли по полочкам.

— Гм, они могли бы выслать охотника сразу, на тот случай, если пропустили одного из нас во время первоначальной зачистки, — размышлял вслух офицер. — Наверное, если они поверили, что мы аборигены, им захотелось захватить экземпляр для изучения.

— Почему бы им просто не расстреливать из бластера каждого терранина, попавшего в их поле зрения?

Торвальд отрицательно покачал головой.

— Наверное, им нужен живой терранин, причем очень нужен и скоро.

— Зачем?

— Скорее всего, в лагере им нужен радист, который бы вызвал помощь.

Замешательство, обуревавшее Шенна, мгновенно испарилось. Он достаточно хорошо знал разведлагерь и все его службы (в том числе и радиолокационную), чтобы догадаться о причине подобного желания со стороны трогов.

— Им нужно заманить на Колдуна транспорт колонистов?

— Да, им нужен наш корабль. Но он не может сесть на Колдуна без соответствующего сигнала, который трогам неизвестен. Если они не захватят корабль, их время истечет даже прежде, чем они стартуют отсюда.

— Но откуда они знают, что скоро должен прилететь наш корабль? Если мы можем перехватить их сигналы, то наши сигналы для них — абсолютная тарабарщина. Разве они способны расшифровать наши радиокоды?

— Предположительно — нет. Но только все, что мы знаем о трогах — тоже сплошные предположения. Что бы там ни было, им известна вся рутина основания земной колонии, а мы не можем изменить эту процедуру, кроме каких-либо несущественных тонкостей, — угрюмо произнес Торвальд. — Если наш корабль не получит соответствующего сигнала для посадки по расписанию, его капитан вышлет патрульный эскорт... который выйдет прямо на базу врага. Но если жукоголовым удастся обманом заманить корабль и захватить его, тогда у них будет в запасе пять или шесть месяцев для укрепления здесь своей позиции. После чего они захватят еще один корабль, а чтобы очистить для себя Колдун, им понадобился бы целый флот. Таким образом троги получат еще одну планету, чтобы вести свою грязную игру. Причем очень важную планету, — прибавил он. — Ведь Колдун на прямой линии между системами Одина и Кулькульки. Такая база трогов, расположенная прямиком на торговом пути, может отрезать нас от четвертой части галактики.

— Значит, по-вашему, они хотят захватить нас, чтобы заманить сюда наши корабли?

— Твои рассуждения не лишены логики, — заметил Торвальд. — Но только в том случае, если им *известно*, что мы здесь. Они не будут высылать слишком много охотников, поскольку они никогда не рискуют ими для выполнения мелких работ. Надеюсь, что нам удастся как следует замести следы. Но нам придется пойти на риск и атаковать лагерь... мне понадобится планшет с картами! — Казалось, что Торвальд снова заговорил сам с собой. — Время... и правильные карты... — он опустил сжатый кулак на плот с такой силой, что тот затрясся. — Вот что теперь мне нужно!

Впереди появился еще один островок, поросший крупными ивами, и пока они проплывали по этой призрачно светящейся водной дорожке, то переглянулись. Каждый успел как следует рассмотреть лицо своего спутника. Лицо Торвальда было бледно, напряженно, глаза смотрели на воду, словно он ожидал, что на ее поверхности неожиданно покажется трог.

— Предположим, они выслеживают нас, — сказал Шенн, указывая подбородком вперед. — Как хотя бы выглядит их охотник? — Слово «Охота» подразумевало для него земных собак, но все его воображение было бессильно, чтобы представить объединение трогов с любым млекопитающимся.

— Скорее всего мы увидим весьма впечатляющую помесь жабы с ящерицей с еще какими-нибудь жуткими характерными чертами, примерно что-нибудь в этом роде. Но это так, общее описание, — ухмыльнулся Торвальд. — Во всяком случае, ничего красивого ты не увидишь, поскольку дальние предки трогов наверняка относились к какому-либо виду насекомых. Если эта тварь будет выслеживать нас, в чем я ни на секунду не сомневаюсь, нам надо принимать меры. Пока у нас есть преимущество, их охотники не способны вести поиски на своих чертовых тарелках, а сами жукоголовые никогда не отличались любовью к ходьбе. Так что нам не придется ожидать быстрой охоты. Если их охотники забредут в труднопроходимую местность, то мы можем попытаться устроить им засаду. — Шенн заметил, как сдвинулись брови его спутника. — Я уже дважды облетал территорию впереди нас, а там творится черт знает что. Безумный ландшафт. Так что если нам удастся добраться до этой жуткой местности, окаймляющей море, то мы «сделаем» этих ублюдков в первом же раунде. Уверен, что там троги не смогут за нами угнаться. Поэтому им остается только охотится на нас пешком. Либо они могут использовать свои энергетические лучи для обстрела любой подозрительной местности, но там сотни похожих тропинок и лощин, так что им понадобится уйма времени. Или они попытаются как следует вытрясти нас оттуда пулями «дум-дум», но я сомневаюсь, что они захватят их сюда.

Шенн поежился. Он уже наслышался страшных историй об оружии трогов, стреляющем пулями «дум-дум».

— Потому что они не смогут притащить сюда это оружие, — продолжал Торвальд таким тоном, словно они обсуждали какие-то отвлеченные материи, а не вопрос о собственной жизни и смерти. — Для этого им понадобится лететь на одном из своих основных кораблей. А они не решатся пустить корабль слишком близко к земле. Наш самый опасный участок пути мы должны будем преодолеть завтра сразу после рассвета, если течение нам позволит добраться туда вовремя. Это совершенно ровная пустыня с одной стороны гор. Стоит им послать туда тарелку, и они увидят нас, как на ладошке...

— А что если нам сейчас спрятаться, и продолжать путь только по ночам? — предложил Шенн.

— В обычных условиях, я бы согласился. Но сейчас нас поджимает время, поэтому я говорю — «нет». Если мы продолжим путь без остановки, то сможем добраться до подножия гор примерно через сорок часов, возможно, и меньше. И мы должны все время оставаться на реке. Идти такое гигантское расстояние пешком без хороших запасов провианта — просто глупо.

Два дня. Возможно, с целой сворой трогов-охотников за спиной, и их летательными аппаратами в небе. Пустыня... Шенн погладил росомах. Да, безусловно, перспектива не кажется такой уж простой, как в ту ночь, когда Торвальд планировал их побег. Но тогда офицер просто исключил несколько моментов, которые счел нереальными. А мог ли он упустить что-нибудь важное? Шенну захотелось спросить его об этом, но почему-то он промолчал.

Спустя некоторое время его потянуло в сон, голова упала на колени. Вскоре он проснулся; он словно вырвался из сна наяву, сна настолько четкого, что он глубоко запечатлелся в его мозгу. Шенн был настолько ошеломлен, что долго и неподвижно смотрел в линию берега, полуосвещенную ранним рассветом.

Кроме этой полоски земли и буйной растительности, мимо которой проплывал их плот, он увидел в небе огромный совершенно голый череп — череп, странные очертания которого явно не принадлежали человеку. Из пустых глазниц то вылетали, то возвращались обратно какие-то летающие предметы, в то время как резко выступающая вперед нижняя челюсть словно поглощалась водой. Цвет черепа был ярко-красный, даже точнее — пурпурный. Шенн снова прищурился, вглядываясь в линию берега, мысленно восстанавливая в уме этот призрачный череп, глазницы, напоминающие пещеры, носовое отверстие, челюсть с зубами, как у ядовитой змеи. Этот череп был горой, или гора была черепом — это так важно для него, черт возьми! В конце концов, он должен осознать, что перед ним!

Он медленно пошевелился; его ноги и руки застыли, но не от холода. Росомахи потерлись об его бока. Торвальд безмятежно спал, свернувшись на плоту и по-прежнему сжимая в руке палку-весло. Планшет с картами висел на веревке на его шее; Торвальд прижимал этот тонкий планшет, смахивающий больше на конверт, подмышкой, к телу, словно для большей безопасности. Шенн заметил на нем запечатанную пломбу с опознавательным знаком разведотряда, которую для прочности крепко придавили пальцем.

Во сне с Торвальда слетел весь его офицерский лоск, который так поразил Шенна, когда он впервые встретился с ним в космопорту. Его щеки ввалились, от чего очертания его лицевых костей отчетливо виднелись через бледную кожу; а глазницы с закрытыми глазами придавали ему некоторое сходство с тем жутким черепом, пригрезившимся Шенну во сне. Его лицо посуровело, полевая форма местами испачкалась и порвалась. Только великолепные волосы блестели, как всегда.

Шенн машинально провел ладонью по лицу, не сомневаясь, что его вид тоже оставляет желать лучшего. Он осторожно наклонился к воде, но вода была настолько темной, что не могла стать для него зеркалом.

Плот сильно качнуло, когда Шенн поднялся на ноги, чтобы изучить местность вокруг. Он был, наверное, на треть ниже Торвальда и намного меньше его, но стоя, он сумел разглядеть нечто, находящееся за возвышающимися берегами, окаймляющими речное русло. Трава на обширном лугу была высокой и густой, такой, что сквозь нее поле казалось разрезанным на несколько частей. Вся местность была бледно-лавандового цвета. Приглядевшись, Шенн заметил чуть поодаль длинные полосы обезвоженной сухой земли. Все вокруг светилось не обычным голубым светом, а мертвенно-бледным, а полосы земли казались в этом свете серыми; кустарник же по краям берега был редким и очень низким. Должно быть, они достигли пустыни, о которой упоминал Торвальд.

Шенн посмотрел на запад, где небо освещалось сильнее, поэтому Шенн увидел на его фоне высокие темные пирамиды. Они наконец достигли самых отдаленных гор, тех, которые с другой стороны омывались морем. Шенн тщательно изучил каждую вершину и понял, что они разные по высоте.

Интересно, находился ли среди них тот страшный череп? Его не покидало убеждение, что местность, которую он видел во сне, существует на Колдуне на самом деле. Ему нужно не только определить очертания ландшафта этого дикого места, но и изучить его как следует. Но зачем? Шенн задумался над этим, и вдруг ощутил сильнейший страх, возрастающий в нем с каждой секундой.

Торвальд пошевелился. Плот вновь качнуло, и росомахи грозно зарычали. Шенн сел, предупреждающе положив руку на плечо офицера. От его прикосновения Торвальд немного отодвинулся в сторону и машинально поднял руку для удара, которого Шенну удалось избежать только благодаря тому, что именно в ней офицер сжимал свой планшет.

— Успокойтесь! — резко произнес Шенн.

Торвальд заморгал. Он посмотрел вверх, но так, словно вообще не заметил своего спутника.

— Пещера Вуали... Завесы... — проборматал он. — Утгард... — Вдруг его взгляд сосредоточился, и он сел, осматриваясь по сторонам, нахмурив брови.

— Мы в пустыне, — пояснил Шенн.

Торвальд встал, его тотчас же качнуло немного в сторону. Он пристально всматривался в выцветшее бесконечно широкое пространство, расстилающееся впереди от реки. Затем посмотрел на горы; присел на корточки и нащупал самодельный замок на планшете с картами.

Росомахи забеспокоились сильнее, хотя по-прежнему смирно сидели на плоту. Они приветствовали Шенна, громко заскулив. Шенн с Торвальдом утолили голод горстями концентратов из походного рациона. Но эти сухие таблетки не годились для животных. Шенн изучил местность более придирчивым взглядом, нежели неделю назад. Там, впереди не на кого было охотиться, однако оставался берег реки.

— Нам надо накормить Тагги и Тоги, — нарушил он тишину утра. — Если мы это не сделаем, они бросятся в воду и уплывут, куда глаза глядят.

Торвальд перевел взгляд с Шенна на животных; затем посмотрел на тонкую кожу планшета с картами, и снова Шенн заметил, что офицер смотрит словно с какого-то расстояния. Его глаза разглядывали теперь ни Шенна, ни животных, а негостеприимный берег.

— Как ты собираешься их накормить? — осведомился он. — У тебя есть какая-нибудь идея?..

— В горной реке водится рыба, — ответил Шенн, вспоминая об инциденте, происшедшем несколькими днями раньше. — В скалах, где есть ручьи, тоже можно обнаружить рыбу. Она часто находит там себе убежище. Заодно мы могли бы и изучить местность.

Он понимал, что Торвальду не хочется сходить с плота на берег и тратить время на такую охоту. Но как можно спорить, когда рядом с тобой сидят две голодных росомахи? К тому же Торвальд прекрасно понимал, что Шенн ни за что не бросит животных из-за его прихоти.

И Торвальд не стал возражать. Они пустили плот по течению, направив его к южному берегу под укрытие из длинного ряда ив. Шенн выбрался на сушу, росомахи тотчас же последовали за ним, принюхиваясь к земле у своих лап, пока он переворачивал довольно крупные камни, выискивая под ними водяные убежища, где могла прятаться рыба. И они ее обнаружили. Плавники не смогли спасти ее от острых когтей голодных животных, которыми они вырывали ямки на мелководье и вытаскивали свою добычу. Еще попалось какое-то странное существо с глянцевитой шерстью, плоской головой и плавниками вместо передних лап, которого Тагги схватил прямо под носом у Шенна. Тот даже не успел изучить несчастную жертву как следует. С огромной скоростью росомахи опустошили территорию в полмили, прежде чем Шенну удалось заманить их обратно на плот.

Когда они охотились, ему в голову пришла неплохая мысль насчет земли рядом с рекой. Земля была сухая, а растительности встречалось все меньше и меньше, если не считать каких-то похожих на кактусы колких растений, торчащих из земли, как пальцы с длинными ногтями, раздувшихся и красных. Они очень контрастировали с растениями Колдуна, обычно — аметистового оттенка. Солнце постепенно вставало над планетой, и в его свете этот участок земли казался совершенно голым, что сперва вызывало у людей отвращение, но уже спустя некоторое время заинтересовало их.

Шенн обнаружил Торвальда стоящим на отвесном берегу и рассматривающим так долго ожидаемые им горы. Торвальд повернулся, когда Шенн загнал росомах на плот, а потом присоединился к ним. Шенн заметил у него в руке свернутую в трубочку карту.

— Положение не такое хорошее, как мы надеялись, — сообщил он Шенну. — Мы должны уйти с реки и перебраться через горы.

— Почему?

— Дальше будут пороги, а потом — водопад, — ответил Торвальд. Он расстелил перед собой карту и начал нервно тыкать в нее пальцем. — Отсюда мы выйдем. Вот это — труднопроходимый участок. Но на юге в горе есть пролом, сквозь который можно пройти. Этот пролом снят при помощи аэрофотосъемки.

Шенн был достаточно сообразительным, чтобы осознать всю несуразность и глупость перехода через совершенно голую местность. Сверху ты будешь виден как на ладони, стоит только двинуться по пустыне. Еще непреодолимые трудности заключались в том, что эта ровная земля сливалась с небом. И все-таки Торвальд планировал это путешествие так, словно он уже изучил путь их отхода, и он отказался таким же простым и легким, как беспечная прогулка по главному транспортному пути Тира. Почему же для них так необходимо добраться до моря? Тем не менее, пока Шенн не стал возражать, хотя эти неопределенные сведения ему весьма не понравились. Шенн также не стал спрашивать своего спутника, почему он принял на себя командование походом, а молча повиновался. Пока.

Когда они взошли на плот и снова поплыли по течению, Шенн лишь изучающе разглядывал своего спутника. Торвальд так спокойно перечислил предстоящие им трудности. И еще казалось, что его ничуть не беспокоило, смогут ли они добраться до моря, а если и беспокоило, то он просто-напросто замкнулся в своей непробиваемой скорлупе и не подавал виду, что его тревожит неудача, способная обернуться для обоих гибелью. Поначалу, в первый день их совместного житья, молодой терранин решил, что Торвальд относится к нему как к рабочему инструменту, который офицер разведотряда использовал для претворения в жизнь какого-то своего проекта, и рассматривал он этот проект, как дело первостепенной важности. Негодование Шенна по поводу его оценки Торвальдом ему пока удавалось сдерживать. Шенн высоко ценил осведомленность офицера во многих вопросах, однако его презрительное и надменное отношение к своему младшему товарищу все сильнее отталкивало Шенна от Торвальда, также как и то, что он отвергал все его советы и желания. Такое поведение уже нельзя было считать даже полупартнерством в совместной работе.

Во-первых, почему Торвальд возвратился на Колдун? И зачем ему понадобилось рисковать жизнью, если его гипотеза о том, что для трогов главное — это захват в плен терранина — правильна? Когда Торвальд впервые заговорил о вылазке, то имел в виду пополнение их запасов провианта; и тогда он ни разу не упомянул ни о каких картах. Судя по всему, Торвальду была поручена какая-то миссия. И что случится, если он, Шенн, вдруг перестанет быть послушной пешкой и немедленно потребует объяснений?

Шенн достаточно хорошо успел изучить людей, чтобы также понимать, что он не получит от Торвальда никакой информации, и что ему не стоит даже надеяться на это. Все его вопросы «на засыпку» и проверки не будут удостоены ответа, а все закончится лишь его полным разгромом и крушением его собственных планов. Теперь на лице Шенна играла насмешливая улыбка, ибо он вспомнил свои возвышенные чувства, когда впервые увидел Рагнара Торвальда несколько месяцев назад. Стать хотя бы похожим на этого офицера было пределом всех его мечтаний! Пределом мечтаний Шенна Ланти. В данный момент Торвальд казался ему пустым местом. Он не мог ему нравиться или не нравиться... он был всего лишь расплывчатым сном. Да, разумеется, ведь реальность и сны редко приближаются друг к другу. Мечты...

— На какой-либо из этих карт береговой линии обозначена гора, формой очень напоминающая череп? — внезапно спросил он.

Торвальд резко отшвырнул палку.

— Череп? — переспросил он немного рассеянно, как делал часто, отвечая на вопросы Шенна, пока разговор не касался чего-то более важного.

— Да, череп. И очень странного вида, я бы сказал, — ответил Шенн. Сейчас он словно наяву представлял себе гору-череп, как тогда, когда он только что проснулся. Он даже видел, как в пустых глазницах появляются и исчезают какие-то летающие предметы. И вот что казалось очень странным: впечатления от сна очень быстро стираются из памяти через несколько часов после пробуждения, а сейчас все происходило наоборот. — Еще у него выступающая вперед челюсть, а волны набегают на... красно-пурпурную скалу...

— Что?

Теперь он полностью завладел вниманием Торвальда.

— Где ты об этом слышал? — быстро последовал резкий вопрос.

— Я об этом не слышал. Ночью я видел его во сне. Я стоял прямо напротив него. Там еще были птицы... или что-то летающее, как птицы; они влетали в его глазницы и вылетали оттуда.

— Что еще ты видел? — Торвальд нагнулся за палкой, его взгляд ожил, стал каким-то алчным и странным, словно, если бы он не услышал ответа, то выбил бы его из Шенна силой.

— Это все, что я помню: гора-череп, — промолвил Шенн. Ему не хотелось дальше рассказывать о своих впечатлениях, о том, что ему захотелось найти этот череп; что он *должен* его найти.

— Значит, больше ничего... — задумчиво начал Торвальд и замолчал. Затем он медленно и с явной неохотой заговорил: — Больше ничего? Ты не видел пещеры с зеленой завесой ... с широкой зеленой завесой, заслоняющей ее?

Шенн отрицательно покачал головой.

— Только гора-череп.

Торвальд посмотрел на него так, словно не поверил ни единому его слову, однако выражение лица молодого мужчины было настолько убедительным, что офицер коротко рассмеялся.

— Что ж, насколько я понимаю, это еще одна красивая теория о воздействии тумана на зрение! — проговорил он. — Нет, твой череп не указан ни на одной из наших карт, равно как и моя пещера тоже никогда не существовала. Это мираж, галлюцинации, вызванные преломлением солнечных лучей через завесу тумана! Это нечто вроде дымящихся экранов...

— Тогда что?.. — но Шенн не успел закончить вопроса.

В пустыне поднялся сильный ветер, он пронесся через проход в скалах, достиг реки и взметнул в воздух целую кучу песка, который начал медленно оседать в воду, обволакивая серой туманной дымкой людей, животных и плот. В эти мгновения песок очень походил на падающий снег.

Только он не смог скрыть тонкого пронзительного крика, растворившегося на бескрайних просторах земли, расстилающейся за их спиной; но этот долгий улюлюкающий вой они уже слышали в лагере трогов. Торвальд грустно усмехнулся.

— Охотник идет по следу.

Он наклонил шест, используя его, как весло, и плот быстро помчался по течению. Шенн, похолодевший от ужаса, несмотря на палящее солнце, последовал примеру офицера и тоже взялся за длинную ветку, думая лишь об одном: осталось ли у них время для борьбы?

## Глава 6. Охотник

Солнце, неровный и огромный огненный шар, поджаривало землю, после чего, каким-то странным образом, точно откатилось назад и продолжало жечь с той же жестокостью. В прохладной тени восточных гор Шенн ни за что не поверил бы, что на Колдуне может стоять такая неистовая жара. Еще до полудня они с Торвальдом сняли куртки, чтобы было легче управляться с шестами-веслами. Однако они не рискнули снять остальную одежду, боясь обгореть на солнце. И снова сильный порыв ветра вздымал песок на берегу реки, чтобы спустя некоторое время тот медленно опустился на воду.

Шенн протер глаза, на некоторое время прекратил утомительную греблю, чтобы посмотреть на скалы, которые они проплывали в довольно опасной близости. Ибо русло реки, окаймленное редким колючим кустарником, быстро сужалось. На отвесных стенах совершенно голых скал виднелось огромное количество небольших пещер-убежищ, забитых песочной пылью, хотя дно быстрой прозрачной реки все было усеяно галькой и крупными валунами.

Он не ошибся, их плот несло вперед все быстрее и быстрее, даже несмотря на шесты, при помощи которых они помогали плоту продвигаться по воде. По мере сужения русла, течение подхватывало плот со свежей силой и стремительно несло его по воде. Шенн отметил это, и Торвальд кивнул в знак согласия.

— Мы подходим к первым порогам, — пояснил он.

— Где мы сойдем на берег и отправимся пешком, — печально промолвил Шенн. Песок и пыль скрипел у него на зубах, раздраженные глаза слезились. — Мы останемся рядом с рекой?

— Насколько долго это нам удастся, — мрачно ответил Торвальд. — У нас нет ничего, в чем можно нести воду.

Да, человек может жить на очень скудной пище, продолжая пробираться вперед по скверной дороге, если у него есть таблетки-концентраты. Но без воды, и тем более в такую жару, им быстро наступит конец. Довольно часто они прислушивались к очередному вою позади, дикому крику, говорящему им о том, насколько близко от них движется отряд охотников-трогов.

— Пока сюда не долетели их тарелки, — заметил Шенн. Он как следует успел изучить одну из темных тарелок, появившуюся довольно далеко от них, когда охотник указал точное направление для трогов преследователей.

— Они не могут летать в такую погоду, — отозвался Торвальд, еще крепче сжимая шест и указывая подбородком на туман, клубящийся в воздухе над рекой и скалами. Тут река стала еще глубже, и Шенн увидел самое начало каньона. Они могли вздохнуть свободнее. Песочная пыль по-прежнему медленно опускалась на них, но песка было значительно меньше, чем какие-то полчаса назад. Небо над их головами напоминало сероватый колпак, с трудом пропускающий солнечные лучи, и тут путешественники ощутили живительную прохладу.

Торвальд осмотрелся по сторонам, внимательно изучая оба берега, словно выискивал там какой-то особый знак или отметину. Наконец, воспользовавшись шестом, как указкой, он ткнул им в направлении большой кучи галечника, виднеющейся впереди. В этом месте когда-то случился оползень, который на четверть засыпал реку, но постоянные сезонные разливы со временем превратили бесформенную кучу камней и песка в узкий стреловидный полуостров.

— Туда...

Преодолевая сильнейшее течение, они вытащили плот на берег. Росомахи, ослабевшие от жары и пыли, подскочили к скалам со скоростью пассажиров тонущего корабля, которые увидели спасательное судно. Торвальд, прежде чем соскочить на берег, крепче прижал подмышкой планшет с картами. Когда все очутились на суше, он снова спустил плот на воду и длинным шестом толкал его до тех пор, пока его не подхватило течение.

— Слушай! — внезапно воскликнул он.

Но Шенн уже уловил отдаленный рокочущий звук, громкий, сильный, точно кто-то бил в гигантский барабан. Безусловно, это не был герольд, возвещающий о прилете корабля трогов, тем более что звук исходил откуда-то спереди, а не из-за их спин.

— Пороги... а может быть, даже водопад, — проговорил Торвальд. — Давай-ка поглядим, где мы сможем отыскать здесь дорогу.

Полуостров из валунов и гальки, который за многие годы нанесло течением, своим узким концом, похожим на язык, упирался в скалу, возле которой протекала река. Но затем он поднимался к расщелине, расположенной несколькими футами выше. А на высоте примерно футов в пятьдесят виднелась полоса земли, идущая параллельно реке. За ней вода ударялась о прочную совершенно отвесную стену. Они могли бы взобраться наверх и следовать за потоком вдоль вершины по этой нерукотворной набережной, но это вынудило бы их намного отдалиться от источника воды.

Словно с молчаливого обоюдного согласия мужчины опустились на колени и большими пригоршнями стали черпать воду и жадно пить ее, обливать водой головы и смывать с лица пыль и песок. Затем они начали взбираться на крутой подъем, который уже успели преодолеть росомахи. Наверху было не очень темно, но они снова почувствовали на лицах осыпающийся гравий, застревающий у них в волосах.

Шенн остановился, чтобы соскрести полоску грязи с губ и подбородка. Затем совершил последний рывок, поднимая свое щуплое тело наверх, изо всех сил борясь с жестокими порывами ветра. Но потом ветер подул ему в спину с такой силой, что чуть ли не помогал ему в его сложном восхождении. Шенн старался изо всех сил. Он мысленно отдал себе приказ — подняться во что бы то ни стало! Он понимал, что как только окажется наверху, он побредет под скалой, аркой нависшей над ним. И Шенн знал, что это нужно сделать, как можно быстрее, ибо в любой момент может случиться оползень из песка.

Тут Шенн натолкнулся на огромный камень и, протерев глаза от песка, догадался, что очутился в небольшой нише в скале. Задрав голову, он увидел отблеск янтарного неба, просачивающийся через щель этой крохотной пещеры, но спустя несколько секунд сумерки превратились в кромешную тьму.

Шенн нигде не видел росомах. Он заметил Торвальда, пробирающегося к южной пещере, и последовал за ним. И снова они лицом к лицу столкнулись со смертоносным обрывом. Ибо расщелина с единственным спуском к реке теперь находилась справа; за спиной возвышалась гранитная скала, ведущая к бездонной пропасти, заставившей Шенна упасть на живот, как только он осмелился посмотреть вниз.

Если какой-нибудь боевой корабль межзвездной флотилии прошелся бы энергетическим лучом по горам Колдуна, разрезав то, что покоилось под первым слоем наружной оболочки планеты, то, вероятно, образовавшаяся «рана» очень бы походила на эту жуткую пропасть, на краю которой лежал побледневший от ужаса Шенн. Ему и в голову не приходило, что могло образовать между скалой и торчащим неподалеку горным пиком такую гигантскую трещину? Наверняка некогда здесь произошел невиданной силы катаклизм. Конечно, и речи быть не могло о том, чтобы спуститься вниз и взобраться на гору напротив, стоящую напротив скалы, где лежал Шенн. Беглецам надо было либо возвращаться к реке со всеми ее опасностями и неожиданностями, или отыскать какой-нибудь иной путь через проем, который теперь являл собой такую мощную преграду на пути на запад.

— Вниз! — резко произнес Торвальд, и вытолкнул Шенна из полумрака песочной бури в расщелину с такой силой, что Шенн чуть не упал. И они снова оказались в пещере, в которой уже побывали.

На залитом солнцем небе появилась двигающаяся тень.

— Назад! — Торвальд опять схватил Шенна, и поскольку он был намного сильнее молодого человека, то буквально поволок его во тьму пещеры. Он тащил его без остановки, и Шенн не мог перевести дух, даже когда они очутились снова в укрытии. Наконец они добрались до темной дыры в южной стене, мимо которой уже проходили. И Торвальд снова толкнул Шенна туда.

Внезапно страшной силы взрыв отбросил Шенна к стене. Толчок оказался такой мощный, что молодому человеку показалось, как из его легких вышел воздух. У него перехватило дыхание, и теперь не давала покоя ноющая боль в ребрах. С трудом открыв глаза, он увидел, что расщелина вся охвачена огнем. Из-за яркого пламени, Шенн какое-то время ничего не видел. Словно он временно ослеп. Эта вспышка была последним, что он помнил, когда плотная кромешная тьма сомкнулась над ним, погрузив его в бессознательное небытие.

Он медленно пришел в себя, и сперва почувствовал нестерпимую боль. Ему было больно дышать; но тут он осознал: раз он *дышит*, то боль будет продолжаться, потому что он дышит. Потому что он жив. Все его тело представляло собой сплошную тупую боль, а на ногах словно лежало что-то очень тяжелое. Затем он почувствовал на лице прерывистое дыхание какого-то зверя. Шенн, собравшись с силами, поднял руку и коснулся плотной шерсти; потом ощутил влажный шершавый язык, облизывающий ему пальцы.

Он был близок к ужасу, обуявшему его, ибо в течение нескольких секунд он понял, что ничего не видит! Но тут сквозь тьму начали пробиваться кроваво-красные искорки, и он почему-то решил, что они скачут внутри его глаз. Он начал ощупывать темноту перед собой. Со стороны косматого тела животного, прижавшегося к нему, раздался тихий скулеж. Шенн ответил на это легким движением.

— Тагги? — спросил он.

От довольно сильного толчка он снова вжался в стену и ощутил страшную боль в ребрах, когда росомаха отозвалась на свою кличку. Второй толчок с другого бока и намного мягче первого говорил ему о том, что это Тоги тоже требует к себе внимания.

Что же тогда произошло? Торвальд со всех сил толкнул его назад, как только в небе появилась тень, пролетающая над скалой. Эта тень! Мысли Шенна беспорядочно громоздились в голове, когда он пытался осознать смысл того, что ему удалось вспомнить. Тарелка трогов! А потом этот жуткий удар, нацеленный на них; один-единственный залп, точно такой же, при помощи которых был сметен с лица земли целый лагерь! А он по-прежнему жив!..

— Торвальд? — тихо позвал он своего спутника. Не услышав ответа, Шенн окликнул его снова, на этот раз громче. Затем он опустился на четвереньки, мягко отстранил от себя Тагги, и начал ползком пробираться по неровной поверхности скалы.

Его пальцы нащупали что-то, что могло быть только одеждой, прежде чем Шенн ощутил теплоту человеческой плоти. И он в ужасе нагнулся над лежащим навзничь офицером, и только когда почувствовал слабое сердцебиение, понял, что Торвальд жив.

— Что?.. — тот произнес единственное слово, но Шенн издал что-то похожее на всхлип от облегчения, как только услышал это тихое бормотание. Он присел на корточки и кистью руки с силой надавил себе на ноющие от боли глаза, решив, что от этого он снова начнет видеть.

Вероятно, от этого нажатия временная потеря зрения прошла, потому как Шенн неистово заморгал и теперь вместо кромешной тьмы перед ним появились расплывчатые серые очертания стен, и он не сомневался, что откуда-то слева исходит приглушенный свет.

В них стреляли с корабля трогов. Однако чужаки не сумели использовать свое оружие в полную силу, иначе ни один из терран не остался бы в живых. Что означало (разрозненные мысли Шенна постепенно стали облекаться определенным смыслом, который в свою очередь принес с собою дурные предчувствия), что троги, вероятно, намереваются не убить их, а только вывести из строя. Им нужны пленники, как и предупреждал Торвальд.

Сколько же врагу понадобится времени, чтобы поймать их? Для корабля, с которого был произведен смертоносный залп, здесь не имелось места для посадки. И поблизости таких мест тоже нет. Жукоголовым придется садиться на краю пустыни и взбираться на гору пешком. А для трогов это очень сложно. Выходит, у беглецов еще есть некоторое время.

Время для чего? Что они могут предпринять? Сама местность небезопасна для беглецов. На юго-западе возвышается преграда. Если возвращаться на восток, то это означает попасть прямо в лапы охотников. Снова спуститься к реке, где остался плот? Но теперь он совершенно бесполезен, если не сказать большего. Остается лишь единственная пещера в скале, в которой они укрывались. А когда прилетели троги, то они выбили терран из их убежища, и наверняка использовали энергетические лучи.

— Тагги? Тоги? — крикнул Шенн, внезапно обнаружив, что уже некоторое время не слышит поблизости росомах.

Ответом ему был тяжелый протяжный рык — и раздавался он с юга! Неужели животные отыскали еще один выход? Неужели эта ниша оказалась не такой уж простой? Неужели это протяженная пещера или даже проход, через который можно выйти обратно к вершинам с внутренней их стороны? Обуреваемый слабой надеждой, Шенн вновь склонился над Торвальдом, не в силах даже сдвинуть с места его неподвижное тело. Тогда он вытащил из внутренней петли своего плаща сигнальный фонарь и надавил на самую нижнюю кнопку.

Глаза Шенна резко защипало от яркого света, и по запыленным щекам потекли слезы. Но он сумел разглядеть все, что находилось перед ним, и увидел отверстие, ведущее к внешней стороне скалы, отверстие, которое может послужить им своеобразной дверью к побегу.

Офицер пошевелился, приподнялся на руках, глаза его были полузакрыты.

— Ланти?

— Да. И прямо за вами туннель. Росомахи отыскали выход...

К его удивлению на губах Торвальда появилось некое подобие улыбки.

— И нам лучше убраться отсюда до прихода гостей, верно? — бодро спросил он.

Значит, он тоже думал о том, как выбраться отсюда, причем его мысли шли в той же последовательности, как и у Шенна. Он принимал решение в зависимости от того, что смогут предпринять троги.

— Ты что-нибудь видишь, Ланти? — вопрос был задан до боли небрежно, будто мимоходом, но Шенн все равно ощутил в

54

голосе офицера скрытые нотки тревоги; в нем не звучало ни уверенности, ни одобрения, как тогда в первый раз, когда между ними возникла стена, и это случилось возле поверженного корабля.

— Теперь я вижу лучше, — быстро ответил Шенн. — Я не знаю, смогу ли я также хорошо видеть, когда пойду первым...

Торвальд открыл глаза, но Шенн догадывался, что офицер временно ослеп, как и он сам, когда только что очнулся. Он взял офицера за ближайшую к себе руку и положил ее на свой ремень.

— Беритесь за него, ну же! — теперь Шенн отдавал приказы. — Лучше нам попробовать пролезть через во-он то отверстие. У меня есть фонарь.

— Недурно, — произнес Торвальд, и его пальцы обхватили ремень Шенна спереди, затем — со спины. Шенн начал пролезать в отверстие, тащя за собой держащегося за его ремень офицера.

К счастью им не пришлось ползти далеко, поскольку очень скоро они миновали пролом в породе или горной жиле и очутились в некоем подобии коридора, достаточно короткого, что даже Торвальд преодолел его без остановки. Чуть позднее он отпустил ремень Шенна, сообщив, что уже видит достаточно хорошо, чтобы продвигаться самому.

Луч фонаря выхватил стену и исходящее от нее сверкание, от которого становилось больно глазам; это оказалась гигантская друза, состоящая из зеленовато-золотых кристаллов. В нескольких футах сверху они увидели еще одну друзу, вкрапленную в горную породу. Они могли стоить целое богатство, но ни один из терран не остановился, чтобы как следует изучить их. Шенн даже не осветил их фонарем. Время от времени он посвистывал. И всякий раз росомахи отзывались на его свист откуда-то спереди. Поэтому люди продолжали ползти, надеясь не попасться в ловушку, расставленную трогами.

— Выруби на секунду свой фонарь! — приказал Торвальд.

Шенн повиновался, и свет погас. И все же какой-то свет был виден — впереди и наверху.

— Передний проход, — сказал офицер. — Как же нам до него добраться?

Шенн вновь включил фонарь, который высветил им узкую каменную лесенку в том месте, где проход поворачивал налево к югу. Мужчины последовали туда. Впоследствии Шенн вспоминал этот подъем, как чудо, совершенное ими. А они действительно совершили его, несмотря на то, что оба продвигались очень медленно, то и дело передавая фонарь друг другу, чтобы убедиться, правильно ли каждый из них ставит ногу.

Когда Шенн сделал последний рывок, чтобы подтянуться к проходу, он ощутил себя суперменом. Его руки были оцарапаны, ногти сломаны. Поднявшись, он сел, чтобы отдышаться, и, охваченный слабостью, тупо глядел по сторонам.

Торвальд с нетерпением окликнул его, и Шенн протянул ему фонарь. Торвальд тоже вскарабкался наверх и сел, осматриваясь вокруг с тупым изумлением.

Оба разглядывали высокие горные пики, пронзающие янтарное небо. Они находились в небольшой котловине, напоминающую собой чашу, в которой беглецы нашли себе убежище. Их изумлению не было конца, ибо вся чаша была покрыта буйной растительностью. Их удивленным взорам предстали деревья, кусты и сочная трава, такая же высокая, какую им довелось встретить на лугу. По небольшой аллейке весело носились росомахи, всем своим видом выражая наслаждение от обретенной свободы.

— Превосходное место для лагеря, — заметил Шенн.

Торвальд отрицательно покачал головой и сказал:

— Мы здесь не останемся.

И словно в доказательство его мрачного пророчества, из пролома, который они только что преодолели, раздался приглушенный, но очень грозный вой охотника трогов.

Офицер взял фонарь и, встав на колени, осветил внутренности прохода, лучом очертив вокруг отверстия круг. Торвальд вытянул руку и измерил его.

— Когда эти твари-охотники чувствуют горячий след, — проговорил он, выключая фонарь, — жукоголовые уже не смогут контролировать их. Поэтому им нет никакого смысла даже пытаться лезть сюда. Охотники запрограммированы только на два приказа: убить или взять в плен. Полагаю, этот выполняет приказ «захватить». Потому троги и пустили его впереди всего отряда.

— А мы можем вырубить охотника? — осторожно спросил Шенн, на этот раз полностью полагаясь на опыт своего спутника.

Торвальд встал.

— Чтобы уничтожить охотника, нам нужен бластер с самым мощным и полным зарядом. Нет, мы не сумеем его убить. Однако мы можем установить у пролома своего рода «привратника». Это поможет нам выиграть время. — Он зашагал по аллейке, Шенн пошел рядом. Он ничего не понимал, но по крайней мере догадывался, что в голове у Торвальда созрел какой-то план. Офицер нагнулся, внимательно исследовал землю и начал вытягивать из расчищенной им от грязи поверхности переплетенные друг с другом виноградные лозы, которые они использовали как прочные веревки. Затем бросил Шенну целую груду этого поспешно снятого «урожая» и коротко приказал:

— Сплети из них такой толстый канат, какой только сможешь.

Шенн выполнил приказ, и был приятно удивлен, обнаружив, что от сильного нажатия, лозы выделяют липкий пурпурный сок, который не только прилипает к его рукам, но и склеивает одну лозу с другой. К тому же эта задача, сперва показавшаяся ему почти невыполнимой, оказалась довольно несложной. Торвальд размахнулся топором и срубил две низеньких чахлых сосенки, тем же топором очистил их от веток и подвесил стволы рядом со входом в отверстие.

Они работали, не покладая рук, стараясь успеть покончить с делом к нужному времени, и, глядя на Торвальда, Шенн восхищался его практическим опытом. Дважды раздавался жуткий вой охотника, он доносился из глубины пещеры где-то у них за спиной. Когда солнце пошло на закат, и теперь уже почти село, едва освещая аллейку, Торвальд, наконец, соорудил каркас для своей ловушки.

— Мы не сможем поразить охотника, как не сумеем поразить любого трога. Но удар станнера должен задержать его на некоторое время, если это сработает.

Тагги с какой-то целью рылся в траве, приближаясь к отверстию. Тоги бежала за ним справа. Обе росомахи уставились на дыру; их поза страстного ожидания чего-то, когда они охотились, была уже знакома Шенну. Он вспомнил, как впервые вой охотника прогнал обоих животных из оккупированного лагеря.

— Они тоже были с нами, — сказал Шенн Торвальду, имея в виду росомах в ночь их вылазки.

— Возможно, охотники собираются захватить и их, — отозвался офицер. — Но нам ни в коем случае нельзя смешиваться с ними; иначе это приведет к роковому концу.

Вой раздался во внутреннем коридоре. Тагги оскалил зубы, отступил на несколько шагов, и только после этого издал свой боевой рык.

— Приготовься! — Торвальд подскочил к подвешенным стволам; Шенн поднял свой станнер.

Тоги вторила кличу своего друга. Она издавала подряд несколько пронзительных угрожающих криков, с каждым разом крича еще громче. Из ее горла исходил странный, плачущий, леденящий душу вопль. Вдруг в отверстии, словно черт из табакерки, появилась чудовищная отвратительная голова, и Шенн выстрелил в нее из станнера. В ту же секунду Торвальд отпустил свою ловушку.

Тварь пронзительно закричала. Толстые веревки, опутавшие ее, натягивались с неимоверной силой. Росомахи отскочили от огромных челюстей, угрожающе щелкающих без всякого результата. К облегчению Шенна, его звери, казалось, радовались ловушке, с попавшимся в нее пленником. Его голова оказалась в ней, словно в воротнике. Шенн ощущал страх, без которого не бывает ни один ближний бой. Но вскоре он справился с ним. Вероятно, удар станнера замедлил все рефлексы охотника, поскольку жуткие челюсти лязгнули в последний раз, а морда, смахивающая на маску ящерицы (голова охотника по виду не гармонировала со всем остальным его телом, насколько это было известно терранам), бессильно повисла на толстых веревках; остальная часть тела закупоривала отверстие, как пробка. Тагги только этого и ждал. Он прыгнул, выставив вперед смертоносные когти. А Тоги ринулась за своим другом, чтобы принять участие в сражении.

## Глава 7. Невидимый проводник

Когда охотник пришел в себя, вокруг тотчас же полетели камни и комья земли. Он пытался избавиться от своих мучителей. Всюду стоял жуткий грохот и вопли. Шенн, избегая опасности, все время старался держаться от клацающих челюстей чудовища на расстоянии вытянутой руки. Ведь попади его рука или нога в эту мясорубку, они превратятся в порошок. Тварь отбивалась от росомах изо всех сил. Шенн заметил на земле небольшой кусок выдранной плоти и осколки костей. Шенн попытался оттащить Тоги, взяв ее за нос. Он запустил обе руки в жесткую шерсть вокруг горла Тагги, стараясь оттащить росомаху-самца от отбивающегося чудовища. Он выкрикнул приказ, и к его удивлению, Тоги повиновалась, оставив монстра в покое. Рассвирепевший Тагги никак не унимался. По-видимому, росомаха никак не ожидала такой вспышки ярости у охотника.

Несмотря на то, что Шенн чувствовал боль от раны на тыльной стороне ладони, нанесенной ему чересчур возбудившимся Тагги, в конце концов ему удалось оттащить обоих животных от отверстия, закупоренного плененной и израненной тварью. Торвальд от души хохотал, наблюдая за действиями своего молодого товарища.

— Такое уж точно должно задержать жукоголовых! Пора бы и им пораскинуть мозгами насчет своей участи! Если у них, разумеется, есть мозги! Если они притащат своего песика обратно домой, то он обязательно выместит на них свою ярость. Мне бы так хотелось увидеть, как они будут окапываться вокруг!

Шенн посмотрел на чудовищную голову, зажатую большими камнями, словно воротником. Охотник мотал ею из стороны в сторону и грозно рычал. Тут Шенн понял, что Торвальд совершенно прав. Он опустился на колени перед росомахами, гладя их ладошкой и что-то тихо приговаривая, стараясь ласково внушить им, что приказы надо выполнять беспрекословно.

— Ха-а! — Торвальд хлопнул испачканными грязью руками, и резкий звук привлек внимание обоих росомах.

Шенн начал карабкаться наверх, помахивая животным исцарапанной рукой в сторону запада; эти незамысловатые движения означали охоту и одновременно сигнал осторожности. Тагги с явной неохотой в последний раз рявкнул на охотника, отвечая на его режущий слух жуткий вой, и засеменил в указанном Шенном направлении. Тоги побежала за другом.

Торвальд взял кровоточащую руку Шенна, изучая рану. Из специальной аптечки, прикрепленной к ремню, он достал какой-то порошок и ленту лечебного пластыря, чтобы сперва очистить, а после забинтовать руку своего спутника.

— Это обязательно нужно сделать, — пояснил он. — И нам лучше уйти отсюда до наступления полной темноты.

Маленький рай лужайки и аллейки нельзя было назвать безопасным местом для разбивки временного лагеря. Чудовище продолжало реветь и выть вслед уходящим беглецам, и жуткие звуки уносились в потемневшее небо. Двигаясь по следам росомах, люди вскоре нагнали животных, пьющих из небольшого ручейка, и с наслаждением припали к воде. Затем они быстро продолжили свой путь, не забывая, что где-то среди вершин в тумане скрывается готовый к нападению летательный аппарат трогов.

Только темнота заставила людей сбавить шаг. Здесь, на открытом пространстве, они могли воспользоваться фонарем. Пока они находились в пределах лощины, а тропинка, по которой они шли, была отмечена фосфоресцирующими кустами. Однако, оказавшись в кромешной тьме, они снова пришли в то место, где торчала голая скала.

Росомахи поймали несколько птичек, и даже сгрызли их мягкие косточки, ибо так и не смогли утолить голод их крошечной плотью. Однако, к облегчению Шенна, звери не стали уходить слишком далеко. И когда люди наконец остановились на краю скалы, где за огромным камнем обнаружили некое подобие убежища, росомахи свернулись рядом с ними, согревая их своими горячими телами. Шенн с Торвальдом даже ощутили некоторый комфорт в этом временном месте для отдыха.

Время от времени Шенн пробуждался из неспокойного полусна от жуткого воя охотника. К счастью, звук не стал громче. Если бы троги забрали своего охотника, то, безусловно, сделали бы это именно сейчас, ночью; но они либо не пришли за ним, либо не сумели вытащить его из ловушки. Шенн снова задремал, на этот раз без сновидений, а когда проснулся, то услышал пронзительное клацанье. Однако, внимательно изучив небо, он не увидел ни одной птицы, обитающей в горах Колдуна.

— Весьма вероятно, что их внимание привлек наш симпатичный приятель, оставшийся возле аллеи, — угрюмо заметил Торвальд, тоже глядя вверх и словно читая мысли Шенна. — Надо же им чем-то заняться.

Клацанье издавали какие-то плотоядные существа; ибо они осмеливались напасть только на ослабевшую или раненую жертву, с которой им легко справиться. Вероятно, недвижимый охотник и привлек их своей беззащитностью. А его пронзительные вопли, раздающиеся на несколько миль вокруг, должны были привлечь внимание обитателей скал.

— Вон там! — воскликнул Торвальд, и, подтянувшись на руках, взобрался на огромный камень, пристально вглядываясь на запад. Его исхудалое лицо выражало искренний интерес.

Шенн, ожидая увидеть по меньшей мере корабль трогов, выискивал на камне удобный выступ, чтобы выглянуть, не привлекая внимания. Следовало оставаться спрятанными за грудой камней. Торвальд даже не шевелился. И Шенн посмотрел по направлению его взгляда.

Впереди внизу он увидел извивающийся лабиринт из холмов и лощин, крутых спусков и пилообразных подъемов. Но за самой кромкой этой труднопроходимой местности тускло мерцало зеленое море Колдуна. Покрытое еле заметной рябью, оно скрывалось за туманным горизонтом. Наконец-то они увидели свою цель собственными глазами.

Имей они хоть один летательный аппарат для изучения местности, которых в разрушенном лагере было немало, то они сумели бы добраться до песчаного пляжа за час. Вместо этого, им пришлось пробираться по этому дьявольскому ландшафту целых два дня. Дважды они удирали от корабля (или кораблей) трогов, продолжающих планировать над изрезанной линией берега, а однажды еле успели нырнуть в укрытие и сидеть там, теряя драгоценное время, как загнанные звери, спасаясь от корабля-разведчика. Но в конце концов убедились, что охотник не идет по их запутанному следу, и решили, что его вывела из строя ловушка.

На третьи сутки они спустились к одному из фиордов, который клином врубался в сушу, уродуя прямую линию берега. У них не было недостатка в птичках, нанизанных на веревку из лозы, так что и люди и росомахи с аппетитом поели. Хотя после сражения с чудовищем у росомах пострадала шерсть, их «одежда» выглядела куда лучше, нежели чем униформа Шенна и Торвальда.

— Куда теперь? — спросил Шенн.

Если бы он знал намерения офицера, ведущие его к этому берегу! Несомненно, такая изрезанная фиордами и покрытая горами местность могла стать великолепным убежищем, но ничуть не лучшим укрытием, чем в скалах. Офицер медленно развернулся на гальке, изучая вершины за его спиной, и морской залив, покрытый небольшой рябью. Открыв свой драгоценный планшет с картами, он внимательно стал изучать какие-то знаки, отмеченные им кусочками липкой ленты.

— Нам надо спуститься к самому берегу, — произнес он.

Шенн прислонился к стволу дерева конической формы, растущего из горы, машинально сдирая с него кусочки коры цвета красного вина, из-под которых сочился сок, говорящий о смене сезона. Озноб, овладевающий им в лощине, сменился здесь влажным теплом. Весна переходила в лето, примерно такое же, как на северных континентах Земли. Даже свежий ветер, дующий с моря, жестоко не пронизывал их до костей, как это было два дня назад; оба ощущали теперь влажный соленый туман, обволакивающий их с головы до ног.

— Что мы там будем делать? — настойчиво спрашивал Шенн.

Торвальд подвинул к нему карту, его ноготь с черной каемкой пополз по ней вниз к фиордам, проведя косую черту, которая указывала на кружево из островков, бисеринками раскинутых на морской глади.

— Мы идем сюда, — пояснил Торвальд.

Его слова не имели для Шенна никакого смысла. Эти острова... почему? Зачем им идти туда? Они могли бы найти куда лучшее убежище для лагеря на этой негостеприимной земле, где находились сейчас. Даже тарелки-разведчики трогов скорее предпочли бы исследовать с воздуха море, чем эту дикую сушу.

— Зачем? — мрачно осведомился Шенн. Пока он повиновался приказам старшего товарища, поскольку в них был смысл. Но он не собирался подчиняться Торвальду во всем только из-за его офицерского ранга.

— Потому что там есть кое-что, что в корне изменит наше положение. Колдун — не пустая планета.

Шенн перекатывал между пальцами кусочек оторванной коры. Может быть, Торвальд слегка повредился в уме? Он понимал, что офицер полностью отвергал полученные данные разведотряда. И, проведя с Торвальдом несколько суток вместе, Шенн догадался, что офицер предпочитает работать в одиночку. И принимать решения сам. Также Шенн знал, что именно Торвальд оказался в меньшинстве, когда отказался подписать рапорт о том, что на Колдуне не существует разумной жизни и тем самым был готов к тому, что планета подвергнется колонизации, потому что она считалась незаселенной. Однако он продолжал придерживаться своего убеждения, не приводя убедительных доказательств, что многим указывало на его умственное расстройство.

И теперь, словно читая его мысли, Торвальд относился к Шенну с неприязнью и раздражением. «Думаешь, что я ублажаю свои капризы, не так ли? — говорили его глаза. — Или считаешь меня сумасшедшим?» «А вдруг я поддамся на его дикую идею, которая приведет меня к гибели?» — размышлял в свою очередь Шенн.

Если Торвальду захотелось идти к этим островам в поисках чего-то, никогда не существовавшего, то Шенн не последует за ним. А если офицер попытается применить силу, что ж, у Шенна есть станнер и, теперь он окончательно верил в это, полный контроль над росомахами. Впрочем, можно просто сделать вид, что он согласен участвовать в этом проекте... Только он не верил Торвальду, глядя в самую глубину его серых глаз, пристально смотревших на него; он не верил, что кто-то сумеет отговорить Торвальда от его навязчивой идеи.

— Ты ведь, конечно, не веришь мне? — донесся до Шенна требовательный голос.

— Ну почему же? — Шенн решил потянуть время. — У вас огромный опыт исследователя; вам известно почти все. А я... я не претендую ни на какие самостоятельные действия.

Торвальд молча сложил карту и сунул ее в планшет. Затем запихнул его в секретный внутренний карман куртки. Потом вытянул руку, разжал пальцы и показал Шенну свое сокровище.

На его ладони лежал медальон, величиной с небольшую монету; он был белый, как кость, но от него исходило странное свечение, которое не может исходить от обычной кости. Медальон был резной. Шенн осторожно протянул к нему палец, хотя почему-то не хотел касаться этого предмета. И тогда он испытал ощущение, очень похожее на несильный удар электрического тока. Но когда он взял медальон, то ему страшно захотелось не отдавать его, а изучить как можно внимательнее.

Медальон был украшен очень сложной резьбой, выполненной с огромным мастерством и тщательностью, хотя Шенн никак не мог понять, что означали эти сложные завитушки, замысловатые выпуклости и лентообразные тонкие полоски. Спустя некоторое время, Шенн осознал, что его взгляд, следуя за этими витками и извилинами внезапно «зафиксировался», что ему потребовалось бы огромное усилие, чтобы отвести глаза от медальона. И тут он почувствовал тревогу, такую же, как от жуткого воя охотника трогов. И, возвращая медальон Торвальду, он ощущал, что с трудом расстается с ним. Шенн сумел отдать эту странную вещь только благодаря огромному усилию воли.

— Что это?

Торвальд спрятал медальон в потайной карман.

— Ты спрашиваешь — что это? — усмехнулся офицер. — Я могу рассказать о нем очень много, во всяком случае в Архивах не услышишь ничего даже отдаленно похожего на это.

Шенн прищурился. Он с рассеянным видом вытирал пальцы о свою разодранную куртку. Ведь эти пальцы недавно держали эту костяную монетку... если это была монетка. Этот странный оттенок... неужели он по-прежнему чувствует его? Или вновь с ним играет воображение? Если сведений о нем нет даже в самых исчерпывающих обзорах Архивов Разведки, то не принадлежит ли эта штука к какой-нибудь совершенно новой цивилизации, новой звездной расе?

— Этот предмет определенно ручной работы, — продолжал офицер. — Я нашел его на берегу одного из тех морских островов.

— Троги? — спросил Шенн, уже зная, каков будет ответ.

— Чтобы Троги сделали — *это?* — ответил Торвальд, не скрывая своего презрения. — У трогов даже нет понятия о подобном искусстве. Ты видел их летающие тарелки — вот воплощение красоты для жукоголовых ублюдков! Неужели у этих жестянок есть хоть отдаленное сходство с медальоном? — и Торвальд усмехнулся.

— Тогда кто же его сделал?

— Либо на Колдуне есть... или когда-нибудь существовало... местное население, достигшее прочно укоренившейся формы цивилизации, чтобы у них смогло развиться такое изысканное искусство, либо до нас и трогов здесь побывали другие гости из космоса. Но в последнее мне не верится...

— Почему?

— Потому что медальон вырезан из кости или из какого-то другого, порожденного живым существом материала. В лаборатории нам не удалось точно определить его состав, но это органика. Он довольно долго находился на открытом воздухе во все времена года, и все равно остался в превосходном состоянии, а вырезан он мог быть лет пять тому назад. Это удалось выяснить, но не очень точно. К тому же у нас есть доказательства, что в этом секторе планеты не побывали ни мы, ни троги и никто из каких-либо межзвездных цивилизаций. И я утверждаю, что его изготовили здесь, на Колдуне, не очень давно, и сделало его разумное существо очень высокого уровня цивилизации.

— Но тогда здесь были бы города, — возразил Шенн. — Мы находились здесь несколько месяцев и изучили почти всю планету. Мы обязательно обнаружили бы эти города или хотя бы следы бывших городов.

— Возможно, это древняя раса, — задумчиво произнес Торвальд. — Очень древняя раса, которая, вероятно, пала, но кто-то все-таки остался и счел разумным скрыться в каком-нибудь надежном убежище. Нет, мы не обнаружили ни городов, ни доказательств местной культуры прошлого либо настоящего. Но это... — он дотронулся до своей куртки. — ... Его я нашел на берегу острова. Наверное, мы искали аборигенов не в том месте.

— А море... — Шенн с интересом взглянул на зеленую поверхность, подернутую мелкой рябью у самого края фиорда.

— Именно так! Море!

— Но ведь год тому назад или чуть раньше здесь побывали наши разведчики. Они не обнаружили никаких следов чьего-либо пребывания.

— Все наши четыре опорных лагеря располагались внутри континента, а исследования берега проводились главным образом с флиттера, если не считать одной поисковой партии... тогда я и нашел медальон. Естественно, у местного населения имелись веские причины не показываться нам. Потому они и не живут на суше вовсе. Кстати, вполне возможно, что в отличие от нас они способны существовать и в воде при помощи каких-нибудь дополнительных искусственных вспомогательных средств.

— А теперь...

— Теперь мы должны совершить реальную попытку обнаружить их, если они живут где-то поблизости. Дружественная местная раса может помочь нам изменить жизнь на этой планете. И главное — помочь в борьбе с трогами.

— Значит, когда вы спорили с Феннистоном, вы говорили совсем не о снах и видениях, верно? — вставил Шенн.

Торвальд пристально посмотрел на него.

— Когда ты слышал это, Ланти?

К своему смущению, Шенн почувствовал, что покраснел.

— Я слышал ваш разговор в тот день, когда вы покидали штаб-квартиру, — тихо ответил он и добавил в свою защиту: — Честное слово, вы так громко спорили, что вас могла услышать добрая половина лагеря!

Хмурое выражение исчезло с лица офицера. Он издал короткий смешок и промолвил:

— Да-а, сдается мне, что тем утром мы так орали... Сны! Ха! — он немного помолчал и вновь вернулся к теме разговора. — Да, сны, вероятно, это были сны... но очень важные. Мы их предупреждали все время, даже на стартовой полосе. Лорри был Разведчик-Номер-1, который составил карту Колдуна, а он — прекрасный парень! Я думаю, что могу нарушить тайну и теперь рассказать тебе, что его корабль был оборудован новейшим экспериментальным оборудованием, которое запечатлевало все происходящее... что ж, можешь назвать это «эманацией», излучением, если угодно... но радиация была настолько слаба, что ее источник обнаружить так и не смогли. И всякий раз, когда *это* регистрировалось, считалось, что Лорри видел это во сне. К несчастью, оборудование было совсем новым и только на стадии тестирования, а когда позднее данные попали в лабораторию, то все посчитали настолько странным и непостоянным, что власть предержащие стали задавать вопросы по поводу полученной информации. Ну, им представили с полдюжины ответов касательно записанной пленки, а Лорри только получил сигнал тогда, когда находился в большом заливе на юге. Позже прибыли два разведывательных корабля и доставили уже отлаженное и протестированное оборудование. Они не сделали никаких записей, а все записанное во время первого эксперимента стерли, как ошибочные данные. На такой большой планете, как Колдун очень сложно что-либо обнаружить, когда нет доказательств, что она заселена. И на Колдун наложила лапу колониальная служба.

Шенн вспомнил свой собственный полусон-полуявь, когда видел скалу-череп, возвышающуюся у самой кромки воды. Интересно, у этого ли моря? Еще одна незначительная, но часть головоломки...

— Когда я спал на плоту, то видел гору, похожую на череп, — медленно проговорил он, думая о том, есть ли вообще какой-либо смысл в его словах.

Внезапно Торвальд вскинул руку и указал на Тагги, застывшем в тревожной стойке. До них донесся сильный настораживающий запах.

— Да, на плоту тебе пригрезилась гора-череп. А мне пещера с зеленой завесой, смахивающей на вуаль. Между прочим, мы оба находились на воде... на воде, которая связана с этим морем. Могла ли вода стать проводником? Интересно... — Его рука снова полезла под куртку и достала медальон. Он нервно заходил по пляжу, усеянному галькой, затем приблизился к воде и окунул в нее пальцы. Затем уронил с нее несколько капель на медальон, который держал в другой руке.

— Что вы делаете? — спросил Шенн, ничего не понимая.

Торвальд не проронил ни слова. Теперь он прижимал влажную руку к сухой, ладонь к ладони, крепко сжимая между ними костяной кругляш. Он немного повернулся к воде, обратив к нему лицо и устремив взгляд далеко в открытое море.

— Сюда, — произнес он бесцветным и совершенно чужим голосом.

Шенн уставился на лицо офицера. В эти мгновения тревога покинула его совершенно. Сейчас Торвальд больше не был человеком, которого он знал; рядом с Шенном стоял кто-то другой. Торвальд словно поменял личность. Молодой террани сперва испугался, но буквально через секунду он понял, что нужно действовать. Он вспомнил старые деньки, обычно заканчивающиеся кровавыми потасовками в Бараках Тира. Ребром ладони он резко ударил по запястью офицера. Костяная монетка упала в песок, а Торвальд пошатнулся. Затем он прошел несколько шагов, чтобы обрести равновесие, и прежде чем это ему удалось, Шенн наступил на медальон.

Торвальд резко повернулся к нему, с необыкновенной быстротою выхватив станнер. Но Шенн уже приготовился и стоял напротив, сжимая в руке свой станнер. И он заговорил... очень быстро:

— Эта вещь опасна! Что вы сделали... что вы с собой сделали?

Его вопрос, заданный суровым требовательным тоном будто пронзил офицера, и Торвальд вновь стал самим собой.

— Что я сделал? — переспросил он.

— Вы действовали так, словно кто-то управлял вашим разумом!

Торвальд с удивлением посмотрел на своего спутника, затем Шенн заметил в его взгляде искорку интереса.

— В ту минуту, когда вы капнули водой на медальон, вы изменились, — продолжал Шенн.

Торвальд спрятал станнер в кобуру.

— Мда, — задумчиво произнес он, — почему же мне захотелось капнуть на него водой? Выходит, что-то побудило меня это сделать... — Он провел все еще влажной рукою по щекам, затем по лбу, словно пытаясь избавиться от неведомой боли. — Что еще я сделал?

— Смотрели на море и сказали: «Сюда», — поспешно ответил Шенн.

— Почему ты попытался остановить меня?

Шенн пожал плечами.

— Когда я впервые дотронулся до этой штуки, я испытал шок. К тому же я видел людей, чьими мозгами управляли... — Ему захотелось прикусить язык, словно он кого-то выдал. Мир управляемых людей слишком далек от мира, в котором живет Торвальд и ему подобные.

— Гм, весьма занятно, — заметил офицер. — За год или немногим больше ты слишком много повидал, Ланти... и, по-видимому, ты помнишь большинство из увиденного. Но я должен согласиться, что ты поступил с этой игрушкой правильно, поскольку она несет в себе опасность и далеко не так невинна, как это может показаться. — С этими словами он оторвал несколько лоскутов от своего рукава. — Если ты сдвинешь ногу с медальона, мы тотчас же выведем его из дела.

Он взял медальон и тщательно завернул его в лоскутья, стараясь при этом не касаться его голыми пальцами. Потом спрятал получившийся сверток в секретный карман.

— Я не знаю, что у нас — ключ к незапертой двери или ловушка для безрассудных. Я понятия не имею, как и почему работает эта штука. Но мы можем быть абсолютно уверены, что это — не просто-напросто безобидный девичий фермуар, равно как и не монетка, которую можно просадить в ближайшем баре. Значит, он указывал мне на море, верно? Что ж, это большее, что я готов позволить. Может быть, мы сможем возвратить его владельцу, после того, как узнаем, *кто* он... или что из себя представляет.

Шенн пристально смотрел на зеленую воду, в глубину, непроницаемую для человеческого взгляда. Что-то могло притаиться в ней. Внезапно троги показались ему нормальными существами, уравновешенные этой неведомой жизнью в темных глубинах водного мира. Хорошо бы нанести еще одну атаку на захваченный трогами лагерь, чтобы обзавестись результатами исследований, о которых упоминал Торвальд. Пока Шенн не произнес ни слова протеста, а тем временем офицер снова смотрел в том же самом направлении, куда указывал ему медальон несколько минут тому назад.

## Глава 8. Утгард

За час до рассвета подул сильный ветер с запада, яростными порывами нападая на окрестности, пока в воздухе не появился соленый туман, который гигантским влажным облаком опустился беглецам на головы. Волосы беглецов слипались, их кожа стала грязной от морских водорослей, принесенных ветром. Пока Торвальд не искал никакого убежища, вопреки своему обещанию на берегу. В их сапогах хлюпал мокрый песок; они все время скользили на валунах, по которым идти было намного труднее, чем по гравию; Шенн видел большие наносы из плавника, ила и ракушек. Кроме того его взгляд часто выхватывал какие-то странные кучи бледно-лавандового, сероватого или белого как кость цвета, которые изумляли Шенна. Но он знал, что все здесь зависит от смены сезонов, от приливов и отливов, яростных штормов и ураганов. Иными словами, природа, как и везде, жила своей жизнью. Этот дикий Богом забытый берег все больше вызывал у молодого человека недоверие, вероятно усилившееся после знакомства с медальоном-проводником.

Шенн уже успел вкусить одиночества в горах, испытать на себе странный мир реки с ее светящимися деревьями и кустами на берегу: он лицом к лицу столкнулся с неподвижными равнодушными вершинами, пронзающими небесный янтарный купол Колдуна. И все-таки это путешествие мало чем отличалось от его походов на других планетах. Дерево везде было деревом, только где-то оно имело голый ствол, а здесь светилось пурпурным светом или отдавало оттенком красного вина. Скала была скалой, река — рекой. На Колдуне и на Тире он ощущал одинаковую влажность и тяжесть в воздухе.

Но сейчас он не сумел бы даже мысленно описать туман, висящий между ним и песком, по которому он шел; между ним и морем, брызги от которого проникали сквозь его промокшую насквозь рваную одежду; между ним и этим диким берегом, изуродованным многовековыми штормами.

— ... наступает буря, — донесся до него обрывок фразы. Торвальд остановился, закрывая лицо от неистового ветра и соленых брызг, и стал наблюдать за гневным морем, кидающимся на берег, точно разъяренное животное. Солнце бледным расплывчатым пятном стояло над горизонтом. Но пока света было достаточно, чтобы видеть замысловатую цепочку островов, постепенно тающих во тьме.

— Утгард...

— Утгард? — повторил Шенн это странное, ничего не означающее для него слово.

— Легенда моего народа, — произнес офицер, ладошкой вытирая соленые брызги с лица. — Утгард — это вон те, самые далекие острова, на которых живут гиганты. Они — смертельные враги древних богов.

Шенн всмотрелся вдаль и увидел огромные глыбы; в основном это были голые скалы, только немногие из них покрывала редкая чахлая растительность. «Наверняка это была неплохая гавань для *чего-то*, — подумал Шенн. — Для чего-то, от гигантов до зловещих духов какой-то неведомой расы. Возможно, даже троги слагали легенды о всяких дьявольских выходках в ночи; о жуках-чудовищах, заселяющих жуткие неизведанные земли. Внезапно Шенну надоело бесцельно брести по берегу, слушая сказки, и он решил рискнуть. Он коснулся руки Торвальда и предложил начать кое-какие конкретные действия.

— Прежде чем грянет буря, нам нужно отыскать укрытие, — проговорил он решительно. К его облегчению, Торвальд согласно кивнул.

Они снова двинулись через берег, на этот раз обратно. Теперь море и Утгард находились позади них. Когда Шенн произнес про себя это непривычно звучащее название, то решил, что оно отлично подходит к неровной цепочке островов и островков. Песчаный пляж сужался, а полоска голубоватого песка вперемешку с гравием вела к огромным холмам, нанесенным морскими волнами. Из этой каменной преграды, очень похожей на бруствер и с вкрапленными в нее странными образованиями костяного цвета, возвышались первые горы, которые Шенн осмотрел с чувством возрастающей тревоги. Выбора не было. Либо ветром их смоет прямо в бушующее море, либо им придется взбираться на гору, совершенно не внушающую ему доверия, как и любому человеку, плохо разбирающемуся в том, как выжить в полевых условиях. Им надо найти укрытие в какой-нибудь расщелине, расположенной подальше от фиорда, по которому они шли. И найти это укрытие надо как можно скорее, до наступления темноты и того страшного мига, когда буря разыграется в полную мощь.

Наконец росомахи обнаружили выход, представляющий собой узкий проход между горами. Тагги принюхался к темной полоске земли, бегущей прямо перед его мордой и упирающейся в скалу и исчез. Тоги тотчас же последовала за ним. Шенн двинулся вслед за животными, и вскоре увидел очень узкое отверстие в скале.

Он буквально нырнул во тьму; упершись вытянутыми вперед руками в шероховатую стену, отлого спускающуюся вниз. После того, как он уже побывал на самом краю бездонной пропасти, ему не составило труда посмотреть через трещину, выходящую на море. Пещера, в которой он стоял, имела проход, ведущий в узенькую лощину, совершенно не похожую на лощины в фиордах. Грубые стены пещеры были покрыты толстым слоем мха, вокруг зеленела трава и росли деревца и кусты.

На этот раз Торвальд с Шенном трудились, как давно сработавшаяся, умелая команда. Они обложили пещеру ветками и кустарником, которые ветром нанесло внутрь через щель в скале. Теперь, сидя в этом каменном, но довольно уютном мешке, оба знали, что троги ни за что не вышлют поисковую тарелку навстречу надвигающейся буре. Поэтому беглецы разложили небольшой костер. Тепло от костра согревало их утомленные тела, а отблеск огня от горящих ветвей успокаивал нервы. Даже суровые складки на лице Торвальда умиротворенно разгладились. Весело пляшущие красные искры костра словно сжигали дотла мрачное покрывало того чуждого мира, который окутывал неспокойный морской берег, создавали у Шенна иллюзию дома, которого у него никогда не было, а вместе с ним отметались все заботы и треволнения, обуревавшие им во время его опасного путешествия.

Однако ветер и погода отнюдь не собирались поддерживать условия «мирного договора». Над вершинами гор ветер устроил кошачий концерт, равный по силе вою по меньшей мере полудюжины охотников-трогов. И терране в своем крохотном убежище слышали не только громоподобный рев яростной бури, но и ощущали сильную вибрацию, точно вот-вот наступит землетрясение. По-видимому волны вырвались на берег и достигали их скалы, и только благодаря этой природной преграде беглецы оставались в безопасности. Они прижались друг к другу плечами и даже не разговаривали, что было бы совершенно бесполезно из-за жуткого рева вокруг.

Последняя янтарная вспышка на небе внезапно исчезла с быстротою задернутой шторы. Они знали, что на Колдуне ночь наступает сразу, минуя сумерки, но сейчас им показалось, что тьма буквально обрушилась на них. Росомахи свернулись в своей маленькой спасительной «гавани», время от времени жалобно поскуливая. Шенн гладил их по жесткой шерсти, стараясь успокоить и внушить им уверенность в безопасности, которую не испытывал сам. Никогда еще, пребывая на твердой земле, он не ощущал такого сильного ужаса от разгулявшейся стихии. Природа словно сошла с ума, и силы всего человечества, вместе взятого, в эти мгновения были ничем против нее.

Они с Торвальдом потеряли чувство времени. Вокруг царила кромешная тьма, неистово завывал ветер, а на их головы обрушился холодный соленый дождь. Костер вскоре потух, холод и тьма охватили их скрюченные тела, поэтому им пришлось встать и обнять друг друга, чтобы согреться. Так они и стояли, чувствуя, как горячая кровь стремительно бежит по венам каждого из них.

Чуть позднее ветер постепенно стих, дождь перестал лупить, как пули из автомата, поливая их хлипкое убежище, и только тогда им удалось провалиться в тяжелый сон без сновидений.

Красно-пурпурный череп... а из глазниц вылетают... а потом влетают обратно... Что? Шенн, спотыкаясь, брел по какой-то неустойчивой поверхности, проваливающейся под его весом, как плот во время их речного путешествия. Он подошел ближе к огромной голове, и теперь смог разглядеть волны, заливающие нижнюю челюсть чудовищного черепа, попадая внутрь этой жуткой пасти сквозь провалы на месте отсутствующих зубов... которые в действительности были выломанными зубами-скалами... Создавалось впечатление, что череп постоянно пьет морскую воду. Чтобы возвратиться к жизни... Отверстие в том месте где должен быть глаз, очень походило на сопло; дыра была темной, такой же темной и пустой, как глазницы. И эта непроглядная тьма удерживала Шенна от любого усилия бежать от этого страшного черепа. И вдруг его подхватило волной и понесло вперед прямо к челюсти; он с отчаянием выставил руки вперед, подняв их над головой, стараясь ухватиться за края носа-сопла, чтобы подтянуть свое тщедушное тело к этому жуткому отверстию.

— Ланти! — чья-то рука хлопнула его по спине, мгновенно выведя его из этого маниакального наваждения... и сна. Шенн с трудом открыл глаза; ему показалось, что ресницы прилипли к щекам.

Наверное, он все же исследовал тот подводный мир. Тонкие дымки тумана поднималась с земли, словно во время шторма проросли какие-то неведомые семена. С вершин не доносилось ни звука; ветер прекратился. Только под собою Шенн ощущал легкую вибрацию, когда волны ударялись о подножие скалы.

Торвальд склонился над ним и присел рядом на корточки, его рука настойчиво трясла молодого человека за плечо. Лицо офицера выглядело настолько изможденным, что сквозь загорелую тонкую кожу проглядывал его череп.

— Буря кончилась, — сказал Торвальд.

Когда Шенн садился, он весь трясся от озноба. Он ощупывал грудь, свою промокшую до нитки, рваную униформу. Он чувствовал себя так, будто никогда не согреется. Когда он, шатаясь, двинулся к ямке, где раньше горел костер, то понял, что росомахи исчезли.

— Тагги?.. — его собственный голос показался ему грубым и хриплым, будто соленый воздух повредил ему голосовые связки.

— Они охотятся, — проговорил Торвальд. Он собирал в охапку хворост в их импровизированном убежище, поскольку в том месте, где они лежали, их тела закрывали ветки, оставив их сравнительно сухими. Шенн последовал его примеру и, собрав столько веток, сколько сумел удержать, бросил их в ямку.

Когда им удалось разжечь огонь из того, что они собрали, они сняли одежду, как следует выжали ее и начали обсушивать над огнем по частям. Влажный ветер пронизывал их тела, и они двигались очень быстро, стараясь согреться в работе. Оба знали, что пока над ними клубится туман, ни один солнечный луч сквозь него не пробьется.

— Тебе что-то снилось? — неожиданно спросил Торвальд.

— Да, — ответил Шенн в тон офицеру. Сон настолько встревожил его, что он чувствовал, что теперь никакой приказ не может быть суровее этого сна. Поэтому он решил не делиться своими впечатлениями с Торвальдом, даже если тот будет настаивать.

Однако все вышло по-другому.

— Я тоже видел сон, — равнодушным голосом промолвил офицер. — А тебе приснилась та гора-череп, не так ли?

— Я как раз взбирался на нее, когда вы меня разбудили, — отозвался Шенн, с явной неохотой поворачиваясь к старшему товарищу.

— А я проходил сквозь мою зеленую завесу-вуаль, когда Тагги задел меня, и я тут же проснулся. Ты уверен, что этот череп существует на самом деле?

— Да.

— Я тоже думаю, что эта пещера с завесой есть где-то на планете. Но почему, черт возьми? — Торвальд резко поднялся, огонь от костра отбрасывал прямые четкие линии на его загорелые руки, обветренное коричневое лицо и горло, на фоне которых его обнаженный торс казался ослепительно белым. — Почему нам снятся такие странные сны?

Шенн пощупал рубашку, высохла ли она. Ему страшно не хотелось даже попытаться объяснить, почему им снятся эти сны; он был уверен только в одном: что однажды, где-то он найдет этот череп, и тогда-то он уж точно заберется в его носовое отверстие и доберется до самых его глубин, где наверняка гнездятся эти неведомые летающие создания... и не потому что ему хотелось убедиться, что все это правда, а потому, что он *должен* это сделать.

Он провел руками по ребрам, и сразу почувствовал зудящую боль: воспоминание об ударе энергетического хлыста, выпущенного проклятыми трогами. Тело Шенна не отличалось силой и красотой, мышцы по-прежнему еле-еле выделялись сквозь кожу, более загорелую и обветренную, чем у Торвальда. Его волосы, за месяц превратившиеся в бесформенный ком, начали завиваться в черные кудряшки. Поскольку Шенн был моложе, слабее и меньше ростом, чем остальные сотрудники разведотряда, он не отличался большим тщеславием. Он обладал совершенным иным видом гордости, ибо всего, что он добился, ему пришлось добиваться, преодолевая длинную череду препятствий, разочарований и враждебного превосходства остальных.

— Почему нам это снилось? — повторил он вопрос Торвальда. — Не могу ответить, сэр. — На этот раз он ответил, как положено отвечать солдату на вопрос старшего по званию. И к его вящему изумлению, Торвальд от души рассмеялся.

— Откуда ты, Ланти? — спросил он так, точно это и вправду интересовало его.

— С Тира.

— Калдонские рудники, да? — по-видимому, у Торвальда любая планета ассоциировалась только с тем, что на ней производится. — Как же ты попал на Службу?

Шенн натянул на себя рубашку.

— Устроился в качестве временного рабочего, — с некоторым вызовом ответил он. Торвальд попал в Службу разведки еще кадетом, и стал человеком Команды; в конце концов ему присвоили звание офицера, и он продолжал восходить по иерархической лестнице, прислушиваясь к каждому «звоночку», чтобы быть готовым подняться еще выше. Откуда же такому человеку, как Торвальд, известно о рабочих бараках, где жили всякие тупоумные, беглые преступники и прочие подонки общества, и все это тщательно скрывалось самою социальной системой? Чтобы выжить в этих бараках первые три месяца, Шенну пришлось собрать воедино каждую частичку своей энергии, терпеливости, выносливости... и остаться несломленным. Им руководила единственная страсть: попасть в разведотряд. В любом качестве. Он по-прежнему удивлялся невероятной возможности, которой он рискнул воспользоваться, когда он случайно узнал, что Тренировочному Центру требуются дополнительные руки, чтобы чистить клетки и кормить экспериментальных животных.

Из Центра его направили в Команду, где он быстро осознал, что когда работаешь в маленькой группе людей, каждое твое действие и отношение к долгу замечается и рано или поздно окупается. На это у Шенна ушло три года, но он все же достиг статуса члена команды. Вряд ли это что-то значило сейчас. Шенн надел сапоги и посмотрел наверх, чтобы увидеть Торвальда, наблюдающего за ним каким-то новым заинтересованным взглядом, которого Шенн совершенно не понимал.

Шенн застегнул молнию на куртке и встал, ощущая небольшой голод, тупой, но настойчивый. В прошлом это чувство преследовало его долгие годы, так что сейчас он едва стал раздумывать о том, что предпринять.

— Как насчет провианта? — решительно осведомился он, думая только о настоящем. Какое имеет значение, как и почему Шенн Ланти впервые оказался на Колдуне?

— То, что у нас осталось из концентратов, лучше использовать в самом крайнем случае, — ответил Торвальд, даже не пошевелившись, чтобы открыть походный мешок, взятый с корабля-разведчика.

И он пошел по почти обнаженной горной породе, выдергивая по пути пучки желтоватых растений. Это был ни мох, ни грибы, но странные растения имели признаки и того и другого.

Шенн без всякого энтузиазма понял, что именно эти разновидности местных продуктов может без опасения переварить человеческий желудок. Растения оказались почти безвкусными и издавали довольно неприятный запах. Однако они временно утолили голод. Шенн надеялся, что вскоре с помощью росомах они смогут нормально поесть.

Но Торвальд не выказывал желания двигаться вглубь континента, где их могли ожидать какие-либо местные «достопримечательности». Он отверг предложение Шенна следовать за Тагги и Тоги, когда вдруг обе росомахи выскочили из буйных зарослей, явно сытые и довольные своей утренней охотой.

Когда Шенн яростно стал возражать, Торвальд с усмешкой произнес:

— Ты что, никогда не слышал о рыбе, Ланти? После такого зверского шторма мы найдем на берегу столько рыбы, сколько душа пожелает.

Но Шенн не сомневался, что Торвальд стремиться на берег не только на поиски пищи.

Они снова проползли через узкое отверстие в скале. Песчаный берег, усеянный галькой и валунами, исчез, если не считать узкой полоски земли у самого подножия скалы, где вода сворачивалась в белые кружева, ударяясь в каменную преграду. Небо казалось безжизненным; солнечные лучи не могли пробиться сквозь толстые облака. Зеленоватое море казалось пепельносерым и словно сливалось с облаками, и сколько путники не напрягали взгляд, пытаясь обнаружить горизонт, им так и не удалось найти линию, отделяющую небо от воды.

Утгард напоминал сломанное ожерелье; самые отдаленные островки-бусинки пропали, а тех, что находились между ними, поглотила вода. Шенн испуганно выдохнул воздух.

Вершина ближайшей к ним скалы отделилась и оказалась спиной какой-то сгорбленной твари с плотными пластинчатыми чешуйками и тяжелой головой с широкой челюстью. Ее огромный раздвоенный хвост бил по воздуху и очень смахивал на гигантские вилы, которые равнялась половине тела чудовища. Эта морская тварь была самым жутким существом, которое Шенн когда-либо видел на Колдуне, и даже была отвратительнее охотника трогов.

С огромной силой вбирая в себя воздух, тварь довольно вяло шлепала хвостом по камням, из чего можно было сделать вывод, что она не желает перенапрягаться, дабы не тратить впустую свои ограниченные силы. Всякий раз, переставляя переднюю лапищу, чудовище вытягивало голову вперед. И тут Шенн заметил жуткую рану у монстра на боку, как раз перед одной из задних лап, которые были значительно длиннее передних. Из рваной дыры на землю выливался пурпурный поток, тотчас же слизываемый волнами.

— Что это? — оцепенев от ужаса, тихо спросил Шенн.

Торвальд отрицательно покачал головой.

— Его нет в наших отчетах, — ответил он рассеянно, изучая умирающее существо с нескрываемым интересом. — Вероятно, его выкинуло из воды во время шторма. Что доказывает, что море изучено нами отнюдь не до конца!

Раздвоенный хвост вновь поднялся и упал; голова тоже поднялась над неуклюжим туловищем, затем чудовище стало то вытягивать, то втягивать шею, и беглецы заметили белесые складки на толстой шее. Потом чудовище подняло голову, и Торвальд с Шенном увидели огромную пасть, обращенную в небо. Челюсти раскрылись, и до людей донесся жалобный свистящий стон, который тотчас же потонул в грохоте волн. Затем, словно из последних сил, перепончатая лапа с огромными когтями ослабила свою хватку на скале, и чешуйчатое тело соскользнуло вбок, и спустя несколько секунд исчезло в воде. Мужчины удивленно переглянулись. Чудовища словно не бывало. На воде не осталось никаких следов его падения, даже пены...

Шенн, наблюдающий за морем на тот случай, если рептилия появится снова, вдруг заметил еще один предмет. Круглой формы, он стремительно скользил по волнам, так же легко, как их плот по реке.

— Смотрите! — воскликнул Шенн.

Глаза Торвальда проследили за его указательным пальцем, и прежде чем Шенн успел возразить, офицер соскочил со скального карниза на широкий камень, лежащий на уровне моря и представляющий превосходное укрытие. Он остановился на камне и стал рассматривать плывущий предмет с пристальнейшим вниманием, когда Шенн, последовав примеру офицера, вывел его из оцепенения. Но спустя несколько мгновений Торвальд вновь уставился на объект своего внимания. Шенн тоже всмотрелся в него.

Плывущий предмет оказался овальным, возможно футов шести в длину и трех — в ширину; когда он свернул от края воды, его средняя часть приподнялась над водой. Пока Шенну удавалось разглядеть, что предмет красно-коричневого цвета и с довольно шершавой поверхностью. И тут он решил, что предмет вполне может оказаться упавшим во время шторма грузом, способным держаться на воде, как поплавок, а двигается он благодаря своей эластичности и упругости. К явному смятению Шенна, его компаньон начал раздеваться.

— Что вы собираетесь делать? — изумился Шенн.

— Плыть к нему.

Шенн внимательно оглядел воду возле скалы. Чудовище с раздвоенным хвостом утонуло именно в этом месте. Неужели Торвальд окончательно спятил, чтобы поплыть без всякой страховки по морю, где водятся такие жуткие существа? Казалось, что да, ибо Торвальд, описав красивую дугу, нырнул в воду. Шенн ожидал на берегу. Он сидел, согнувшись в напряжение, словно готовый атаковать любое существо, которое посмеет напасть на его компаньона.

Наконец, загорелая рука офицера показалась на поверхности. Торвальд уверенно плыл в направлении двигающегося по морю предмета. Когда он достиг его, то провел вытянутой рукою по его поверхности. И как только он коснулся его, тот сразу же изменил движение, потому Шенн предположил, что управлять неведомым предметом намного легче и проще, чем это казалось с первого взгляда.

Торвальд плыл назад, толкая объект перед собой. Когда он выбрался на берег и влез на камень, Шенн подтянул поближе его трофей. Они гладили его, постукивали по корпусу, выискивая люк, или на худой конец, какое-нибудь отверстие. В сущности, перед ними находилось готовое изделие, чем-то похожее на каноэ с тупой носовой частью. Но органического происхождения. В этом они не сомневались. Раковина? Шенн задумался, кончиком пальца ощупывая неровную поверхность.

Торвальд оделся.

— Теперь у нас есть лодка, — сказал он. — Теперь до Утгарда...

Использовать такую хрупкую вещь, чтобы рискнуть отправиться в путешествие к островам? Но Шенн снова не протестовал. Если офицер принял решение пуститься в такое плавание, то он пойдет вместе с ним. И еще, молодой человек не сомневался, что он должен сопровождать Торвальда.

## Глава 9. В полном одиночестве

Высохнув под лучами горячего солнца, берег снова превратился в широкое пространство из песка, валуна и гальки. Солнце жарило нещадно, и Шенн не смог вспомнить ни одного дня на Колдуне, когда бы стояло такое пекло. Лето явно опередило свой срок. Терране работали в сравнительно сносной тени, отбрасываемой нависшей над морем скалой, не только чтобы защититься от палящих лучей, но также чтобы их не увидел воздушный патруль трогов.

Под руководством Торвальда своеобразная раковина была вытащена из воды. Если их плавучее средство было раковиной, поскольку ее структура, как и основная форма очень напоминали раковину. Она была оборудована каркасом, таким, как у шлюпки с выносными уключинами. Поэтому эта штука выглядела очень необычно, однако она послушно и легко неслась по волнам.

Когда солнце встало в зените, то они отчетливо увидели очертания островов: красно-серых скал, возвышающихся над аквамариновым морем. Им больше не попадались морские чудовища, и главным доказательством местной жизни на берегу были еще не виданные им клацающие существа, гнездящиеся в скальных пещерах и питающиеся отбросами, которые они выискивали в песках, а также множество удивительных рыб и небольших созданий, обитающих в ракушках, выброшенных приливом в небольшие озерца. Вся эта живность доставляла огромную радость росомахам, которые до отвала наелись рыбой на берегу, но все равно были готовые исследовать все, что выбросило на сушу яростным штормом.

— Отличная посудина, — заметил Торвальд, делая последнее усилие и заканчивая работу. Затем он выпрямился, прижал кулаки к бедрам и осмотрел их плавучее средство с чувством некоторой гордости.

Шенн не был так доволен, как офицер. Он действовал под стать Торвальду, но старался избегать опрометчивой спешки. Да, судно, если это было судном, готово к плаванию. Теперь они смогут исследовать Утгард, о котором столько говорил Торвальд. Но все равно червь сомнения глодал Шенна, сдерживая его энтузиазм к путешествию. Ему вполне достаточно было увидеть чудовище с раздвоенным хвостом, вылезшее из океана, и Шенну совсем не хотелось встретиться точно с таким же монстром, только на этот раз пребывающим в полном здравии. Если потревожить такого гиганта на его территории...

— К какому острову мы идем? — бодро спросил Шенн, стараясь скрыть свои личные сомнения насчет успеха их предприятия. Наиболее удаленная земля из цепи островов казалась ему еле заметным расплывчатым пятнышком.

— К самому большому... тому, на котором деревья.

Шенн свистнул. С ночи шторма росомахи снова вели себя послушно, и он старался, чтобы они и впредь также легко соблюдали дисциплину. Вероятно, ярость, проявленная стихией, натянула невидимую нить между животными и людьми и сблизила их, ибо и те и другие понимали, что они чужаки в этом загадочном неизведанном мире. Теперь Тагги с подругой часто терлись о бока людей и вопрошающе смотрели на них. Но смогут ли росомахи довериться их суденышку? Шенн не рискнул отправить их к острову вплавь, и ни за что не согласился бы оставить на берегу.

Торвальд уже сложил их скудный провиант на борт суденышка. А теперь Шенн удерживал судно у скалы, служащей им своего рода гаванью. Он поманил к себе Тагги. Хотя Тагги тихо запротестовал, в конце концов он взобрался на борт, затем свернулся на днище раковины, этакое воплощение понимания. Тоги понадобилось больше времени на принятие решения. Тогда Шенн сам, сперва погладив ее и сказав ласковые слова, взял Тоги на руки и отнес к ее товарищу.

Раковина немного осела под их весом, но Торвальд предусмотрительно повернул уключину вправо, чтобы судно стало пригодным к плаванью. Весла погрузились в воду, и они сделали довольно крутой поворот, поначалу держа курс на группу островов, расположенных между ними и открытым морем, служа своего рода волноломом.

Из-за довольно сильного ветра Торвальду то и дело приходилось менять курс, поскольку их мотало взад-вперед между разбросанными островками. Офицер использовал их как защиту для их каноэ от ветра, когда они оказывались с безветренной стороны, где море было спокойно. Шенн заметил, что примерно треть этих островков являют собой голые скалы, на которых гнездились только клацающие птицы и еще какие-то существа, очень похожие на земных птиц. Они могли похвалиться своими пышными многоцветными перьями, хотя головки этих птичек были совершенно лысые. Еще Шенн отметил, что клацающие и «земные» птицы не гнездятся на одном и том же острове; у каждых имелось свое собственное жилье, а их соседи никогда не залетали на чужую территорию.

Первый крупный остров, до которого они наконец добрались, был увенчан деревьями, но не имел ни пляжа, ни даже тонюсенькой полоски песка на уровне воды. Вероятно, можно было попасть на него, взобравшись по скалам берега, но Торвальд решил этого не делать и направил суденышко к следующему крупному острову.

Взору Шенна предстало кольцо рифов, напоминающих белые кружева. Они осторожно проплыли вокруг этой окружности, несмотря на свою безобидную красоту, на самом деле представляющую собой весьма опасную преграду. Наконец, суденышко достигло входа в атолл. Внутри находились две клинообразных полоски земли, отлого поднимающихся к самым высоким местам атолла. Шенн почти не заметил там растительности, если не считать нескольких деревьев, с расстояния казавшихся мертвенно-бледными, даже намного бледнее растущих на краю пустыни. Птицы с кожаными крыльями кружились над их каноэ, с вежливым любопытством разглядывая незваных гостей.

Пока они продолжали огибать атолл, за ними следовал целый косяк этих птиц. Торвальд все быстрее опускал свое весло в воду. Исследовав больше половины атолла с внешней стороны, им так и не удалось отыскать прохода внутрь этого затейливого кольца.

— Замкнутая ограда, — заметил Шенн. Ему начинало казаться, что эту преграду намеренно возвели от непрошеных посетителей. Палящие солнечные лучи, отражающиеся от поверхности воды, жарили их лица и запястья, поэтому они не рискнули снять одежду. Росомахи беспокойно поскуливали. Шенн не знал, сколько еще времени животные будут довольствоваться своим положением. Ведь косматые пассажиры вполне могли запротестовать против такой неудобной поездки.

— Когда же мы пойдем к следующему острову? — спросил Шенн, по недовольному выражению лица офицера прекрасно понимая, что Торвальд не в настроении вообще говорить, не то, что отвечать на вопросы.

Тот молча орудовал веслом, которое использовал, как руль, с тупой настойчивостью продолжая выискивать проход внутрь атолла. Шенн чувствовал, что теперь это стало личным делом между офицером разведотряда Рагнаром Торвальдом и стеной из рифов, и что воля человека здесь настолько же крепка, как и эти омываемые морем камни.

Наконец, на самом краю юго-западного рифа они обнаружили возможный проход. Шенн с сомнением разглядывал узкую щель между двумя скалами, похожими на клыки. Ему казалось, что преодолеть эту щель совершенно невозможно и к тому же очень опасно, ибо внезапным ударом волны их просто разобьет об один из этих столбов, и тогда о том, чтобы спастись, не могло было и речи. Но Торвальд уверенно повел их утлое суденышко прямо к щели, и тут Шенн осознал, что это действительно есть вход в атолл.

Торвальд мог быть упрямцем, но не дураком. И его маневр доказал его умение и опыт в подобных делах, когда каноэ за какие-то секунды очутилось внутри атолла. Шенн вздохнул с облегчением, но не проронил ни слова.

Теперь им пришлось медленно пробираться вдоль внутренней стороны атолла, чтобы достичь более или менее ровного берега, поскольку напротив них с этой стороны остров был отлично защищен грозными скалами, напоминающими те, что заслоняли цепочку островов, к которым они так стремились.

Шенн осмотрелся по сторонам, надеясь отыскать на этом мелководье морское дно или кого-нибудь из обитателей этих вод. Но его взгляд никак не мог проникнуть сквозь зеленоватую тьму воды.

Тут и там на несколько футов из воды торчали вершины крупных валунов или конкреций, которые приходилось огибать. Плечи Шенна горели от палящих лучей солнца, причиняя жгучую боль, поскольку его мышцы не привыкли к столь длительной работе веслами. Местами на его коже вздулись волдыри. Он облизал пересохшие губы, и пристально вглядывался вперед в поисках хоть какого-нибудь берега.

Что же такое важное заставило Торвальда причалить к этому острову? Рассказы офицера о местной расе, которую он намеревался обратить против трогов, казались весьма неубедительными. Особенно сейчас, когда ничем не подтвержденная теория офицера тяжестью ложилась на горящие от нестерпимой боли плечи молодого человека, шанс добраться до негостеприимного берега, маячившего впереди, был примерно один к пятидесяти. А вот попасть в беду им ничего не стоило. И червь сомнения по поводу навязчивой идеи Торвальда с еще большей силой стал точить разум Шенна. Как он мог вообще довериться какому-то неведомому медальону и всяким фокусам-покусам Торвальда, которые он показывал на берегу? С другой стороны, что побудило офицера на подобные поступки? Не хотел же он произвести впечатление на Шенна?

Наконец-то берег! Когда они направили каноэ к нему, росомахи чуть не устроили «кораблекрушение». Увидев и учуяв берег, животные беспокойно задвигались, навострили уши, понимая, что берег совсем близок. Тагги поднялся на задние лапы и прыгнул на самый край судна, и Шенн едва успел перенести свой вес в противоположном направлении, чтобы сбалансировать каноэ, когда Тоги ринулась за своим другом. Потом они прыгнули в воду и стремительно поплыли в сторону берега, в то время как Торвальд вел каноэ плавно и размеренно. Шенн схватил драгоценную сумку с провиантом, чтобы она не утонула. Покрытые песком и гравием росомахи выбрались на берег и весело запрыгали по земле, после чего остановились и стали отряхиваться.

Возле самого берега суденышко плыло медленно и неуклюже, и хотя оно было легким, обоим мужчинам пришлось изрядно попотеть, чтобы тащить его по земле между камнями и кустарником без помощи весла-руля. Ни на секунду не забывая о трогах, им хотелось поскорее отыскать убежище, чтобы спрятать свое судно.

Тагги выкопал из углубления в земле яйцо и вылизал его зеленоватое содержимое, испачкав им шерсть. Росомахи не тратили зря времени на поиски даров природы, и стали быстро разорять многочисленные гнезда. В каждом из углублений они отыскали по три-четыре яйца с довольно плотной скорлупой. Проходя по тропинке, отмеченной следами их когтей, терране взобрались на пологий холм из красноватой земли, уходящий вглубь острова.

Они обнаружили воду, но не кристально чистый горный ручей, а застоявшееся озерцо с затхлой водой, образовавшееся между скальными породами из-за частых дождей. Жидкость оказалась теплой, противной и солоноватой на вкус, и они, не обращая на все это внимания, алчно утолили жажду.

Вскоре они дошли до скалы, возвышающейся у края острова, от которой внутрь острова шел пологий спуск, точно такой же высоты, как и спуск к воде. По своей форме скала являла собой почти идеальный треугольник. Земля заросла густой травой пурпурно-зеленого цвета, среди которой виднелись какие-то растения и деревья. Место выглядело вполне приемлемым для жилья, но здесь не было больше ничего, хотя они тщательно изучили это место, стараясь обнаружить в нем вражеский аванпост.

На ночь они разбили лагерь в довольно глубокой впадине, образовавшейся в земле явно с незапамятных времен. Они жарили яйца и ели их содержимое, сильно отдающее запахом рыбы, не потому что испытывали удовольствие от подобной пищи, а только потому, что это была какая-никая, но еда. Ночью на небе не появилось ни облачка. Поэтому, стоило кому-нибудь из них задрать голову, перед ним открывалось бесконечное небо, усыпанное сверкающими звездами. Вглядываясь в звезды, они обращали внимание на каждый посторонний огонек или искорку, вспыхивающую в небе, потому что ими вполне могли оказаться разведывательные корабли трогов.

— Они не оставят нас в покое, — решительно заявил Шенн о том, что было очевидно для них обоих.

— Не забывай о кораблях колонистов, — напомнил ему Торвальд. — Если они не сумеют захватить·пленника, чтобы связаться с ними, и ослабят свою бдительность, тогда... — он громко щелкнул пальцами, — то Звездный Патруль выйдет на охоту, причем очень быстро! И им придется несладко!

Таким образом даже вдали от трогов они, в некотором роде, продолжали борьбу. Шенн откинулся назад и прислонился к дереву, и его тщедушные плечи отдыхали. Он пытался подсчитать, сколько дней и ночей пролетело до того момента, когда проклятые троги уничтожили их лагерь при помощи своего смертоносного оружия. Но один день сливался с другим, поэтому ему удавалось отчетливо вспомнить только ночь разгрома, затем их отчаянную вылазку, страшный шторм на море, бегство от корабля трогов в пещеру и их встречу с охотником. Затем он вспомнил их с Торвальдом странные эксперименты с медальоном. И сегодняшний день, когда они целые и невредимые, наконец, добрались до острова.

— А почему вы выбрали именно этот остров? — внезапно спросил он офицера.

— Потому что я нашел медальон именно здесь, на краю той лощины, — сухо·ответил Торвальд.

— Но сегодня мы совсем ничего здесь не обнаружили...

— Пока этот остров будет для нас точкой отсчета. Можно сказать, началом.

Началом чего? Тщательного исследования всех этих островов, и больших и маленьких, то есть всех островов, составляющих эту бесконечную цепочку? И как они открыто попадут на следующий остров, если в любую секунду в небе может показаться тарелка трогов? Сегодня они и так примерно час были превосходной мишенью, пока их не скрыл атолл. Усталый до изнеможения, Шенн протянул руки к огню слабого костра, ощущая кончиками пальцев его тепло. Еще ни разу прежде он так не выматывался. А что будет завтра? Снова они будут грести до потери памяти? Но это будет только завтра, а сейчас по крайней мере им не надо волноваться о том, что на них нападут троги. Стоит им только потушить костер, и их никто не заметит. Кстати, Торвальд постоянно уменьшал силу огня. Шенн улегся на постели из листьев и свернулся в клубок, как росомаха. Ночь выдалась спокойной и тихой. До него доносилось лишь убаюкивающее бормотание моря, и вскоре он погрузился в глубокий сон.

Неожиданно выкатившееся солнце ослепило Шенна. Он сонно повернул лицо к приятному теплу, затем открыл глаза и потянулся, как кот. Когда он окончательно проснулся, им вновь овладели воспоминания. Снова надо быть начеку. Рядом с собой он увидел примятую траву и сгоревшие угольки ночного костра. Однако нигде не заметил ни Торвальда, ни росомах.

Шенн не только остался один, но внезапно им овладело жуткое чувство, что его покинули все на свете; что Тагги, Тоги и офицер на самом деле взяли, да исчезли. Шенн присел, а затем поднялся, порывисто дыша от страха. Тревога пронизывала все его естество, и он машинально дошел до внутреннего склона скалы и поднялся на каменную крестовидную площадку, откуда мог видеть берег, где они спрятали свое каноэ.

Длинные ветки и густая трава, которой они прикрыли суденышко от чужого взора, беспорядочно валялись вокруг, точно кто-то в спешке раскидал их. И не слишком давно...

Он увидел каноэ довольно далеко в зеркально спокойном море в пределах атолла, лопасти весла то вздымались, то опускались от умелых движений того, кто находился в каноэ. Встревоженная вода вокруг суденышка ярко сверкала на солнце. По блестящим валунам внизу бегали росомахи и громко, тревожно кричали.

— Торвальд!..

Шенн набрал полные легкие воздуха и крикнул еще раз, на этот раз во весь голос, так, чтобы сидящий за веслами человек, смог услышать его даже из-за скалы за его спиной. Но человек в лодке даже не оглянулся.

Шенн побежал вниз по склону к берегу; последние несколько футов он уже не бежал, а скользил вниз, и с трудом сумел затормозить пятками, чтобы не свалиться головой вперед в воду. От этих «упражнений» его тело мучительно заныло от боли.

— Торвальд! — снова крикнул он. Но голова с блестящими на солнце волосами не повернулась, не говоря уже о каком-либо ответе. Шенн сорвал с себя одежду и сбросил сапоги.

Когда он прыгал в воду, он уже не думал о морских чудовищах; он плыл и плыл вперед, чтобы догнать каноэ, скользящее вдоль рифов, медленно подплывая к морским воротам, ведущим на юго-запад. Шенн был слабым пловцом. Сперва возбужденный от неожиданности, он плыл довольно быстро, но потом ему пришлось бороться за каждый преодолеваемый им фут соленой воды. Страх еще сильнее овладел им, когда сидящий в каноэ человек добрался до прохода в атолле. Когда он звал Торвальда, он потратил времени и силы легких не больше, чем в своих тщетных усилиях догнать суденышко.

И он почти догнал его, его рука даже коснулась весла. Когда его пальцы сомкнулись на скользком от воды дереве, он взглянул вверх и тотчас же отдернул руку. Теперь единственной его мыслью было спасать свою жизнь.

Ибо, когда он нырнул с головой в воду, то перед ним до сих пор стояла отчетливая картина того, что он увидел: и картина настолько поразительная, что Шенн был потрясен до глубины души.

Наконец Торвальд перестал грести, поскольку весло понадобилось ему для другой цели. Если бы Шенн вовремя не отпустил его, то эта грубо вытесанная деревяшка проломила бы ему череп. Единственное, что он видел, это две руки с веслом, поднятым как грозное оружие, и искаженное от гнева лицо Торвальда, от чего оно казалось нечеловеческим, как у трогов.

Наглотавшись воды, потрясенный Шенн выплевывал ее, стараясь вдохнуть как можно больше воздуха. Весло снова было использовано по своему прямому назначению, и каноэ поплыло вперед; гребец же не обращал никакого внимания, на то, что творилось у него за спиной, хотя он только что едва не убил и не утопил человека. Шенн в свою очередь решил не предпринимать еще одну попытку догнать офицера, ибо она могла закончиться для него не так удачно. К тому же он был слишком плохим пловцом, чтобы продолжать догонять каноэ и уворачиваться от ударов веслом, когда Торвальд, напротив, был специалистом своего дела и мог запросто покончить с назойливым противником.

Шенн медленно доплыл до берега, где его дожидались росомахи, пока еще не способные осознать произошедшее в атолле. Что случилось с Торвальдом? Что побудило его бросить Шенна и животных на острове, на том самом острове, который он назвал отправной точкой для обнаружения на Колдуне аборигенов? Или все россказни Торвальд сочинил для того, чтобы скрыть свои, безусловно, безумные намерения, о которых знал только он один? Но у Шенна не имелось никаких доказательств того, что Торвальд не в своем уме. Разве что медальон, да утверждение самого Торвальда о том, что эту резную штуковину он обнаружил именно здесь.

Шенн выбрался из воды на четвереньках и лег на прогретый песок, чтобы отдышаться. Прохладный ветерок носился над его измученным телом. Над ним склонился Тагги и облизал ему лицо, затем, тихо поскуливая, уютно устроился рядом. Над ними с пронзительными яростными криками носились птицы с кожаными крыльями, недовольные тем, что незваные гости потревожили их гнездовье. Шенна обильно вытошнило водой, затем он долго откашливался, потом сел и осмотрелся вокруг.

Море за атоллом было совершенно пусто. По-видимому, Торвальд обогнул южную точку этой земли и подошел к проходу между рифами; возможно, теперь он уже прошел через него. Даже не одевшись, Шенн взобрался на склон, часть которого он преодолел ползком и на четвереньках.

Он снова достиг крестовидной площадки и поднялся во весь рост. Солнечные лучи отражались в воде, заставляя его зажмуриться, так сильно сверкали волны. Но, подняв ладонь козырьком к глазам, Шенн снова увидел каноэ, уже за пределами рифа; оно двигалось прочь вдоль цепочки островов, а не обратно к берегу, как он ожидал. Торвальд продолжал свои поиски. Но чего? Существующей реальности или мечты, возникшей в его повредившихся мозгах?

Шенн сел. Он страдал от голода, ибо приключение в атолле высосало из него все соки. И теперь он был пленником. И он и росомахи стали пленниками острова размером в полдлины разведлагеря, разрушенного трогами. Насколько он понимал, из питья у них оставалась затхлая солоноватая вода, скопившаяся после дождя в выбоине в скале, которая может очень скоро испариться от жаркого солнца, светившего теперь ему прямо в макушку. А между ним и берегом раскинулось море, в котором водятся жуткие чудовища с раздвоенными хвостами. Шенн с ужасом вспомнил умирающего монстра и поежился от страха.

Торвальд же сейчас в пути, но не к следующему острову в цепочке других, кажущемуся небольшой забавной шишечкой, торчащей из воды, а к тому, что находится далеко за ней. И он спешит, как спешат на какую-то встречу. Где и с кем?

Шенн поднялся и еще раз посмотрел вниз на берег, чтобы окончательно удостовериться в том, что офицер не намеревается возвращаться. Ясно то, что Торвальд действует по своему усмотрению, а с его опытом и физической силой он выживет. И он оставил Шенна живым и отчасти свободным в этой омываемой со всех сторон водою тюрьме.

## Глава 10. Ловушка для ловца

Шенн взял мягкий, похожий на мел, камень и провел очередную белую линию на ржаво-красной глыбе, высоко торчащей из воды. Таким образом, на глыбе стало три таких отметки, означающих три дня с тех пор, как Торвальд бросил его одного. И сейчас он находился не ближе к берегу, чем в то, первое утро! Он сидел рядом с глыбой, понимая, что должен встать и попытаться добраться к совершенно недоступным птичьим гнездам, чтобы раздобыть еды. Пленники островка, человек и росомахи уже разорили дочиста все гнезда, обнаруженные ими на пляже и скалах. Но только от одной мысли снова есть яйца желудок Шенна болезненно сводило, и он чувствовал позывы к рвоте.

Торвальда он не видел с тех пор, как тот скрылся между двумя островами, расположенными на западе. И слабая надежда

Шенна, что офицер вернется, умерла вместе с его исчезновением. И вот он сидел внизу, пытаясь разрешить невозможную задачу: как ему самому сбежать с проклятого острова.

Вместе с исчезновением Торвальда пропали и топор и вся скудная экипировка, поэтому для того, чтобы сделать из кустов и небольших деревцев некое подобие плота, Шенну приходилось пользоваться своим ножом. Однако ему не удалось отыскать виноградных лоз, чтобы как следует скрепить части своего «судна», поэтому когда он попытался выйти на нем из атолла, все обернулось жестоким разочарованием. Пока ему не удалось изготовить плот, способный продержаться на воде более пяти минут с одним Шенном на борту; а ведь ему было нужно добраться до ближайшего острова втроем, вместе с животными.

Впав в полную апатию, Шенн совершил последнюю попытку спустить плот на воду, но все оказалось тщетно. Его не покидала мысль о том, что дождевой воды, скопившейся в углублении в скале, осталось немногим более дюйма, да и вряд ли эту грязную затхлую жижу можно было назвать водой. За день до этого он исследовал самую чащу внутренней лощины, где при виде обильной растительности, он надеялся найти воду, но не обнаружил ничего, кроме влажной глины и болотца с солоноватой илистой водой. Ею удалось хоть немного утолить жажду и ему и росомахам.

Безусловно, в атолле водилась рыба. Шенн задумался о том, что если где-то на острове скрываются какие-то водяные твари, то они нуждаются в пресной воде. Но у него не было ни сети, ни крючьев, так какая речь могла идти о рыбалке или охоте на водяных животных? Вчера, при помощи станнера, он подбил какую-то птицу, но с таким жестким скелетом и огромным количеством костей, что даже росомахи, способные сожрать любую падаль, отказались грызть ее. ·

Животные рыскали по обеим клинообразным полоскам земли, и Шенн решил, что они выискивают съедобное содержимое каких-то раковин, поскольку время от времени росомахи с усиленной энергией принимались разрывать землю, разбрасывая во все стороны гравий. Сейчас этим занималась Тоги, песок и галька летели вверх из-под ее коротких лапок; ее когти яростно разрывали землю; Тоги работала, как экскаватор.

И, наконец, результат ее раскопок принес Шенну первый лучик надежды. Она рыла землю с таким ·неистовством, что Шенну показалось, что росомаха отыскала нечто ценное. Возбуждение Тоги настолько передалось Шенну, что он быстро подошел к вырытой ею яме. При виде того, как Тоги своими когтистыми лапами превратила коричневую поляну в белое пятно, Шенн громко воскликнул от изумления.

Тагги, переваливаясь, спускался по склону на помощь своей подруге, и в его глазах светилось возбуждение не меньше, чем у нее. Шенн склонился над краем ямы, которую росомахи удлиняли с каждым взмахом лап. Коричневая полянка становилась все больше и больше; рядом с ямой выросла уже довольно высокая горка из гравия, песка и земли. Шенну даже не пришлось касаться руками шероховатой поверхности того, на что наконец наткнулись росомахи. Этим предметом оказалась огромная раковина, очень похожая на их каноэ, выброшенное штормом на берег.

Тем не менее, пока росомахи рыли яму, казалось, что конца этой раковине не видно, как ожидал Шенн. Действительно, сторонний наблюдатель подумал бы, что раковина зарыта в землю настолько глубоко, что выкопать ее просто невозможно. Заинтригованный, Шенн возвратился к кромке воды, срезал длинную палку и стал проверять глубину воды в этом месте. Наконец, со своим самодельным лотом он вернулся к росомахам.

На этот раз они копали втроем, и в конце концов, перед Шенном образовалась большая яма, куда он с любопытством заглянул. Он ощупывал края раковины, выискивая место, за которое можно взяться, чтобы вытащить ее наружу. К его удивлению, «судно» настолько крепко сидело в земле, что руки постоянно соскальзывали с него. Но Шенн решил справиться с любым препятствием, вставшим ему на пути. Он отполз немного назад, и тут увидел очищенный кусок дерева, конец которого был раздроблен и расплющен, словно угодил под механический молот.

Впервые за все время, он осознал, что они наткнулись не на пустую раковину, зарытую в землю мощным приливом, а с раковиной, в которой обитало какое-то существо с Колдуна, и эта раковина служила ему естественным укрытием. Еще Шенн догадался, что обитатель раковины, похоже, будет бороться за владение этой раковиной. Стоило Шенну еще раз изучить искореженный кусок дерева, он понял, что предыдущий владелец раковины был способен постоять за себя.

Шенн окликнул росомах, но те носились где-то поодаль, по-видимому, выискивая другую добычу. Шенн прекрасно понимал, что если он попытается силой привести их обратно, то они могут обратить свои острые когти и зубы против него.

И он снова принялся отрывать раковину, хотя больше не пытался поднять ее наверх. Но тут к нему подскочил Тагги, и начал когтями очищать поверхность раковины, в то время как Тоги беспокойно топталась рядом с ним. Она то и дело останавливалась, выбрасывая наверх грязь и песок, однако делала это очень осторожно, как существо, в любой момент ожидающее нападения.

Теперь они почти очистили раковину, хотя она по-прежнему крепко сидела в земле и никто — ни Шенн, ни животные — не замечали никакого протеста или движения с ее стороны. Она была меньше примерно на две трети той, что отыскал и впоследствии превратил в средство передвижения по морю Торвальд. Но и эта могла бы доставить их на материк, если бы Шенн сумел превратить ее в каноэ с веслами.

Обе росомахи беспокойно ходили по земле, явно чем-то озадаченные. Время от времени они набрасывались на раковину, ударяя ее лапами, словно проверяя на что-то. Когти не оставляли на ней никаких следов, кроме неглубоких царапин. Они бы продолжали заниматься этим вечно, пока Шенн, наконец, не решил справиться с этой проблемой.

Он присел на пятки и тщательно изучил все, что находилось рядом с ним. Яма, вырытая вокруг спрятавшегося в раковине существа, находилась примерно в трех ярдах над уровнем моря, и в нескольких футах от песчаной полоски, которую лениво облизывали волны. Шенн с возрастающим интересом внимательно наблюдал, как волны медленно набегают на берег. И тут его осенило, что если их совместные усилия потерпят крах в борьбе с обитателем раковины, то теперь можно будет приспособить для этого море.

И Шенн снова принялся выкапывать желоб, ведущий от линии воды до ямы, занятой упрямой раковиной. Он не сомневался, что существо, живущее в раковине или скрывающееся под ней, хорошо знакомо с соленой водой. Однако оно расположило свою нору или убежище вне досягаемости моря, и поэтому будет весьма недовольно внезапным появлением воды в своем лежбище. Но Шенн понимал, что его план стоит того, чтобы им воспользоваться, поэтому он изо всех сил продолжал работу, в душе очень желая, чтобы росомахи догадались бы ему помочь.

Но они по-прежнему бродили рядом с добычей, разбрасывая лапами песок возле раковины. Шенн подумал, что в конце концов их действия вынудят обитателя раковины приготовиться к побегу. Шенн отделил от своего плота удобную палку, которой воспользовался как лопатой, отчаянно выбрасывая из ямы песок и гравий. Его рваная рубашка пропиталась потом, а соленый песок прилипал к рукам и лицу.

Он покончил с рытьем своего «окопа», и теперь надеялся, что под таким углом вода быстро наполнит яму, тем самым сломив последнюю преграду от волн. И оказался совершенно прав.

Вода быстрым широким потоком устремилась к раковине; росомахи отскочили назад с недовольным рычанием. Шенн ножом заточил длинную ветку, обзаведясь таким образом неплохим копьем. Он стоял, сжимая его в руке, приготовившись к чему угодно, ибо он не знал, чего ему ожидать. И когда вода хлынула в яму, ее движение было настолько внезапным, что, несмотря на все приготовления, его захватило потоком и бросило, как ему показалось, в пучину.

Ибо мощным потоком грязи, песка и воды раковину со всей силы выбросило из ямы. Спустя некоторое время он увидел перед собой подхваченное водой существо, состоящее из коричневых когтистых членов. Его стремительно носило то взад, то вперед. Под разрушающим воздействием воды, одна из стен ямы обрушилась, а непонятное существо, пытающееся удержаться на ней, неистово махало когтистыми лапами в воздухе.

Шенн метнул свое копье и одновременно выставил вперед руку с ножом, чувствуя, как его острие вонзилось куда-то настолько глубоко, что он не сможет его вытащить оттуда. Буквально в нескольких футах от его ноги взметнулась членистая когтистая лапа, и он едва успел отдернуть ее. Это внезапное нападение на неведомое существо, потерявшее равновесие, сработало, причем неплохо. Края раковины немного сдвинулись; теперь ее округлый бок зажало мокрым песком, а тщетные усилия существа выбраться из ловушки потерпели фиаско. Вышло так, что оно само похоронило себя в яме.

Терранин с интересом разглядывал разделенное на сегменты брюхо существа, на его парные лапы, растущие, как ему показалось, прямо из ребер. Шенн не мог определить, где находится самая удобная мишень — голова существа. Однако он достал станнер и выстрелил в окончание живого овала, затем он выстрелил еще раз — в самую его середину, надеясь поразить центральную нервную систему этой твари. Он не знал, который из его выстрелов достиг своей цели, но противник безумно замахал лапами, после чего их взмахи стали замедляться, пока, наконец, не прекратились. Все выглядело так, словно кончился завод у заводной игрушки. Впрочем, Шенн понимал, что существо могло не умереть, а только лишилось сознания.

Тагги только и ждал подходящей возможности для нападения. Он схватил одну из лап, с силой потряс ее, а затем подскочил к лежащей твари, чтобы разодрать ей брюхо. В отличие от раковины, эта часть тела существа не была защищена панцирем, поэтому росомаха бодро приступила к убийству, а его подруга радостно присоединилась к нему.

Началась кровавая бойня, и Шенн с отвращением отошел, пока она не кончилась. Ему надо было заняться раковиной, ибо она могла представить ему единственный шанс для бегства с острова. Росомахи рвали на куски светло-зеленую плоть, но Шенн не мог присоединиться к ним. Он взобрался наверх, чтобы поискать себе яиц, но вместо них обнаружил весьма приятную еду в виде очень вкусных грибов, произрастающих во мхе.

Ближе к вечеру он вернулся к совершенно пустой раковине. Росомахи убежали, чтобы закопать часть добычи, как они всегда делали после нападения на какую-либо жертву. Тем временем птицы с кожаными крыльями выхватывали крошечные кусочки оставшейся плоти и вместе с ней поднимались к своим гнездам, находящимся в самой глубине атолла.

С наступлением темноты, Шенн оттащил окровавленную раковину от берега и поднял ее на гору, хорошенько запомнив место, где ее оставил. Меньше всего ему хотелось лишиться такого сокровища. Затем он стряхнул с одежды землю, грязь и песок, и вымыл ее, после чего как следует умылся сам, песком отскребая грязь с рук и тела. Он все еще не мог поверить в свою удачу. Он был уверен, что прибой принесет ему материалы для уключины и весел. Еще денек или два, и он сможет уплыть отсюда. Выжимая рубашку, он пристально вглядывался в далекую линию горизонта. Как только новое каноэ будет готово, то ранним утром, когда туман еще будет над морем, он попытается вернуться. К тому же раковина послужит ему прекрасным укрытием от кораблей-разведчиков трогов.

Днем он настолько устал, что ночью спал как убитый. Шенн не видел снов, точнее, то, что он видел, не было сном; это было нечто подсознательное, и ничего подобного он не видел даже после налета трогов на лагерь. Утром он проснулся с непонятным чувством вины. Он сумел немного напиться водой, скопившейся в ямке, вырытой им в лощине. Он почти забыл о вкусе чистой пресной воды. Затем, хлюпая по грязи, устремился к берегу и взбежал на гору, боясь, что раковина пропала. Последняя удача, выпавшая ему на долю...

Однако раковина оставалась на том месте, где он ее спрятал ночью. Шенн даже ощутил внутренний подъем от радости. Какие-то мелкие твари разбежались по своим укрытиям, как только завидели его, а в небо взметнулось несколько птичек, питающихся падалью. Они до конца очистили раковину от останков ее прежнего обитателя. При виде этой чистоты и блеска, Шенном во второй раз овладело вдохновенное чувство, что все складывается, как нельзя лучше.

Он вновь притащил раковину на берег и утопил ее в воде, набросав в нее камней, чтобы ее не унесло. За какие-то мгновения раковина наполнилась маленькими изящными рыбками с колючими хвостами. Удостоверившись, что раковина плотно утвердилась на дне, Шенн возвратился, чтобы поискать древесины, оставшейся от его неудавшегося плота, чтобы подобрать подходящую доску для весла. Единственной помехой было полное отсутствие виноградных лоз для сооружения «машинного отделения» раковины. И когда Шенн решил пожертвовать тем, что осталось от его одежды, он увидел Тагги, волочащего за собой членистые ножки обитателя раковины, которые росомахи оставили на хранение после расправы над жертвой.

И вновь Тагги положил на гальку свой трофей, держа наготове когтистые лапы, словно опасаясь, что кто-то утащит его законную добычу. Но Шенн догадался, в чем дело. По-видимому эта часть добычи была неприступна даже для знаменитых зубов

Тагги, поэтому спустя некоторое время он с отвращением оставил ее валяться на гальке, а сам повернулся и направился к запасу более приемлемой пищи. Шенн стал изучать членистый орган убитой росомахами твари.

Его оболочка была не такая твердая, как у рога или раковины, определил Шенн после более пристального изучения лежащего перед ним предмета; скорее, это походило просто на толстую кожу. Он попытался счистить ее ножом и вскоре понял, что ему предстоит утомительная работа, требующая огромного терпения; что даже если трудиться очень быстро, то он не скоро доберется до поврежденной ткани. Однако если работать очень аккуратно, то он сможет нарезать из нее несколько ремней примерно в фут длиной. А связав их вдвое или втрое, их можно использовать для изготовления нужной конструкции, которая прекрасно выдержит как морские волны, так и палящие лучи солнца.

Когда через час он рассматривал свою пробную модель, то увидел, что кожаные ремни отлично ложились каждый на свое, словно предназначенное для него место. С таким же успехом один кусок дерева можно склеить с другим. Шенн вскочил и от радости сплясал танец триумфа, потом проверил под водой раковину. Птички-чистильщики здорово справились со своей работой. Еще несколько усилий, и его судно будет окончательно готово к путешествию.

Но этой ночью Шенну снились сны. На этот раз он не взбирался на гору-череп. Напротив, он снова видел себя на берегу, до полного изнеможения работая над каким-то чужеродным предметом, назначение которого он совершенно не понимал. Причем трудился он безнадежно, точно раб, зная о том, что плоды его непосильного труда предназначены для кого-то другого. И еще он не мог остановиться, потому что где-то за пределами его разума находилась чья-то господствующая и непреодолимая воля, удерживающая его в этой рабской зависимости.

Он проснулся на берегу очень рано, на самом рассвете, не зная, как он здесь очутился. Горячий пот покрывал его тело, словно он целый день проработал под палящими лучами солнца, а все его мышцы болели от страшной усталости.

Но когда он увидел то, что лежало в его ногах, он съежился от ужаса. Его сооружение из ремней для управления каноэ, которое он почти закончил перед сном, было сперва разобрано, а потом разбито на куски. Все ремни, которые он с такой тщательностью изготовил, были разорваны на крохотные кусочки длиной не больше дюйма, и, естественно, уже не могли для чего-либо пригодиться.

Шенн завертелся на месте, затем устремился к раковине, которую ночью вытащил из воды и оставил в безопасном месте. Ее поверхность, похоже, не пострадала. Изнывая от волнения, он ощупал каждый дюйм ее округлости. Потом очень медленно возвратился к бесполезной груде сломанного дерева и обрезков ремней. Он был уверен, даже слишком уверен в одном. В том, что он *сам* совершил эти разрушения. Во сне его настроили удовлетворить желания врага; в реальности он разрушил все, что сделал. Шенн не сомневался, что это весьма обрадовало его противника.

Сон просто являлся частью этого. Но кто или что может заставить человека сперва погрузиться в сон, затем так воздействовать на его тело, что этот человек предаст самого себя? С другой стороны, что заставило Торвальда бросить его здесь? Теперь в первый раз Шенн нашел новое, совершенно безумное объяснение дезертирства офицера. Видения — и круглый диск, так странно подействовавший на Торвальда. Предположим, что Торвальд сказал правду. Что медальон действительно был найден на этом острове, и именно где-то здесь находится ключ к этой загадке.

Шенн облизал пересохшие губы. Что-то послало Торвальда в далекий путь, и это что-то руководило Шенном ночью. Неужели это так? Почему Шенн оставлен здесь, когда Торвальда отправили прочь, чтобы он сохранил эту тайну? А вдруг Шенн сам захотел остаться, причем это желание настолько сильно овладело им, что он собственноручно уничтожил средство для побега? Что-то могло заставить его совершить такое по двум причинам: чтобы оставить его здесь, и чтобы внушить ему, насколько он бессилен перед своим неведомым противником.

Бессилие! В эти мгновения Шенна охватило тупое упрямство. Он принимает этот вызов! Отлично, эти таинственные *они* сотворили над ним такое. Однако они недооценили одного: что своими тайными действиями они дали ему знать о своем присутствии! А предупрежден, значит почти вооружен, как гласит пословица. И Шенн снова приготовился к сражению.

Присев на корточки рядом с обломками, он начал собирать сломанные куски дерева. Шенн прекрасно понимал, что в этот момент он наверняка выглядит жалким и несчастным для любого шпиона. Шпион, вот кто это был! Кто-то или что-то, должно быть, целый день наблюдало и следило за ним и за его действиями, и так будет продолжаться до тех пор, пока он не начнет противостоять этому. А если где-то рядом шпион, значит где-то недалеко и ответ на загадку. Ловушка на ловца. Впрочем, подобная акция может намного превосходить его силы, но все-таки это будет его собственной контратакой.

Так что с этой минуты ему придется играть роль. Он не только не станет разыскивать по острову шпиона, но он будет ходить с таким видом, будто даже и не подозревает о присутствии врага. А росомахи ему в этом помогут. Шенн встал, и, опустив плечи, медленно побрел по склону с видом подавленного и побитого человека, тихо посвистывая, призывая к себе Тагги и Тоги.

Он начал свои разведывательные действия с их приходом. Он бродил по берегу, якобы выискивая подходящей длины досочки и палки, которыми бы он смог заменить разломанные детали рулевого механизма своего каноэ. Но при этом Шенн глаз не спускал с росомах, надеясь по их чуткой реакцией определить место, где может скрываться невидимый соглядатай.

На большей из двух полосок земли, осталась метка, где высадились терране, и где было уничтожено существо, обитающее в раковине. Меньшая полоска была намного уже второй; она тонким клинообразным языком уходила вглубь атолла. То и дело на ней попадались внушительных размеров преграды. Во время своих первых посещений этих мест Тагги и Тоги обнюхали все впадины, дыры и щели с обычным для них охотничьим любопытством. Но теперь оба зверя старались уйти в сторону, не выказывая никакого желания спускаться к морю.

Шенн покосился на Тагги, и заметил, что он чем-то встревожен. Он все время вертелся на месте, поскуливал, но не боролся за свободу действий, как он делал, учуяв запах трогов. Впрочем, Шенн даже не думал, что кто-то из трогов управляет тем, что теперь происходило на острове.

Шенн жестом приказал Тагги спуститься к нему, и Шенн заметил, что росомахе явно не по себе. А когда человек поманил его ближе к двум скалам, со сходящимися вершинами, образующими некое подобие арки, Тагги оскалил зубы и предупредительно зарычал. Из дыры угрожающе высовывалось толстое бревно, которое давало Шенну некоторый повод на рискованное предприятие приблизиться к отверстию. Не сводя взгляда с росомах, Шенн резко остановился, чтобы определить длину бревна, а заодно и оглядеть пещеру.

Вода плескалась прямо над бревном, образующим как бы дверной проем к атоллу. Здесь была тень, и похоже, что прямой солнечный свет никогда не появляется в этом забытом Богом месте. Шенн приблизился к бревну, ощупывая пальцами плоский камень, являющий собой превосходный мостик для чего и кого угодно, решившего воспользоваться этой своеобразной дверью, как входом на остров.

Влажный! Камень оказался влажным! Это значило, что гость недавно прибыл или просто не очень давно на камень брызнула вода. Однако мысленно Шенн уже решил для себя, что это место и есть вход, через который неведомый шпион попадает на остров! Можно ли превратить его в ловушку? Он с равнодушным видом поднял с земли еще несколько веточек и возвратился обратно на вершину скалы.

Ловушка... Шенн прокручивал в уме все известные ему ловушки, которые он мог бы использовать в подобной ситуации. Он уже решил соорудить ловушку собственного изготовления. Если его

91

план удастся, а, как говорится, надежда умирает последней, то на этот раз он не станет тратить время ни на какую лишнюю работу.

Поэтому он приступил к той же самой работе, которой занимался прошлым днем. Он снова изготовлял кожаные ремни, как он сам решил, уступающие по качеству тем, первым. Теперь только ловушка занимала его мысли, и ближе к закату он наконец понял, что будет делать и как.

Несмотря на то, что Шенн не знал невидимого противника, он решил, что догадывается о двух слабостях, могущих заманить врага в его руки. Во-первых, противник ни на секунду не сомневался в успехе своего предприятия. А противник, не сумевший полностью проследить за действиями Шенна, существенно потеряет в силе.

Во-вторых, из-за такой своей самоуверенности, враг не сможет воздержаться от того, чтобы не наблюдать за манипуляциями пленника острова. Поэтому Шенн был уверен, что противник будет рядом повсюду, куда бы он ни пошел, чтобы, когда Шенн заснет, снова разрушить его работу.

Возможно, Шенн ошибался в обоих своих предположениях, но внутренний голос подсказывал ему, что дело обстоит именно так. Тем не менее, ему придется дожидаться темноты, чтобы получить ответ на свой вопрос, настолько простой, что он не сомневался, что враг даже не подозревает об этом.

## Глава 11. Колдунья

Внутри лощины виднелось тусклое свечение от фосфоресцирующих растений. Некоторые из них низко стелились по земле, другие же, напротив, возвышались, как деревья. В любую другую ночь, кроме этой, Шенн только приветствовал бы это бледное свечение, но теперь он затаился насколько это возможно, считая светящиеся растения невольными предателями, готовыми выдать его, притворившегося спящим, и тем самым сорвать все его планы.

Он специально устроился в тени, росомахи свернулись рядом. Шенн подумал, что животные своими телами прикроют его, когда он решит неожиданно выйти из укрытия. Одной рукой, лежащей на животе, он крепко сжимал довольно сложное приспособление, сделанное им из остатков порванных неведомым врагов ремней. Вскоре его ловушка должна сработать!

Теперь, когда он знал, как добраться до критического места, избегая светящихся растений, Шенн был готов к решительным действиям. Он крепко прижал ладонь к голове Тагги, давая ему молчаливую команду оставаться на месте, и росомаха повиновалась ему.

Точно такую же команду он отдал и Тоги. Потом дюйм за дюймом начал выползать из укрытия, двигаясь как червяк к узкой тропинке, бегущей вдоль скалы. Именно по ней кто-то или что-то приходит через морские ворота на берег. И Шенн должен находится там, чтобы наблюдать за линией берега.

В основном, план терранина основывался на удаче и предположениях, но этот план полностью принадлежал ему — Шенну. И когда он натягивал ремни своей ловушки, его сердце билось с неистовой силой, готовое вырваться из груди. Он вслушивался в каждый ночной шорох. Он проверил, хорошо ли держится его сеть, подтянул на ней каждый узел, и только потом затаился во тьме, слушая ее не только ушами, но и каждой клеточкой своего напряженного тела.

Удары волн о скалу, свист ветра, сонный жалобный вопль какой-то птицы... А постоянные всплески! Может быть, это рыба, а может тот, кого он ожидает? Стараясь не издать ни звука, Шенн отполз обратно к пещере, где находилась его импровизированная постель.

Он добирался туда, не дыша, только сердце стучало в груди; губы пересохли, как будто он только что пробежал марафонскую дистанцию. Тагги вопросительно потерся носом об его руку, и сделал это бесшумно, словно тоже понимал, что за краем лощины притаилась опасность. Неужели враг уже добрался до тропинки, где Шенн установил ловушку? Или Шенн попросту ошибался? Неужели враг уже идет за ним, придя с другого берега? Влажной от напряжения рукой Шенн сжимал станнер. Он ненавидел ожидание.

Каноэ... его работа, которую он оставил без присмотра. Вот до чего доводит беспечность. Что бы ты ни делал, нужно стараться делать это как можно лучше. А он? Каноэ было очищено до блеска и готово к выходу в море, а он так напортачил! Весь его план потерпел фиаско; теперь-то он ясно себе представлял, что ему нужно делать. Программа дальнейших действий была заложена в его мозгу. Целая мысленная картина!

Шенн встал; росомахи беспокойно зашевелились, хотя никто из них не издал ни звука. Картина в его мозгу! Но на этот раз он не спал; он не спал и не видел сна, который мог бы использовать для своего же поражения. Только на этот раз все было иначе, о чем не знал его противник. Чуждое воздействие на его разум, внушающее ему мысли о том, что надо делать, и воспринимаемой какой-то частью его мозга, как неоспоримый факт, на этот раз не руководило его действиями. Лишь предполагалось, что он находится под чьим-то контролем; и Шенн не сомневался в этом. Отлично, он продолжит играть свою роль. Он должен сыграть эту роль и сыграть на отлично, чтобы заманить противника в ловушку.

Убрав станнер в кобуру, он медленно продвигался по открытой местности, теперь не обращая никакого внимания на освещенные фосфоресцирующим светом места, попадающиеся на его пути. Он шел по уже протоптанной им же тропинке к берегу, где находилось каноэ. Когда Шенн шел, то изображал походку человека, сосредоточенного на какой-то навязчивой идее.

Теперь он находился у самой кромки воды, обращенной к пологому склону скалы, и изо всех сил боролся с искушением обернуться, чтобы посмотреть, не спускается ли кто-нибудь за ним. На каноэ было больно смотреть; оно олицетворяло собою полную безнадежность, от которой ему необходимо избавиться немедленно, если он хочет утром освободиться из острова-тюрьмы.

Воздействие неведомой воли, исходящей от врага, возрастало с каждой минутой. И теперь, когда Шенн раскусил его характер, он счел подобные выходки с его стороны чрезмерной самоуверенностью. Тот, кто посылал его разрушить собственный труд, не подозревал, что его жертва не полностью подвластна контролю и к тому же готова в любой момент схватиться за нож или за топор. Шенн брел по склону. Он ощущал небольшой страх, ибо осознавал, что в некотором смысле его невидимый противник прав; он чувствовал воздействие на свой разум, хотя на этот раз не спал. Шенн попытался дотянуться до станнера, но вместо этого, его пальцы схватились за нож. Он выхватил его, когда паника овладела им; мысли беспорядочно метались в голове, тело охватил озноб. Шенн явно недооценил мощь своего противника...

И эта паника вылилась в открытую борьбу, заставив Шенна забыть о своих предусмотрительных и осторожных планах. Теперь он *должен* силой вырваться из-под проклятого контроля. Он размахивал ножом во все стороны, но ножом управляла рука, а не воля.

Он ощутил еле слышное дыхание, затем вспышку тревоги; но это были ни его тревога и ни его дыхание. Он избавился от чуждого воздействия, он вырвался на свободу! А тот, другой, — нет! С ножом в кулаке Шенн повернулся и побежал по склону, сжимая в другой руке фонарь. Он увидел, как на фоне светящихся зарослей извивается и дергается какой-то силуэт. И, опасаясь, что незнакомец может прийти в себя и исчезнуть, терранин направил на своего пленника фонарь и ярко осветил его, не думая в эти мгновения ни о трогах, ни о вражеском подкреплении.

Чужак сгорбился, явно ошарашенный внезапной вспышкой яркого света. Шенн резко остановился. Он еще не успел мысленно составить образ того, кого обнаружит в своей ловушке, однако уже понимал, что пленник настолько чужд ему, как и трог. Свет фонаря отражался от кожи с переливающейся чешуей; от шеи и груди исходило сверкание бриллиантов и драгоценных камней, которые спиралью обвивали верхние лапки, талию и бедра существа, словно оно носило на себе панцирь из драгоценностей, как живое тело. На существе не было ничего одето, если не считать некоего подобия пояса вокруг изящной тонкой талии, к которому были подвешены два своеобразных мешочка и какие-то странные предметы, держащиеся на петельках; на теле были только эти хитросплетения узоров, петлей, колец и лент из драгоценностей.

При ближайшем рассмотрении фигура существа хотя и с натяжкой, но больше смахивала на человеческую, нежели у трога. Верхние конечности чем-то напоминали руки терранина, хотя на них было всего четыре пальца, и все одинаковой длины. Тем не менее, фигурой существо больше смахивало не на человека, а на ящерицу. На фоне ослепительной плоти его огромные желтые глаза с узкими зелеными зрачками напоминали кошачьи. Нос сразу переходил в челюсть, и от этого получалось не лицо, а нечто похожее на рыло, а из высокого куполообразного лба торчали острые V-образные шипы, спускающиеся на спину и плечи, где они расширялись до размера крыльев.

Пленник больше не пытался вырваться из ловушки, а тихо сидел в переплетении ветвей и ремешков, пристально рассматривая терранина. Он не испытывал никаких трудностей смотреть на Шенна сквозь излучаемое им же сверкание, в то время, как глаза терранина готовы были ослепнуть от такого яркого света. Но Шенн сейчас думал о другом. Странно, но он не испытывал к чужаку с внешностью рептилии ни отвращения ни неприязни, хотя впервые увидев похожего на жука трога, он сразу почувствовал в нем отвратительного и смертельного врага. Шенн машинально положил фонарь на камень и вошел в светлое пятно, излучаемое пришельцем. И он оказался совсем рядом с существом, пришедшим из моря.

По-прежнему разглядывая Шенна, пленник поднял одну из лапок и указал ею на свой пояс. Шенна, заметившего этот жест, охватила странная догадка, побудившая его подойти к пленнику совсем близко. Несмотря на необычное строение его костей и чешуйчатую сверкающую кожу, это существо отличалось грациозностью, изяществом и своего рода красотой, а также хрупкостью членов. Это и рассеяло все подозрения Шенна. Гипнотические чары существа словно растворились, и теперь Шенн двигался по своей собственной воле, полностью владея своим телом и разумом. И, полностью осознавая свои действия, Шенн остановился, чтобы разрезать путы своей ловушки.

Пленник продолжал наблюдать за тем, как Шенн спрятал нож в ножны, а потом вытянул руку вперед, словно протягивая ее для рукопожатия. Желтые глаза, ни разу еще не моргнувшие, смотрели на терранина, и в них Шенн увидел ни страх или тревогу, а молчаливую оценку, смешанную с любопытством, явно основанные на твердой уверенности в своем превосходстве. Сам не зная почему, Шенн не сомневался, что существо из моря по-прежнему не было ему врагом, что ему не придется бороться за свою жизнь, ибо он не ожидал от желтоглазого никакой опасности. И, удивительно, в который раз Шенна не раздражало бессознательное высокомерие чужака; скорее он был заинтригован и озадачен.

— Друзья?

Шенн использовал основной галактический язык, изобретенный сотрудниками Исследовательских отрядов и Свободными Торговцами, смысл которого зависел от соответствующих модуляций голоса и его тона. Так с незапамятных времен общались друг с другом существа, говорящие на незнакомых языках.

Его визави молчал, и Шенн подумал, обладает ли пленник способностью изъясняться при помощи звуков. Он отошел на два шага, а затем потянул на себя ловушку и начал высвобождать от пут изящные лодыжки желтоглазого существа. Покончив с этим, он свернул ремни в моток и швырнул его через плечо. Потом сорвал сеть с плеч чужака.

— Друзья? — снова спросил он, показывая свои пустые руки, стараясь придать своему голосу нужные модуляции в надежде, что желтоглазый, поймет его мирные намерения если не в разговоре, то в его действиях.

Летучим, легким движением бывший пленник поднялся. Но даже выпрямившись в полный рост, обитатель Колдуна казался очень хрупким. Шенн от рождения не отличался высоким ростом. Но абориген все равно был ниже, не более пяти футов высоты, поэтому V-образные шипы на его голове доходили Шенну только до плеча. Любой из странных предметов, прикрепленных к поясу аборигена, мог оказаться оружием, которое терранин не мог идентифицировать. Тем не менее, бывший пленник даже не попытался вытащить его.

Вместо этого, он поднял одну из четырехпалых рук и протянул ее к Шенну, который ощутил на своей коже прикосновение кончиков пальцев, очень напоминающее легкое касание пером. Затем абориген ощупал его губы, щеки, и наконец, его пальцы крепко прижались ко лбу терранина, прямо между его бровей. Это был своего рода контакт, но не при помощи слов или какого-нибудь неописуемого потока мыслей. В нем не ощущалось враждебности, по крайней мере, в этом прикосновении не было ничего, что хотя бы напоминало неприязнь. Любопытство, да, и еще с каждой секундой возрастающее сомнение, но не в Шенне, а в заранее составленном о нем мнении со стороны самого желтоглазого. Шенн оказался не таким, каким посчитал его абориген, и теперь от волнения его самоуверенность несколько поубавилась. Шенн оказался прав в своих предположениях. И он улыбнулся, а вместе с улыбкой его охватило приятное изумление, но не в отношении чужака, а насчет себя самого. Ибо он имел дело с женщиной, с очень молодой особью женского пола, которая в своем роде была намного женственнее, нежели любая девушка с Земли.

— Друзья? — спросил он в третий раз.

96

Но теперь он ощутил исходящую от нее осторожность, а не только удивление. И этот слабый контакт, состоявшийся между ними, поразил Шенна до глубины души. Он не вышел бы к этому обитателю Колдуна поздней ночью, если бы тот был мужского пола; в эти мгновения Шенн благоговел перед чужаком просто как перед женщиной. Он чувствовал ее робость и застенчивость, но не было ощущения равенства. Сперва его охватил гнев из-за своего нелепого положения; но ею снова овладело любопытство. Впрочем, он по-прежнему так и не услышал ответа на свой вопрос.

Кончики ее пальцев больше не касались его, создавая между ними контакт. Она отступила назад, теперь ее руки потянулись к одному из мешочков, свисающих с пояса. Шенн осторожно наблюдал за каждым ее движением. И поскольку он перестал ей доверять, он свистнул.

Ее голова резко поднялась. Она могла быть немой, но уж точно не глухой. И она уставилась на пещеру, когда росомахи ответили на его призыв угрожающим рычанием. Ее профиль напомнил Шенну что-то очень далекое; но то было золотисто-желтое, а не серебряное, из чего были сделаны два кольца, продетые сквозь рыльце пришедшей. Да, эту маленькую пластинку с похожим изображением он видел в кабине одного из офицеров корабля. Очень древняя земная легенда: «Дракон», так офицер окрестил это создание. Только у того существа было тело змеи, лапы ящерицы и крылья.

Внезапно Шенн вышел из оцепенения, вызванного воспоминаниями. Он подумал, что надо быть осмотрительнее. А что если она каким-то образом вывела его на уединенную тропинку этих полузабытых воспоминаний, причем с какой-то целью? Потому что теперь Шенн заметил в ее пальцах какой-то предмет. При этом она пристально смотрела на него немигающими желтыми глазами. Глаза... глаза... Словно сквозь туман Шенн услышал тревожные крики росомах. Он попытался вытащить станнер, но уже было слишком поздно.

Все вокруг него обволокла туманная серая мгла: скалы, остров, лощину со светящимися растениями, ночное небо, мерцающий свет фонаря. Сейчас он продвигался сквозь туман, как кто-то пробирается сквозь ночной кошмар, бредет с неимоверными усилиями, как будто плывет против сильного течения. Звуки, виды, одно за другим — эти чувства покидали его. В полном отчаянии Шенн ухватился за единственное, что у него осталось, за ощущение собственного «я». Он был Шенн Ланти, терранец, происхождением с Тира, из разведотряда. Какая-то часть его повторяла эти неоспоримые факты с неистовым упорством; так он пытался бороться с неведомой силой, постепенно разрушающей его самосознание, делая его не человеком, а инструментом... или оружием... для того, чтобы им воспользовался другой.

И терранин беззвучно, но неистово сражался на поле боя, находившемся внутри его самого, каким-то дополнительным чувством ощущая, что его тело повинуется чужим приказам.

— Я — Шенн!.. — про себя закричал он. — Я — это я сам! У меня две руки и две ноги... Я думаю сам! Я — ЧЕЛОВЕК...

И тут ему пришел смутный, еле различимый ответ, небольшой порыв воли, подстегнувший его сопротивление; волевой порыв, который пытался оттянуть его от бездонной пропасти, куда влекла его невидимая сила. Прежде чем его воля ослабела, оставив лишь слабое чувство замешательства, он ощутил исток своей тревоги.

— Я — ЧЕЛОВЕК! — выкрикнул он с такой же силой, с какой метал копья в трогов. Но против того, с чем он столкнулся теперь, его оружие было так же бесполезно, как копья против бластеров. — Я — Шенн Ланти, терранин, человек... — Это были неоспоримые факты, и никакой туман не мог стереть их из его разума.

И снова в нем вспыхнула чужая воля, словно легкая отдача после выстрела; возможно, это была лишь прелюдия к следующему налету на его последнюю цитадель. Он выставил эти три факта, как щит, лихорадочно собирая воедино другие, могущие послужить ему орудием последнего доказательства своего существования. Существования Шенна Ланти.

Сны, видения. Жители Колдуна управляют снами. И против этих снов могут быть только факты! Его имя, место рождения, пол — вот эти факты. И сам Колдун — тоже факт. Земля под его сапогами — факт. Вода, омывающая остров — факт. Воздух, которым он дышит — факт. Плоть, кровь, кости — все это факты. Теперь он боролся за свое «я», заключенное в его мятежном теле. Но ведь это тело реально. Он ощупал себя. Сердце качало кровь, легкие то наполнялись воздухом, то выдыхали его. Его борьба заключалась в том, чтобы ощутить все эти жизненные процессы.

И тут он испытал ужасное потрясение. Оболочка, сдерживающая его, исчезла. Потрясенный Шенн боролся с водой. Он размахивал руками, сучил ногами. Рука пребольно ударилась об камень. Едва соображая, что он делает, Шенн боролся за свою жизнь. Он ухватился за скалу и высунул голову из воды. Кашляя и задыхаясь, он почти тонул; огромная слабость навалилась на него вместе с паникой от осознания скорой гибели.

Долго ли он сможет продержаться на воде, цепляясь за спасительную скалу, ослабевший и потрясенный, когда вода билась вокруг его тела, а сильное течение сдавливало его сведенные судорогой ноги? Он видел вокруг неяркие вспышки зеленого света, мерцающие неподалеку и напоминающие такой же приглушенный свет, какой был в кустах того, внешнего мира. Ибо он больше не видел над собою ночного неба. Над его головой нависла скала; должно быть он очутился в какой-то пещере или туннеле, проходящем под водой. И снова его охватил ужас, когда он понял, что теперь он угодил в ловушку.

Вода продолжала омывать его тело, и в эти мгновения у Шенна возникло искушение отдаться стихии, ибо чем больше он будет бороться, тем скорее его силы иссякнут окончательно. В конце концов он перевернулся на спину, попытавшись поплыть по течению, абсолютно уверенный, что больше не выдержит борьбы.

К счастью, между каменным потолком и водой оставалось несколько дюймов, поэтому Шенн мог дышать. Но страх такого ужасного конца: быть заживо похороненным в подводной пещере, вытягивал у молодого человека все нервы. И охвативший его животный страх, постепенно уничтожал его последние силы, пока его не вынесло в какое-то другое место. Куда, он не знал...

Было ли это лишь его разыгравшимся воображением или течение вдруг стало медленнее и мягче? Шенн пытался определить скорость своего передвижения через какой-то туннель, местами освещаемый зеленым светом. Теперь он повернулся и медленно поплыл, чувствуя себя так, будто к рукам подвешены тяжеленные гири. Ребра напоминали ему клетку, в которой были заперты его легкие, готовые разорваться от боли.

Еще один освещенный участок... еще один, чуть больше... потом еще больше, он растянулся над головой подобно крыше. Вот, наконец-то он вырвался! Он вырвался из туннеля в пещере, просторной настолько, что ее аркообразный потолок напоминал небесный свод над головой. А участки света стали ярче, и теперь они попадались странными группами, что-то напоминая Шенну.

Ничего нет лучше свободы над головой, думал Шенн, и тут заприметил берег, находящийся не очень далеко от него. И он поплыл к этой гавани, собрав остатки своих сил, зная, что если ему не удастся быстро добраться до берега, то ему — конец. Он сам не понимал, как ему удалось доплыть до цели, и теперь его щека ощущала мягкость песка, казавшегося ему нежнее всех вещей на свете; его пальцы впились в песок, когда он пытался вытянуть из воды свое тело. Когда он лишился сознания, его ноги по-прежнему оставались в воде.

Он очнулся от звука. Но это не было звуком шагов по песку. Однако Шенн понимал, что больше он не один. Он обхватил себя за плечи руками и, ощущая нестерпимую боль, приподнялся. Как-то ему удалось встать на колени, но стоять он пока не мог. Его тело наполовину откинулось назад; поэтому он встретил пришельцев в сидячем положении.

Их... их было трое. У них были головы драконов и изящные, усыпанные драгоценными камнями тела, сверкающие даже в полутьме. Их желтые глаза сосредоточенно, но холодно смотрели на него, и в них не отражалось ни одного человеческого чувства, возможно, кроме холодного любопытства. А за ними стоял четвертый дракон, которого Шенн сразу узнал по грациозным очертаниям *ее* тела.

Шенн сцепил руки на коленях, чтобы удержать тело от дрожи, и вызывающе глядел на них. Он не сомневался, что именно они доставили его сюда, как пленника, равно как знал того, кто был их шпионом или посланником, который так глупо попался в его ловушку.

— Что ж, я у вас, — хрипло произнес он. — Что дальше?

Его слова глухо прозвучали над водой и отозвались эхом по пещере. Ответа он не услышал. Они просто стояли, наблюдая за ним. Шенн напрягся, взял себя в руки, решив не сдаваться, а главное, помнить о своем «я», ибо это было единственным оружием против их мощи.

Та, из-за которой Шенна притащили сюда, наконец зашевелилась, со свойственной ей своеобразной застенчивостью, описала вокруг остальных окружность. Шенн резко отдернул голову, когда ее лапа протянулась к его лицу. Но через некоторое время, предположив, что она искала свой — особый — вид связи, он подставил лицо кончикам ее пальцев, несмотря на то, что теперь от этого легкого, но уверенного прикосновения по его коже пробежали мурашки. Ему безумно захотелось избежать любого контакта с ней.

На этот раз не случилось ничего необычного. К его удивлению, в мозгу оформился вполне конкретный вопрос, такой же ясный, словно его задали ему вслух:

— Ты кто?

— Шенн... Шенн Ланти, — отвечал он вслух, после чего превращал слова в мысли. — Шенн Ланти, терранин, человек.

Он старался отвечать им так, чтобы не поддаться их власти окончательно и бесповоротно.

— Имя — Шенн Ланти, человек... да, — принял его ответ чужак. — Терранин?

Это уже было вопросом.

Имеют ли эти существа хоть какое-то представление о космических полетах? Смогут ли они понять концепцию другого мира, населенного другими разумными существами?

— Я прибыл с другой планеты... — Шенн попытался создать в уме четкую картину — земной шар в космическом пространстве, свободно летящий корабль...

— Смотри!

Ее пальцы все еще покоились между его бровями, но другая лапа обитательницы Колдуна показывала на куполообразный потолок пещеры.

Шенн выполнил ее приказ. Он пристально изучал светлые участки, казавшиеся ему такими знакомыми с первого взгляда; он изучал их как можно внимательнее, чтобы понять, что они обо-

100

значали. Карта звезд! Карта звездного неба, какую они видели с внешней оболочки Колдуна.

— Да, я прибыл оттуда, со звезд, — ответил он, и его голос гулким эхом пронесся по пещере.

Пальцы упали с его лба; чешуйчатая голова повернулась к остальным, и они обменялись взглядами. Теперь она бесшумно разговаривала со своими соотечественниками. Затем лапа снова вытянулась вперед.

— Пошли!

Пальцы взяли его за правое запястье, сжимая его с удивительной силой; и вместе с этой силой, он почувствовал, как в его изможденное тело влился поток свежей энергии. Когда она дернула его вверх, он мгновенно окреп и прочно встал на ноги.

## Глава 12. Завеса иллюзии

Вероятно, теперь Шенн стал пленником, но он очень устал, чтобы требовать объяснений от своих сопровождающих. И даже обрадовался, когда его привели в очень необычное круглое помещение без потолка, оставив в полном одиночестве. В одном углу лежал толстый матрас, похожий на коврик, слишком короткий даже для его тела, но оказавшийся мягче любой «постели», на которой он спал после налета трогов на разведлагерь. Над ним тускло мерцали пятна света, символически изображающие некогда угасшие звезды. Он пристально смотрел на них до тех пор, пока они не стали объединяться в созвездия, чем-то напоминая спирали драгоценностей, обвивающие тела аборигенов; потом он уснул, и не видел снов.

Терранин проснулся от странной тревоги, овладевшей всем его существом; наверное, это было подсознательное чувство неведомой опасности, витающей где-то рядом с ним. Но оно не исходило не от моделей звезд, мерцающих над его головой, равно, как не от круглой комнаты. Шенн перевернулся на своем ложе, и тут осознал, что вся его боль напрочь исчезла. Только мозг его работал неимоверно быстро и четко, так что его тело без всяких усилий отвечало на его потребности. Шенн не испытывал ни голода ни жажды, если учесть то долгое время, когда он преодолевал таинственный и запутанный путь к выходу на поверхность планеты.

Несмотря на влажность, его одежда высохла прямо на теле. Шенн поднялся, чтобы привести в порядок жалкие остатки его униформы. Ему страстно захотелось идти. А вот куда, и с какой целью — он не знал.

Он подошел к двери, толкнул ее, но тщетно — она оставалась закрытой. Шенн отступил назад, прикидывая расстояние от пола до верха .стены этого помещения, не имеющего потолка.

Стены были ровные и глянцевые, как внутренняя поверхности раковины, но с тех пор, как он проснулся, им овладела необузданная уверенность, что преодолеть такое небольшое препятствие не составит никакого труда.

Он сделал два пробных прыжка, и оба раза его пальцы не смогли дотянуться до верха стены. Шенн собрался с силами, сжался, как кошка перед прыжком и совершил третью попытку, вложив в нее все оставшиеся силы, решительность и волю. И у него получилось; теперь он висел на стене, уцепившись за ее верх. Затем ему удалось перекинуть ногу через ее край, и он уселся на стене. Теперь он мог увидеть остальную часть здания.

По форме оно не напоминало ничего, из того, что он когда-либо видел на Земле или на доступных ему трехмерных снимках, сделанных разведотрядом. Все помещения были овальными или круглыми, каждое отделялось от соседнего коротким коридорчиком, поэтому создавалось полное впечатление, что здание состоит из десяти ниточек бус, расходящихся лучами от одной очень большой центральной залы. Стены каждой комнаты были перламутровыми и почти лишенными обстановки.

Пока Шенн балансировал на своем узком «насесте», он не замечал никого движения в комнатах-бусинах, расположенных к нему ближе всего. В коридорчиках, соединяющих комнаты, тоже не было ни души. Он встал и, словно по толстому канату, пошел по верхушке стены к внутренней зале, которая была сердцем драконьего... дворца? Города? Здания? Прибежища? Во всяком случае, место, куда он попал, было единственным сооружением на Колдуне, поскольку он уже знал, что все вокруг окружено лишь песками, опоясывающими остров. Сам же остров был до удивления симметричным, совершенным овалом, даже слишком совершенным, чтобы являть собой произведение природы, созданное из песка и камней.

Здесь, в пещере, не было ни дня, ни ночи. Свет, падающий с потолка светил ровно и постоянно, и этот световой поток мягко отражался от стен по всему зданию. Шенн дошел до первой комнаты в цепочке и, присев на корточки, осмотрелся. Она ничем не отличалась от той, из которой он ушел; те же ровные стены, толстый матрас в дальнем углу, и никаких следов того, что в ней кто-то когда-то находился.

Когда Шенн достиг следующего отрезка коридора, то внезапно ощутил легкое дуновение воздуха, принесшее с собой знакомый ему запах росомах. Шенн двинулся на этот запах, вселивший в него чувство надежды на взаимопонимание с чужаками.

Он обнаружил Тагги и Тоги в следующей комнате. Обе росомахи беспокойно ходили по комнате из одного угла в другой. Единственную обстановку комнаты — матрас, они уже разодрали в клочья. Судя по виду животных, они ощущали неуверенность. Когда Шенн тихонько окликнул их, Тагги отступил к противоположной стене и стал водить когтями по ее ровной, гладкой поверхности. Росомахи чувствовали, что попались окончательно, словно их бросили в гигантский аквариум, что им, разумеется, очень не понравилось.

Как же сюда попали животные? Неужели они тоже внезапно очнулись среди мощного потока воды, а потом, как и он, тем же непонятным способом были доставлены сюда через тоннель? Терранин не сомневался, что дверь их комнаты заперта так же крепко, как и та, из которой он выбрался. И теперь росомахи не представляли опасности ни для кого. А Шенн не мог освободить их. И тут он ощутил все сильнее возрастающую уверенность, что если он хочет обнаружить кого-нибудь из местных «тюремщиков», то искать его он должен в самом центре этого хитроумного колеса из комнат и коридоров.

Шенн больше не стал привлекать к себе внимание животных, а продолжил путь по своей узенькой дорожке. Он миновал еще несколько комнат, оказавшихся пустыми и ничуть не отличающимися от остальных; потом он дошел до центральной залы, которая в четыре раза была больше комнат, и освещалась намного ярче, нежели остальные помещения.

Терранин пригнулся и для равновесия положил одну руку на верх стены-перегородки, а другой рукой сжимал свой станнер. Странно, но по какой-то причине захватившие его существа не обезоружили его. По-видимому, они решили, что им нечего бояться этого инопланетного оружия.

— Неужели у тебя выросли крылья?

Эти слова, внезапно сформировавшиеся у него в мозгу, привели его в молчаливое изумление, одновременно заставив прекратить глупое исследование здания, чем-то напоминающее первые, неуверенные шаги ребенка, только что научившегося ходить. Шенн боролся с охватившей его вспышкой гнева. Он знал, что, потеряв даже частичку контроля над собой, он тем самым окончательно откроет им дверь к себе в душу. Он остался там, где стоял, будто не «слышал» никакого вопроса, с деланным равнодушием изучая помещение внизу.

Стены залы были не ровные, как в комнатках, а состояли из одинаковых ниш, чем очень напоминали пчелиные соты. И в каждой из ниш покоился до блеска отполированный череп, не человеческий череп. Только в его очертаниях было что-то знакомое; ибо Шенн тотчас вспомнил огромную пурпурно-красную скалу и глазницы, откуда вылетали какие-то предметы. Скала имела форму черепа, но что-то сделало ее такой или она имела эту форму от природы?

Внимательно разглядывая черепа, стоящие в нишах, Шенн заметил, что они не одинаковые. От ряда к ряду менялся их цвет, смягчались их очертания, скорее всего они стирались от времени.

Еще Шенн увидел черный матовый стол, на ножках высотой не больше нескольких дюймов, поэтому с того места, откуда он смотрел, он казался частью самого пола. За ним в ряд, как продавцы в ожидании покупателей сидели трое аборигенов. Они сидели на тюфяках со скрещенными ногами и со сложенными на груди лапами. А сторонке сидела четвертая, та, которая угодила в ловушку на острове.

Ни одна из увенчанных шипами голов не поднялась, чтобы взглянуть на Шенна. Но они знали, где он; вероятно, они очень быстро узнали, что он выбрался из своей комнаты или ячейки, в которой они его заперли. Они выглядели так самоуверенно... И вновь Шенн с трудом подавил в себе гнев. Теперь к нему вновь возвратилось былое спокойствие вместе с упрямой решительностью, которые привели его на Колдун. Террании спрыгнул вниз, оказавшись лицом к лицу с троицей, сидящей за низким столом. Шенн выпрямился и теперь возвышался над ними, испытывая беспредельное наслаждение от такого простого факта.

— Ты пришел.

Эти слова прозвучали подобно какому-то политическому лозунгу. Поэтому Шенн повторил их вслух, стараясь говорить в тон своему собеседнику.

— Я пришел.

И, не ожидая приглашения, он уселся напротив них точно в такой же позе и со скрещенными ногами. Теперь он оказался более или менее на одном уровне с сидящими за столом аборигенами.

— И как же ты пришел, звездный путешественник?

Эти слова показались Шенну сконцентрированной мыслью всех троих, нежели чем обычный допрос. Точно они думали только об этом.

— Как вы доставили меня сюда? — Он колебался, стараясь тщательно подобрать слова, чтобы они прозвучали вежливо. Он знал, какими словами на других планетах называют их пол, и эти слова показались ему неприемлемыми по отношению к причудливым фигурам, сидящим напротив него. — Вы просто волшебники.

В желтых немигающих глазах не отразилось ровным счетом ничего. К тому же Шенн не сумел бы определить перемены выражения на их нечеловеческих лицах.

— Ты — существо мужского пола.

— Да, — подтвердил он, еще не понимая, относится ли эта констатация факта к какой-то скрытой дипломатии или к его недавним впечатлениям на острове.

— Где же тогда тот, кто управляет твоими мыслями?

Шенна несколько озадачил этот вопрос, и он задумался, что бы это значило.

— Я сам управляю собственными мыслями, — решительно ответил он, вложив в свой ответ всю силу своего убеждения, на какую только он был способен.

И снова его взгляд встретился с зеленовато-желтыми глазами, пристально смотрящими на него. И он увидел в них перемену. Самодовольства в них стало меньше; его ответ, подобно камню, брошенному в воду тихого озера, потревожил их и нарушил безмятежное спокойствие.

— Родившийся на звезде говорит правду!

Это «произнесла» первая начавшая беседу.

— Это может лишь казаться, — сдержанно возразила ей вторая из троицы, и Шенн догадался, что им известно об его «подслушивании».

— Может показаться, Читающие-по-глазам, — проговорила третья, сидящая в середине триумвирата, — что многие живые существа не следуют нашему образу жизни. Но такое возможно. Особь мужского пола, думающий за себя... без ведущего, который спит и видит сны! Или который сам способен разобраться в своих снах и извлечь из них истину! Да, его народ должен быть весьма необычным. Разделяющие-мое-мнение, давайте спросим совета у Старейших. — Впервые одна из голов шевельнулась, переведя взгляд с Шенна на черепа, спустя несколько секунд остановилась на одном из них.

Шенн, готовый к любым чудесам, не выдал своего изумления, когда костяной обитатель одной из ниш зашевелился, выкатился из своего небольшого отсека и плавно перелетел по воздуху к правому краю стола, где и устроился. Когда он удачно приземлился на стол, глаза аборигена обратились на другую нишу, расположенную в противоположной стороне закругленного помещения. Ниша находилась почти на уровне пола. Из нее поднялся потемневший от времени череп, вскоре занявший левый угол стола.

Наконец, из сверхъестественного хранилища прилетел третий, последний, череп, который устроился между первыми двумя. И вот самая молодая из присутствующих аборигенов поднялась со своего матраса и принесла чашу из зеленого кристалла. Одна из ее старших соплеменниц взяла чашу обеими лапами, пронесла ее перед всеми тремя черепами, словно предлагая им испить из нее, а затем пристально посмотрела через ее край на терранина.

— Мы будем изучать сетчатку твоих глаз, человек-который-думает-без-управления. Возможно, тогда мы узнаем, насколько действенны твои сны... Сможешь ли ты использовать их себе во благо или они сломают твою дерзость.

Она раскачивала чашу из стороны в сторону и прислушивалась к шепоту, доносившемуся из ее глубины. Словно из чаши медленно выливалось ее содержимое. Потом одна из присутствующих протянула лапу вперед и резко ударила по дну чаши, и Шенн увидел, как на столешницу высыпался целый дождь из сверкающих разноцветных иголочек длиною примерно в дюйм.

Шенн, ошарашенно взирая на это представление, увидел, как, несмотря на кажущийся беспорядок, груда иголочек, рассыпавшаяся по гладкой поверхности, стала превращаться в упорядоченный разноцветный узор. Он ломал голову, каким образом получился этот искуснейший трюк.

Трое аборигенов склонили головы и начали изучать узор из тоненьких иголок, их юная подчиненная тоже наклонилась вперед, с искренним интересом рассматривая причудливый рисунок и еле сдерживая свое любопытство в присутствии старших. Теперь между Шенном и чужаками возникло нечто вроде занавески. Связь, возникшая между ними вместе с его появлением в зале с черепами, внезапно прервалась.

Взметнулась вверх рука, сверкнув драгоценностями и браслетом, охватывающим ее запястье, затем последовал еще один взмах — и вспыхнул огонь. Пальцы бросали иголки обратно в чашу; четыре пары желтых глаз снова смотрели на Шенна, однако занавесь, разделяющая их, еще не исчезла.

Молодая волшебница взяла чашу у старшей, затем довольно долго стояла неподвижно, сжимая чашу ладонями, сосредоточив на Шенне свой странный взгляд. Потом подошла к нему. Одна из сидящих за столом вытянула свою короткую лапу.

На этот раз Шенну не удалось взять себя в руки, когда он явственно услышал голос. И этот голос не принадлежал ему. Он застыл от неожиданности, увидев, как самый старый, пожелтевший от времени, череп на левом краю стола задвигался. И задвигался, потому что его челюсти то открывались, то закрывались, издав слабое блеяние, состоявшее из двух или трех слов.

Молодая обитательница Колдуна подняла лапу. На этот раз ее пальцы сложились в манящем жесте. Шенн приблизился к столу, но он не смог заставить себя подойти совсем близко к говорящему черепу, даже когда тот перестал вещать.

Шенну предложили взять чашу со сверкающими иголками. Это по-прежнему не было телепатическим посланием, но он сумел догадаться, что им от него нужно. Коснувшись чаши из кристалла, он не ощутил холода, как ожидал: нет, скорее, чаша оказалась теплой, словно он дотронулся до живой плоти. И разноцветные иголки, заполняющие ее на две трети, беспорядочно лежали внутри.

Шенн сосредоточился, чтобы как следует вспомнить церемонию, которую аборигены устроили перед первым разбрасыванием иголок. Самая старшая из них обнесла чашей черепа по очереди. Черепа! Однако Шенн не был специалистом по черепам. Все еще прижимая чашу к груди, он смотрел вверх через стены, на карту звезд на потолке пещеры. Так-так... это созвездие Рамы, а слева от него, чуть-чуть ниже — система Тира, которая изменила его, Шенна, пустой, бесцветный мир, оставивший очень мало приятных воспоминаний, но все равно Шенн Ланти был его частицей. Терранин поднял чашу к свету, обозначающему бледное солнце Тира.

С кривой ухмылкой он опустил чашу и с презрительным выражением на лице протянул ее говорящему черепу. И тут же он осознал, что этот жест подействовал на чужаков, словно удар током. Сперва медленно, а затем все быстрее и быстрее, чаша закачалась из стороны в сторону, а иголки стремительно задвигались внутри, смешиваясь друг с другом. И как только Шенн увидел это, он перевернул чашу и высыпал на стол все ее содержимое.

Абориген, передавший ему чашу, оказался тем самым, кто несколько минут тому назад ударял по дну ее, вызвав тогда сверкающий дождь из иголок. К удивлению Шенна, высыпавшиеся иголки снова составили причудливый узор, но вовсе не такой, какой получился у волшебников. Туманная завеса между ними исчезла окончательно; и они опять могли телепатически общаться.

— Быть по сему, — произнес абориген, сидящий в середине и водя четырехпалой лапой поверх иголок. — Что читается, то и читается.

Опять лозунг. Шенн «услышал» ответ, который хором проговорили остальные.

— Что читается, то и читается. Спящему — сон. Пусть этот сон понимается, как он есть, а это есть жизнь. Пусть этот сон будет для спящего обманом, а все остальное забыто.

— Кто может узнать мудрость у Старейших? — спросил самый старший. — Мы те, кто читают послания, посылаемые ими, благодаря их милосердию. Они приказывают нам делать странные вещи, человек: открыть тебе дорогу наших посвященных к завесе иллюзий. Она всегда была закрыта для особей мужского пола, которые засыпают без умысла и не способны отличить правды от лжи, которым не хватает смелости направить свои сны к истине. Делай так, если сумеешь! — Тут Шенн почувствовал легкую насмешку вместе с чем-то еще, что казалось сильнее презрения, но слабее ненависти, и тем не менее было враждебным.

Колдунья вытянула лапы, и теперь Шенн увидел на медленно сжимаемой ладони диск, точно такой же, какой показывал ему Торвальд. В первые секунды им овладел страх, но это длилось какое-то мгновение; затем наступила тьма, совершенная тьма, чернее любой ночи, которые ему довелось когда-либо увидеть.

И снова свет, странный, мерцающий зеленоватый свет. Стены с выстроенными в ряд черепами исчезли; теперь Шенн больше не видел ни стен, ни здания, окружающего его. Он медленно брел вперед, и его сапоги утопали в песке, таком мягком, атласном песке, окружавшем островок, лежащий в пещере. Но Шенн не сомневался, что он не на этом острове, даже не в этой пещере, хотя высоко-высоко над ним куполом возвышался ее потолок. Он находился совершенно в другом месте.

Источник зеленого мерцания был слева от него. Почему-то ему очень не хотелось поворачивать голову, чтобы посмотреть на то, что источало этот жутковатый свет. Это могло привести его к действиям. Тем не менее Шенн повернулся.

Вуаль, завеса, волнистая зеленая завеса. Ткань? Нет, скорее, туман или свет. И все это зависело от какого-то источника света, находящегося высоко над его головой, и который скрывался в тумане; завеса, явившаяся препятствием, которое он должен преодолеть.

Несмотря на нервное напряжение, Шенн двинулся вперед, уже не способный к отступлению. Когда он проходил сквозь эту загадочную дымку, то поднял руку, чтобы защитить лицо. Завеса оказалась теплой, и этот газ (если это был газ), несмотря на то, что сплошь состоял из тумана, не оставлял на его коже ни капельки влаги. И это оказалось ни вуалью или завесой, потому что, уже углубившись в ее туманную суть, Шенн не видел ее конца. Он пробирался вперед на ощупь, как слепой, не видя перед глазами ничего, кроме вздымающихся зеленых воздушных колонн, то и дело останавливаясь и опускаясь на колени, чтобы ощупать песок под ногами, дабы удостовериться в *реальности* своего путешествия.

Так и не встретившись по пути с опасностью, Шенн решил отдохнуть и расслабиться. Его сердце почти не работало; он настолько изнемог, что у него не хватило бы сил вытащить нож или станнер. Он понятия не имел, где он и зачем сюда пришел. Однако он не сомневался, что все это было неспроста, ибо вслед за ним шли волшебники. «Дорога посвященных», сказала их главная. Тогда у Шенна и возникло твердое убеждение, что эти слова были некой проверкой, придуманной аборигенами.

Пещера с зеленой завесой — его память пробудилась. Господи, да это же сон Торвальда! Шенн остановился, стараясь вспомнить, как офицер описывал это место. Выходит, он воплотил в жизнь сон Торвальда! Интересно, а вдруг именно сейчас офицер в свою очередь живет сном Шенна, и взбирается в одну из ноздрей горы-черепа?

Зеленая туманная бесконечная дымка. И Шенн, заблудившийся в ней. Долго ли еще он будет бродить, как призрак, в этом тумане? Он попытался прикинуть, сколько времени пролетело с тех пор, как он угодил в водный мир усеянной звездами пещеры. Он понимал, что он не ел, не пил, и не хотел ни того, ни другого... да и сейчас не хочет. И все-таки он совершенно не ослаб; напротив, еще никогда он не испытывал такой неутомимой энергии, которая овладела его тщедушным телом.

Неужели *все это* было сном? Как он тонул, а потом его несло подводным кошмарным потоком? Нет, все-таки во всем этом была какая-то определенная схема, точно так же, как в том узоре из иголок, рассыпанных по матовой черной столешнице. И одно логически вело к другому; из-за этого специфического узора из иголок он очутился именно здесь.

Он вспомнил предостережение колдуньи: его безопасность в этом месте будет зависеть от его способности отличить истинные сны от ложных. Но как... почему? Пока он ничего не сделал, а только пробирался сквозь зеленый туман, и вполне могло оказаться, что он все это время ходил кругами.

Поскольку ему не оставалось ничего другого, Шенн продолжал идти; его сапоги утопали во влажном песке, издавая при этом тихий хлюпающий звук. Спустя некоторое время он остановился, чтобы отыскать хоть какие-нибудь приметы тропинки или дороги, способной вывести его из тумана. И вдруг до него донеслись еле слышные звуки, похожие на плач младенца. Значит, не только Шенн странствовал по этому жуткому месту!

## Глава 13. Тот, кто видит сны...

Туман оказался весьма неспокойным; он закручивался вихрями, вздымался, то смыкался, то рассеивался вновь, и так продолжалось до тех пор, пока впереди не появились полускрытые темные тени, напоминающие призраки, один из которых вполне мог оказаться врагом. Шенн продолжал пробираться по песку, все его нервные клетки подсознательно ощущали непонятную тревогу. Поэтому он с каждым шагом внимательнее вглядывался в туманную пелену. По-прежнему он почти не сомневался, что слышал звуки, издаваемые кем-то, идущим неподалеку от него. Кто же это? Кто-то из аборигенов, следующий за ним по пятам? Или еще какой-нибудь пленник тумана, заблудившийся в этой непроглядной мгле? А может быть, это Торвальд?

Наконец звук прекратился. Его не было слышно даже там, откуда он донесся впервые. Вероятно, идущий за Шенном понял, что он услышан и может быть обнаружен. Шенн облизал сухие губы. Внезапно им овладело сильное желание окликнуть незнакомца: попытаться войти с ним в контакт; вдруг им окажется друг? И только осторожность удержала его от крика. Он встал на четвереньки, чтобы проверить, в верном ли направлении идет, ибо его не покидало ощущение, что он сбился с пути.

Шенн решил продвигаться на четвереньках. Он подумал, что некто, ожидающий встретить идущего человека, придет в смятение от вида непонятной фигуры, передвигающейся на четырех конечностях. И снова он остановился, чтобы прислушаться.

Он оказался прав! До него донесся звук приглушенных шагов. Однако он не мог понять, идет ли кто-то один или *их* несколько. Шенн понимал одно: звук становился громче, а это значит, что незнакомец приближался. Шенн поднялся во весь рост и положил руку на станнер. Его обуревало искушение приглушить свет фонаря, надеясь, что незнакомец пройдет мимо, так и не заметив его.

Тень, точнее что-то намного быстрее тени и намного быстрее клубящихся зеленоватых завихрений тумана, двигалась прямо к нему явно с каким-то намерением. И вновь только обостренное чувство предосторожности удержало Шенна от призывного крика.

Силуэт стал отчетливее. Терранин! Им мог оказаться Торвальд! Однако, вспомнив, как они расстались, Шенн не очень-то стремился с ним встречаться.

Призрачный силуэт вытянул длинную руку вперед, словно раздвигая в стороны воздушные пары, создающие между ним и Шенном полупрозрачную завесу. Вдруг Шенн ощутил сильный озноб, будто туман внезапно превратился в снежную метель. Ибо туман стал медленно откатываться назад, так что теперь оба стояли в самом центре образовавшегося светлого пятна.

Перед ним оказался не Торвальд.

Ледяные объятья животного страха овладели Шенном, но почему-то его не покидала надежда, что он не видит перед собой ничего невероятного.

Эти руки, всегда готовые ударить, с заведенным за спину хлыстом... этот страшно изуродованный нос, сбитый набок; жуткий шрам от выстрела из бластера, пробившего щеку, и бесформенное ухо... эта злобная, полная ненависти ухмылка. Щелк, щелк... и хлыст заплясал в руке своего хозяина; толстые пальцы крепко сжимали его рукоять. Еще мгновение — и он обовьется вокруг Шенна, а Шенн почувствует на своих незащищенных плечах раскаленную огненную ленту. Потом человек по кличке Бревно засмеется своим садистическим смехом, а ему будут вторить остальные, играющие роль шакалов при грозном льве.

И тот — другой — взмахнул хлыстом.

Остальные люди... Шенн сильно тряхнул головой, чтобы избавиться от наваждения. Но ведь он не стоял у стойки грязного бара «Удачный клёв». И он больше не был запуганным юнцом, куском мяса для развлечения Бревна. Только хлыст поднялся снова, и обвил Шенна точно так же, как много лет назад, оставив на теле кровоточащую болезненную рану. Но ведь Бревно погиб, пронзительно вопил мозг Шенна. Он неистово боролся с тем, что видели его глаза на самом деле, а также с ноющей болью в груди и на плечах. И его дружок Громила, сосланный на космические шахты, тоже мертв, ведь именно его позывные слышали много лет назад, когда он пустился в побег через галактику Аджар.

Бревно снова завел хлыст за спину, готовясь к очередному удару. Шенн оказался лицом к лицу с человеком, умершим пять лет назад, но тем не менее мертвец ходил и дрался. Шенн до боли прикусил нижнюю губу, отчаянно пытаясь избавиться от безумной догадки: действительно ли перед ним стоит Бревно? Бревно — дьявол из его детства, заново оживший благодаря чарам планеты Колдун. Или Шенн сам оживил и человека, и все с ним связанное, и теперь, как и раньше, испытывал животный страх, как это бывает, когда создание становится оружием, убивающим своего творца? Видеть сны, правдивые или ложные. Бревно был *мертв*; значит этот сон — обман, так оно и есть.

И Шенн двинулся вперед навстречу ухмыляющемуся великану, вышедшему из его старых ночных кошмаров. Его рука больше не лежала на рукоятке станнера, а переместилась на бок. Он видел приближающийся хлыст, злобный взгляд маленьких узких глаз. Да, сейчас перед ним стоял Бревно в расцвете своей мощи, когда Шенн боялся его больше всего на свете, и поэтому он продолжал существовать в закоулках его детских воспоминаний многие-многие годы. Но Бревно *не* был жив; он существовал только во сне.

Хлыст снова ударил Шенна и обвился вокруг его туловища. И тотчас же растворился, как и исчезла зловещая усмешка с лица Бревна. Его мускулистая рука приготовилась к третьему удару. Шенн продолжал наступать, вытянув руку вперед, но не для того, чтобы двинуть по потной небритой физиономии, а чтобы убрать Бревно со своего пути. И при этом думая лишь об одном: это не Бревно, потому что этого не может быть. С их последней встречи прошло десять лет. А пять лет тому назад Бревно погиб. Значит, это действуют чары Колдуна, а все для того, чтобы окончательно сбить Шенна с толку и довести его до безумия.

Шенн остался один. Его вновь обволакивали стены тумана. Яркая отметка на его плече по-прежнему горела. Шенн сдвинул рваную униформу и увидел больное место — длинный кровоточащий рубец. И когда увидел это, его неверие пошатнулось.

Когда он верил в Бревно и в его оружие, то бандит обладал реальностью, достаточной для нанесения удара, который и оставил на теле Шенна глубокую рану. Зато когда Шенн как бы «окунул» призрак в реальность, то ни Бревна, ни его хлыста не стало. Их просто не существовало. По телу Шенна пробежали мурашки. Он изо всех сил старался не думать о том, что может ожидать его впереди. Видения из ночных кошмаров, способные материализовываться. Раньше ему часто снился Бревно. Он видел и другие сны, тоже приводящие его в ужас. Неужели он повстречается с большинством из своих кошмаров? А вдруг — со всеми? Но почему? Чтобы просто развлечь обитателей Колдуна или доказать их утверждение, какой же он был дурак, когда бросил вызов их колдуньям — мастерицам иллюзий?

Как ему узнать, какое из видений они используют, чтобы сломить его? Либо он сам станет и актером и режиссером жуткого действия, происходящего в тумане, и будет наблюдать за «пьесой», участником которой станет сам? Все будет происходить подобно тому, как трехмерное изображение, запечатленное на пленке, развлекает зрителя?

Увидеть во сне правду — это значит пройти через туман, который тоже был сном? Сны внутри других снов... Шенн положил руку на голову, ошарашенный, измученный. Ему казалось, что он сходит с ума. Он прижал к голове ладонь, но упрямая решительность, овладевшая им, никуда не делась. В следующий раз он должен как следует приготовиться к неожиданной встрече, чтобы мгновенно отпугнуть любое давно позабытое воспоминание, воскресшее из мертвых.

Медленно пробираясь сквозь туман, Шенн часто останавливался, чтобы прислушаться к любому шороху, могущему возвестить ему о приближении новой иллюзии. Пока он шел, то старался догадаться о том, с каким из прежних кошмаров ему доведется повстречаться. Но уже прекрасно понимал, что любая встреча не будет просто разновидностью какого-либо сна. Ожесточенный былыми страхами, он достойно встретится с любым кошмаром или новым впечатлением.

В воздухе что-то затрепетало, и вдруг раздался протяжный стонущий крик. Пока еще ничего не соображая, Шенн вытянул вперед руки и просвистел две ноты, которые его губы вспомнили быстрее, нежели его разум. Силуэт, двигающийся ему навстречу из тумана, разрывая стену окружающей его боли, постепенно обретал некогда знакомые любимые черты. Он летел ему навстречу, немного склоняясь в сторону; одно из хрупких, едва окрашенных крыльев было сломано, и никогда оно уже не выпрямится, не излечится от нанесенной раны. Вот серафим устроился у Шенна между ладонями и воззрился на него с былым и искренним доверием.

— Трав! Трав! — вскричал Шенн, бережно баюкая хрупкое создание, радуясь ощущению его крылатого тельца, закругленным перышкам на гордо вскинутой головке, чувствуя ладонями шелковые прикосновения малюсеньких коготков, нежно щекочущих его пальцы.

Едва осмеливаясь вздохнуть, Шенн сел на песок. Трав — опять! Чудо этого волшебного возвращения, на которое он никогда не надеялся, переполняло его волнами счастья, такого огромного и сильного, какой была боль, причиненная ударом хлыста во время встречи с Бревном. Но эта была иная боль, боль любви, а не страха или ненависти.

Хлыст Бревна...

Шенн задрожал. Трав поднес крошечный коготок к лицу Шенна и издал жалобный плач, в котором выражались все его чувства: узнавание, просьба о защите, попытка снова стать частью жизни Шенна Ланти.

Трав! Как мог он вынести эту боль, когда Трав перешел в небытие; как он мог снова вынести тяжкие воспоминания, унесшие Трава навеки? Трав был единственным существом, которого Шенн любил всем сердцем, и который отвечал ему такой неизбывной любовью, которая вряд ли могла уместиться в столь крохотном тельце.

— Трав! — прошептал Шенн. Затем он сделал над собою величайшее усилие, чтобы справиться с этим вторым ударом, доставившим ему такую же нестерпимую боль, как много лет назад. Шенн решительно боролся с горьким воспоминанием, нежно убаюкивая изуродованное существо, умершее в нестерпимых муках, и в эти мгновения Шенн ощущал эти муки на себе. И что было еще хуже, на этот раз у него возникли сомнения, гложущие его естество. Что, если бы он не вызвал эти горькие воспоминания? Возможно, он смог бы взять Трава с собой, живого и невредимого, по крайней мере на время?

Сейчас Шенн сидел, закрыв лицо пустыми ладонями. Увидеть кошмар, не вызывающий у него ничего, кроме страха, — невелика беда. Но встретиться с видением, являющим собою часть его потерянного рая — это было ужасно! Словно ему нанесли глубокую незаживаемую рану. Терранин с трудом поднялся, и, спотыкаясь от изнеможения, поплелся вперед.

Будет ли когда-нибудь конец этому бесцельному кружению по планете из зеленого тумана? Еле волоча ноги, он с трудом пробирался сквозь зеленую дымку. Сколько же времени это продолжалось? Но Шенн не чувствовал времени, он видел только постоянный свет, сопровождающий его повсюду во время блужданий по призрачной планете.

Внезапно он услышал нечто. Но это был не шум шагов по песку, не жалобный плач давно умершего серафима. Он слышал голос. Кто-то или пел, или мелодекламировал, но Шенн никак не мог разобрать, что это за звуки. Он остановился, выискивая в лабиринтах своей памяти то, что мог бы означать этот звук.

Но несмотря на различные сцены, чередою проносящиеся перед его мысленным взором, этот голос явно не относился к прошлому. Тогда Шенн двинулся на звук, на ощупь определяя дорогу, и стараясь как можно скорее очутиться на месте встречи. Но хотя он упрямо шел вперед без остановки, казалось, что голос не приближается, в то время как странное пение то начиналось, то обрывалось, затем доносилось вновь. Шенну показалось, что в голосе невидимого пленника тумана ощущается невыносимое страдание. Создавалось впечатление, что поиски незнакомца выведут Шенна в никуда.

Когда он повернул за невидимый угол, песня снова разорвала тишину и звучала уже громко и решительно. Теперь Шенну удалось различить знакомые ему слова.

113

Там, где гуляет ветер меж планет,
И мириады звезд во тьме,
А человеку мощь дана
Бороться до конца.
И пусть он борется, храбрец,
Когда ж придет ему конец...

Голос был хриплый, надтреснутый, слова разделялись неровными промежутками, когда поющий вбирал в легкие воздух. Песня звучала так, словно человек, исполняющий ее, репетировал несчетное количество раз, стараясь при помощи этой песни избавиться от безумия и использовать ее, как якорь, чтобы уцепиться им за зыбкую реальность. Услышав песню, Шенн замедлил шаг. Происходящее не было частицей его воспоминаний; и он был уверен в этом.

Там, где гуляет ветер меж планет:
И мириады звезд во тьме...

Хриплая песня внезапно прервалась со странным неприятным звуком. Точно у часов сломалась пружина. Шенн устремился вперед, на призыв, которого вовсе и не слышалось в словах песни.

И опять туман, словно свернулся в трубочку, отставив Шенну совершенно открытое пространство. На песке сидел человек, по самые запястья зарыв руки в гальку, его усталые, воспаленные глаза неподвижно смотрели куда-то вдаль, а тело время от времени раскачивалось то взад, то вперед, будто в такт распеваемой им песни.

...мириады звезд во тьме...

— Торвальд! — Шенн поскользнулся на влажном песке и упал на колени. Как только он увидел, в каком состоянии пребывает офицер, он тотчас же забыл все обстоятельства их временной разлуки.

Торвальд не переставая раскачивался, но все же, услышав Шенна, он слегка повернул голову, а его серые глаза попытались сосредоточиться на Ланти. Вдруг кожа на лице офицера натянулась, от чего его сухопарое лицо показалось еще тоньше, и он тихо рассмеялся.

— Гарт! — вдруг сказал Торвальд.

Шенн напрягся, но не успел он возразить, что офицер ошибся, как тот продолжил:

— Значит, ты поднялся еще на одно звание, сынок! Я всегда говорил, что ты сможешь это сделать, если хорошенько постараешься. Впрочем: в твоем личном деле имеется парочка черных отметок, конечно, конечно... Но ведь ты можешь их стереть, стоит тебе как следует постараться. Торвальды всегда работали в Разведотряде. Наш отец мог бы нами гордиться.

Голос Торвальда стал монотонным, улыбка с лица исчезла, только в серых глазах еще теплились какие-то эмоции. Неожиданно, он резко подался вперед, и его пальцы сомкнулись на горле Ланти. Он повалил молодого человека на песок, и Шенн отчаянно отбивался от человека, возможно, потерявшего разум.

Тут Шенну удалось нанести обманный удар, которому он научился еще в Бараках Тира, и когда его противник согнулся от боли, пытаясь набрать воздуха, Шенн высвободился из-под него. Упершись коленом чуть повыше поясницы Торвальда, он вдавил его в песок, одновременно прижимая его руки книзу, несмотря на его сопротивление. Когда офицер успокоился, Шенн, немного восстановив дыхание, попытался вдолбить Торвальду хоть крупинку разума.

— Торвальд! Это же я, Ланти! Ланти! — его фамилия отдавалась в туманной мгле каким-то неестественным жутким эхом.

— Ланти? Нет, трог! Ланти... трог... он убил моего брата!

От такого обвинения у Шенна перехватило дыхание, и он ослабил хватку. Но Торвальд больше не вырывался, поэтому Шенн решил, что он потерял сознание.

Немного передохнув, Шенн перевернул офицера лицом к себе. Торвальд послушно двигался, точно резиновая кукла, и теперь спокойно лежал, устремив взор в небо. Песок и гравий застряли в его всклокоченных волосах и хрустели на пересохших губах. Молодой человек аккуратно вытер песок с губ офицера, и тот открыл глаза. Теперь он смотрел на Шенна своим прежним равнодушным взглядом.

— Ты жив, — прошептал он. — Гарта убили. Тебя тоже должны были убить.

Шенн отодвинулся назад, смахнул песок с рук, и его заботу точно смыло водой от этих враждебных слов. Вдруг из серых глаз Торвальда исчезло обвинительное выражение, и черты его лица разгладились, потеплели.

— Ланти! — донеслось до Шенна. — Что ты здесь делаешь?

Шенн подтянул ремень.

— Примерно то же, что и вы, — ответил он отчужденно, теперь снова не признавая никакого различия в рангах. — Хожу кругами в тумане, выискивая дорогу.

Торвальд сел, внимательно разглядывая вздымающиеся воздушные стены, окаймляющие своего рода полянку, на которой они находились. Затем вытянул руку и дотронулся до запястья Шенна.

— Ты *настоящий*, — просто заметил он, и его голос показался Шенну теплым и добрым.

— Не будьте так уверены в этом, — раздраженно возразил Шенн. — Здесь нереальное может оказаться реальным. — И он машинально коснулся ноющей раны на плече.

— Хозяева иллюзий, — кивнул Торвальд.

— Хозяйки, — поправил его Шенн. — Это место заполонили весьма симпатичные ведьмочки.

— Ведьмы? Ты их видел? Где? А что... кто они? — начал забрасывать его вопросами Торвальд, снова обращаясь к Шенну резким командным тоном.

— Это существа женского... — Шенн замялся и продолжил: — ... даже слишком женского пола, способные совершать всякие невероятные штуки. Я бы назвал их ведьмами. Одна из них попыталась удержать меня на острове. Я установил на нее ловушку и поймал ее; а потом она каким-то образом переместила меня... — И Шенн быстро пересказал все события, от его неожиданного пробуждения в тоннеле на какой-то реке до своего нынешнего проникновения на эту туманную планету.

Торвальд внимательно слушал его. Когда Шенн закончил, офицер яростно начал растирать ладонями худощавое лицо, сметая с него песчинки.

— Знаешь, по крайней мере у меня есть кое-какие мысли о том, кто они и как доставили тебя сюда. Я почти ничего не помню, как сам сюда попал. Только то, что я заснул на острове, а проснулся уже здесь.

По выражению лица Торвальда Шенн понял, что тот говорил правду. Он не помнил ничего о своем отплытии, как он бросил Шенна на коралловом рифе, как он дрался с ним. Тогда офицером управляла неведомая сила аборигенов Колдуна. Шенн поспешно поведал Торвальду о чужаках и об их действиях, что явно того обескуражило, хотя он и не стал выпытывать у своего молодого товарища подробности и требовать доказательств.

— Тогда они забрали меня! — тревожным шепотом произнес он. — Но зачем? И почему мы здесь? Неужели это тюрьма?

Шенн отрицательно покачал головой.

— Сдается мне, что все вокруг нас, — и он плавно обвел рукою зеленую стену колышущуюся, словно занавеска на ветру, потом указал куда-то вдаль, за границу туманной дымки, — что все это своего рода тест. Эти дела со снами... Совсем еще недавно я думал, что меня не было здесь никогда, что все это, вероятно, мне просто-напросто снится. Потом я встретил вас.

Торвальд все понял.

— Да, но ведь и наша встреча, *возможно*, происходит во сне. Как же мы тогда разговариваем? — Он немного помолчал, с взволнованным видом, и несколько неуверенно спросил: — Ты встречал здесь кого-нибудь еще?

— Да, — ответил Шенн, чувствуя, что как ему не хочется вдаваться в подробности.

— С людьми из прошлого, так?

— Да, — неохотно отозвался Шенн, не желая развивать эту тему дальше.

— Со мной произошло то же самое, — проговорил Торвальд. Судя по кислому выражению его лица, те, с кем он повстречался в тумане, оказались нисколько не приятнее призраков, повстречавшихся на пути у Шенна. — Все это говорит о том, что у нас были галлюцинации. Но вполне возможно, что теперь мы сумеем справиться с ними.

— Как?

— Ну, если эти призраки — порождение наших воспоминаний, то вместе мы с тобой видели их двух или трех — трога в ярости, того охотника в горах, застрявшего в нашей ловушке. Так что если мы увидим нечто похожее, мы поймем, что это. С другой стороны, если мы вновь объединимся, но один из нас увидит нечто, чего никогда не сможет увидеть другой... что ж, уже одно это опознает призрака.

В его словах явно имелся смысл. Шенн помог офицеру подняться на ноги.

— Наверное, я лучшая мишень для их экспериментов, нежели ты, — удрученно промолвил Торвальд. — Они завладели моим разумом совершенно и сразу.

— Вы носите с собой медальон, — пояснил Шенн. — Возможно он действует как фокусирующая линза для какой-то неведомой силы, при помощи которой они превращали нас в ручных животных.

— Вполне возможно! — воскликнул Торвальд, вытаскивая из-под рваной куртки костяной кругляш, завернутый в тряпку. — Да, он все еще у меня. — Но офицер не стал разворачивать тряпку, чтобы удостовериться, что находится внутри. — А теперь... — начал он, затем осмотрелся по сторонам и, не увидев ничего кроме зеленой стены тумана, спросил: — А теперь куда?

Шенн пожал плечами. Он уже давно не думал о направлении. С тех пор, как он начал вслепую брести сквозь туманную мглу, он мог тысячу раз возвращаться к исходной точке своего путешествия, чтобы пуститься в него снова и снова. Тут он показал на сверток с диском, который Торвальд по-прежнему держал в руке.

— Почему бы нам не подбросить его? — усмехнулся он. — Орел — пойдем вперед, — он указал вперед. — Решка — назад.

Торвальд усмехнулся ему в ответ.

— Наверняка он нас выведет куда-нибудь, как хороший гид. Что ж, давай, подбросим. — Он развернул тряпочку, извлек медальон и резким, коротким движением подбросил диск в воздух. Это напомнило Шенну движение молодой колдуньи, когда она переворачивала чашу с иголками.

Диск взлетел вверх, закрутился, и... они раскрыли рты от изумления... он не упал на песок. Вместо этого, он вертелся в воздухе до тех пор, пока не стал похож на маленький шар. А цвет его из мертвенно-белого превратился в ярко-зеленый. Диск засветился. Шенн даже зажмурился. Он словно увидел крошечное солнце, вращающееся перед ним, но не по орбите, а по какой-то странной прямой, указывающей направо от них. Диск полетел.

С приглушенным криком Торвальд устремился за ним. Шенн побежал за офицером. Теперь они снова очутились в туманном тоннеле, но не прекращали бежать за кругляшом, указывающим им дорогу. Они бежали, что есть мочи, стараясь не отстать и не потерять диск из виду. Они понятия не имели, куда мчались, не разбирая пути, но в каждом теплилась надежда, что в конце концов диск выведет их из этого проклятого тумана, а вместе с ним — и из мира безумия, туда, где больше не будет сомнений, страхов и иллюзий.

## Глава 14. Побег

— Я вижу что-то впереди! — неожиданно воскликнул Торвальд, но, не замедляя скорости, продолжал бежать за крошечным зеленым солнцем. Больше всего оба терранина боялись отстать и потерять след их загадочного проводника. Отчего-то оба решили, что диск выведет их из тумана и сопутствующих его иллюзий. И с каждым шагом их вера крепчала.

Теперь они более отчетливо видели темную, неподвижное пятно, часть которой терялась в тумане, а другая часть лежала за его пределами. К этому неясному силуэту, наполовину теряющемуся во мгле, и вел их диковинный кругляш. Наконец туман рассеялся, и их взору предстала какая-то огромная темная масса, в четыре или пять раз выше Торвальда. Оба мужчины резко остановились, поскольку диск перестал показывать им путь. Он по-прежнему вращался в воздухе вокруг своей оси, все быстрее и быстрее, пока не начал искриться, и вылетающие из него искры медленно таяли, ударяясь об монолитный темный камень, совершенно непохожий на все камни Колдуна, которые им доводилось видеть раньше. Он был ни красным, ни светло-коричневым, а аспидно-черным. Если бы он был обработан, то смог бы послужить огромной каменной плитой для памятника или какого-нибудь указателя, если не принимать во внимание, что для обработки такой громады понадобилась бы вечность, к тому же, как решили Торвальд с Шенном, для подобного тяжкого труда не имелось никакой веской причины.

— Мы пришли, — сказал Торвальд, подойдя к глыбе ближе.

По поведению диска они решили, что тот привел их к этой бесформенной черной глыбе с аккуратностью корабля, ведомого лучом маяка. Тем не менее, они по-прежнему не могли постичь цели, преследуемой их проводником. Для чего он привел их именно сюда? Они надеялись найти выход из туманной мглы, а оказались возле огромной черной глыбы, обойдя которую, они не нашли ни намека на какой-нибудь вход или выход. Под подошвами их сапог поскрипывал вечный песок, а их окружал туман.

— Ну и что теперь? — спросил Шенн. Они снова обошли глыбу вокруг, потом подошли к тому месту, где с невероятной скоростью крутился диск, извергая дождь изумрудных искр.

Торвальд покачал головой, с угрюмым видом рассматривая глыбу. Выражение надежды на его лице сменилось неимоверной усталостью.

— И все же, должна же быть хоть какая причина, по которой мы оказались здесь! — наконец промолвил он, но в голосе его не ощущалось былой уверенности.

— Да, но если мы уберемся отсюда, то все начнется сначала, — сказал Шенн и махнул рукой в сторону тумана. Его рука на какое-то время застыла в воздухе, словно он показывал на кого-то, наблюдающего за ними сверху. — Тогда уж нам ни за что не выбраться оттуда. — Мыском сапога он поддел песок, будто показывая безрассудство их ухода от глыбы. — Ну, а если сделать так?

Он поднырнул под вертящийся диск, чтобы положить обе руки на поверхность глыбы. И начал медленно ощупывать глыбу, выискивая то, что, возможно, ускользало от взгляда. Его пальцы ощущали холодную, едва шероховатую поверхность, и вдруг соскользнули в какую-то довольно глубокую щель.

Вне себя от радости, и в то же время, опасаясь ошибки, Шенн засунул пальцы поглубже в щель и провел ими по всей ее длине. И тут он обнаружил вторую щель. Первая находилась на уровне его груди; вторая — выше дюймов на двадцать. Он подпрыгнул, уцепившись за глыбу и рискуя сломать ногти, но все-таки добился своего. *Там* находилась третья узкая ниша, достаточно глубокая, чтобы вставить в нее мысок сапога. А над ней располагалась четвертая...

— Здесь что-то похожее на лестницу, — сообщил он Торвальду. И не дождавшись от него ответа, Шенн начал взбираться на глыбу. «Ступени» настолько соответствовали друг другу по размеру и форме, что он не сомневался в их рукотворности; они были высечены для того, чтобы их использовали, как лестницу, по которой он поднимался на вершину огромного камня. Несмотря на то, что он мог оказаться совсем не тем, что лежало за пределами его воображения.

Диск не поднимался, а вращался на одном и том же месте. Шенн миновал этот светящийся шар, поднимаясь все выше и выше во мрак, становящийся еще темнее. Выбоины на поверхности глыбы не обманули его ожиданий и продолжали попадаться; каждая представляла собой прямую линию, как и следующие. Взбираться на глыбу оказалось совсем легко. Наконец, Шенн достиг верха, осмотрелся вокруг и быстро ухватился за безопасную опору.

Тем не менее, он оказался не на ровной платформе, как ожидал. Поверхность глыбы, на которую он взобрался чуть ли не играючи, представляла собой внешнюю сторону стенки колодца, каминной трубы или кратера. Теперь он вглядывался вниз в бездонную пропасть, начинающуюся примерно в ярде от верха глыбы, но видел лишь пугающую пустоту, ибо туман, обволакивающий все вокруг, не позволял проникнуть взгляду в ее глубину.

Шенн с трудом справился с головокружением. Теперь он прекрасно понимал, как легко потерять равновесие, споткнуться и низвергнуться в эту черную бездну. Для чего же здесь этот колодец? Может быть, это — просто-напросто ловушка, заманивающая свою жертву слишком легким подъемом наверх, чтобы потом захватить его силой тяжести и поглотить? Ситуация становилась совершенно бессмысленной. И вполне возможно, что бессмысленна только для него, Шенна Ланти, размышлял он, собравшись с мыслями. Если же это подстроили аборигены, то ситуация могла быть совсем иной. Это глыба имела какой-то смысл, иначе она не возвышалась бы в этом месте.

— Что случилось? — донесся до него полный нетерпения голос Торвальда.

— Эта штука — колодец, — откликнулся Шенн. — Он открыт и, насколько я понимаю, он ведет в недра планеты.

— Внутри тоже есть лестница?

Шенн чуть не сгорел от стыда за свою несообразительность. Ну конечно же, там была лестница, это же совершенно очевидно! Крепко держась за край колодца, он свободной рукой провел по шершавой поверхности изнутри. Да, там были ступеньки, точно такие же, как и снаружи. Однако перекинуть ногу через узкий островок безопасности и начать спускаться в черную бездну колодца — гораздо опаснее, нежели любое действие, совершенное им с того памятного утра, когда троги разрушили лагерь. Зеленый туман не смог бы вызвать ужаса сильнее, чем эти невообразимые черные глубины, которые вскоре поглотят его. Однако Шенн перебросил ногу и поставил ее на первую ступень... затем на вторую. И начал спускаться.

Наверное, только предыдущее тяжкое испытание кошмарами вселило в Шенна мужество медленно преодолевать ступеньку за ступенькой. Но почему-то теперь он был уверен в себе. Конечно, в нем оставался страх, что когда он соберется поставить ногу на следующую ступень, ее не окажется на месте, и ему придется лезть обратно из последних сил, чтобы выбраться из колодца.

Постепенно исчезали благополучные ощущения надежды и веры, какие Шенн испытывал, шагая сквозь туман; неимоверная усталость сковывала руки, он чувствовал непреодолимую тяжесть в плечах. Он механически переставлял ноги со ступени на ступень, затем на следующую и следующую... Светлый прямоугольник наверху становился все меньше и меньше. Время от времени это светлое пятно наполовину закрывалось телом Торвальда, спускающимся за ним по внутренней стенке колодца.

Сколько же еще осталось до конца их спуска? Шенн даже захихикал, настолько смешным был этот вопрос, или он ему только казался забавным? Он был уверен, что сейчас они находятся ниже уровня моря. А конца этой пропасти так и не видно.

Внизу ни огонька, ни вспышки света. У Шенна создавалось впечатление, что он ослеп. Теперь Шенн спускался на ощупь, и по мере того, как он осторожно исследовал невидимые препятствия, встречающиеся ему по пути, то все сильнее ощущал изменения в характере окружающего его пространства. Он изо всех сил прижимался ослабевшими руками и ногами к прочной внутренней стенке колодца, и до сих пор его не покидало опасение, что рано или поздно ниши-ступени кончатся, а он останется один на один с бездонной пропастью. И вместе с тем, он чувствовал, что труба расширяется книзу. Спустя некоторое время он уже не сомневался в том, что теперь он очутился в широком открытом пространстве, вероятно в еще какой-то пещере, в которой стояла совершеннейшая темнота.

Лишенный зрения, он полагался на свой слух. И вот до него донесся звук, слабый, еле различимый и, по-видимому, искаженный акустическими свойствами пространства. Шенн прислушался к этому тихому шороху. Вода! Но не грозные волны прилива, с грохотом обрушивающиеся на берег, а скорее приглушенный плеск реки или ручья. Наверняка внизу вода! — мелькнуло у него в голове.

И подобно тому, как после выхода из тумана им овладела страшная усталость, теперь его мучили голод и жажда, требуя немедленного их утоления. Терранину хотелось как можно скорее добраться до воды, и он уже рисовал ее в своем воображении, напрочь отбрасывая мысль о том, что она может оказаться морской, а значит, непригодной для питья.

Верхнее отверстие, ведущее в туманную пещеру, теперь находилось где-то высоко над Шенном, поэтому, чтобы рассмотреть его, следовало очень постараться. Теплота, ласково окутывающая его до сих пор, исчезла. Теперь его до костей пронизывал холод, а ступени стали очень влажные, так что Шенн больше всего боялся поскользнуться и сорваться вниз. Когда журчание воды стало громче, Шенн на расстоянии вытянутой руки услышал звук, напоминающий шлепки. Мысок его сапога выскользнул из ниши. Онемевшими от боли и напряжения пальцами, Шенн вцепился в нишу над собой, изо всех сил стараясь не сорваться. Но тут другой сапог выскользнул из ниши. Шенн повис на одних руках, тщетно пытаясь отыскать опору для ног.

Больше руки не смогли его держать, и он с громким криком полетел вниз. Вода сомкнулась над ним, и на мгновение он ощутил ледяной удар, парализующий его тело. Он молотил руками по воде, стараясь высунуть голову на поверхность, чтобы вдохнуть хотя бы немного драгоценного воздуха.

Течение в этом месте было очень быстрое. Шенн вспомнил другой поток, принесший его в пещеру, где находилось загадочное обиталище жителей Колдуна. Хотя в этом тоннеле не было светящихся кристальных друз, и Шенн ничего не видел, он все-таки лелеял слабую надежду, что угодил в тот же самый поток; что очень скоро появятся и кристаллы, и, вполне возможно, он снова окажется в исходной точке своего бессмысленного путешествия.

Поэтому он лишь старался держать голову над водой. Услышав за спиною шумный всплеск, он крикнул во тьму:

— Торвальд?

— Ланти? — тотчас же услышал он ответ; плеск стал громче, и наконец Шенна догнал второй пловец.

От неожиданности Шенн раскрыл рот и чуть не захлебнулся, проглотив очень много воды. Она оказалась затхлой на вкус, но не совсем соленой, и хотя она неприятно пощипывала губы, он немного утолил жажду.

Светящиеся кристальные друзы не украшали стены этого бесконечного тоннеля, и надежда Шенна, что он снова попадет в пещеру на острове, постепенно угасала. Поток стал быстрее, и ему пришлось собраться с силами, чтобы удерживать голову над водой. Измученное тело едва реагировало на ощущения.

Журчание стремительно бегущего потока еще громче отдавалось в его ушах или звук оставался таким же, как прежде? Чувства его почти атрофировались, и Шенн больше не был уверен в правильности своего предположения. Единственное, что он знал наверняка, это то, что скоро у него иссякнут силы и он не сможет удержаться на поверхности. А потом он попадет в водоворот, и этот стремящийся поток поглотит его навсегда.

Наконец его выбросило прямо в пылающий свет, и он, точно пуля из древней земной винтовки угодил в удушающий дикий поток. Шенн задыхался, отчаянно шлепал руками по воде; он почти тонул. Но стоило ему отдаться на волю стихии, как вода подхватила его тщедушное тело и буквально шарахнула его об каменную поверхность, и он едва не лишился сознания от боли. Теперь он лежал, еле-еле шевеля руками, и хватая ртом воздух. Он лежал до тех пор, пока не нашел в себе силы подняться. Его мучительно вырвало. Каким-то образом он поднялся еще на несколько футов выше, и снова лег. Ослепленный светом, он лежал, то и дело отдергивая руку от раскаленных камней. Ему казалось, что он больше не способен ни на что.

Первой его связной мыслью стало размышление о реальности всех этих впечатлений, которые, наконец-то разрешились. Вполне вероятно, что это не было галлюцинациями; во всяком случае, такая последовательная связь событий просто не могла быть галлюцинацией. Он лежал и думал об этом, как внезапно чья-то рука легла ему на плечо. Шенн почувствовал прикосновение живой плоти.

Он закричал и повернулся. Рядом с ним сидел Торвальд. С его разодранной одежды стекала вода; волосы прилипли к голове.

— Ты в порядке? — спросил офицер.

Шенн тоже сел, вытер воспаленные глаза от песка. Его тело ныло от боли, но серьезных ран не было. Одни ссадины и царапины.

— Думаю, да, — ответил он. — Где мы?

На губах Торвальда появилась скорее кривая ухмылка, а не улыбка.

— Этого места нет ни на одной из моих карт, — ответил он. — Сам посмотри.

Они сидели на узкой полоске берега, больше походящего на коралловый риф, потому что вместо песка он был покрыт крупными неотесанными камнями. Место, где они находились, окружали голые скалы. Скалы ржавого цвета высохшей крови; они торчали из воды, напоминая какие-то фантастические скульптуры, а посередине находилась крошечное пространство, где и расположились Торвальд и Шенн.

Это открытое пространство имело форму вилки, каждый зубец которой был вымыт потоками воды, многие века подмывающие обе стороны скалы. Эти потоки низвергались с отвесного утеса, торчащего напротив скалы неподалеку, и силы этих потоков вполне хватило, чтобы промыть в каменной громаде эту вилку. Шенн, разглядывающий ее и думающий о том, что бы это значило, глубоко вздыхал. И тут же он услышал сдавленный смех своего спутника.

— Да, ну и попали же мы с тобой, сынок. Как насчет путешествия обратно?

Шенн отрицательно покачал головой, и сразу пожалел о столь резком движении, поскольку берег пошел ходуном перед его взором. Все вокруг завертелось, как юла. И тут Шенн словно воочию увидел перед собой их стремительный путь под землей, а затем янтарное небо над головой. Он вышел из оцепенения. Головокружение прекратилось. Шенн почувствовал жгучие лучи солнца, отвесно падающие на Колдуна и на его тело.

Сжав голову обеими руками, Шенн медленно обернулся, чтобы посмотреть, что находится у них за спиной. Потоки воды, журчащие с обеих сторон, говорили о том, что они снова попали на остров. И тут Шенна охватила странная и страшная мысль: Колдун — это непрерывная цепь островов, с которых невозможно убежать.

Нагромождение скал не вдохновляло терран на дальнейшие исследования этого места. Один взгляд на них усиливал усталость в их и без того изможденных телах. Скалы торчали из воды одна над другой, подобно ярусам в театре, образуя где-то высоко в небе что-то вроде короны. Шенн сидел, тупо глядя на скалы.

— Чтобы взобраться туда... — начал он неуверенно и затих.

— Взбираешься или плывешь... — донесся до него голос офицера. Шенн взглянул на Торвальда и по его виду понял, что тот не спешит никуда идти.

И он снова стал разглядывать скалы. Нигде он не заметил даже намека на растительность. В небе не раздавалось ни клацанья, ни щелканья. Ни одной птицы с кожаными крыльями не пролетело над их головами. Шенн частично утолил жажду, но ощущение голода осталось. И это чувство вынуждало его на какие-либо действия. Впрочем, голые вершины не обещали им сытного обеда, однако вспомнив, как росомахи притащили часть зарытой добычи со стороны скал, идущих вдоль реки, Шенн поднялся и, пошатываясь от слабости, двинулся на поиски какого-нибудь озерца, где могло обнаружиться что-либо съедобное.

Так, увлекшись поисками, Шенн очутился на противоположном конце острова, если место, давшее им убежище, вообще было островом. Вода плескалась рядом на протяжении всего пути, кое-где собираясь в небольшие озерца, подернутые рябью и заросшие желтой сорной травой, которая в струях воды сворачивалась в тонкие светлые ленточки.

Он окликнул Торвальда и жестом поманил его к воде. Затем, взявшись за руки, мужчины вступили в густые заросли, куда вела узкая тропинка. Дважды они набредали на небольшие озера, где водились какие-то гротескные существа с плавниками или когтями; они убивали их и съедали, даже не съедали, а пожирали, как голодные волки, яростно вгрызаясь в их плоть, очень странную на вкус. Спустя некоторое время, в небольшой расщелине, которую едва ли можно было назвать пещерой, Торвальд случайно обнаружил великолепную находку: гнездо с четырьмя зеленоватыми яйцами, величиной с кулак.

Их скорлупа более смахивала на довольно тугую мембрану, нежели чем на настоящую скорлупу, и терранам пришлось изрядно попотеть, прежде чем они добрались до их содержимого. Шенн закрыл глаза, стараясь не думать о том, что он высасывал из зеленоватой оболочки. Во всяком случае больше половины жидкости оставалось у него в желудке, и он с тревогой ожидал не совсем приятных последствий этой необычной дегустации.

Немного воодушевленные этой искоркой счастья, они с Торвальдом продолжали продвигаться вперед, ибо скальный выступ из довольно ровной поверхности превратился в целую череду неодинаковых ступеней, ведущих куда-то вверх. Они стали медленно подниматься. Подъем оказался очень долгим, но наконец они достигли конца этой «дороги». Шенн прислонился к удобному выступу в скале, и застыл, чтобы перевести дыхание. Из оцепенения его вывел голос Торвальда, присоединившегося к нему и теперь стоящего на обнаженной скальной породе, с которой их взору открывалось удивительное зрелище внизу.

— Ты только посмотри! — воскликнул офицер.

Оба пристально разглядывали дно пещеры, представляющее собою мягкий изгиб из песка, по которому стелился туман, серо-голубым ковром медленно поднимаясь от моря. Сейчас Шенн не сомневался, что эта широкая полоса воды, расстилающаяся перед ними, не что иное, как западный океан. Он был окружен со всех сторон каменными колоннами, высоко выступающими из воды. Самые дальние из них терялись в воде, так, что видны были только их верхушки. Все они имели одинаковую форму, и оканчивались гигантской аспидно-черной глыбой, точно такой же, в которую влезли путешественники. Они даже увидели каменные ступени. Они стояли на одинаковом расстоянии друг от друга, поэтому Шенн ни за что не поверил бы в нерукотворность их создания.

Между колоннами терране увидели действующих лиц этого удивительного спектакля. Одна из ведьм с планеты Колдун со сверкающими драгоценностями по всему телу, выходила из моря, сложив ладони в земном молитвенном жесте и тяжело дыша. Прямо плыл кто-то, явно принадлежащий к ее роду-племени. Но вдруг она тревожно задвигалась, по-видимому каким-то непонятным для терран жестом показывая своим соплеменникам, что в их убежище находятся посторонние. На берегу стояли еще две ее спутницы, наблюдающие за ее действиями с пристальным вниманием. Иногда школьники так наблюдают за действиями преподавателя.

— Вайверны! Крылатые драконы! — с трудом выдавил ошарашенный Торвальд.

Шенн вопросительно посмотрел на него. Тот еле слышно прибавил:

— На Земле когда-то существовала легенда... В общем... что у них вместо задних лап змеиные хвосты, а головы... Это — крылатые драконы!

Крылатые драконы. Почему-то Шенну понравилось, как звучат эти слова. Мысленно они ассоциировались у него с ведьмами, живущими на Колдуне. А сейчас он наблюдал, как одна из них вышла из моря со своей загипнотизированной добычей. В сверкающих солнечных лучах виднелся раздвоенный хвост водяного чудовища, точно такого же, какое терране видели после шторма. Тварь медленно ползла по мелководью, сосредоточив свой неподвижный взгляд на сложенных в молитвенном жесте лапках крылатого дракона.

Она резко остановилась, довольно высоко приподнялась на песке, в то время как тело ее жертвы или пленника (Шенн не сомневался, что чудовище или то или другое) полностью вышло из воды. Затем, колдунья со скоростью молнии опустила лапки.

Чудовище с раздвоенным хвостом тотчас же ожило. Челюсти с огромными клыками, лязгнули. Чудовище поднялось на задние лапы; в его сверкающих глазах чувствовалась беспредельная ярость. Причем ярость целенаправленная, ведущая к смертельному деянию. И прямо напротив разъяренной твари стояли хрупкие, изящные, невооруженные и совершенно беззащитные крылатые драконы.

И никто из их маленькой группы даже не попытался убежать. Когда коротколапая тварь с раздвоенным хвостом стремительно двинулась по песку им навстречу, Шенн увидел в их равнодушии нечто самоубийственное.

Но крылатые драконы, выманившие тварь на берег, не двигались с места. Спустя несколько секунд одна из колдуний взмахнула изящной лапкой, с самым беспечным видом приказывая чудовищу остановиться. Между ее пальцами Шенн увидел диск. Торвальд схватил Шенна за руку.

— Посмотри! Такой же, как у меня! Во всяком случае, очень похож! — воскликнул офицер.

Они находились слишком далеко от разворачивающейся сцены, чтобы удостовериться в полной идентичности диска, но оба отчетливо видели, что он имел форму костяной монетки. Теперь колдунья размахивала диском взад-вперед, что очень смахивало на движение стрелки метронома. Тварь сперва запнулась, затем остановилась, и стала помахивать головой; сперва очень неохотно, а потом с все большей скоростью. Сперва направо, потом — налево, направо-налево, направо-налево... Таким способом колдунья гипнотизировала чудовище, как, по-видимому, и ту тварь, что Шенн видел после шторма.

То, что случилось потом, было произведено чистой случайностью. Колдунья стала медленно отходить назад по пляжу, уводя морскую тварь за собой по пятам. Они совсем близко подошли к выступу, на котором стояли изумленные терране, когда песок предательски провалился под ногами колдуньи. Ее лапка соскользнула в какую-то дыру, и она повалилась на спину, выронив из пальцев диск.

Чудовище тотчас же сбросило с себя ее чары и угрожающе вытянуло голову вперед, разинуло огромную клыкастую пасть и мгновенно проглотило упавший диск. Потом оно приняло точно такую позу, какую принимали росомахи, когда готовились к прыжку. Безоружный крылатый дракон теперь превратился в жертву, а обе ее подруги находились слишком далеко, чтобы прийти на помощь.

Шенн не смог бы объяснить, почему он решил вмешаться. Ведь у него не было никаких причин помогать жителям Колдуна, одна из которых совсем недавно управляла им против его воли. Но Шенн спрыгнул с выступа и приземлился на песок на четвереньки.

Морская тварь развернулась кругом, явно сбитая с толку, ибо на этот раз перед ней находились две жертвы. Шенн выхватил нож и быстро вскочил на ноги, пристально глядя чудовищу в глаза, понимая, что он призван стать убийцей чудовищ не от хорошей жизни.

## Глава 15. Убийца чудовищ

— Айэээ! — с губ Шенна сорвался боевой клич, в котором чувствовался неприкрытый вызов не только в отношении чудовища, стоящего напротив, но и к крылатым драконам; такой вопль Шенн издавал в Бараках Тира, когда ему приходилось призывать на помощь своих товарищей, если на него наступали враги. Морская тварь снова пригнулась для убийственного прыжка, но этот хриплый, сдавленный дикий вопль, казалось, напугал ее.

Шенн, с ножом наготове, танцующей походкой наступал на врага справа. Он видел ненавистное чешуйчатое тело, скорее всего, защищенное против лобовой атаки толстым панцирем, как существо из раковины, с которым он справился при помощи росомах. Как ему хотелось, чтобы его земные звери — Тагги и его подруга — оказались сейчас рядом с ним! Своим поддразниванием и обманными движениями они бы отвлекали чудовище, как отвлекали охотника трогов. Тогда бы у Шенна имелось бы больше шансов на победу. Если бы его росомахи очутились бы здесь!

Эти глаза, напоминающие красные дыры, на морде горгульи внимательно следили за каждым его движением. Эти жуткие глаза, возможно, именно они и окажутся единственными уязвимыми местами у чудовища.

Он заметил, как под чешуей перекатываются огромные мышцы. Терранин приготовился подскочить к монстру сбоку, а его поднятый нож был нацелен в эти жуткие глаза. Шенн заметил, как на спине чудовища поднялось коричневое «V», поросшее тонкой шерстью. И тут он не поверил своим глазам. Неуклюжим галопом к ним приближалось разъяренное, рычащее животное, которое внезапно остановилось рядом с ним. И тотчас же второй зверь очутился возле его ног.

Издав боевой рык, Тагги начал атаку. Голова чудовища то и дело поворачивалась, повторяя движения росомахи, точно так же, как немногим ранее она вторила движениям загадочного диска в лапке крылатого дракона. Тоги зашла к чудовищу с другой стороны. Шенн знал, что для росомах охота превращается в некоего рода игру. И еще ни разу они не демонстрировали ему такой слаженности в охоте, являя собой в эти мгновения единую отличную команду, как будто чувствовали каждое желание их хозяина.

Раздвоенный хвост угрожающе поднялся. Это было грозное оружие. Кости, мускулы, чешуйчатая плоть, наполовину зарывшаяся в песок, неистово двигалась, рассеивая вокруг себя облака песка и гравия, которые попадали Шенну в лицо, а росомахам — в морды. Шенн отскочил назад, свободной рукой вытирая глаза от песка. Росомахи медленно ходили кругами, выискивая подходящий момент, чтобы броситься на врага в самое излюбленное место — на его холку. Ибо такая атака обычно кончалась поражением противника, потому что росомахи впивались ему в шею. Но голову чудовища защищал толстенный панцирь, он-то и отпугивал животных. И снова гигантский хвост поднялся и ударил оземь, на этот раз немного задев Тагги, который покатился по песку в сторону.

Тоги грозно зарычала и совершила дерзкий прыжок. Ей удалось поднырнуть под огромным хвостом, а затем вцепиться в него, чтобы всем своим весом прижать его к земле, а тем временем морская тварь яростно пыталась сбросить с себя отважную росомаху. Глаза Шенна слезились от попавшего в них песка, но он все видел. Некоторое время он наблюдал за боем, прикидывая, когда чудовище полностью отвлечется на борьбу с росомахой, пытаясь сбросить ее с хвоста. Тоги яростно вцепилась в хвост острыми клыками и прокусила его, пытаясь вывести из строя это оружие, разорвав его на куски.

Чудовище извивалось, пытаясь добраться до своего мучителя зубами и когтистыми лапами. И во время этой борьбы оно вытянуло голову неестественно далеко, тем самым обнажив незащищенный участок тела, расположенный под основанием черепа, откуда начинался спинной хребет, увенчанный «воротником» из острых шипов.

И Шенн устремился в атаку. Одной рукою он схватился за «воротник», острые шипы которого впивались в плоть чудовища из-за его неестественно повернутой головы; другой рукой он глубоко вонзил нож, пробив незащищенные складки кожи и поразив позвоночный столб. Лезвие зацепило кость, и голова твари резко откинулась назад, пытаясь захватить руку Шенна в ловушку. Но терранин стремительно отвел ее в сторону, опередив реакцию чудовища.

Хлынула кровь. И кровь Шенна смешалась с кровью врага. Только Тоги, не отпускающая убийственного хвоста, спасла Шенна от неминуемой гибели. Покрытое панцирем рыло уставилось в небо, когда монстр попытался шипами своего «воротника» впиться в руку терранина. Шенн, одурев от нестерпимой боли, всадил кулак прямо в глаз кошмарной твари.

Чудовище конвульсивно подпрыгнуло, тряхнуло головой; и, пролетев несколько футов по воздуху, Шенн очутился на свободе. И тут же бросился назад, еле держась на ногах. Чудовище извивалось, вздымая вокруг облака песка и камней. Но оно не могло вытащить из себя нож, равно как и собственные шипы, вонзившиеся ему в спину. Оно билось в конвульсиях, а смертельный воротник впивался все глубже и глубже в незащищенное панцирем место.

Сперва чудовище громко завыло, затем пронзительно заверещало. Шенн, прижав кровоточащую руку к груди, покатился по песку, подальше от агонизирующего монстра. Наконец, он оказался возле одной из колонн. Обнаружив рядом опору, он поднялся, обнял колонну и долго стоял, качаясь, как пьяный, пытаясь рассмотреть, что творилось за песочной завесой.

Чудовище продолжало агонизировать, взбивая вокруг себя все больше и больше песка. Потом Шенн услышал победоносный крик Тоги. Он прищурился и сквозь тучи песка и камней увидел ее коричневое тело, вцепившееся в хвост чудовищу возле самой «вилки». Тоги буквально разрывала его на куски, используя все свое природное оружие, от острых клыков до длинных когтей. Наконец она добралась до позвоночника морской твари, и тогда хлынул целый фонтан крови. Чудовище еще раз попыталось поднять голову, но силы покинули его. Оно с гулким звуком повалилось на песок, бесполезно клацая зубами. Его гигантская челюсть то и дело открывалась, а длинный язык машинально загребал в разверстую пасть целые горы гальки и песка.

Сколько времени длилось это сражение на залитом кровью берегу? Шенн уже не чувствовал времени. Он крепче прижимал к груди раненую руку, затем прошел мимо издыхающей в конвульсиях морской твари и комков бурой шерсти, оставленной в бою росомахой. Он свистнул пересохшими губами. Тоги все еще добивала морскую тварь, а Тагги лежал на том месте, где его ударил смертоносный хвост чудовища.

Почувствовав головокружение, Шенн опустился на колени и погладил неподвижного Тагги по взъерошенной шерсти.

— Тагги!

Ответом было еле заметное движение. Шенн неуклюже попытался положить голову зверя себе на руку. Внимательно осмотрев Тагги, он не обнаружил на его теле открытых ран; но ведь у его четвероногого друга могли быть сломаны кости или были какие-либо внутренние повреждения. У Шенна не было никакого опыта, чтобы это определить.

— Тагги! — ласково позвал он еще раз, держа тяжелую голову зверя на коленях.

— Тот, что покрыт шерстью, не умер.

Какое-то время Шенн не мог понять, откуда раздались эти слова; сформировались ли они в его мозгу или проникли через его уши. Он посмотрел вверх, и увидел крылатого дракона, направляющегося к нему по розовому песку грациозной летящей походкой. И вдруг Шенн ощутил, как все его существо охватила холодная тупая ярость.

— Но не благодаря тебе, — вызывающе громко отозвался Шенн. Если крылатому дракону-колдунье хотелось понять его, так пусть постарается; сам же он не станет пытаться касаться ее мыслей по поводу случившегося.

Тагги снова пошевелился, и Шенн внимательно посмотрел на него. Росомаха тяжело дышала, открыв глаза и еле-еле покачивая головой, чем-то напоминающей медвежью в миниатюре. Тагги выдыхал большие кровавые комья, и эта темная, чужая кровь, попадала Шенну на штаны. Потом Тагги тревожно поднял голову и посмотрел туда, где его подруга все еще занималась уже совсем утихшей тварью.

Шенн помог Тагги подняться, что тот и сделал с явным трудом. Терранин провел ладонью по его ребрам, выискивая сломанные. Один раз Тагги громко взвыл от боли, но Шенн так и не смог отыскать серьезных повреждений. Наверное, подобно коту, росомаха, получив сильнейший удар хвостом, в этот момент расслабился достаточно, чтобы избежать серьезных ранений. Несмотря на то, что Тагги был отброшен в сторону, теперь он снова смог ориентироваться. Он высвободился из рук Шенна и неуклюжей походкой побежал к своей подруге.

Шенн заметил, как кто-то еще пересекает береговую полосу. Не обращая никакого внимания на крылатых драконов, мимо них шел Торвальд. Он подошел прямо к своему спутнику. Положив раненую руку Шенна на колено, офицер несколько секунд изучал кровоточащую глубокую ссадину.

— Глубокий порез, — заметил он.

Шенн слышал осмысленные слова, но когда Торвальд, взяв его руку, причинил ему сильнейшую боль, Шенн чуть не потерял сознание. Песок, камни и скалы поплыли перед его глазами. Боль ударила ему в голову, рассыпалась внутри красными искрами, и Шенну показалось, что все вокруг исчезло.

Из красноватого тумана, застилающего большую часть местности, возник один-единственный предмет, и им оказался круглый белый диск. И в затуманенном мозгу Шенна вдруг возникло очень дурное опасение. Он резко отмахнулся. Диск отлетел куда-то и исчез из поля зрения. Теперь Шенн отчетливо видел крылатого дракона, забравшегося на плечи Торвальду. Дракон словно примеривал к нему свое странное оружие. С огромным трудом выговаривая слова, которые сперва сформировал в уме, Шенн крикнул им что есть мочи:

— Вы не бросите меня... снова!

На ее мордочке, украшенной драгоценностями, не отразилось ровным счетом ничего. Неподвижные глаза смотрели в никуда. Тогда Шенн вцепился в Торвальда, решив заставить его выслушать себя.

— Не позволяйте им воздействовать на вас этим диском!

— Я делаю, все, что в моих силах, — услышал Шенн в ответ.

Но туман вновь поглотил Торвальда. Неужели одной из колдуний все же удалось сфокусировать на нем диск? Неужели им опять предстоит пройти все, что им довелось испытать? Их снова утянет потоком галлюцинаций, чтобы они очнулись опять, как пленники... например в пещере с зеленой занавесью? Терранин боролся каждой клеточкой своего естества с чужой могучей волей, пытаясь не лишиться сознания, но все его усилия потерпели крах.

На этот раз он очнулся не в подземном бурлящем потоке и не стоял напротив стены зеленоватого тумана. Рука продолжала болеть, и эта настойчивая боль отчасти успокаивала Шенна. Значит, он что-то ощущает, что-то действительно существующее! Прежде чем открыть глаза, он нащупал пальцами мягкую и гладкую поверхность, которая при дальнейшем исследовании оказалась не чем иным, как спальным матрасом, точно таким же, какие находились в сооружении, расположенном в пещере. Неужели он снова вернулся в это хитросплетение комнат и коридоров?

Шенну не хотелось открывать глаза до тех пор, пока он не ощутил некоторого рода стыд. Первое, что он увидел, было овальное отверстие длиною почти с его тело. Он лежал двумя футами ниже подоконника этого овального окна. И сквозь прозрачный овал на него падал золотой солнечный свет, а не зеленый туман или кристаллы, имитирующие звезды.

Небольшое помещение, в котором он лежал, имело гладкие ровные стены, и напоминало то, в котором его заключили на острове. Никакой обстановки кроме матраса, он не заметил. Над ним находилось что-то вроде лампы, покрытой сетчатыми волокнами, очень напоминающими паутину. К ней были прикреплены какие-то перья, покрытые с внешней стороны пухом. Шенн лежал совершенно голый под покрывалом, но под ним было настолько жарко, что он сбросил его с плеч и груди. Затем с трудом поднялся, чтобы рассмотреть, что творится за окном.

Поднимаясь, он полностью увидел свою разодранную руку. От запястья до локтя она была упакована в светонепроницаемую кожаную оболочку, совершенно не похожую на земные бинты. Во всяком случае, эта штука — явно не из аптечки первой помощи, которую таскал с собою Торвальд. Шенн уставился в окно, но ничего не увидел, кроме бескрайнего неба. Лишь над горизонтом медленно проплывало несколько облаков лимонного цвета. Больше ничего не нарушало ровную янтарную гладь. Наверное, он находился в какой-то башне, намного выше уровня земли. Шенн еще раз осмотрелся и понял, что в этом месте он находится впервые, несмотря на схожесть «обстановки» и помещения.

— Снова с нами? — внезапно донеслось до Шенна.

Он увидел входящего Торвальда, одной рукой поднимающего дверную панель. Его рваная униформа куда-то исчезла. На

Торвальде были только прежние штаны из зеленой глянцевой ткани и стоптанные донельзя сапоги.

Шенн упал на матрас.

— Где мы?

— Думаю, это место можно назвать столицей, — ответил Торвальд. — Если же определять наше местонахождение относительно материка, то мы находимся на самом дальнем западном острове.

— Как мы сюда попали? — Шенну припомнилось, как они лезли на глыбу, он словно воочию увидел перед собой подземный поток... Неужели они побывали в реке, протекающей под морским дном? Однако Шенн не был готов к иному ответу.

— Посредством желания, — ответил Торвальд.

— Посредством *чего?*

Офицер кивнул, выражение его лица стало серьезным.

— Им захотелось, чтобы мы оказались здесь. Послушай, Ланти, когда ты набросился на того монстра, тебе ведь хотелось, чтобы росомахи оказались рядом с тобой?

Шенн мысленно прокрутил назад пленку воспоминаний, ибо все, что он помнил о сражении, не запечатлелось в его мозгу слишком ясно. Но, да! Ему безумно хотелось, чтобы Тагги и Тоги оказались на поле боя, чтобы отвлечь разъяренную тварь с раздвоенным хвостом!

— Вы хотите сказать, что я желал их увидеть рядом? — Тут он осознал, что все происходящее целиком и полностью связано с крылатыми драконами и их разговорами о видении снов. Поэтому он осторожно прибавил: — Или мне все это просто приснилось?

Он опустил глаза и увидел бинт. Под бинтом до сих пор нарывала глубокая рана. Еще болела спина и плечи после хлыста, которым его угостил Бревно. На спине даже осталась отметина... Настоящая боль от настоящего удара.

— Нет, ты не видел это во сне. Так уж случилось, Ланти, что одна из наших юных леди настроила тебя при помощи одного приспособления. Надеюсь, мне нет нужды напоминать тебе — какого. И вот, поскольку ты был настроен соответствующим образом, то твое желание увидеть росомах сбылось. И они появились рядом с тобой.

Шенн болезненно поморщился. Это звучало невероятно. И все-таки, он же встречался с Бревном и Травом... Может ли кто-нибудь доходчиво объяснить ему их появление? А как он тогда, вначале, спрыгнул с вершины скалы на остров, где угодил в самый центр потока, и совершенно не помнил о своем стремительном путешествии?

— Как это работает? — спокойно осведомился он.

Торвальд рассмеялся.

— Ты меня спрашиваешь? Что ж, попытаюсь объяснить, если сумею. У каждого крылатого дракона-колдуньи есть такой диск, и при помощи этих дисков они способны управлять различными силами. Когда мы снова очутились на берегу, то случайно попали в учебный класс, где новичков обучают обращаться с этими дисками. Знаешь, мы столкнулись с чем-то необъяснимым и непостижимым для нашего разума. Говоря их словами, это просто магия.

— А мы их пленники?

— Спроси меня о чем-нибудь, в чем я уверен. Я свободно разгуливаю повсюду, где мне заблагорассудится. Еще ни разу я не наблюдал даже намека на враждебность. Большинство из них просто не обращают на меня внимания. Мне удалось побеседовать на телепатическом уровне с их руководительницами или старшими... или главными колдуньями... сам не знаю, как их называть, потому что им подходят все три названия. Они задавали вопросы, я как можно подробнее отвечал на них, но порой мне казалось, что полного взаимопонимания никак не получается. Тогда я задал несколько вопросов, они очень ловко и умело ушли от ответа или отвечали совершенно непонятно. Короче, несли какую-то чушь, как это часто делают демагоги. Вот насколько продвинулся вперед наш контакт.

И офицер печально улыбнулся.

— А что с Тагги и Тоги?

— Не знаю, бегают где-то. Сдается мне, что им сейчас куда лучше, чем нам. Но вот что странно, они стали разумнее и быстрее понимать команды. Возможно, тут не обошлось без воздействия диска, рядом с которым они крутились. Думаю, он каким-то образом повлиял на их поведение.

— А что с крылатыми драконами? И все ли они особи женского пола?

— Нет, однако система их племени строго матриархальная. Когда-то так было и у нас на Земле. Здесь все точно так же, как когда-то у нас. Плодородная мать-земля и ее жрицы, превратившиеся в ведьм, когда боги покорили богинь и стали главенствовать над ними. Здесь очень мало особей мужского пола и недостаток силы, чтобы приводить в действие диски. Действительно, — Торвальд угрюмо усмехнулся, — у их цивилизации собралось столько противоположного нам пола, что особи мужского пола здесь в лучшем случае имеют статус домашних любимцев, а в худшем — необходимых им злых демонов. Что с самого начала выставило нас в самом невыгодном свете. Мы же с тобой, как-никак, мужчины, не так ли, Шенн Ланти?

— Вы считаете, что они не воспринимают нас всерьез, потому что мы — особи мужского пола?

— Вполне вероятно, — ответил офицер. — Я пытался рассказать им об опасности со стороны трогов, я подробно описал им, что может статься с ними, если жукоголовые осядут здесь навсегда. Они полностью отвергли эту мысль. Отмахнулись от нее, если можно так выразиться.

— Разве вы не попытались убедить их, что троги тоже самцы?

Торвальд отрицательно покачал головой.

— Этого бы не сумел сделать ни один человек. Мы сражаемся с трогами с незапамятных времен. У нас есть записи, рапорты и сведения о трогах и их поведенческих образцах, которые в целом содержат приблизительно два абзаца стопроцентно доказанных фактов и многие сотни предположений и догадок, начиная от вероятного и кончая безумными фантазиями. О трогах можно рассказывать все, что угодно, можно даже найти множество разумных существ, готовых в это поверить. Но если высадившиеся на материке троги способны отзываться на «он», «она» или «оно», то у нас тобой остается одна и та же проблема. Дело в том, что мы всегда считали трогов, с которыми сражались, особями мужского пола, но ведь с таким же успехом они могут оказаться и амазонками. Тогда этим крылатым колдуньям вовсе не о чем волноваться. Собственно говоря, их и сейчас ничего не волнует. По крайней мере, у меня создалось такое впечатление.

— Но в любом случае, нельзя подойти к ним и заявить, дескать, мы с вами девушки, — заметил Шенн.

Торвальд громко расхохотался.

— Ну ты и скажешь! Кстати, мы не единственные нежеланные гости на Колдуне.

— Вы имеете в виду трогов? — спросил Шенн, садясь на своем ложе.

— Нет, что-то еще. Не с Колдуна, и не крылатый дракон. И вероятно, у нас могут быть с ним проблемы.

— А вы его не видели?

Торвальд уселся, скрестив ноги. Янтарный свет, ровной струею льющийся в окно, попадал на его волосы, отчего они стали красно-золотыми, что придавало его худощавому вытянутому лицу некоторую свежесть.

— Нет. Но насколько я понимаю, чужак находится не совсем здесь. Дважды мне удалось поймать случайные телепатические сигналы, а новоприбывшие колдуньи, которые встретили меня, очень удивились. Они явно ожидали встретить нечто, совершенно отличающееся от них физически.

— Может быть, это еще один разведчик с Земли?

— Нет. Думаю, что крылатым драконам уже хорошо известно, как мы выглядим. Точно так же, как мы не сумели бы отличить одну колдунью от ее сестры, если бы не отличались узоры на их телах. Обнаружить одинаковый узор — практически невозможно, потому что они невероятно сложны, а все потому, что чем запутаннее у колдуньи узор, тем мощнее ее «сила», точнее, не ее самой, а ее предков. Им разрешается носить узоры, когда они получают право на свой диск, а вручается он после оценки способностей самой великой колдуньей по ее семейной линии, как своего рода стимул жить согласно своим деяниям и по возможности улучшать и превосходить их. В общем-то, логично. При условии, что дается правильная поведенческая и психологическая установка, подобная система может сослужить и нам неплохую службу.

Эти крупицы информации были почерпнуты Торвальдом из донесений разведслужбы. Но в эти минуты для Шенна намного ценнее оказались бы сведения о еще одном неведомом пленнике. Здоровой рукой он оперся о стену и поднялся. Торвальд наблюдал за ним.

— По-моему, ты неплохо разбираешься в ситуации. Скажи мне, Ланти, *зачем* ты вмешался в бой с тем чудовищем?

Шенн был бы сам рад ответить, что побудило его на столь импульсивные действия.

— Не знаю... — нерешительно пробормотал он в ответ.

— В тебе взыграл рыцарский дух? Прекрасная колдунья в опасности? — настойчиво вопрошал офицер. — Или тебя вынудил совершить это диск?

— Не знаю...

— И почему ты воспользовался ножом, а не станнером?

Шенн был ошарашен. Только сейчас он осознал, что вступил в бой с самым страшным чудовищем на планете, причем используя такое примитивное оружие, как нож. Почему же он не попытался поразить чудовище из станнера? Прежде он не задумывался о том, почему выступил в роли убийцы чудовища.

— Не лучше ли было выпалить в него из станнера, или ты считал, что энергетический луч не подействует на монстра?

— А вы сами пробовали?

— Естественно. Но ведь ты не знал об этом; или все-таки ты где-то раньше выудил эту информацию?

— Нет, — медленно ответил Шенн. — Я не знаю, почему я использовал нож. Конечно, лучше было бы выстрелить из станнера.

Внезапно его затрясло, но когда Шенн повернул к Торвальду лицо, то оно выглядело спокойным и осмысленным.

— Сколько времени они управляют нами? — спросил он полушепотом, словно его слова могли проникнуть сквозь стены и долететь до посторонних ушей. — Чего они добиваются?

— Хороший вопрос, — ответил офицер. Его голос вновь приобрел решительный командный оттенок. — Мда, что они могут выкопать из наших мозгов, не имея наших знаний? Вполне вероятно, что эти диски всего лишь притворство, отвлекающий момент. Наверняка они способны работать и без них. Ведь очень многое зависит от впечатления, которое мы сможем произвести на этих ведьм. — Он снова печально улыбнулся. — Мда, действительно, мы неправильно назвали эту планету. Колдун — это чародей мужского рода, а тут сплошные ведьмы.

— Неужели у нас есть возможность самим превратиться в колдунов?

Улыбка исчезла с лицо офицера, и он утвердительно кивнул Шенну, словно одобряя его мысль.

— Это именно то, чем мы займемся, и немедленно! Надо отнестись к попытке убедить этих упрямых дамочек так же серьезно, как к сражению с трогами... — он пожал плечами. — Мы сделаем неплохое дело и не зря потратим время!

## Глава 16. Третий пленник

— Что ж, работает, как новенькая, — произнес Шенн, подставляя руку солнцу. Он только что извлек руку из кожаной оболочки, чтобы посмотреть на полузарубцевавшийся шрам, но когда он напрягал мышцы, сгибая и разгибая пальцы, то все же ощущал очень слабую остаточную боль. — Теперь что? И куда? — обратился он к Торвальду с нетерпением. Несколько дней заключения в этой комнатушке сделали Шенна нетерпеливым, и ему страстно хотелось очутиться на свободе. Как и офицер, он был одет в зеленые штаны фабричного изготовления — единственную ткань, знакомую крылатым драконам — и в свои растоптанные сапоги. Он удивился, когда обнаружил при себе станнер и нож, но спустя некоторое время осознал, что колдуньи посчитали неопасным для себя такое простенькое на их взгляд оружие.

— А ты что скажешь? Твои соображения не хуже моих, — ответил офицер. — Если бы колдуньи захотели тебя видеть, то настояли бы на этом, и скорее всего — весьма убедительно.

Город крылатых драконов состоял из рядов глубоких ниш на внутренней стенке скалы и напоминал пчелиные соты. Снаружи они увидели почти вертикальный откос, на котором не заметили никаких природных изъянов; внутри же стояла мертвая тишина. Обманчивая тишина. Ибо любой терранин прекрасно знал, что в подобной стене может обитать как горсточка, так и десятки тысяч существ, которых они высматривали, пробираясь по длинным коридорам, теперь указывающим им путь.

Шенн ожидал, что снова обнаружит залу со стеной, где рядами стоят черепа, при помощи которых ведьмы предсказывали его будущее. Однако вслед за Торвальдом вошел в овальную комнату, в которой большую часть внешней стены занимало окно. И, вглядевшись в то, что находилось за ним, Шенн резко остановился, снова сомневаясь, существует ли увиденное им в действительности или просто внушено ему его гостеприимными хозяйками.

В эти минуты они находились ниже той комнаты, где он залечивал рану, и не очень далеко от уровня воды. Окно выходило прямо на море. На зеленых волнах мерно покачивался красно-пурпурный череп; вода переливалась через его нижнюю челюсть, яростно вспениваясь от ударов, а потом проникая в проем между скалоподобных зубов. А из глазниц вылетали клацающие существа, они то влетали, то вылетали обратно, словно доставляя кому-то заключенному в черепе гигантскому мозгу информацию из внешнего мира.

— Мой сон... — прошептал изумленный Шенн.

— Твой сон, — услышал он. Но это не Торвальд вторил ему; ответ проник прямо ему в мозг.

Шенн повернул голову и увидел крылатого дракона-колдунью, ожидающую их. Ее взгляд был сконцентрирован на обоих мужчинах, и в нем ощущалась оскорбительная прямота и целеустремленность; это был открытый, пристальный взгляд, совершенно лишенный теплоты гостеприимства. Скорее, он был наполнен враждебностью. По узорам на ее коже Шенн узнал одну из троицы, которая доставила его из тумана в пещеру. Рядом с ней стояла молодая колдунья, попавшаяся в ловушку той ночью, когда начались все эти странные события.

— Мы встретились опять, — медленно промолвил он. — С какой целью?

— Это нужно нам... и вам...

— Не сомневаюсь, что вам это для чего-то нужно. — Теперь мысли терранина текли плавно, создавая чисто формальную беседу, чего бы он ни за что не допустил в общении с человеком. — Но я не ожидаю ничего хорошего для себя...

На ее лице появилась непонятное выражение, которое невозможно выразить никакими словами. Шенн и не надеялся ни на что другое. Тем не менее, в его неуравновешенном мозгу возникло легкое ощущение того, что она пребывает в некотором замешательстве, словно его мысленные процессы оказались слишком сложными для ее понимания, как головоломка с несколькими ключами.

— Мы не желаем тебе зла, звездный путешественник. Но ты представляешь собой гораздо большее, нежели мы подумали о тебе сперва, ибо, видя ложные сны, ты осознаешь это. Когда же ты увидел правдивый сон, ты тоже узнал об этом.

— И еще, — с вызовом вставил он, — вы собираетесь поручить мне некую задачу без моего согласия.

— Да, у нас есть для тебя задача, но она уже находилась в модели твоего правдивого сна. А ведь не мы устанавливаем подобные модели, звездный человек; это делается Великой Силою Всего. Каждый живет в пределах предписанной ему модели от Первого Пробуждения до Последнего Сна. Поэтому мы не станем требовать от тебя больше, чем ты уже сделал.

Она медленно встала с томным, ленивым изяществом, свойственной их грациозным, увешанным драгоценностями телам и подошла совсем близко к нему. Ростом она была с ребенка, и поэтому рядом с ней терранин казался неуклюжей глыбой из костей и плоти. Она вытянула четырехпалую лапку, увешанную изумительной красоты браслетами, и, положив ее на руку Шенну, потерла его еще не заживший шрам.

— Мы — разные, звездный человек, и все-таки мы оба видим сны. А в снах заключена огромная сила и власть. Твои сны провели тебя через тьму между этим солнцем и тем, дальним солнцем. Наши сны проводят нас даже по незнакомым дорогам. А вон там, — один ее пальчиков вытянулся и указал на череп, — ... там находится еще один, кто видит сны, ниспосланные ему силой, которая будет всех вас разрушать, непрерывно, если своевременно не сломать модель его сна.

— И я должен пойти на поиски этого сновидца? — Теперь Шенн полностью осознал свой подъем через носовое отверстие черепа.

— Иди.

Торвальд шевельнулся, и колдунья повернулась к нему.

— Один, — прибавила она. — Ибо это только твой сон, как это случилось сначала. Для каждого существует его сон, и другой не сможет пройти через него, чтобы изменить модель его сна, даже ради спасения жизни.

Шенн криво усмехнулся. Ему стало не до смеха.

— Похоже, меня выбрали, — проговорил он, обращаясь скорее к себе, нежели к Торвальду. Но что мне делать с тем сновидцем?

— То, что подскажет тебе модель твоего сна. Все, что угодно, только не убивай его...

— Трог! — Торвальд решительно шагнул вперед. — Это трог! Ты не можешь отправиться туда без оружия, руководствуясь лишь этими приказами!

Должно быть, колдунья ощутила в словах офицера протест, ибо ее телепатический контакт тотчас же коснулся их обоих.

— Мы еще не имели дела ни с кем, чей разум близок к вашему. Он самый старший в своем роду, а его народ искал его и на суше и на море с тех пор, как его воздушный корабль разбился о скалы, и он нашел там убежище. Если хочешь, найди с ним общий язык, а также приведи его сюда, ибо его сны — это не твои сны, и он приводит в замешательство Достигших Других Миров, когда они прибывают, чтобы пойти по Следам Поисков.

— Это может быть какой-нибудь важный трог, — решил Шенн. — Интересно, бывают ли у жукоголовых какие-нибудь особо важные офицеры? Мы могли бы использовать его как заложника, чтобы как следует поторговаться с остальными.

Торвальд продолжал хмуриться.

— В прошлом мы никогда не смогли установить с ними какой-либо контакт, хотя наши лучшие умы после долгих тренировок попытались...

Шенн не воспылал особым интересом к этой довольно деликатной оценке его опыта к ведению дипломатических переговоров с противником. Он знал одно: подобного опыта у него просто не было. Тем не менее он мог испробовать один вариант, если, конечно, это разрешит колдунья.

— Могу я захватить с собой диск власти над этим звездным человеком? — и он указал на Торвальда. — Поскольку он мой Старший и к тому же Достигший Знаний. Если средоточие его сна будет находиться со мной, когда я отправлюсь к трогу, возможно, он сумеет мне помочь в моей миссии, которую в одиночестве я выполнить не смогу. Ибо это тайна *моего* народа, Старший. Мы объединим наши силы, чтобы сделать заслон против врагов, своего рода совместный инструмент для работы, которую мы обязаны выполнить!

— И такое случается, звездный путешественник, — снисходительным тоном проговорила колдунья. — Учти, мы не настолько глупы, как это может показаться с первого взгляда. Мы очень много узнали о вас, пока вы блуждали по Дворцу Ложных Снов. Тем не менее, наши силовые диски принадлежат только нам, и их нельзя отдавать незнакомцу, пока еще живы их владельцы. Однако... — Она снова повернулась, на этот раз очень резко, к старшему терранину.

Наверное, офицер повиновался неслышному приказу, потому что он сложил ладони и опустил их в сложенные ладони колдуньи, затем наклонил голову так, что его серые глаза встретились с ее золотыми. И вдруг словно паутина связи опутала их. Торвальд с колдуньей были связаны тугим кольцом, не допускающим к ним Шенна.

Тогда Шенн явственно ощутил рядом какое-то движение. Самая молодая колдунья присоединилась к нему, чтобы наблюдать за клацающими летающими существами, кружащими возле голого купола острова-черепа.

— Почему они так летают? — спросил ее Шенн.

— Там их гнезда. Они кормят своих птенцов. Еще они охотятся за существами, живущими в скале в самой черной тьме.

— Существа, живущие в скале? — переспросил Шенн.

Если внутренности черепа кишат какой-то местной фауной, то ему хотелось узнать о ней побольше.

Каким-то своим методом молодая колдунья передала Шенну сильное ощущение отвращения, вызванное ее же собственными «словами» о существах, живущих в скалах.

— И все-таки вы там заключили в тюрьму трога, — заметил он.

— Вовсе нет! — тотчас же возразила она горячо. — Несмотря на наши предупреждения, существо с другой планеты прилетело на это место. И стало там скрываться. Однажды нам удалось выманить его в море, но он оборвал контроль и улетел обратно.

— Он освободился... — неуверенно проговорил Шенн. — Он освободился от контроля диска?

— Ну конечно! — воскликнула она немного удивленно. — Почему ты спрашиваешь, звездный путешественник? Разве ты сам также не освободился от силы диска, когда я вела тебя подземным путем. Помнишь, как ты проснулся на реке? Неужели ты считаешь другого настолько слабее тебя, что думаешь, будто он неспособен на такие же действия?

— Я знаю о трогах не больше вот этого, — сложив большой и указательный пальцы в крошечный кружок, он показал его колдунье.

— И все же ты знал о них, прежде чем прилетел на эту планету.

— Мой народ давно знает о трогах. Много-много раз среди звезд мы встречались с ними и вступали в бой.

— И вы ни разу не поговорили с ними телепатически?

— Никогда. Мы пытались найти способ контакта, но он так и не состоялся, ни при помощи мозга, а тем более — голоса.

— Тот, кого ты называешь трогом, совершенно не такой, как ты, — передала она. — И мы тоже не такие, как вы, мы чужие, и к тому же — женского пола. И все-таки, звездный человек, мы с тобою разделили сон.

Шенн изумленно уставился на нее, но его поразили не ее «слова», а их человеческий смысл. Или это тоже было всего лишь иллюзией?

— Там, за завесой... то существо, прилетевшее на крылышках, когда ты вспоминал его. Это хороший сон, хотя он и пришел из прошлого, и поэтому теперь — в настоящем — он оказался ложным. Но я отложила его в свое хранилище снов, ибо такой прекрасный сон надо хранить. Очень бережно хранить.

— Я очень бережно хранил память о Траве, — печально произнес Шенн. — Я случайно нашел ее в сломанной клетке в одном космопорту, когда был еще совсем ребенком. Мы оба промерзли до костей и страшно проголодались, и оба мы были одиноки и избиты. Поэтому я украл Трава из клетки, и я рад, что сделал это. И некоторое время мы оба были так счастливы! Правда, продолжалось это очень недолго... — Он с трудом прекратил свой рассказ.

— Итак, хотя мы совершенно непохожи друг на друга и телом и разумом, и все же мы оба чувствуем красоту, пусть даже во сне. Следовательно, между нашими народами *может быть* взаимопонимание. И, чтобы порадовать тебя, я могу показать тебе мое хранилище снов, звездный путешественник.

Перед глазами Шенна поплыли мерцающие картины, некоторые — жутковато-сверхъестественные, некоторые — изумительно красивые, и все — чуть-чуть искаженные, но не только из-за спешки, а из-за тумана в мыслях колдуньи, ибо это было частью модели ее памяти.

— Ты устроила мне праздник, поделившись со мною снами, — поблагодарил ее Шенн. — Все в порядке! — вдруг сорвались с его языка слова, мгновенно перенесшие его от окна к Торвальду. Офицер больше не держал сомкнутые ладони в ладонях колдуньи, но его лицо горело нетерпением и страстным желанием действовать.

— Мы обязательно испытаем твою идею, Ланти! Они дадут мне совершенно новый, чистый диск и покажут, как им пользоваться. И я сделаю все, что в моих силах, чтобы при помощи его возвратить тебя. Но они настаивают, чтобы ты отправлялся туда сегодня же.

— Что же им нужно от меня на самом деле? Чтобы я просто вытащил оттуда этого трога? Или попытался бы переговорить с ним в качестве посредника колдуний? И все это придется *делать* под покровом сна!

— Им нужно, чтобы ты выманил его оттуда и он вернулся к своим, если, конечно, это возможно, — сказал офицер. — По-видимому, он оказывает на колдуний разрушительное влияние; когда он решительно вторгается в их «силу», то создает своего рода ментальную дыру. Им так и не удалось войти с ним в контакт. Их Старшая уверена, что твое существо предопределено для этой работы, равно как и то, что тебе известно, что делать, когда ты туда попадешь.

— Наверное, мне снова придется метать копья, — усмехнулся Шенн.

— Тем не менее, они считают, что ты способен выкурить оттуда трога, и не собираются менять свое решение.

— Я бы его выкурил, будь у меня бластер, — заметил Шенн.

— Они говорят, чтобы ты отправлялся туда без оружия.

— Да что им известно о нашем оружии или об оружии трогов? — возмущенно воскликнул Ланти.

— Он не вооружен, — снова до мозга Шенна долетели слова крылатого дракона. — И поэтому он страшно боится. И этот страх разрушает его. С тех пор, как у него нет оружия, он замкнут в тюрьму своих собственных страхов.

Шенн подумал, что взрослый трог, даже невооруженный, не такая уж легкая добыча. Его тело покрыто роговистым панцирем, лапы вооружены острыми когтями, а если вспомнить о всесокрушаемом жвале жукоголового... К тому же он одного роста Шенном. Нет, даже невооруженный, трог смертельно опасен.

Пока Шенн размышлял о троге, вдруг его подхватило волной, которая принесла его к нижней челюсти острова-черепа.

Вместе с Шенном, она поднялась выше зубообразной скалы и бросила его к носовому отверстию черепа, то есть прямо к входу во вражеское убежище.

Вокруг Шенна то и дело раздавалось клацанье, а мимо его проносились встревоженные птицы, явно возмущенные его вторжением на их территорию. И когда они налетели на него и стали больно избивать крыльями, и яростно впиваться клювами в его тело, Шенн обрадовался, что наконец добрался до этой необычной «двери» и поспешно нырнул туда. Шенн оглянулся. Он не увидел дыры в скале, возле которой остался Торвальд, и не чувствовал никакой ментальной связи с офицером. Он не на шутку испугался. Выходит, их надежда на связь потерпела крах.

Он медленно и неохотно двинулся вперед. Вскоре его глаза привыкли к полутьме, и теперь терранин получил первую помощь от крылатых драконов: зеленый кристалл, точно такой же, как те, что изображали звезды на потолке пещеры. Соорудив незамысловатую петлю, он подвесил кристалл к ремню, чтобы ничем не занимать руки. Затем в последний раз вдохнул полные легкие свежего морского воздуха и стал углубляться в недра черепа.

Стоило ему отойти на несколько футов от внешнего мира, как в нос ударило страшное зловоние. Это был запах встревоженных и поднятых со своих гнезд клацающих птиц. Несмотря на издаваемую ими вонь, Шенн почувствовал еще какой-то запах, сильный и очень устойчивый, словно ветер с моря никак не мог выветрить его, а если и выветривал, то он постоянно возвращался на свое место, создавая эту невыносимую атмосферу. Под подошвами сапог хрустели мелкие косточки, и, не обращая на них внимания, Шенн двинулся дальше. Зеленоватый свет, излучаемый кристаллом, освещал ему дорогу. И этот свет был совершенно непохожим на свет фосфоресцирующих кустов, поэтому Шенна и не поглотила целиком кромешная тьма.

По мере его продвижения пещера быстро сужалось, пока не превратилась в щель, точнее в узкую трещину. Словно кто-то размозжил этот гигантский череп, оставив на нем трещину. Шенн осторожно шел вперед, останавливаясь через каждые несколько шагов. Теперь до него снова донеслось клацанье и пронзительные крики. Он решил, что наскальный «оркестр» снова чем-то встревожен. Волны ударяли о череп с такой силой, что он вибрировал изнутри. Шенн прислушался, нет ли кого-нибудь рядом, одновременно проверяя, насколько силен зловонный запах, выдающий присутствие затаившегося трога.

Когда Шенн, наконец, повернул в узкий коридор и увидел огромную трещину, сквозь которую пробивался дневной свет, он выхватил станнер. Даже самый сильный залп из станнера не сможет полностью парализовать трога, но он сможет несколько замедлить его нападение.

Внезапно Шенн увидел красные огоньки. Они то и дело вспыхивали. Глаза? А вдруг эти глаза принадлежат обитателям скал, которых так ненавидели колдуньи? Впереди Шенн заметил множество таких огоньков. Шенн снова обратился в слух, надеясь услышать какой-нибудь знакомый ему звук.

Но прежде чем он услышал звук, до него донесся отвратительный запах. Теперь его проводником стало жуткое зловоние, от которого Шенна чуть не вырвало. Расщелина завершилась небольшим замкнутым пространством. Из-за ограниченного света, испускаемого кристаллом, Шенн не смог рассмотреть противоположную стену помещения. И тут в слабом свете он увидел свою добычу.

Трог не встал, готовый к опасности; а только еще крепче прижался к стене. Он даже не пошевелился, когда Шенн стал к нему приближаться. Шенн задумался о том, заметил ли его жукоголовый? Он шел очень осторожно. И вдруг круглая голова с выпученными глазами едва повернулась, жвалы отвратительного разверстого рта задрожали. Да, безусловно, трог увидел его.

Но по-прежнему трог не шевелился, и даже не попытался подняться, чтобы броситься на терранина. И тут Шенн увидел упавшую глыбу, придавившую членистую лапу трога к каменному полу. Вокруг пленника валялись останки его жертв, маленьких, изуродованных существ, которые решили поживиться беспомощной жертвой и сами оказались убитыми трогом, который метал в них камни, единственное его оружие...

Шенн спрятал станнер в кобуру. Ему стало ясно, что трог беспомощен и не сможет дотянуться до него. Он попытался мысленно сконцентрироваться, чтобы обрисовать сцену, явленную его взору и каким-то образом передать ее Торвальду или колдуньям. Ответа не было. Ему оставался один-единственный выбор действий.

Терранин сделал известный во все времена дружеский жест, показав трогу безоружные руки, обратив к нему пустые ладони. Трог даже не пошевелился в ответ. Ни одна из его верхних лап не сдвинулась с места; его когти по-прежнему лежали на мелких камнях. В любой момент трог был готов швырнуть камень в Шенна. Все знания Шенна из истории встреч с чужаками не включали в себя такого непонимания — или нежелания понимать — этого приветственного жеста, означающего, что ты не вооружен, а значит, не желаешь нанести вред собеседнику. Похоже, трогу было совершенно все равно. Шенн еще раз оглядел множество трупов, валяющихся вокруг, и еще раз убедился в правильности рассказов о необычайной меткости трогов. И он представил себе, что один из камней запросто может угодить ему в голову, и удар окажется для него роковым. И все же он послан сюда, чтобы освободить трога и изгнать его с территории крылатых драконов.

От трога исходило такое зловоние, что Шенн закашлялся. Как ему не хватало сейчас росомах, которые сумели бы отвлечь врага на себя! Но на этот раз их появлению явно мешало присутствие управляющего диска. А Шенн не мог стоять здесь вечно и пялиться на трога. Оставался станнер. Жизнь в Бараках научила любого человека, побывавшего там, быстро принимать решения, ибо каждый думал только об одном — о выживании. А это значило, что ты должен быть более быстрым и метким стрелком. И сейчас рука Шенна отработанным много лет назад движением метнулась к станнеру.

Сильный парализующий луч устремился прямо в голову трога, прежде чем тот сумел угодить камнем Шенну в плечо. Онемевшая рука терранина тут же выронила оружие. А второй камень выпал из разжавшихся когтей трога. Он попытался дотянуться до него, но его движения уже стали замедляться.

Шенн, с повисшей от удара рукой, быстро двинулся вперед и уперся плечами в каменную глыбу, удерживавшую трога. Трог снова прицелился Шенну в голову, но его движения были настолько медленными, что Шенн легко уклонился от летящего в него камня. Глыба сдвинулась и перекатилась по полу. Шенн тут же поспешил оказаться вне досягаемости броска со стороны противника, возвратился ко входу в пещеру, по пути остановившись, чтобы поднять свой станнер.

Трог очень долго не подавал признаков жизни. Он полулежал без движения; его затуманенные мозги работали еле-еле. Спустя некоторое время трог немного приподнял туловище и попытался встать, не используя поврежденную камнем лапу. Шенн напрягся в ожидании нападения. Что же теперь будет? Откажется ли трог идти? Если так, что ему с ним делать дальше?

Внезапно он ощутил послание, дошедшее до самых глубин его мозга. Но первоначальная радость Шенна, вызванная первым контактом, тотчас же исчезла.

— Корабль трогов... наверху.

Трог отделился от стены и, сильно хромая, направился к Шенну, или, вероятно, только к выходу. Сжимая в левой, здоровой, руке станнер, терранин начал отступать. По пути он вновь старался войти в телепатический контакт с Торвальдом. Ответа не было. Тогда он начал пятиться задом, стараясь как можно глубже уползти в расщелину. Он пятился, не желая оказаться к трогу спиной. Враг наступал столь решительно, насколько ему позволяла изуродованная лапа. Шенн понял, что трог стремится вырваться во внешний мир.

Корабль трогов наверху... Мог ли пленник пещеры каким-то способом призвать своих соплеменников на помощь? И что, если его, Шенна Ланти, захватят в плен. Это может сделать либо пленный трог либо те, кто прилетел на корабле. Он уже не ожидал никакой помощи от колдуний, а что мог сделать Торвальд? Практически ничего... Сзади, у входа в носовую полость черепа, он услышал звук... И этот звук никогда не издавали ни клацающие птицы, ни вечно бушующее море.

## Глава 17. Правосудие трогов

Кислый, омерзительный смрад был настолько сильным, что желудок Шенна опять не выдержал. Он повернулся на бок, и его долго, натужно рвало, пока кислый запах его рвоты не перебил встречное зловоние, исходившее от летального аппарата противника. Шенн почти не помнил, как оказался в этом месте; его тело представляло собой сплошной комок нестерпимой боли, словно его обожгло. Обожгло! Неужели троги вырубили его своими энергетическими лучами? Последнее, что он помнил, это свой поспешный спуск из расщелины скалы-черепа. Трог тогда находился совсем близко. И еще... и еще звук, донесшийся от входа в расщелину!

Он — пленник трогов! Шенном овладел ужас, вдвое сильнее боли и тошноты. Он знал, что троги никогда не оставляли терран в живых, когда те попадали в их лапы, и старались покончить с их существованием как можно быстрее. Обычно троги уничтожали терран прямо на месте. Но Шенн чувствовал, что его руки были стянуты за спиной и замкнуты каким-то сложным замком, и это приспособление совсем не походило на специальные пластины-наручники, используемые для укрощения преступников.

Шенн лежал в крошечном помещении, напоминающем кукольный домик. Вокруг стояла кромешная тьма. Но легкая вибрация пола и перегородок возле него говорили о том, что корабль находится в полете. Шенн решил, что корабль врага может лететь только в двух направлениях: или к разрушенному лагерю терран, или к своему кораблю-носителю. Если гипотеза Торвальда верна, и троги захватили терранина, чтобы выманить к себе земной корабль, то они направляются к лагерю.

И как любой человек, оставшийся в живых, Шенн не потерял надежду, и думал теперь о лагере. Ведь для него попадание в лагерь означало, пусть слабую, но возможность побега. Если он окажется на поверхности Колдуна, то он может попытаться сбежать; если же троги отправят его на корабль-носитель, то шансы побега равняются нулю.

Торвальд... и колдуньи! Может ли он ожидать от них хоть какой-нибудь помощи? Шенн смежил веки в полной темноте и попытался наугад послать телепатический сигнал на диск офицера или той колдуньи, с которой он разговаривал о Траве и делился снами. Шенн изо всех сил сконцентрировал свои мысли на юной колдунье, вызывая из памяти каждую деталь ее внешности, замысловатых узоров, драгоценностей, на ее изящных хрупких руках, но что-то иное закрывало ее прекрасные черты. Мысленно он видел ее, но она являлась ему в виде безжизненной куклы и, конечно же, полностью лишенной своей волшебной силы.

Торвальд... На этот раз Шенн старался выстроить в уме изображение офицера, стоящего у того окна, сжимающего в руке диск и прищуривающегося от ярких лучей солнца, падающих на его рыжеватые волосы и бронзовую от загара кожу. Эти серые глаза, порой холодные как лед, эти крепко стиснутые зубы, когда Торвальд ставил ловушку...

И вдруг Шенн ощутил контакт! До него дошло нечто, напоминающее очень скверно настроенное трехмерное изображение. Во всяком случае, то, что он мысленно увидел, было намного расплывчатее и неяснее изображений, показанных ему юной колдуньей. Но контакт все-таки был! И Торвальду тоже известно об этом.

И снова Шенн попытался полностью восстановить тонкую нить своего сознания. Теперь уже спокойно, он еще раз создал изображение Торвальда, постепенно добавляя к нему различные упущенные до этого подробности, извлекаемые им из памяти; совсем крохотные, ибо до сих пор, ему казалось, он их не замечал. К примеру, тонкий стрелообразный шрам возле основания шеи офицера, кончики его волос, чуть вьющиеся у своих концов, совершенно прямую глубокую морщинку упрямца, появляющуюся между бровей Торвальда, когда тот в чем-то сомневался. Шенну удалось воссоздать его облик настолько отчетливо, что теперь Торвальд словно воочию предстал перед ним, как Бревно или Трав в туманной иллюзорной мгле.

— ... где?

К этому времени Шенн уже был готов к приему любых сообщений от друзей. Он не позволял мысленному образу Торвальда разлететься вдребезги из-за волнения, вызванного неожиданной удачей выхода на связь.

— Корабль трогов, — вслух отвечал он снова и снова, стараясь не упустить из мыслей образ офицера.

— ... будет...

Лишь одно слово! Нить между ними снова оборвалась. Только теперь Шенн стал ощущать перемену в вибрации летального аппарата. Они садятся? Но где? Пусть же это будет лагерь! Это должен быть лагерь!

Посадка проходила очень мягко, и Шенн не чувствовал никакой вибрации. Единственное, что он понимал, это то, что корабль приземляется именно на поверхность планеты, но пока еще находится в воздухе. И лишь спустя несколько секунд он приземлился. Шенн, напрягшись всем своим избитым телом, ожидал следующего шага со стороны захватчиков.

Он продолжал лежать в кромешной темноте, еле сдерживая тошноту от жуткого зловония, распространяющегося по всей его каютке. Сейчас он был слишком взволнован, чтобы пытаться связаться с Торвальдом. Когда его глаза наконец привыкли к темноте, он увидел над головой наглухо запечатанный люк, и с нетерпением взирал на него... как вдруг чуть не ослеп от яркого света. Чьи-то когти больно подхватили его подмышки и начали вытаскивать наверх, отчего его обессилевшее тело моталось из стороны в сторону. Его проволокли через короткий коридор и вытащили из корабля, потом грубо швырнули на твердую землю и потащили куда-то. У Шенна создалось впечатление, что с него сдирают кожу, и он чуть не заорал от боли.

Теперь терранин лежал на спине, и пока его глаза привыкали к яркому свету, он увидел над собою врагов. Троги встали в круг и внимательно рассматривали его, заслоняя своими жукообразными головами небо. Чудовищные жвала одного из них зашевелились, и он издал странный щелкающий звук. И снова когти подхватили Шенна подмышки, и его рывком подняли на ноги.

Теперь трог, отдавший приказ, подошел к Шенну поближе. Его лапы с грозными когтями сжимали небольшой металлический обод, обмотанный тонкой проволокой, от которого паутиной исходили ярко сверкающие на солнце нити. Трог поднял обод ко рту Шенна и несколько раз щелкнул своими жвалами, и тут до Шенна дошли едва различимые, но понятные во всей галактике, слова:

— Ты — добыча трогов!

Сперва Шенн задумался о том, понимать ли слова жукоголового буквально. Или у трогов это считалось традиционным обращением к пленникам.

— Делай то, что тебе сказано!

Это уже было достаточно понятно, тем более что терранин не видел иного выхода из создавшейся ситуации. Но Шенн сделал вид, что не понял ни одной из этих двух коротких фраз. Вероятно, противники и не ожидали от него ничего другого. Трог, который поднял его на ноги, продолжал удерживать его подмышками, но все его внимание сосредоточилось на радиопередатчике.

Из корабля трогов вышла вторая группа. В ее середине шел трог, хромой и невооруженный. И хотя он смотрел не на Шенна, а на другого трога, Шенн догадался, что это — пленник пещеры. И к удивлению Шенна, все указывало на то, что хромой трог угодил из одного плена в другой и вызывал у своих собратьев явную неприязнь. Почему?

Трог, хромая подошел к их лидеру, стоящему возле передатчика, и троги, охраняющие его, отошли назад. И снова защелкали жвала, потом другие — в ответ; и, хотя Шенн ничего не понимал, он ощутил перемену в тоне «разговора». В одном месте рапорта (если подобное щелканье жвалами можно назвать рапортом) Шенн уловил, что «разговор» коснулся его, поскольку раненый трог указал когтистой лапой на Шенна. Но эта своеобразная конференция закончилась довольно быстро, причем таким образом, что Шенн долго не мог прийти в себя от потрясения.

Двое охранников выступили вперед, схватили раненого трога за лапу и потащили его на площадку за приземлившимся кораблем. Оставив его там, они быстро возвратились к лидеру. Офицер отдал команду. Мгновенно троги выхватили бластеры, и чем-то не угодивший трог в муках и корчах отправился на тот свет от мощных ударов энергетических лучей. Шенн затаил дыхание. Нельзя сказать, что ему нравились троги, но подобная казнь превзошла своей жестокой несправедливостью все хладнокровные убийства, которые довелось ему повидать на своем веку. Такой тупой жестокости он не встречал даже в Бараках Тира.

Превозмогая боль и тошноту, он смотрел на уходящего офицера трогов. А спустя несколько минут он шел за другими трогами к зданиям лагеря, некогда принадлежащего терранам. Еще через минуту он осознал, что его ведут именно к зданию радиорубки, где от него потребуют связаться с кораблями, бороздящими просторы галактической системы, а также со звездным патрулем. Да, Торвальд оказался прав; человек им понадобился для радиосвязи. Чтобы таким образом замаскировать следы своего пребывания на Колдуне, а потом заманивать корабли в расставленную ими ловушку.

Шенн понятия не имел, сколько времени он провел у крылатых драконов. Корабль-носитель с ничего не подозревающими пассажирами мог уже находиться в системе Цирцеи и маневрировал для попадания на орбиту Колдуна, получив опознавательный сигнал и запросив радиосигнал для благополучной посадки. Во всяком случае, именно этого и добивались троги. Только вот на этот раз им крупно не повезло. Ибо они захватили в плен человека, который даже при всем желании не смог бы им помочь. Поскольку для Шенна радиорубка, состоящая из хитросплетений самых высоких технологий, являлась не чем иным, как китайской грамотой. Множество сложнейших приборов, датчиков и панелей с мерцающими лампочками были для Шенна совершеннейшей загадкой. У него не было ни малейшего представления о том, как включить эти механизмы, и даже, если бы ему это удалось, он не знал правильного радиокода, чтобы выйти в эфир.

Он чувствовал, как страх овладевает всем его естеством, пронизывая с головы до пят его избитое и измученное тело. Он не сомневался, что троги ни за что не поверят ему. Они сочтут его незнание упорным отказом сотрудничать с ними. И то, что с ним произойдет, будет вне пределов человеческой стойкости. Сможет ли он блефовать... хотя бы некоторое время? Допустим, он выиграет какое-то время, но разве это поможет ему избежать неизбежного. И все-таки лучик надежды не угасал. И эта надежда основывалась на внезапном контакте с Торвальдом. Что и заставило его попытаться сблефовать.

С тех пор, как троги захватили лагерь, в радиорубке произошли некоторые перемены. На полу стоял продолговатый ящик, а из его крышки торчали во все стороны какие-то странные трубки. По-видимому, этот ящик, принадлежащий трогам, был эквивалентом снаряжения терран, которое лежало на широком столе напротив двери.

Начальник трогов указал на передатчик.

— Ты вызовешь корабль! — приказал он.

Шенна грубо швырнули в кресло радиста и заломили его забинтованную руку за спину так, что ему пришлось наклониться вперед, чтобы вообще удержаться на сиденье. Затем притащивший его трог грубо одел ему на голову шлемофон с наушниками и микрофоном.

— Вызывай корабль! — проскрипел вражеский офицер.

Итак, время пошло. Теперь настал момент блефовать. Шенн покачал головой, надеясь, что этот отрицательный жест понятен всем существам в космосе, включая трогов.

Выпуклые глаза трога пристально всматривались в движение его губ. Затем передатчик поднесли Шенну прямо ко рту. Шенн повторил свои слова, услышав серию щелчков, издаваемых трогами, и стал ждать. Теперь очень многое зависело от реакции трога-офицера. Станет ли он без долгих рассуждений настаивать на своем приказе или все-таки поймет, что не всем терранам известен этот код, и потому он не сумеет вбить в голову пленника сведения, которые тот никогда не знал? Причем будет ли он применять при этом физическую силу или наоборот?

По-видимому, в мыслях офицера верх взяла логика. Своими огромными жвалами он поставил передатчик на место.

— Когда получишь позывные от корабля, ты ответишь ему, приготовь свои губы для разговора! Ты сообщишь, что здесь произошла беда, и вам нужна срочная помощь! Ты передашь им, что человек, знающий код, погиб, а ты замещаешь его. Учти, я все слышу. Если ты попытаешься сообщить что-нибудь другое, ты умрешь. И умирать ты будешь о-очень долго! Ты узнаешь такую боль...

Все предельно ясно. Только бы выиграть хоть немного времени! Но сколько? Ведь он не знает, когда их вызовет прибывающий корабль. Похоже, троги надеются именно на это. Шенн облизнул пересохшие губы. Он не сомневался, что старший трог выполнит свою угрозу. Только долго ли проживет после Шенна тот же трог, если Шенн передаст сигнал бедствия? В дальних перелетах корабль-носитель всегда сопровождает патрульный корабль, особенно теперь, когда в этом секторе космического пространства часто разбойничают троги. Стоит Шенну поднять тревогу, о ней тотчас же узнают на патрульном корабле. И тогда на Колдун немедленно высадится карательный отряд. Троги заставят своего пленника пожалеть о своем опрометчивом поступке. А потом, когда прибудет патрульный корабль, то каратели уничтожат на Колдуне всех до одного — и пленников, и их захватчиков.

Что ж, если его последний шанс таков, он сыграет свою роль. Троги все равно его прикончат, в этом Шенн не сомневался ни на йоту. Они никогда не держали терран в плену слишком долго. Они просто убивали их. Да, он погибнет, но по крайней мере заберет с собой на тот свет это дьявольское гнездо жукоголовых! Не то чтобы эта мысль приглушила страх, делающий его слабым и бестолковым. Шенн Ланти был достаточно крут, чтобы постоять за себя в Бараках Тира, но выступить с открытым вызовом против трогов, как киногерой — это гораздо серьезнее! Он понимал, что у него не получится устроить яркое, незабываемое представление; он был бы рад, если удастся умереть без мучений.

В радиорубке появились еще двое трогов. Они направились к противоположному концу стола с радиооборудованием, часто останавливаясь по пути, чтобы свериться с пленками, на которых были записаны радиопрограммы терран. При этом они пытались приспособить их к своему оборудованию. Они работали медленно, но со знанием дела, проверяя каждую пленку. Они явно готовились заманить в ловушку большой корабль-носитель, и когда он приземлится, задерживать его до тех пор, пока он не станет совершенно беспомощным здесь, на Колдуне. Шенн думал о том, как они намереваются захватить корабль, когда тот приземлится.

Корабли-носители вооружены для сражений на земле, а не в космосе. И хотя они пойдут на радиолуч, выпущенный из лагеря, они готовы к любым неприятным «сюрпризам», ожидающим их на поверхности планеты. Подобное уже случалось в истории разведотрядов. Троги же считают свое оружие самым мощным, то-то их распирает от самоуверенности! Но способны ли они справиться с патрульным кораблем, всегда готовым к бою?

Троги-техники проверили последние записи и приборы и что-то проскрипели офицеру. Прежде чем те ушли, тот отдал приказ охраннику Шенна. На голову терранина накинули проволочную петлю, затем вторая петля крепко захватила его грудь, и Шенна буквально вырвало из кресла. Он закричал от боли. Затем на него набросили еще две петли, и после он остался в радиорубке один в весьма неудобной позе.

Все попытки высвободиться из металлических пут оказались тщетны. Каждое его движение сопровождалось жуткой болью, ибо стоило ему пошевелиться, как проволока еще сильнее впивалась в тело. Шенн закрыл глаза и попытался сконцентрироваться так же, как он делал это для того, чтобы обнаружить корабль трогов. Если бы ему удалось снова связаться с колдуньей! И немедленно! Тем более что пока у него было на это время.

Он опять выстроил ментальный образ Торвальда, не забыв ни одной подробности, как это делал, будучи на корабле трогов. И теперь, с этой единственной мыслью в голове, он попытался ухватиться за их невидимую связующую нить. Неужели расстояние между лагерем и городом, опоясанным морем, слишком велико для связи? А вдруг троги бессознательно стирали все мысленные указания колдуний, когда те послали его освободить пленника со скалы-черепа?

На его всклокоченные волосы падали капли воды, и каждая капля словно жалила его воспаленную кожу. Собрав все свои силы воедино, он стоял под этим душем, чувствуя себя так, словно долго и упорно работал на солнцепеке, причем со скоростью, недоступной человеческому телу.

Торвальд...

Торвальд! Но офицер не стоял возле окна, опираясь о подоконник в комнате крылатых драконов. Торвальд стоял за его спиной на фоне буйной аметистовой растительности Колдуна. Этот новый образ показался Шенну настолько отчетливым, будто сам он находился всего в нескольких футах от него. Вот и Торвальд, а рядом с ним и росомахи, с одной стороны — Тагги, с другой — Тоги. За спиною Торвальда, сверкая на солнце драгоценными узорами, выстроились колдуньи.

— Где?

Это спросил офицер, отрывисто, ясно, по-военному четко — настолько отчетливо пронеслось это слово по всей радиорубке.

— В лагере! — заорал Шенн в ответ, отчаянно опасаясь, что связь снова оборвется.

— Они хотят, чтобы я вызвал корабль-носитель, — прибавил он, на этот раз тише.

— Когда?

— Не знаю. У них есть специальный набор контактных лучей. Я им сказал, что здесь повреждения, и им известно, что я не знаю кода.

Единственное, что он видел теперь — это лицо Торвальда: напряженное, строгое, задумчивое. Глаза офицера сверкали холодными стальными искрами, отчего выражение его лица стало такое же безжалостное, как у главного трога. Шенн решил сообщить, что он собирается предпринять.

— Я предупрежу корабль, чтобы он уходил; пусть они пришлют патруль.

На лице Торвальда не отразилось ровным счетом ничего.

— Держись, сколько сможешь! — произнес он.

Он сказал это довольно холодно, и в его тоне не ощущалось обещание прийти на помощь. Ничего, на что так надеялся Шенн. И все-таки, сам факт, что Торвальд вышел из города колдуний, уже о чем-то говорил. К тому же Шенн вспомнил про буйную растительность за его спиною. Такое разнотравье можно встретить только на материке. И еще Шенн понял, что на берегу не только Торвальд, но и крылатые драконы. Неужели офицер сумел убедить ведьм с планеты Колдун пренебречь их политикой невмешательства в чужие дела и присоединиться к нему для нападения на лагерь трогов? Однако Шенн не заметил в голосе офицера обещания помощи, он даже не понял, к нему ли движется спасательный отряд. И все же он не сомневался, что они идут к нему на помощь.

В дверях послышался шум. Шенн открыл глаза. Вошли троги. Один направился к специальному лучу, двое других — к Шенну. Он снова закрыл глаза, чтобы в последний раз попытаться связаться с террана́ми. В эту попытку он вложил всю свою оставшуюся энергию и волю.

— Обращаюсь к кораблю на орбите. Здесь троги.

Лицо Торвальда исчезло в туманной дымке, когда сокрушительный удар в челюсть отдался в голове Шенна с такой силой, что он оглох, а из глаз заструились слезы. В эти страшные минуты он видел перед собой трогов — одних только трогов. И один из них держал передатчик.

— Говори!

Поросшая жесткими волосками лапа, состоящая из трех членов, протянулась через его за плечо, опустила рычаг, надавила на кнопку. В голове Шенна, превратившейся в одно огромное ухо, прогремел протяжный воющий звук — передатчик заработал. Когтистая лапа сунула микрофон прямо ему к губы, одновременно с этим паутинчатая антенна передатчика повернулась в нужном направлении.

Шенн затряс головой, морщась от боли. Треск от входящего кодового сигнала, казалось, разбивал его голову на части. Трог с передатчиком держал второй наушник возле своего уха. Когти охранника пребольно впивались Шенну в плечо, словно напоминая, что его ждет в случае неповиновения.

Треск кодового сигнала продолжался, когда Шенн лихорадочно думал: «Вот оно что! Он должен послать сигнал о бедствии, а потом троги претворят в жизнь угрозу своего офицера...» Шенну казалось, что он уже не способен ничего понять как следует. Словно неимоверные усилия связаться с Торвальдом уничтожили часть его мозга, поэтому теперь он почти что ничего не соображает. И это как раз в тот момент, когда он должен мобилизовать весь свой разум!

Происходящее в радиорубке выглядело неестественно и жутко. Шенн видел нечто подобное тысячи раз в фантастических фильмах... герой-террани́н, которому угрожают пришельцы, пытается спасти... спасти...

А вдруг из какого-нибудь фантастического фильма, которые он жадно пожирал глазами в далеком детстве, он сумеет выудить частичку забытой информации?

И Шенн начал говорить в микрофон, поскольку кодовый сигнал перестал трещать в его голове. Он медленно формировал слова, причем использовал терранские слова, а не основной космический язык.

— Вызывает Колдун... мы в опасности... офицер-радист погиб.

Его прервал другой код, прорвавшийся сквозь беспредельный космос. Когти охранника впились в его обнаженное плечо в угрожающем предупреждении.

— Вызывает Колдун... — повторил Шенн. — Мы нуждаемся в помощи...

— Кто вы?

Вопрос пришел на основном галактическом. На борту корабля-носителя всегда имелся список всех членов разведотряда.

— Ланти, — выдохнул Шенн. Когти настолько глубоко впились ему в плечо, что он уже наверняка знал, что последует дальше.

— Это Майский День! — отчетливо проговорил он, отчаянно надеясь, что некто в контрольной каюте корабля, находящегося на орбите, все же поймет истинное значение этих древних позывных, означающих полную катастрофу. — Майский День... жуки... жуки... жуки повсюду!

## Глава 18. Конец бури

Шенн не получил ответа с корабля-носителя; он слышал лишь монотонное гудение радиосвязи, по-прежнему открытой между его радиорубкой и контрольной каютой, находящейся в сотнях тысячах миль над планетой Колдун. Терранин дышал медленно, глубоко, чувствуя, как когти трога начинают разрывать его плоть. Но Шенн продолжал дышать полной грудью. Вдруг, словно перерезанное ударом ножа, гудение прекратилось. Контакт исчез. У Шенна еще оставалось время испытать чувство пусть небольшой, но победы! У него получилось. Он сделал это. Он вызвал подозрение у команды корабля-носителя.

Когда же офицер трогов проскрипел приказ о том, чтобы техники заняли места у луча-маяка, Шенн испытал еще большую радость. Должно быть, жукоголовый принял обрыв связи за обычное в космосе происшествие; он по-прежнему надеялся, что корабль терран угодит в его когти.

Однако передышка Шенна оказалась очень короткой. Ему ее хватило на несколько полных вдохов. Трог, следящий за лучом-маяком наблюдал за своими контрольными приборами. И вот он что-то доложил своему начальнику, который резко повернулся к пленнику и пристально вгляделся в его лицо. Хотя Шенн не разбирался в выражениях «лиц» у жуков, ему не понадобилось ломать голову над тем, какие чувства испытывает его враг. Узнав, что пленник каким-то образом обманул его, главный трог теперь обдумывал, как более безжалостно воплотить в жизнь свою угрозу.

Когда же прибудет патруль? Его команду всегда использовали в экстренных ситуациях, и скорость патрульных в три или четыре раза превышала скорость неуклюжих кораблей-носителей. Если трогов не уничтожить сейчас, не застать их врасплох...

Проволочная веревка, удерживающая Шенна в кресле, ослабилась и, стиснув зубы от боли, он дожидался, пока восстановится кровообращение в его онемевших членах. Троги рывком поставили его на ноги, лицом к двери, и толкнули его вперед с такой силой и злобой, что Шенн понял: скоро ему конец.

Наступали сумерки, и Шенн с тоской вглядывался в каждую тень, проскользнувшую во мраке, хотя теперь он потерял всякую надежду о спасении. Если бы он смог вырваться из лап охранников, то по крайней мере заставил бы жукоголовых хорошенько побегать.

Он видел, что лагерь опустел. Вокруг не было ни души, даже троги не мелькали среди заброшенных строений. В самом деле, Шенн не заметил ни одного трога, кроме его конвоиров, вытолкнувших его из радиорубки. Ну конечно! Наверняка остальные враги сидели в засаде, ожидая корабль-носитель. А где же корабль трогов? Или корабли? Должно быть, они тоже стоят в укромном местечке. А единственное укрытие для их кораблей — наверху, в воздухе. Значит, несмотря на возможность быстро ретироваться, троги все-таки не воспользовались ей.

Да, враги могли уйти на противоположную сторону планеты и таким образом избежать первого обстрела с патрульного корабля. Однако они могли просто околачиваться где-то поблизости, чтобы неожиданно наброситься на патруль во время его высадки. Таким образом жуки могли бы продлить себе жизнь на несколько часов, возможно — на несколько дней, но в действительности с ними было покончено уже с того момента, когда прервалась связь с кораблем-носителем. Шенн не сомневался, что тот офицер-терранин все-таки понял его.

Его грубо волокли к реке, по которой они с Торвальдом когда-то бежали от лагеря. Двигаясь сквозь туман, Шенн выхватил взглядом еще один хорошо вооруженный отряд трогов. Он промаршировал мимо, отчего Шенн предположил, что трогам еще не известно о поднятой им тревоге. Но насчет их кораблей он оказался прав, поскольку не заметил ни одного летательного аппарата на импровизированной взлетной полосе. Шенн чувствовал себя так, словно взвалил на себя тяжеленный груз. В лучшем случае он сможет немного задержать тех трогов, которым доверили его охрану; в худшем мог заработать энергетический луч из бластера, что было бы намного лучше долгой мучительной смерти, обещанной ему их командиром. Он с трудом передвигал ноги, хромал, то и дело падал на выжженную траву. И тотчас же раздавалось недовольное щелканье, и Шенна поднимали с земли грубым ударом когтистой лапы, от которого он даже не пытался увернуться. Когда он в очередной раз повалился ничком, то уже не поднялся, несмотря на неистовые тычки и удары.

Притворившись, что потерял сознание, Шенн прислушивался к недоступным для его разума щелчкам, которыми обменивались стоящие над ним конвоиры. Теперь его будущее зависело только от силы ярости офицера. Если жукоголовому очень хочется исполнить свою угрозу, то он отдаст приказ доставить Шенна на корабль. Но с таким же успехом с ним могли покончить прямо сейчас.

Снова Шенн ощутил боль от вонзившихся в него когтей. Его положили на роговистый панцирь одного из охранников, узы на его запястьях расстегнули, затем его онемевшие руки вытянули вперед, чтобы он мог обхватить своего конвоира. Так он и лежал, совершенно беспомощный, закрывая своим телом выгнутую спину охранника.

В сгустившихся сумерках тускло мерцали кусты и деревья, едва освещая им дорогу своим призрачным светом. Шенн не мог определить количество врагов, встречающихся ему по пути. Но он не сомневался, что все вражеские корабли наверняка пусты, если не считать пилотов; тогда как другие троги переправились из своей базы-укрытия на какую-нибудь из планет созвездия Цирцеи.

Единственное, что он мог рассмотреть из своего неудобного положения, это спину несущего его трога. Но до него доносился шорох жукообразных тел, переправляющихся через берег реки. Противники направлялись в укрытие, и их крапчатые панцири полностью сливались с берегом. Во всех действиях трогов чувствовался длительный опыт в подобных маневрах. Неужели они все-таки намереваются отбить нападение карательного отряда с патрульного корабля? Это было бы чистейшим безумием. Или, решил Шенн, они хотят заставить терран выйти на один из их главных кораблей, зависший где-нибудь высоко над планетой Колдун?

Охранник, несущий Шенна, неожиданно свернул от русла реки и понес Шенна на поле, служившее терранам посадочной полосой, которое впоследствии превратилось в посадочную полосу для трогов. Они проходили мимо многочисленных отрядов жукоголовых, шагающих в неизвестном Шенну направлении. Шенн заметил, что троги несут с собой какие-то громоздкие предметы, назначение которых не смог определить. Затем его без всяких церемоний сбросили на твердую землю, где он провалялся всего несколько секунд, прежде чем его швырнули на какую-то странную конструкцию. Шенн взвыл от боли, когда его обнаженные израненные плечи ударились об этот каркас, к которому его привязали в позе орла с распростертыми крыльями. После короткого скрипа-приказа конструкцию подняли и резким стремительным движением поставили вертикально. Теперь Шенн оказался в вертикальном положении, и снова прямо перед его лицом оказался трог с передатчиком. Так вот оно что! Шенн уже сожалел об упущенном крохотном шансе умереть как можно скорее. Если бы он по пути попытался бы напасть на конвоира, то возможно вынудил бы трога открыть по нему огонь из бластера. А теперь...

Страх, подобно непроглядному туману, обволакивал его, и этот туман был намного толще той зеленой иллюзорной дымки. Воспаленными глазами Шенн пристально посмотрел на командира трогов, понимая, что тот не поверит ни единому его слову, и чувствуя, что теперь, стоит ему солгать, главный трог выместит на нем всю свою злобу. Иными словами, последней надежды, за которую цеплялся Шенн, больше уже не существовало.

— Ланти!

Этот оклик взорвался у него в мозгу, словно бомба, причинив жуткую боль. Сквозь полупрозрачную пелену Шенн смотрел куда-то в сторону, мимо трога с передатчиком, прислушиваясь к своему разуму, только что получившему телепатическое послание. И от этого Шенн ощутил сильнейший шок.

— Я здесь! Торвальд! Вы где?

И тут второй, более настойчивый оклик, раздался в мозгу несчастного пленника.

— Веди нас к месту назначения, и старайся держать нас подальше от поля. Но не очень далеко. Быстрее!

Место назначения... что подразумевал под ним Торвальд? Место назначения... Почему-то Шенн подумал о выступе, на котором он лежал, наблюдая за первой атакой трогов на лагерь. И этот выступ, отчетливо врезавшийся в его память, теперь сформировался в его помутненном мозгу. Он напрягал все силы, чтобы не потерять это драгоценное изображение.

— Торвальд... — снова его голос и его разум вторили друг другу. Однако на этот раз ответа не последовало. Неужели те слова означали то, что Торвальд и колдуньи двигаются вперед, посредством ослабевающей на расстоянии силы ведьм с планеты Колдун, которую можно использовать по желанию? Но почему они не движутся быстрее? И каким образом они надеются справиться пусть с убегающими, но целыми и невредимыми силами противника? Крылатые драконы даже не сумели обернуть свою силу против раненого трога, так же ли они намереваются справиться с хорошо вооруженными трогами в поле? Если к тому же учесть, что все эти троги подняты по тревоге и готовы к бою?

— Ты умрешь... медленно, — проскрипел офицер трогов, и этот бесцветный, бесчувственный и лишенный всяких эмоций «голос» проник в самые дальние закоулки разума терранина. — Видишь, во-он идут твои люди...

Так вот почему они притащили его на посадочную полосу! Распятый на каркасе Шенн служил страшным предупреждением для команды патрульного корабля. Тем не менее, троги глубоко заблуждались, если думали, что, убив таким оригинальным способом одного человека, они отпугнут профессиональных карателей, приземлившихся на Колдуне для их уничтожения.

— Я, конечно, умру, но ты последуешь за мной, — произнес Шенн, стараясь придать своему голосу вызывающие нотки.

Интересно, что ожидал от Шенна главный трог: что тот будет молить о пощаде или о скорой смерти? И трог снова произнес свою угрозу — прямо в паутину антенны. И его скрип преобразовался для Шенна в слова.

— Возможно, — сказал трог. — Но ты умрешь первым.

— Ну и пусть! — громко отозвался Шенн. Он пребывал на пороге неизбывной ярости, и последней каплей его терпения стали не слова главного трога, а послание от Торвальда. Если тот сможет поторопиться в этом крапчатом тумане, то он будет здесь очень скоро.

Крапчатый туман... Троги проходили совсем неподалеку от него. Шенн сумел разглядеть, что за ними расстилается светлый прямоугольник посадочной полосы. Шенн смотрел туда вовсе не за тем, чтобы увидеть кого-нибудь из спасателей, прорвавшихся туда. И когда он все же увидел свой шанс, то не поверил своим глазам.

Пятна мертвенно-бледного, воскового свечения, исходящего от отдельных деревьев, кустов и стелющихся по земле растений внезапно становились все больше и больше, распространяясь повсюду и собираясь в одно большое озеро из света. Из центра этого сконцентрированного света медленно появились закручивающиеся штопором туманные столбы, напоминающие усики. Словно из моря вылезло какое-то многорукое существо, опираясь своими придатками о водную гладь. Затем поток этого сверхъестественного света с яростью хлынул на посадочную полосу. Коснувшись ее, он не стал отступать, как вода во время отлива, а начал плескаться на поверхности. Неужели он и в самом деле видел это? Шенн никак не мог поверить, что это так.

Свет продолжал прибывать все быстрее и быстрее, и его скорость увеличивалась с каждой секундой. Почему-то Шенн связал это явление с завесой иллюзий. Если это случилось на самом деле, рассуждал он, то не без причины.

Он услышал, как троги тревожно заклацали челюстями. Кто-то из них наугад выпалил из бластера в ближайшую к нему серую массу, напоминающую язык. Ярко-желтый заряд лишь скользнул по ней; светящаяся дымка поглотила заряд, но не рассеяла его на части. Шенн с трудом повернул голову, изнывая от боли, ибо ему мешал каркас. Тем временем туман пронесся по посадочной полосе со стороны лагерных строений, поглощая все на своем пути.

Примерно с полдюжины трогов бежали неуклюжими прыжками от реки, всем своим видом показывая, что их охватила паника. Когда один из них внезапно налетел на невидимое препятствие и рухнул чуть ниже языка фосфоресцирующего света, то издал пронзительный вопль, тонкий и жалобный, и по-прежнему полный бессознательного животного ужаса.

Троги, окружающие конструкцию с привязанным Шенном, палили в туман из бластеров, сначала прицельно, затем наугад. Их переполняла ярость, когда они видели, что их заряды не причиняют никакого вреда этой темной матовой завесе, постепенно обволакивающей их. Из глубины тумана раздавались и другие звуки: шорохи, крики и пронзительные вопли. Среди воздушных завихрений возникали странные силуэты; возможно, некоторые троги взлетали в воздух. Но Шенну стало очевидно, что в этой непроницаемой завесе блуждают не только троги. Спустя несколько минут он уже не сомневался, что по меньшей мере три расплывчатых силуэта (причем, все разные) преследуют пытающегося взлететь трога. Шенн заметил, что эти силуэты отгоняют трога от небольшой открытой площадки, на которой по-прежнему торчал каркас с совершенно беспомощным Шенном.

Троги окружали Шенна со всех сторон: небольшая группа, пришедшая от реки, и остальные, те, которые притащили его на поле. Постоянно сгущающийся туман заставил их собраться в небольшую, но очень плотную толпу. Случайно ли они столпились около него, дабы убедиться, что их пленник никуда не делся, или заняли последнюю линию обороны против тех, кто крался в непроницаемой мгле? К небывалому облегчению Шенна, ему показалось, что враги забыли о нем. Даже когда один из трогов прижался спиной к каркасу, к которому был привязан пленник, жукоголовый даже мельком не взглянул на беспомощную жертву.

Они продолжали отчаянно палить из бластеров во тьму. Затем один из трогов бросил оружие на землю, поднял лапы над головой и жалобно завыл, точно так же, как совсем недавно выл его товарищ. Потом он неуклюже побежал через туман, где внезапно, совсем рядом с ним материализовался чей-то силуэт, навсегда отрезав бежавшего трога от его собратьев.

Такая внезапная перемена ситуации деморализовала остальных. Командир трогов выстрелил в своих же подчиненных из бластера и мгновенно поджарил их энергетическим лучом. Однако трое уцелевших успели броситься в туман, прежде чем их настигла смерть от руки своего же офицера. Один из них резко повернулся и выстрелил в офицера, угодив ему в панцирь, отчего тот повалился на колени. Воспользовавшись этим, стрелявший тотчас же скрылся в тумане. Еще один упал на землю и с отчаянием замолотил по ней когтистыми лапами. Тем временем верные своему начальнику троги продолжали стрелять по блуждающим в тумане расплывчатым силуэтам, но ни во что не попадали. Третий трог помогал офицеру подняться.

Командир трогов, пошатываясь и спотыкаясь, вернулся к каркасу с подвешенным пленником; зловоние, исходящее от него, со всей силы ударило Шенну в ноздри. Но трог тоже не обращал никакого внимания на Шенна, хотя его мощные лапы, покрытые плотной роговицей, больно оцарапали пленника. Обхватив лапами голову, главный трог побрел прочь, и вскоре исчез в темной дымке.

Когда туман поглотил офицера, Шенн точно почувствовал прилив свежих сил, а бледный полупрозрачный свет мощной волной расчистил участок, на котором возвышался каркас. Шенна тут же охватил пронизывающий до костей холод. Это было убийственное дыхание потусторонней жизни. Или смерти...

Шенн ослаб, силы покидали его, поэтому его тело повисло на веревках, голова упала на грудь. Внезапно он почувствовал влажное тепло, коснувшееся его холодной кожи, а в мозгу возникло ощущение чего-то знакомого и очень дружественного. Шенн глубоко вздохнул, но тотчас же его пронзила страшная боль, ибо он не мог до конца наполнить измученные легкие этим морозным воздухом тумана. Он открыл глаза и попытался поднять голову. Серый свет отступил, и хотя бластер трога лежал у его ног, а второй — примерно в ярде от каркаса, Шенн не увидел поблизости ни одного жукообразного.

Вместо них, он увидел стоящих на задних лапах росомах, которые радостно прижимались к его груди, как обычно, требуя к себе внимания. И увидев Тагги и Тоги, Шенн осмелился поверить, что все это невероятное зрелище — истинная правда. Да, похоже, он был спасен.

Он заговорил. Тагги и Тоги тотчас же радостно заскулили в ответ. Туман медленно отступал. Повсюду на земле валялись троги и брошенное ими оружие.

— Ланти!

На этот раз голос раздался не в его мозгу, а донесся к нему из воздуха. Шенн попытался ответить, но в горле застрял комок, и ему удалось издать нечленораздельный квохчущий звук.

— Я здесь... — прохрипел он.

Из тумана к нему приближался еще один силуэт. Наконец Шенн узнал Торвальда, который, увидев пленника, устремился к нему как мог быстрее.

— Что они с тобой?..

Шенну хотелось смеяться, но из пересохшего горла снова раздался хрип. Он беспомощно пожимал плечами до тех пор, пока не смог выговорить несколько слов.

— ... все-таки не сумели справиться со мной. Вы прибыли как раз вовремя.

Торвальд развязал проволоку, стягивающую руки пленника, и немного чуть отодвинулся, чтобы поймать Шенна, когда его тело подалось вперед. Шенн увидел распростертые руки офицера, готовые принять его в свои объятья. Наконец, очутившись на земле, Шенн почувствовал, что не способен удержаться на ногах. Хотя его мозг был чист и свеж, как никогда.

— Что случилось? — требовательно осведомился он.

— Сила, — ответил Торвальд, внимательно осматривая каждую его царапину, многочисленные порезы и ссадины. — Жукоголовым так и не удалось заставить тебя работать на них.

— Расскажите, откуда взялся этот туман, что разогнал трогов? — с нетерпением в голосе спросил Шенн.

Офицер мрачно усмехнулся. Призрачный свет продолжал таять по мере того, как рассеивался туман, но Шенн уже достаточно хорошо видел, чтобы заметить на шее у Торвальда один из костяных дисков, принадлежащих крылатым колдуньям-драконам.

— То, что ты видел — один из вариантов действия завесы иллюзий. Под ее влиянием ты встречался со своими старыми воспоминаниями. Как и я. Может показаться, что ни один из нас не сумеет вести себя хуже трогов. Ты не сумел сыграть роль галактического разбойника и не хранил в своем подсознании определенное количество личных страхов и не помнил всех врагов, встречающихся в твоей жизни. Мы же нашли способы высвободить их, и они просто-напросто призвали своих собственных демонов к порядку. Все равно в самом ближайшем времени справедливость восторжествовала бы. Это и произошло. Казалось, что «сила» обладает очень мощным ударом — а в разных случаях она действует по-разному, — когда терране научатся вызывать ее.

— И вы научились?

— О, всего лишь чуть-чуть. К тому же, со мной была могучая поддержка Старейших, и еще меня прикрывали самые опытные из колдуний. В некоторой степени я помогал создавать своего рода канал для концентрации их сил. В одиночку они умеют творить «чудеса»; с нами же их умение распространилось и на совершенно новые области деятельности. Сегодня ночью мы охотились на трогов, как одна дружная команда, и, — он улыбнулся, — охота прошла весьма удачно.

— Однако они никак не могли справиться с одним трогом, засевшим в черепе.

— Да. Непосредственный контакт с разумом трогов вызывает у них нечто вроде короткого замыкания. Я вышел с ним на связь; а они обеспечили меня тем, в чем я нуждался. Теперь у нас был один ответ трогам — только один. — Торвальд оглядел поле, заваленное трупами противников. — Мы можем убивать трогов.

Возможно, когда-нибудь мы сумеем научиться и другой хитрости: как жить с ними. — Тут он резко вернулся в настоящее. — Ты связался с кораблем-носителем?

Шенн рассказал, что произошло в радиорубке.

— Я решил, когда оборвалась связь, что меня поняли.

— Что ж, пусть будет так, — кивнул офицер. — А теперь пойдем. — Он помог Шенну подняться. — Если патрульный корабль скоро прибудет сюда, мне бы не хотелось попасть под пламя из их сопел, когда они будут садиться.

Патрульный корабль прибыл. Бригада «чистильщиков» появилась со стороны уже восстановленного лагеря, ведя с собой двух уцелевших трогов. Оба машинально брели за своими конвоирами. Только об этом Шенн узнал позднее. Он заснул, заснул так глубоко, что не видел снов, а когда проснулся, то сперва озадаченно оглядывался по сторонам. Словно не понимал, где он и что с ним произошло.

Форма сотрудника разведотряда с кадетскими лычками висела на стене, напротив его койки в казарме, которую он покинул... сколько же дней или недель прошло с тех пор? Форма сидела на нем, как влитая. Но он снял знак различия звания, которое ему не было присвоено. Когда он осторожно вышел из казармы, то увидел нескольких солдат из патруля. Рядом с ними стоял Торвальд, наблюдая за патрульным кораблем, вновь поднимающимся в утреннее небо.

Тагги и Тоги, волоча за собой цепочки, внезапно выскочили невесть откуда и буквально набросились на Шенна, выражая бурную радость по поводу его появления. Торвальд, должно быть, услышал их веселое урчание, и, проводив взглядом точку, в которую превратился патрульный корабль, приветственно помахал Шенну рукой, приглашая подойти.

— Куда отправился патруль?

— Их задание — уничтожить базу трогов и выбить их всех из этой системы, — ответил офицер. — Они их засекли — на Ведьме.

— А мы остаемся здесь?

Торвальд удивленно посмотрел на него. И четко, по-военному ответил:

— В настоящее время здесь нет ни одного поселения. Наша задача — образовать на Колдуне пока еще условную посольскую миссию. Патруль специально оставил здесь охрану.

Посольская миссия. Шенн переварил это сообщение. Да, разумеется, Торвальд, из-за своих налаженных связей с крылатыми драконами, останется здесь на этот раз в качестве дежурного офицера связи с местным населением.

И Торвальд продолжал:

— Мы не имеем права допустить ошибку во время контакта с любой разумной чужеземной расой, которую мы обнаружим и с которой сможем установить долговременное сотрудничество для обоюдной выгоды. И мы не позволим здесь разбоя и прочих безобразий!

Шенн кивнул. Конечно, это имело смысл. Как только на Колдун прибудет какая-нибудь чужеземная команда, то на этот раз Торвальд станет налаживать с ними дружественный союз, что предпочтительнее, чем подготавливать планету для принятия колонистов с Земли. Останется ли он с ними? Шенн решил, что нет; похоже, что и росомахи больше здесь не понадобятся.

— Разве вы не знаете устав? — резко спросил Торвальд, пристально глядя на Шенна. В его голосе вновь ощущались командные нотки. Он критически разглядывал Шенна с ног до головы. — Вы явились одетым не по форме.

— Так точно, сэр, — произнес Шенн. — Я не сумел найти собственный вещевой мешок.

— А где ваши знаки различия?

Шенн снял фуражку и посмотрел на отметины, оставленные после того, как он осторожно открепил знаки различия.

— Мои знаки различия? У меня же нет звания, — ответил он, полностью сбитый с толку.

— В составе каждого отряда должен быть по меньшей мере один кадет, — заметил офицер.

Шенн покраснел. Поскольку их всего двое, он стал кадетом в этом отряде; зачем же Торвальду понадобилось напоминать ему об этом?

— И еще, — теперь голос офицера звучал где-то очень далеко. — Возможны самые всякие служебные поручения. По мере потребности. Назначения на эти работы остаются в ведении старшего офицера, и они обсуждаению не подлежат. Повторяю, вы одеты не по форме, Ланти. Итак, вы произведете необходимые изменения в вашем облике, о чем доложите мне в помещении главного штаба. Как единственные терранские представители на Колдуне, мы будем вести специальный протокол, чтобы обсуждать его с нашими колдуньями, а они в свою очередь имеют полное право ожидать пунктуальности от парочки колдунов, поэтому ступайте!

Шенн все еще стоял, ошарашенный, недоверчиво уставившись на офицера. Затем Торвальд сменил официальный тон на теплую и дружелюбную улыбку.

— Идите же, — приказал он снова, — пока мне не пришлось особо отметить в журнале ваше невнимательное отношение к приказам.

Шенн повернулся, и пошел, чуть не споткнувшись об лежащего Тагги, а потом побежал обратно в казарму, чтобы найти очень важные для него лычки, которые надеялся отыскать как можно скорее.

# Испытания
## в
# ДРУГОМ-ГДЕ

Andre Norton. Ordeal in Otherwhere. 1964.

## Глава первая

Чарис скорчилась за пнем, прижав худые руки к больному боку. Дышала она тяжело, рывками, от которых содрогалось все тело, а слух ей заглушал шум крови в ушах. Еще слишком рано, и можно только отличить свет от темноты, открытое пространство от тени. Даже кроваво-красный пень спарго в предрассветных сумерках кажется серо-черным. Но она даже в такой тьме хорошо различает горную тропу.

Хотя вся ее воля и ум уже нацелены на предстоящий тяжелый подъем, слабое тело еще остается здесь, на краю расчищенной поляны. И здесь до нее легко добраться. Чарис подавила панику. Она еще сохранила достаточно рассудка, чтобы понять, что паника — ее враг. Девушка заставляла свое дрожащее тело оставаться за пнем, подчиняться разуму, а не страху, который, как огонь, пожирал ее. Она теперь даже не помнит, как родился этот страх. Он с ней уже много дней, но особенно усилился вчера.

Вчера! Чарис пыталась забыть об этом *вчера*, но теперь заставила себя взглянуть в лицо воспоминаниям. Слепая паника и бегство: если она им поддастся, она погибла. Она знает, кто ее враг, и должна сражаться, но так как физические силы несопоставимы, это должно быть испытание ума.

Сидя за пнем, отдыхая, девушка теперь пыталась извлечь из прошлого обрывки знаний, которые могут послужить оружием. Беда началась давно. Чарис испытала тупое удивление: прочему она раньше не сознавала, как давно это началось? Конечно, она понимала, что отца и ее могут встретить подозрительно — ну, по крайней мере осторожно, когда они присоединились к колонистам, собиравшимся улетать с Варна.

Андер Нордхолм был правительственным чиновником и учителем. Колонисты считали его и его дочь чужаками, как и всех прочих представителей закона с других планет: рейнджера Франклина, почтового служащего Кауса и его двух охранников, врача и его жену. Но в каждой колонии должен быть представитель управления по образованию. В прошлом слишком много колониальных планет откололись от Конфедерации, пошли по опасным и странным путям развития, там захватывали власть фанатики и первым делом отменяли образование и обрывали связи с другими планетами.

Да, Нордхолмы понимали, что их ждет период приспособления или даже полуотвержения, так как это колония верующих. Но отец проходил через такое в прошлом — и побеждал! Чарис себя в этом не обманывала. Да и тут ее уже начали приглашать на женские «штопальные посиделки». Неужели она была так слепа?

Но этого — этого никогда бы не случилось, если бы не белая смерть! Теперь дыхание вырывалось у Чарис с всхлипываниями. На вновь открытой планете всегда так много теней страха. Никакие предосторожности не могут помешать им обрушиться на хрупкую жизнь новой колонии. А здесь ждала смерть, которую никто не видел, не мог встретить бластером или охотничьим ножом или даже медицинскими познаниями, которые ее народ сумел собрать во время космических путешествий по всей галактике.

И смерть эта благосклонно отнеслась к фанатичным предрассудкам колонистов. Потому что вначале обрушилась на правительственных людей. Рейнджер, капитан космопорта и его люди, ее отец — Чарис зажала кулаком рот и прикусила костяшки пальцев. Потом пришла очередь врача. И всегда только мужчины. Позже колонисты — странно, но именно те, кто наиболее дружественно был настроен по отношению к людям правительства, и тоже только мужчины и мальчики в этих семьях.

Выжившие говорили ужасные вещи: будто чуму организовало правительство. Так они кричали, когда жгли маленькую больницу. Чарис прижалась лбом к грубой коре пня и старалась не вспоминать этого. Она была с Олдит Лассер, вдвоем они пытались отыскать смысл в мире, который за две недели отнял у них отца и мужа и превратил их племя в безумцев. Она сейчас не будет думать об Олдит, не будет! И о Висме Анскар не будет, той самой, которая выкрикивала ужасные вещи, когда Олдит спасла ее ребенка...

Тело Чарис тряслось от спазм, которые она уже не могла сдерживать. Деметра казалась такой прекрасной планетой. В первые месяцы после приземления Чарис участвовала в двух экспедициях с рейнджером, делала собственные записи для отчета. Именно в этом обвинили ее в колонии — она образованная, такая же, как правительственные чиновники. И вот — Чарис ухватилась за пень и встала — и вот ей остается сделать выбор всего из трех возможностей.

Она может вернуться; может остаться здесь и ждать, пока охотники найдут ее — чтобы увести в рабство, в то отвратительное логово, в которое быстро превращается первое человеческое поселение на Деметре; или каким-то образом достичь гор и скрываться там, как дикий зверь, пока рано или поздно какая-нибудь местная опасность не прикончит ее. Казалось, это самый спокойный конец. По-прежнему держась одной рукой за пень, Чарис наклонилась и подобрала узелок с жалкими остатками того, что успела прихватить из правительственных куполов.

Охотничий нож, почерневший от огня, был ее единственным оружием. А в горах живут страшные звери. Девушка облизала языком пересохшие губы, в животе чувствовалась тупая боль. Когда она ела в последний раз? Прошлым вечером? Кусок хлеба, черствого и со вкусом плесени, есть еще в сумке. В горах можно будет набрать ягод. Чарис мысленно видит их, желтые, распираемые сочностью, их так много, что они своей тяжестью пригибают ветки к почве. Чарис снова глотнула, оттолкнулась от пня и пошла.

Ее безопасность зависит от решения поселенцев. Она не может скрыть свой след. Утром его отыщут. Но Чарис не могла решить, будут ли они ее преследовать или предоставят диким зверям покончить с ней. Она единственный оставшийся символ всего, против чего проповедует Толскегг: инопланетный либеральный разум, «неженщина», как он называет ее. Дикая глушь, страшные звери, которых заносил в каталог рейнджер Франклин, — все это гораздо лучше, чем снова оказаться в поселке, где Толскегг распространяет свой яд, порождение ограниченного ума, которого отец учил ее бояться больше всего на свете. А Висма и подобные ей жадно поглощают этот яд, наполняются им. Чарис с трудом шла по извилистой тропе.

Немного погодя она поняла, что нет признаков восхода. Напротив, тучи над головой еще сгустились. Чарис в тупом отчаянии смотрела на них: предстоит дождливый холодный день. Заросли выше по склону могут немного защитить от дождя, но от холода они не спасут. Какая-нибудь пещера или расселина, куда она могла бы заползти, прежде чем ослабеет окончательно...

Она пыталась вспомнить окрестности тропы. Чарис проходила по ней дважды: впервые, когда они ее прокладывали, вторично, когда она повела малышей показывать ковер удивительных красных цветов и маленьких летающих ящериц, которые живут между цветущими растениями.

Малыши... Потрескавшиеся губы Чарис скривились. Йонан бросил камень, от которого у нее теперь на руке синяк. Но в тот день Йонан упивался красотой цветов.

Малыши и не совсем малыши. Чарис попыталась вспомнить, сколько мальчиков уцелело после белой смерти. И с некоторым удивлением поняла, что все малыши живы — все моложе двенадцати лет. Из подростков выжило пятеро, все из семейств, которые меньше всего контактировали с правительственной группой, были наиболее фанатичны в своем отделении. А из взрослых ... Чарис заставила себя вспомнить каждое искаженное лицо, каждую группу, которую увидела, когда пряталась.

Двадцать мужчин на сто женщин! Женщинам придется выйти в поля, но трудную работу по расчистке они вести не смогут. Скоро ли Толскегг поймет, что, сознательно натравив толпу на уничтожение инопланетного оборудования, он обрек оставшихся колонистов на медленную смерть?

Конечно, рано или поздно Центральное правительство проведет расследование. Но еще много месяцев ни один правительственный корабль по расписанию не должен прилетать на Деметру. А к тому времени, как он прилетит, с колонией будет покончено. Уцелевшие припишут все эпидемии. Толскегг, если он еще будет жив, сочинит очень правдоподобный рассказ. Теперь предводитель колонии считает, что он и его люди свободны от правительства, что этого они добились силой своей веры.

Чарис протискивалась между ветвями. Начался дождь, волосы ее прилипли к голове, промочили на плечах порванную куртку. Она согнулась под дождем, продолжая дрожать. Если бы добраться до источника. Над ним в скалах можно найти убежище.

Но подъем давался ей все труднее и труднее. Несколько раз она становилась на четвереньки и ползла, пока не находила камень или куст, чтобы подняться, держась за него. Весь мир стал серым и влажным, превратился в море, готовое поглотить ее. Чарис рывком подняла голову. Так легко погрузиться в глубины этого моря, сдаться.

Вокруг реальность — здесь и теперь. Она может ухватиться за кусты, подтянуться. Вверху безопасность; там по крайней мере свобода, не оскверненная поселенцами. А вот и источник. Цветочный ковер исчез, на месте цветов коробочки с семенами. Ящериц нет, но кто-то приземистый и темный пьет из ручья, существо с длинным рылом, оно поглядело на Чарис двумя парами глаз, поглядело холодно, без страха. Чарис остановилась и смотрела на него.

Из пасти показался пурпурный язык, последний раз коснулся воды. Существо встало на короткие и толстые задние лапы; ростом оно фута в три; Чарис узнала его в обычной для него позе — один из древесных едоков плодов, при обычном перемещении опирается главным образом на сверхразвитые передние конечности и плечи. Она раньше никогда не видела эти существа на поверхности, но решила, что они не опасны.

Животное повернулось и быстро, несмотря на свою неуклюжую внешность, взлетело по веткам, как по лестнице, и скрылось из виду. Послышался резкий крик и треск, словно пробиралось несколько таких существ.

Чарис присела и напилась из пригоршни. От холодной воды онемели ладони, и, напившись, она принялась растирать их о куртку — не для того чтобы высушить, а чтобы восстановить кровообращение. Потом двинулась налево, туда, где растительность сменилась голыми скалами.

Чарис не могла бы сказать, сколько она добиралась до этой каменистой местности. Путь отнял у нее последние остатки сил, и только упрямая воля заставляла ее карабкаться по камням. Наконец она добралась до места, где два соединившихся больших выступа давали некое подобие убежища. Она втащила в это убежище ноющее тело и съежилась, всхлипывая от усталости.

Боль, которая родилась под ребрами, теперь охватила все тело. Чарис подняла колени к подбородку, обхватила их руками, опустила подбородок на колени. Долго сидела она неподвижно, насколько позволяло дрожащее тело. Только много времени спустя она поняла, что случай предоставил ей гораздо более хорошее убежище, чем то, что она искала.

Из своего убежища, защищенная от дождя, Чарис хорошо видела склон вплоть до поля, на котором совершил первую посадку корабль, доставивший колонистов. Даже после стольких месяцев видны шрамы, оставленные тормозными ракетами. За полем, справа от него, лабиринт хижин колонистов. Буря ухудшила видимость, но Чарис показалось, что она заметила один-два столба дыма.

Если Толскегг придерживается обычного распорядка, большинство взрослых уже на полях. С уничтоженным оборудованием нелегко будет засадить поля мутированными семенами. Чарис не шевелилась. С этого места поля заслонены склоном; она не может видеть тяжелейший труд поселенцев. Но если новый руководитель колонии придерживается обычного распорядка, ей пока нечего опасаться преследователей — если они вообще будут.

Голова ее тяжело опиралась на колени; потребность во сне почти так же сильна, как ноющий голод. Чарис заставила себя разогнуться, открыть сумку и достать черствый хлеб. Она едва не подавилась первым же кусочком. Если бы она догадалась раньше, то могла бы спрятать полевой рацион исследователей. Но к тому времени как умер ее отец, склады были разграблены или уничтожены из-за того, что пополнялись из «злых» источников.

Жуя сухой хлеб, Чарис продолжала наблюдать за склоном. В той части поселка, которая ей видна, ничего не движется. Хочет она того или нет, безопасно это или небезопасно, она должна отдохнуть. А это лучшее убежище, какое она смогла найти. Может быть, дождь смоет оставленный ею след. Небольшая надежда, но она уцепилась за нее.

Остаток хлеба Чарис спрятала в сумку. Потом постаралась поглубже заползти в убежище. Несмотря на все усилия, брызги дождя доставали до нее. Но наконец она застыла, снова опустив голову на колени. Единственным оставшимся движением было дрожь, которую она не могла подавить.

Сон или обморок охватил ее? И сколько он продолжался? Чарис с криком очнулась от кошмара, но этот крик был заглушен ревом снаружи.

Она слепо мигнула: казалось, огненный столб устремился от земли в серое плачущее небо. Длилось это всего мгновение, огонь опустился, закипела поверхность. Чарис на четвереньках выбралась, она кричала, но крик ее не был слышен в громе.

Космический корабль, стройный, устремленный носом к небу. Пар от тормозных ракет окутал его покровом. Но это не призрак, это реальный корабль! Рядом с поселком садится космический корабль!

Чарис побежала. Слезы на щеках смешивались с дождем. Там, внизу, корабль, помощь! И он появился слишком быстро, чтобы Толскегг успел скрыть свидетельства происшедшего. Сгоревшие купола, все остальное — все это увидят. Зададут вопросы. И она сможет ответить на них!

Чарис поскользнулась на глине и, прежде чем смогла восстановить равновесие, поехала вниз, не в состоянии остановиться. На секунду-две ее охватил ужас. Но вот она резко остановилась, удар вызвал боль и тьму.

Ее привел в себя дождь на лице. Она лежала с ногами выше головы, в груде обломков. Ее охватила паника, страх того, что она сломала кости и не сможет двигаться, не сможет добраться до корабля и безопасности. Она должна идти туда, немедленно!

Несмотря на боль, она выбралась из груды обвала, отползла от нее. Каким-то образом встала. Невозможно сказать, сколько она пролежала. Мысль о том, что корабль ждет, заставил ее предпринять усилия, на которые она, казалось, не способна.

Некогда возвращаться на тропу у источника, даже если возможно добраться до него. Лучше двигаться прямо вниз, спуск все равно ведет в нужном направлении. В своем убежище она находилась непосредственно над местом посадки корабля. Нужно просто скользить в нужном направлении.

Начиная движение, Чарис подумала: может, это корабль Патруля. Она попыталась вспомнить его очертания. Несомненно, не транспортник: недостаточно круглый. И не фрейтер на регулярном маршруте. Либо патрульный, либо правительственный корабль вне расписания. И его экипаж сумеет справиться с ситуацией на планете. Толскегг, наверно, уже арестован.

Чарис решила идти напрямик. Она понимала, что не должна рисковать еще одним падением. Очень вероятно, что тогда она совсем не доберется до помощи. Нет, она хочет прийти на своих двоих, прийти и рассказать все четко и ясно. Спокойней: корабль так быстро не улетит.

Она ощущала теперь запах гари от тормозных ракет, видела пар сквозь кусты и деревья. Лучше свернуть туда: неважно, что теперь ее может увидеть Толскегг и его приспешники. Они побоятся что-то сделать с ней.

Чарис вышла из зарослей и без всякого страха направилась к поселку. Ее видно на экранах корабля, и никто из поселенцев в таких обстоятельствах не рискнет на враждебный поступок.

Итак, она останется здесь. Навстречу из поселка никто не вышел. Конечно, нет! Там отчаянно пытаются придумать какое-то правдоподобное объяснение, выручить Толскегга. Чарис повернулась лицом к кораблю и замахала руками. Она искала символ Патруля.

Его не было! Потребовалось несколько мгновений, чтобы понять все значение этого. Чарис была так уверена, что изображение окажется на месте, что почти видела его. Но на корабле вообще не было различительных знаков. Она резко опустила руки. Теперь она знает, что это за корабль.

Не космический корабль, с четкими линиями, в хорошем состоянии, как полагается на правительственной службе. Борта покрыты шрамами, общие пропорции — нечто среднее между разведчиком и фрейтером, и состояние явно хуже удовлетворительного. Должно быть, вольный торговец второго класса. Может, даже бродяга, судно дикого плавания, одно из тех, что занимается самыми разными делами, и не всегда законными, на пограничных планетах. И почти нет шансов на то, что командир и экипаж захотят вмешиваться или что их вообще заинтересует происшедшее с правительственными чиновниками, с которыми они прежде слишком часто сталкивались. На помощь с их стороны Чарис нечего рассчитывать.

Открылся люк, вниз скользнул трап. Чарис пришла в себя и повернулась, собираясь бежать. Но в воздухе мелькнул аркан, охватил ее грудь и руки, потащил назад. Она упала и беспомощно покатилась. И услышала высокий резкий смех сына Толскегга, одного из пяти подростков, переживших эпидемию.

## Глава вторая

Она должна сохранить хладнокровие и рассудок, должна! Чарис сидела на скамье без спинки, прижимаясь спиной к бревенчатой стене, и напряженно думала. Тут же находились Толскегг, Барруф, Сиддерс и Мазз. Она видела перед собой, должно быть, правление поселка. И еще торговец. Чарис все время посматривала на этого человека, сидевшего в конце стола с кружкой кваффы. Из-под густых ресниц он с интересом разглядывал собравшихся своими умными и подозрительными глазами.

Чарис знала нескольких вольных торговцев. Больше того, в этом сообществе исследователей-авантюристов-торговцев у ее отца были добрые друзья, люди со стремлением к знаниям, которые необыкновенно расширили познания человечества о неведомых мирах. Но это были аристократы своего дела. Большинство же остальных — просто стервятники, при возможности пираты, разбойники, которые, бывало, не торговали с аборигенами, а грабили их, если чужаки оказывались слабы и не могли противостоять инопланетному оружию.

— Все очень просто, мой друг. — Дерзкий тон торговца, должно быть, оскорблял Толскегга, но колонист терпел: другого выхода у него не было. — Вам нужны рабочие. Поля кто-то должен вспахивать, засевать, убирать урожай. У меня в холодильных камерах лежат рабочие, и все отличные. У меня отборный товар, ручаюсь вам. Звезда Конвалла вспыхнула, пришлось все население эвакуировать на Саллам, но Саллам не смог вместить всех. И нам позволили набирать добровольцев в лагере беженцев. Мой груз — одни мужчины, крепкие, молодые, и у всех неограниченный контракт. Единственная проблема, мой друг, в том, что вы можете предложить. — Он поднял руки, останавливая громыхание Толскегга. — Прошу тебя, не будем больше говорить о мехах. Да, я их видел. Их достаточно, может быть, чтобы заплатить за троих из моего груза. Ваша древесина меня не интересует. Мне нужны небольшие вещи, малого объема. Груз, который легко увезти и продать в другом месте. Ваши меха за трех рабочих — конечно, если не предложите ничего другого.

Так вот оно что! Чарис перевела дыхание. Она понимала, что нет смысла умолять капитана. Если он везет отчаявшихся людей с неограниченными рабочими контрактами, значит он не лучше рабовладельца, хотя дело его и находится на грани пределов законного. А его предложение — настоящая пытка для Толскегга.

— Никаких туземных сокровищ, камней, чего-нибудь в этом роде? — продолжал капитан. — Итак, ваша новая планета немногими ресурсами способна вам помочь.

Мазз потянул за грязный рукав предводителя, что-то прошептал на ухо Толскеггу. Хмурое лицо того слегка прояснилось.

— Дай нам немного посовещаться, капитан. У нас есть кое-что еще. — Торговец кивнул.

— Сколько угодно, друг. Я так и думал, что ваша память станет получше.

Чарис старалась сообразить, что придумал Мазз. Она уверена, что ничего ценного в поселке нет, если не считать связки шкур, собранных рейнджером в качестве образцов. Они должны были быть отправлены как научный материал.

Колонисты кончили шептаться, и Толскегг снова повернулся к торговцу.

— Ты торгуешь рабочей силой. А что если мы в обмен тоже предложим рабочую силу?

Впервые капитан проявил легкие признаки удивления — сознательно, как решила Чарис. Он слишком опытен в торговле, чтобы проявлять эмоции без определенной цели.

— Рабочую силу? Но у вас у самих ее не хватает. Вы хотите лишиться того немного, чем располагаете?

— Ты торгуешь рабочей силой, — сердито сказал Толскегг. — Но рабочая сила бывает разная. Верно? Нам нужны сильные спины — мужчины для наших полей. А на других планетах нуждаются в женщинах.

Чарис напряглась. Впервые она поняла, зачем ее могли привести сюда. Она-то считала, что это просто стремление показать ей тщетность надежд на помощь. Но это...

— Женщины? — Удивление капитана стало явным. — Вы хотите торговать своими женщинами?

Мазз улыбался, с кривой злой улыбкой он смотрел на Чарис. Он все еще злится из-за вмешательства Андера Нордхолма, который помешал ему избить жену и дочь на поле.

— Некоторыми женщинами, — сказал Мазз. — Вот ею...

Чарис заметила, что торговец с того момента, как она вошла в хижину, сознательно игнорирует ее. Вмешательство во внутренние дела колонии не соответствует торговой политике. Для капитана девушка со связанными руками и ногами — дело колонистов, к которому он не имеет отношения. Но теперь он принял слова Мазза как предлог пристально посмотреть на нее. И рассмеялся.

— А какова ее стоимость? Ребенок, тростинка, которая сломается от работы.

— Она старше, чем выглядит, и у нее есть знание книг, — возразил Толскегг. — Она учила бесполезным знаниям и разговаривает на нескольких языках. На некоторых планетах такие полезны. Вернее, так считают живущие там глупцы.

— Кто же ты тогда? — Капитан обратился непосредственно к ней.

Это долгожданная возможность? Может, удастся уговорить его взять ее. Тогда она сможет связаться с властями и обрести свободу.

— Чарис Нордхолм. Мой отец был руководителем программы образования здесь.

— Вот как? Дочь ученого, а что здесь произошло? — Он перешел с бейсика на свистящий язык закатан. Она ответила на том же языке.

— Вначале, крылатый, болезнь, а затем чума невежества.

Большой кулак Толскегга глухо ударил по столу.

— Говорите так, чтобы мы могли понять!

Капитан улыбнулся.

— Вы утверждаете, что девочка обладает знаниями. Я имею право проверить, стоят ли эти знания того, чтобы ее купить. В водах севера всегда встречается лед. — На этот раз он заговорил на другом из пяти языков — на дантере.

— Но ветры юга быстро растопляют лед. — Чарис почти механически дала требуемый ответ.

— Повторяю: говорите так, чтобы человек мог понять. У этой есть знания. Для нас здесь она бесполезна. Но для вас она стоит еще одного рабочего.

— Что скажешь, джентль фем? — Торговец обратился к Чарис. — Считаешь ли ты себя достойной обмена на мужчину?

Впервые девушка позволила себе ответить смело:

— Я стою нескольких!

Капитан рассмеялся.

— Хорошо сказано. А если я тебя возьму, подпишешь неограниченный контракт?

Чарис долго смотрела на него. Слабая надежда рушилась, не успев окрепнуть. Их взгляды встретились, и она поняла, что на самом деле это не спасение. Этот человек не отвезет ее с Деметры к представителям властей. Договор будет заключен на его условиях, и эти условия привяжут ее к планете, на которую он ее отвезет. С грузом рабочих он будет приземляться только на тех планетах, где такой груз законен и необходим. Связанная неограниченным контрактом, она не сможет даже обратиться за помощью.

— Это рабство, — сказала она.

— Вовсе нет. — Но улыбка у него стала почти такой же злой, как у Мазза. — Любой контракт со временем кончается. Конечно, можешь не подписывать, джентль фем. Можешь остаться здесь, если таково твое желание.

— Мы продаем ее! — Толскегг с растущим раздражением слушал этот разговор. — Она не наша, не нашего племени. Мы продаем ее!

Улыбка капитана стала шире.

— Похоже, джентль фем, у тебя нет выбора. Не думаю, что к тебе здесь отнесутся хорошо при нынешних обстоятельствах, если ты останешься.

Чарис понимала, что он прав. Если она останется с Толскеггом и остальными, те еще больше разозлятся из-за того, что потеряли. И тогда она погибла. Она перевела дыхание: выбор уже сделан за нее.

— Подпишу, — тупо сказала она.

Капитан кивнул.

— Я так и думал. Ты полностью распоряжаешься своими чувствами и разумом. Ты, — он кивнул в сторону Мазза, — развяжи джентль фем!

— Она однажды уже убежала в леса, — возразил Толскегг. — Пусть остается связанной, если хочешь получить ее. Она дочь демона и полна грехов.

— Не думаю, чтобы она убежала. И так как она становится торговой ценностью, у меня есть голос в этом деле. Развяжите ее немедленно!

После того как разрезали веревки, Чарис принялась растирать запястья. Капитан прав: сила и энергия покинули ее. Сейчас она не может бороться за свободу. Капитан в некоторой степени проверил ее образование; может, она действительно представляет торговую

174

ценность, и он рассчитывает получить выгоду. А улететь с Деметры, оказаться на другой планете — это уже какая-то свобода.

— Ты представляешь проблему, — снова обратился к ней капитан. — Тут нет станции обработки, и мы не можем увезти тебя замороженной...

Чарис вздрогнула. Рабочих обычно перевозят в замороженном состоянии, в анабиозе, сберегая место, припасы и вообще все то, что необходимо обычным пассажирам. Место на борту космического корабля строго ограничено.

— Так как груза у нас немного, — продолжал он, — ты будешь размещаться в грузовом трюме. В чем дело? Ты больна?

Она попыталась встать, но комната покачнулась, пол и потолок наклонились.

— Я голодна. — Чарис попыталась за что-то ухватиться. Капитан поддержал ее.

— Ну, это мы легко излечим.

Чарис почти не помнила, как поднялась на борт корабля. Больше запомнилась ей чашка, которую ей сунули в руки, теплая, с приятным запахом пищи. Густой суп, сытный, хотя из чего он сварен, она не смогла определить. Поев, она села на койку и огляделась.

У каждого вольного торговца есть отдельная маленькая каюта с обязательным сейфом, куда можно поместить ценности небольшого объема. А шкафы и ящики вокруг нее запечатаны специальными замками, которые открываются прикосновением пальца хозяина. Открыть их могут только капитан и офицеры корабля. Койка, на которой она сидит, используется охранником, когда такой бывает нужен.

Итак, она, Чарис Нордхолм, больше не личность, а ценный груз. Но она устала, слишком устала, чтобы беспокоиться, даже чтобы думать о будущем. Так устала...

Задрожали стены, койка под ней, задрожало ее тело. Она попыталась пошевельнуться и не смогла. Паника охватила ее, но тут она увидела закрепленные на койке ремни безопасности. Чарис, успокоившись, прикоснулась к замку, расстегивающему их, и села. Они в космосе, летят к новому месту посадки. К какому? Она не хотела этого знать.

Так как часов у нее не было, Чарис могла определить, как проходит время, только по тому, сколько раз в люке показывается поднос с пищей. Происходило это с длительными интервалами, а пища — в основном калорийный малообъемный чрезвычайный рацион. Она никого не видела, и дверь трюма не открывалась. Чарис словно была заключена в пустом корабле.

Вначале Чарис радовалась одиночеству, наслаждалась ощущением безопасности. Она много спала, медленно восстанавливая силы после тяжелых недель на Деметре. Потом ей стало скучно, и она начала беспокоиться. Ее привлекали шкафы и ящики, но те, что она могла открыть, оказались пустыми. Когда ей в пятый раз передали поднос с едой, на нем лежал и небольшой пакет. Чарис открыла его и увидела прибор для чтения с вставленной лентой.

Как ни удивительно, но на ленте оказалась длинная эпическая поэма с морской планеты Кракен. Чарис так часто читала ее, что многие отрывки запомнила наизусть. Поэма разбудила ее воображение, оживила фантазию, и это нарушило тупую апатию, с которой она воспринимала окружающее. Она смогла думать о будущем, о том, на что она может рассчитывать.

Капитан — странно, но она ни разу не слышала его имени, — теперь располагает ее контрактом, подписанным и скрепленным отпечатками пальцев. Ее будущее определит кто-то другой. Но она всегда может надеяться, что попадет в такое место, где сможет обратиться за помощью и обрести свободу. И Чарис была совершенно уверена, что на любой планете ей будет лучше, чем на Деметре.

Она читала наизусть любимые отрывки из поэмы, когда послышался гулкий звонок, отразившийся от стен. Чарис бросилась на койку и застегнула ремни. Корабль садится. Станет ли это концом ее путешествия или только остановкой в пути? Она выдержала перегрузки приземления и лежала в ожидании ответа.

Хотя корабль, должно быть, уже в порту, никто к ней не приходил. Время шло, и она все больше теряла терпение, расхаживала взад и вперед по каюте, прислушивалась. Но, если не считать прекратившейся дрожи стен, они словно продолжали лететь в космосе.

Чарис хотела заколотить в двери, закричать, попроситься наружу. Каюта из безопасного убежища превратилась в клетку. Но усилием воли она сдержала этот порыв. Где они? Что происходит? Сколько это будет продолжаться — ее заключение? Плотно сплетя пальцы, она вернулась к койке, заставила себя сидеть внешне спокойно и терпеливо. Если это будет продолжаться, она может связаться через люк, в который доставляют еду.

Она сидела, когда открылась дверь. На пороге стоял капитан со связкой одежды в руке. Он бросил одежду на койку.

— Одевайся. — Он кивком указал на связку. — И пойдем!

Чарис развязала шнур и увидела форменный комбинезон, такой носят дежурные космонавты. Комбинезон чистый и достаточно подходящий по размеру. Ей пришлось только подвернуть рукава и штанины. С помощью крохотного освежителя, находившегося в каюте, она быстро умылась и переоделась, радуясь, что можно сбросить грязную и порванную одежду с Деметры. Но изношенные потертые ботинки пришлось оставить. Волосы у нее отросли и падали на плечи, на концах они завивались, ложась на загорелую кожу. Чарис перевязала их обрывком шнурка и убрала в конский хвост за голову. Нет необходимости смотреть в зеркало: она не красавица по стандартам своего народа и никогда не была красавицей. Рот у нее слишком широк, скулы слишком отчетливо выступают, а глаза — светло-серые — слишком бесцветны. Она происходит непосредственно от земной линии и ростом выше большинства мутировавших мужчин, но в остальном ничем не выделяется.

Но она в достаточной мере женщина, чтобы потратить несколько секунд на разглаживание комбинезона. Ей хотелось выглядеть получше, насколько это возможно в данных обстоятельствах. Потом чуть настороженно она попробовала открыть дверь. Дверь открылась, и Чарис вышла на площадку у люка.

Капитан уже стоял на лестнице, видны были только его голова и плечи. Он нетерпеливо поманил ее. Она последовала за ним по трем пролетам, пока они не оказались у выхода из корабля, за которым виднелась посадочная рампа.

Снаружи ярко светило солнце. Чарис закрыла глаза руками. Капитан подхватил ее за локоть и повел наружу, в обжигающую жару, похожую на пекло пустыни. Когда зрение ее адаптировалось, Чарис увидела, что они действительно сели в пустыне.

Песок, равномерно красный за пределами спекшейся стеклообразной поверхности — результата корабельных выхлопов, лежит у подножия низких холмов, их очертания дрожат в порывах теплого воздуха. Ни следа зданий, вообще не похоже на порт. Только обширное спекшееся пространство свидетельствует о множество посадок и стартов.

Стоят корабли — два, три, четвертый на удалении. Все они, как заметила Чарис, того же типа, как и тот, в котором она прилетела, — вольные торговцы второго и третьего классов. Очевидно, здесь место свидания торговцев, работающих на границе цивилизации.

Капитан не дал Чарис возможности внимательней изучить окружение; он скорее потащил ее, чем повел, к другому кораблю, двойнику собственного. У подножия рампы их ждал человек в фуражке со знаками различия офицера, но не в мундире, а в обычном комбинезоне.

Он внимательно поглядел на Чарис, когда они с капитаном подошли. Но взгляд был равнодушным и безличным, словно она не женщина и вообще не человек, а новое орудие, в надежности которого этот незнакомец не очень уверен.

— Вот она. — Капитан подвел Чарис к незнакомому офицеру.

Тот еще раз взглянул на нее, потом кивнул и повернулся, чтобы подняться по рампе. Капитан и Чарис последовали за ним. Внутри корабля Чарис, зажатая между двумя мужчинами, поднялась по центральной лестнице к капитанской каюте. Офицер знаком велел ей сесть на выдвижной стул и пододвинул к ней прибор для чтения.

Как обнаружила Чарис, ей предстоял экзамен на способность вести отчетность, умение устанавливать контакт с неземными существами, заметно отличающимися от людей, и тому подобное. В некоторых областях она проявила полное невежество, но в целом как будто удовлетворила экзаменатора.

— Подойдет. — Незнакомец зря не тратил слов.

Для чего подойдет? Чарис уже готова была задать этот вопрос, когда незнакомец сам решил просветить ее.

— Я Джаган, вольный торговец, и у меня есть временная лицензия на планету, которая называется Колдун. Слышала о ней?

Чарис покачала головой. Планет так много, что никто не может все их запомнить.

— Наверно, нет, — сам сказал Джаган. — У аборигенов странная система. Правят у них женщины, только они контактируют с инопланетянами. И не любят иметь дело с мужчинами, такими, как мы. Так что нам нужна женщина, чтобы заговаривать им зубы. Ты кое-что знаешь об инопланетянах, и у тебя хватит образования, чтобы вести книги. Мы доставим тебя на пост, и они будут торговать с нами. Я выкупаю твой контракт. Понятно, девушка?

Он не стал ждать ответа и взмахом руки велел ей уходить. Она попятилась вдоль стены, глядя, как он прикладывает к ее контракту палец, тем самым беря на себя ее будущее.

Колдун... другая планета... На которой нет людей, только торговые посты. Чарис обдумала ситуацию. Такие торговые посты время от времени посещаются официальными лицами. Возможно, у нее будет шанс обратиться к такому инспектору.

Колдун... Она начала думать об этой планете и о том, что может ждать ее там.

## Глава третья

— Очень просто. Узнаешь, что им нужно, и отдаешь им, стараясь при этом взять как можно больше. — Джаган сидел у стены, Чарис на другом выдвижном стуле. Но капитан не смотрел на нее; смотрел он на стену, словно на ней мог увидеть ответ на какую-то дилемму, вырезанную лучом бластера. — У них есть нужное нам. Посмотри... — Он достал полоску материи длиной в руку и шириной в ладонь Чарис.

Это какая-то ткань, приятного зеленого цвета, со странным блеском поверхности. Полоска с ласкающей мягкостью скользнула по пальцам девушки. Чарис обнаружила, что как ее ни мять и ни складывать в удивительно маленький комок, на ткани не остается ни следа складок.

— Она водонепроницаемая, — сказал Джаган. — Они ее делают. Из чего, мы не знаем.

178

— Для одежды? — Чарис была очарована. Красиво, как сказочно дорогой шелк узакианских пауков.

— Нет, эта ткань обычно используется для сумок и тому подобного. Жители Колдуна не носят одежду. Насколько мы знаем, они живут в море. И это единственный предмет, которым до сих пор удалось с ними обмениваться. Мы не можем добраться до них... — Он нахмурился, перебирая ленты с записями на столе. — Это наш единственный шанс, хороший шанс. Каждому торговцу снится, что он получает лицензию на вновь открытую планету. Используешь такой шанс правильно, и... — Он замолчал, но Чарис поняла его.

Торговые империи, огромные состояния создавались на основе таких шансов. Первым начать торговлю с новой планетой — мечта всякого торговца, он видит её во сне. Но Чарис гадала, как Джагану удалось получить лицензию на эту планету. Одна из больших компаний обязательно должна была затребовать право на создание там первого торгового поста. Но в данных обстоятельствах вряд ли тактично расспрашивать Джагана, как он добился почти невозможного.

Теперь она каждый день часть времени проводила с Джаганом, просматривала ленты, с которыми, как он считал, ей необходимо ознакомиться. И после первых же часов инструктирования Чарис поняла, что для Джагана она совсем не личность, но ключ, с помощью которого он надеется раскрыть загадочные двери торговли с Колдуном. Странно, но капитан, который давал ей богатейшую информацию о товарах, о ценах и прибылях, о механике торговли с чужаками, в то же время почти ничего не говорил о туземцах; сообщил только, что у них матриархат и что с мужчинами там обращаются презрительно. И что после первого любопытства они относятся к торговому посту очень настороженно.

Джаган уклонился от ответа на вопрос, почему потерпел неудачу первый торговый контакт. А Чарис, действовавшая осторожно, не решилась переспрашивать. Она как будто сошла с торной дороги и оказалась в бездорожье. У нее слишком мало знаний, чтобы находить путь, и ей придется опираться на интуицию.

— У них есть кое-что еще. — Джаган очнулся от задумчивого молчания, в которое погрузился. — Это орудие, сила. Они передвигаются с ее помощью. — Он потер рукой квадратный подбородок и странно взглянул на Чарис, как будто проверял, как она отнесется к его словам. — Они могут исчезать!

— Исчезать? — Она старалась не проявлять недоверия. Любой обрывок сведений теперь ей полезен.

— Я это видел. — Он понизил голос. — Она была прямо передо мной... — Джаган указал пальцем в угол каюты, — а потом... — Он покачал головой. — Просто... просто исчезла. Как-то

179

они это делают. Добудь нам тайну их перемещения, и нам больше ничего не нужно.

Чарис видела, что Джаган верит в свои слова. И у чужаков действительно бывают тайны. Она начинала с нетерпением ожидать встречи с Колдуном, не просто ради возможности уйти с корабля.

Но когда они сели на планету, она уже не была так уверена в своих ощущениях. Полуденное небо на Колдуне янтарного цвета, красные и черные утесы неожиданно обрываются, и за ними виднеется зеленое море. Если не считать яркого неба и моря, Колдун казался мрачной планетой, с темной почвой, и Чарис чувствовала, что он скорее отталкивает, а не приглашает людей.

На Деметре листва легкая, светло-зеленая, по краям листья чуть тронуты желтизной. Здесь у листвы пурпурный оттенок, как будто вечная ночь падает на нее даже при полном свете дня.

Чарис очень хотелось на свежий воздух, она не привыкла к тесноте космических кораблей. Но после первой минуты радости она почувствовала внезапный озноб, какое-то отвращение. Но ветерок с моря всего лишь свежий; он приносит с собой запахи, возможно, чуждые, но не отталкивающие.

Не было поселка, вообще никаких признаков людей, кроме отчетливых отметок предыдущих посадок кораблей. Вслед за Джаганом она спустилась по рампе, подальше от ракетного пара, к краю утеса, потому что они приземлились на плато, высоко над уровнем моря. Внизу виднелся залив, вонзающийся, как морской кинжал, глубоко в сушу. Острием кинжала залив упирался в купол торгового поста, серый купол быстро затвердевающего пластапокрытия — обычное временное сооружение на пограничной планете.

— Вот она, — кивнул Джаган. Но, похоже, не торопился к своей удаче. Чарис стояла, вздрагивая на ветру, который забирался под комбинезон. Деметра тоже пограничная планета, но до появления белой смерти она казалась открытой, доброжелательно принимающей людей. Может, это потому, что на ней не было разумного местного населения? Или просто сама комбинация естественных особенностей, видов, звуков, запахов казалась более привычной террянам? Чарис только начинала разбираться в том, чём вызывается эта разница, пыталась понять, какие эмоции расшевелила в ней встреча с Колдуном, а Джаган уже пошел.

Он поднял руку, подзывая ее, и двинулся по напоминающему американские горки пути, вырубленному в скале бластером. За собой она слышала голоса членов экипажа, вытянувшихся цепочкой.

Растительность возле поста была расчищена, вокруг него обширное пустое пространство, синяя почва и серый песок окружают купол — обычная защитная предосторожность. Чарис уловила ароматный запах и увидела куст, на котором на ветру раскачивались розовые шарики. Это первое светлое и изящное растение, которое она увидела в этом негостеприимном ландшафте.

Оказавшись на одном уровне с постом, она заметила, что купол гораздо больше, чем кажется сверху. Его поверхность не разрывается окнами; внутри на стенах экраны, в которых видна вся окружающая местность. Но в стороне, обращенной к морю, видны очертания двери. Джаган встал перед ней, и Чарис, внимательно за ним наблюдавшая, поняла, что торговец чем-то удивлен. Но остановился он только на мгновение. Прошел вперед и раздраженно прижал ладонь к двери.

Она раскрылась, и они оказались в просторном помещении. Чарис осмотрелась. Длинный стол, просто гладкая поверхность на легко отвинчивающихся ножках. Множество полок, тоже собранных таким образом и занятых теперь товарами. Полки, изгибаясь, следуют за стеной купола, отходя от двери. Они занимают и перегородку, отделяющую это помещение от остальных.

Посредине этой перегородки вторая дверь. Возле нее стоит, должно быть, Джеллир, суперкарго Джагана и теперь хранитель поста. У него глубокий загар космонавта, а на узком лице с резко выдающимися подбородком и носом следы усталости. У углов рта морщины, под глазами темные круги. Этот человек испытал большое напряжение, подумала Чарис. В руках он держал станнер — не в кобуре, как у всех остальных членов экипажа, а именно в руках, словно встречает не капитана, а какую-то опасность, и при этом не уверен, что справится с нею.

— Вы это сделали. — Его приветствие прозвучало простым утверждением. Но тут он заметил Чарис, и выражение его лица изменилось. Чарис показалось, что на нем отразилась смесь страха с отвращением. — Почему... — Он замолчал, возможно, по какому-то знаку Джагана, который Чарис не заметила. — Сюда, — быстро сказал ей капитан. Ее почти протолкнули мимо Джеллира в проход, такой узкий, что плечами ее сопровождающий задевал за пластастены. Он провел ее до конца прохода, где виднелась изогнутая стена купола, и потом раскрыл еще одну дверь. — Сюда, — коротко приказал он.

Чарис вошла, но когда повернулась, дверь была уже закрыта. И почему-то она знала, что если попытается открыть ее нажатием ладони, дверь не откроется.

С усиливающимся дурным предчувствием Чарис огляделась. У изогнутой стены складная койка, обычная для подобных баз, убирающаяся в стену. Там, где крыша повыше, значительное пространство занимает освежитель. Кроме него, складной столик и выдвижное сиденье, а в ногах кровати ящик — вероятно, для личных вещей.

По устройству и площади больше похоже на камеру, чем на жилую квартиру. Но, наверно, подумала она, остальные квартиры на посту не лучше. Интересно, какой величины штат держит здесь Джаган. Джеллир здесь старший, пока нет капитана; возможно, он вообще один, и в такой ситуации это сделало его нервным. Обычно на корабле класса вольных торговцев должны быть — Чарис вспоминала все, что знала о таких кораблях, — капитан, суперкарго, пилот, навигатор, инженер со своим помощником, специалист по двигателям, врач, кок — возможно, еще помощник суперкарго. Но это корабль с полным штатом, а не пограничный бродяга. Ей показалось, что на борту, кроме Джагана, еще четыре человека.

Продумай все, собери всю известную информацию, прежде чем начать действовать. Андер Нордхолм приучал ее мыслить систематически, и его уроки она хорошо помнит, несмотря на все происшедшие в жизни неожиданности. Чарис вытащила сиденье и, сложив руки на поверхности стола, села, чтобы, как учил отец, обдумать проблему.

Если бы только она больше знала о Джагане! Она понимала, что он очень заинтересован в собственном проекте. Успех очень многое значит в пограничной торговле. Основание поста на вновь открытой планете — это большой шаг вперед. Но прежде всего, как ему удалось получить разрешение на открытие поста? Или — Чарис обдумала новую мысль — или он устроил здесь пост без лицензии? Допустим, только допустим, что он увидел возможность высадиться подальше от правительственной базы и начать торговлю. Тогда, если его обнаружат представители Патруля, он поставит их перед совершившимся фактом. Если торговля пойдет хорошо, он может заплатить штраф, и его оставят в покое, потому что ситуация на таких планетах очень деликатная, и представители власти обычно не хотят, чтобы туземцы догадывались о существовании вражды между террянами.

В таком случае Джагану нужно действовать быстро. Он использует любую возможность, предпримет любые шаги, какие сможет придумать, чтобы начать торговлю. Итак, она нужна ему...

Но встреча на пустынной планете, где ее с корабля, торгующего рабочей силы, продали Джагану... Что это за место и почему Джаган оказался там? Чтобы просто взять ее — или любую другую женщину? Место незаконных встреч, где торговцы обмениваются грузом — теперь она в этом уверена. По всему космосу оперируют контрабандисты. Обычная стоянка кораблей с рабочей силой, и Джаган ждал там, ждал возможности купить женщину.

Это означает, что она попала в руки незаконного торговца. Чарис медленно улыбнулась: возможно, ей все-таки повезло. Где-то на Колдуне должна быть правительственная база, где наблюдают за контактами между инопланетянами и туземцами. Если она сможет добраться до этой базы и заявить о незаконном контракте, она может быть свободна, даже несмотря на контракт и подпись и отпечатки пальцев на нем.

А пока она будет выполнять торговые замыслы Джагана. Только ... если капитан очень торопится... Неожиданно Чарис ощутила холод, как в горах Деметры. Она для Джагана только инструмент: если только потерпит неудачу...

Она взяла себя в руки, подавила порыв броситься к двери, колотить в нее. Прижала ладони к столу, кожа ее покрылась потом. Чарис пыталась подавить страх, пустоту внутри и тут услышала шум. Не в камере, нет, за стеной.

Стук... иногда тяжелый, иногда легкий ... через разные интервалы. Она напрягала слух, но тут раздался стук металлических подошв. Идут сюда?

Она повернулась на сиденье, чтобы быть лицом к двери. Но дверь не открылась. Напротив, из-за стены послышался новый звук — тонкий, похожий на крик животного, но более пугающий, чем звериный рев. Человеческий голос — еле слышный. Чарис не могла разобрать ни слова, только мужской голос, близкий к шепоту.

Теперь шаги сразу за ее дверью. Чарис сидела неподвижно, заставляя себя внешне выглядеть спокойно. Дверь открылась, но вошел не Джаган, а другой член экипажа, которого она не узнала. В руке у него сумка — такую на корабле используют для личных вещей. Он бросил сумку в направлении ее койки. В другой руке у него поднос с горячей едой. Его человек поставил на стол. Комната такая маленькая, что ему, для того чтобы избавиться от ноши, не потребовалось даже зайти.

Чарис готова была заговорить, но на лице у вошедшего замкнутое выражение, а двигался он торопливо, как будто очень спешил. И прежде чем она смогла задать вопрос, он исчез, и дверь закрылась.

Нажатием пальца сняв крышку с подноса, Чарис почувствовала запах супа и горячей кваффы. Она быстро поела, и тарелка ее опустела, прежде чем она услышала новый звук. На этот раз не удары, а негромкий крик, похожий на стон.

Неожиданно, как и начался, звук прекратился, наступила тишина. Пленник? Больной член экипажа? Воображение Чарис подсказывало несколько ответов, но на воображение нельзя рассчитывать.

Молчание продолжалось, и Чарис решила исследовать содержимое сумки. Джаган или кто-то другой подобрал образцы товаров для торговли; предметы, которые она выложила на койку, должны привлечь внимание чужака или примитивного существа. Чарис обнаружила гребень с рукоятью из кусочков кристаллов; зеркало, украшенное таким же образом; ящичек с ароматным мыльным порошком, слишком сильный запах этого порошка заставил ее фыркнуть в отвращении. Несколько кусков ткани ярких расцветок; прибор для вышивания; три пары разукрашенных сандалий разного размера; платье, слишком короткое и в то же время широкое, ярко-синее, с изображениями птиц.

Очевидно, капитан хочет, чтобы она выглядела женственно, не так, как сейчас, в комбинезоне. Это логично, имея в виду ее обязанности здесь — она должна как женщина установить контакт с туземцами.

Неожиданно Чарис испытала сильное желание — снова быть только женщиной. Колонисты на Деметре были пуританской сектой, которая не одобряла яркие женские наряды. Стараясь приспособиться к людям, с которыми они живут, члены правительственной группы, если не надевали мундиры, ходили в той же неуклюжей тусклой одежде, что и колонисты. Почти два года Чарис не могла надевать такие цвета, какие сейчас лежали на ее койке. Конечно, сама бы она выбрала другое, тем не менее, повеселев, она погладила цветастые ткани.

У нее не было образцов для кройки, но она решила, что сумеет превратить все это в платье и юбку в очень модифицированной версии одежды колонистки. Желтое подходит к зеленому, получается не очень кричащее сочетание. И одежде соответствует вот эта пара сандалий.

Чарис разложила предметы туалета на столе, повесила платье на стул. Конечно, ей прислали самые дешевые и наименее привлекательные вещи из запасов корабля. И все же... Она вспомнила полоску туземной ткани, которую показал ей Джаган. У нее цвет гораздо лучше, чем у этих кричащих материй. Того, кто постоянно пользуется туземными тканями, эти не привлекут. Может, в этом одна из причин неудач Джагана: его товары не соответствуют вкусам покупателей. Но ведь капитан не может сам оценить правильно, что хорошо и что плохо, и похоже, что он сам понимает это.

Нет, все-таки она не будет соединять желтое с зеленым. Только один цвет, и если материала не хватит, Джагану придется разрешить ей порыться на полках. Если она должна представлять свою расу перед чужаками, то надо выглядеть как можно лучше.

Чарис приложила зеленую ткань к телу. Небольшой разрез вот здесь.

— Красиво... красиво...

Чарис развернулась. Свистящий шепот прозвучал так неожиданно, что девушка была потрясена. Женщина, которая стояла в открытой двери и говорила шепотом, вошла, закрыла за собой дверь и смотрела на Чарис, растянув губы в пугающей карикатуре улыбки.

## Глава четвертая

Вошедшая была одного роста с Чарис, так что их глаза оказались на одном уровне. Чарис продолжала сжимать в руках ткань, другая женщина смеялась, причем смех ее действовал хуже крика. Должно быть, когда-то она была полной, потому что ее кожа обвисла, и на лице видны были морщины. Волосы свободно свисали на спину, прикрывая морщинистую шею.

— Красиво. — Она протянула скрюченные пальцы, и Чарис инстинктивно отпрянула, но все же пальцы ухватили ткань и сильно дернули.

Одежда самой незнакомки представляла собой кусок ткани — яркое платье, похожее на то, что дали Чарис, поверх другого платья; цвета обоих никак не соответствовали друг другу. А на ногах у нее были тяжелые, с металлическими пластинами сапоги космонавтов.

— Кто ты? — спросила Чарис. Странно, но что-то в ее тоне показало недолгое возвращение разума.

— Шиха, — ответила женщина просто, как ребенок. — Красиво. — Ее внимание вернулось к тканям. — Хочу... — Она вырвала ткань из руки Чарис. — Не змеям... не отдавать змеям! — Она оскалила зубы и начала отступать, пока не прижалась к двери плечами. Ткань она по-прежнему сжимала в руках.

— Змеи не получать красивое? — спросила она. — Даже если будут спать? Да, даже если будут спать...

Чарис боялась пошевелиться. Шиха явно пересекла границу страны, у которой нет карт здравого смысла.

— Они спали, — голос Шихи звучал хрипло, — много раз спали... и звали Шиху. Но она не пошла, не пошла к змеям, нет! — Она яростно покачала головой, при этом закачались, подпрыгивая, ее локоны. — Она никогда не ходила к ним. И ты не ходи... никогда... к змеям.

Она принялась скатывать материю в комок и укладывать в сумку. Потом посмотрела мимо Чарис на синее платье на койке и протянула к нему руку.

— Красиво... не для змеи... нет!

Чарис выхватила у нее платье и отодвинула подальше.

— Для Шихи... не для змей, — согласилась она, пытаясь не показывать свой страх.

Снова женщина кивнула. Но на этот раз она схватила Чарис за руку, крепко обвила пальцами запястье девушки. Чарис боялась сопротивляться. Но прикосновение сухой горячей кожи женщины заставило ее отшатнуться, по всему ее телу пробежала дрожь.

— Пошли! — приказала Шиха. — Змеи ничего не получат. Нужно постараться.

Повернувшись, она потащила за собой Чарис. Дверь открылась, и Шиха вытащила несопротивлявшуюся девушку в коридор. Решится ли она позвать на помощь? Но сила, с которой Шиха держала ее за руку, предупреждала: не нужно привлекать внимание женщины, сопротивляться ей.

Насколько могла судить Чарис, за исключением их двоих, в торговом посту никого нет. Двери вдоль коридора закрыты, но дверь в кладовую открыта, и свет оттуда привлекает к себе. Должно быть, сейчас начало вечера. Собирается ли Шиха выходить наружу? Чарис, вспоминая неровную местность вокруг поста, надеялась сбежать, если сможет высвободить руку.

Но Шиха как будто не хотела идти дальше того помещения, где на полках лежат товары. Глядя на разнообразные вещи на полках, она выпустила руку Чарис.

— Не для змей!

По коридору она шла, волоча ноги, как будто ей мешал вес космических сапог. Но теперь буквально прыгнула к ближайшей полке, на которой стояло множество маленьких стеклянных бутылочек, и взмахом руки смела их на пол. Запахло сильными и разнообразными ароматами. Не удовлетворившись этим, Шиха принялась топтать осколки, и ее крик «Не для змей!» превратился в какой-то гимн.

— Шиха!

Она покончила с бутылочками и теперь хватала ткани и разрывала их когтями. Но шум, по-видимому, привлек внимание хозяина поста. Чарис оттолкнули с силой, и она отлетела к длинному столу. Из коридора выбежал Джаган и бросился к безумной женщине. Она билась в его руках, пыталась повернуть голову и укусить его. И кричала — кричала высоким, хриплым и совершенно лишенным разума голосом.

Прибежали еще двое мужчин, один снаружи, другой — в нем Чарис узнала того, кто приносил ей пищу, — из коридора. Но потребовались усилия всех троих, чтобы справиться с Шихой.

Они связали ей руки, замотали в ткань, превратив в беспомощную куклу. Шиха плакала.

— Сны... не сны... не змеям! — прерывистые слова звучали, как мольба.

Чарис удивилась, заметив выражение лица Джагана. Он положил руки на плечи Шихи и повернул, но не к внутреннему коридору, а к выходу из поста.

— Она вернется на корабль, — сказал он. — Может быть, там... — Не закончив фразу, он вышел в ночь, ведя с собой женщину.

Густой запах благовоний заставил Чарис чихнуть. С полки свисали обрывки тканей. Чарис механически принялась поднимать с пола материю, обходя осколки стекла, которые не превратились в порошок под металлическими подошвами Шихи.

— Ты... — Она подняла голову, услышав слова мужчины у стола. — Тебе лучше вернуться.

Чарис послушалась, она была рада возможности уйти от этой картины разрушения. Снова садясь на койку, она дрожала, пытаясь понять, что же произошло. Джаган сказал, что для контактов с туземцами ему нужна женщина. Но до появления Чарис здесь уже была женщина — Шиха. И Чарис была уверена, что Шиха для капитана не просто орудие. Она видела, как он обращался с ней во время припадка.

Змеи ... сны? Что заставило Шиху действовать и говорить так безумно? Первое впечатление Чарис о Колдуне — что он недружелюбно настроен к людям, — справедливо ли оно или это просто подсознательная реакция на расцветку ландшафта? Что здесь происходит?

Она должна выйти и потребовать объяснения. Но Чарис обнаружила, что не может заставить себя снова пересечь порог. А когда попыталась открыть дверь и обнаружила, что та не поддается, облегченно вздохнула. В маленькой каюте она чувствует себя в безопасности: видит каждый дюйм и знает, что она одна.

Свет, исходящий от линии по краям потолка, становился тусклее. Чарис решила, что на ночь сокращают подачу энергии. Она свернулась на койке. Странно. Почему вдруг так невыносимо захотелось спать? Поняв, что это необычно, она испытала тревогу... Но потом...

Снова свет, все вокруг освещено. Чарис знает это, хотя глаза ее закрыты. Свет и тепло. Она чувствует желание узнать, откуда они исходят. Открыв глаза, Чарис увидела безмятежное золотое небо. Золотое небо? Она уже видела золотое небо — где? когда? Но вспоминать не хотелось. Так приятно лежать под золотым небом. Так спокойно она не лежала уже очень, очень давно.

Что-то коснулось пальцев ног, лодыжек, икр. Чарис шевельнулась, приподнялась на локтях. Она лежит на теплом сером песке, в котором блестят крошечные красные, желтые, синие, зеленые точки. Тело ее обнажено, но никакой потребности в одежде она не испытывает. Тепло словно окутывает ее покрывалом. Лежит она на самом краю зеленого моря, и легкие волны касаются ее ног. Зеленое море... Как и золотое небо, оно расшевелило память. Просыпались воспоминания, которых она боится, с которыми борется.

Она расслаблена, довольна, счастлива... Если эту свободу можно назвать счастьем. Правильно. Правильная жизнь возможна только под золотым небом, на берегу зеленого моря, на теплом сверкающем песке, и никаких воспоминаний — только сейчас и здесь!

Помимо ласкающего прикосновения волн, никакого движения. Но вот Чарис захотелось чего-то иного, помимо апатичного лежания, и она села. Повернув голову, обнаружила, что лежит в углублении скал; за ней и вокруг нее крутой красный утес, и, по-видимому, никакого подхода сюда нет. Но это ни в малейшей степени не встревожило ее. Она лениво перебирала пальцами песок, мигала при ярких вспышках цвета. Вода поднялась выше, теперь она достигает колен, но Чарис не хочется уходить от ее теплых ласк.

И вдруг — вся апатия, вся удовлетворенность исчезла. Чарис не боится, но ощущает нечто. Что именно? Вопрос задает проснувшаяся часть сознания. Что сознает? Присутствие разума, другого сознания. Чарис встала с песка, в котором тело ее образовало удобное углубление, и принялась внимательно разглядывать окружающие скалы. Но, кроме нее, здесь никого нет. Она одна в этом углублении в скалах, одна с морем и песком.

Чарис посмотрела на море. Да, что-то в воде. Что-то поднимается, движется к ней. И она...

Чарис ахнула, пыталась поймать воздух, который словно избегал ее легких. Она на спине, и над ней не золотое небо дня, а тусклый ночной свет. Справа изгибается стена купола. Чарис едва может разглядеть ее, но ощупью убеждается, что стена на месте. Но ... но песок тоже был реален, когда она пересыпала его между пальцев. Мягкое прикосновение морской волны, тепло солнца, ветерок на коже? Все это тоже было реально.

Сон... более яркий и чувственный, чем все, что она видела до того? Но сны обычно бывают рваные, как осколки, которые Шиха оставила на полу торгового помещения. А этот сон не обрывочный, каждая подробность его соответствует остальным. А это ощущение в конце, вера в то, что что-то поднимается к ней из моря?

Может, именно это привело ее в себя, разрушило сон, уничтожило пугающую сцену, когда ей в последнее мгновение показалось, что она тонет? Но тонет не в море, которое приветствовало и ласкало ее, а в чем-то таком, что находится между морем и этим помещением?

Чарис выбралась из койки и подошла к сиденью за столом. Она была возбуждена, испытывала ощущение, какое бывает, когда ждешь чего-то приятного. Может быть, попытаться уснуть, и тогда она снова вернется к морю, на песок, в то место в пространстве и времени, где кто-то... или что-то ждет ее?

Но ощущение спокойствия и уверенности, которое пришло к ней во сне — если это был сон, — это ощущение уходило. Его место заняло смутное беспокойство и отвращение — те чувства, которые она испытала, впервые покинув космический корабль. Чарис обнаружила, что прислушивается, и не только слухом, но всем телом.

Ни звука. Не зная почему, она направилась к двери. С потолка по-прежнему идет свет, тусклый, но его достаточно, чтобы видеть все вокруг. Чарис приложила ладони к двери и надавила. И дверь открылась, позволив ей выглянуть в коридор.

На этот раз она увидела не ряд закрытых дверей: все они были распахнуты. Снова она прислушалась, стараясь приглушить собственное дыхание. Что она ожидает услышать? Гул голосов, звуки тяжелого дыхания спящих? Но не было ничего.

Раньше собственная каюта казалась ей безопасным убежищем, единственным безопасным местом, которое она может найти. Но теперь она в этом не уверена. Но не может и определить, что за напряжение усиливается в атмосфере, что вызывает ее тревогу, побуждает к действиям.

Чарис пошла по коридору. Босые ноги ступали по холодному полу бесшумно. Она остановилась у первой двери. Дверь приоткрыта достаточно широко, чтобы она увидела другую койку — пустую. И вообще комната пуста. Вторая комната — опять помещение для сна без спящего. Третья — все такая же пустая, покинутая. Но четвертая оказалась другой. Даже в тусклом свете видна была многообещающая особенность — экран связи у дальней стены. Стол, два стула, груда лент. Все ленты спутаны, изорваны...

Чарис застыла. Она как будто смотрит на эту комнату и ее обстановку чужими глазами. Эти глаза отвергают все, что здесь есть. Но эта утрата ориентировки длилась мгновение. Девушку привлек к себе экран.

Несомненно, он настроен на связь между кораблем и постом. Но он же может дать ей ключ к свободе. Где-то на Колдуне есть правительственная база. И устройство связи может поймать станцию базы, если у Чарис хватит времени и терпения для широкого поиска. Терпения у нее хватит. Время — другое дело. Где торговцы? По какой-то причине все ушли на корабль? Но почему?

Если раньше Чарис ползла, то теперь летела. Она обежала весь пост. Жилые помещения — все пусты; кухня с запахами недавно разогретых рационов и кваффы; кухня плотно закрыта. Большое внешнее помещение, осколки стекла сметены в груду и так и оставлены; с торопливо скатанного тюка свисает обрывок ткани. Назад в помещение связи. Она одна на посту. Почему и насколько, она не может сказать, но в данный момент она одна.

Теперь все зависит от времени, удачи и расстояния. Она может обыскать значительную часть поверхности планеты. Но на Колдуне ночь, и, возможно, на дежурстве у связи правительственной базы никого нет. Тем не менее она может отправить сообщение, оно будет записано, привлечет сюда власти, и тогда она сможет рассказать свою историю в подробностях.

Жаль, что нельзя усилить освещение, но она не нашла переключатель. Поэтому Чарис пришлось близко наклоняться к шкале, чтобы набрать нужную комбинацию.

В первые несколько мгновений незнакомый и необычный набор кнопок поставил ее в тупик. Потом она поняла. Как корабль Джагана явно был не новым и первоклассным, так и это устройство связи старое, она таких никогда не видела. И первоначальное возбуждение сменилось легким беспокойством. Какова может быть дальность действия такой несовершенной установки? Если правительственная база далеко, у нее нет надежды на устойчивую связь.

Чарис медленно набрала нужную комбинацию, пытаясь не допустить ошибки. Но в ответ услышала только треск атмосферного электричества, какой бывает на любой незаселенной планете. На Деметре, работая с коммуникатором, Чарис слышала такой же треск.

Только светящаяся точка, перемещающаяся по экрану, говорила, что поиск продолжается. Теперь ничего не остается, только ждать: либо установления связи, либо возращения торговцев.

Запустив программу поиска, Чарис вернулась к другим своим проблемам. Почему ее оставили одну на станции ночью? Из глубокой долины, в которой стоит пост, ей не видны плато и посадочная площадка с космическим кораблем. Джаган увел Шиху на корабль, но здесь оставалось по меньшей мере двое. Может, решили, что она надежно заперта в своей каюте, и занялись какими-то другими делами? Все, что она знает о деятельности поста, ей рассказал капитан; а рассказывал он мало и только то, что касалось ее обязанностей.

Негромкий писк коммуникатора действовал успокаивающе, пожалуй даже слишком. Чарис вздрогнула, отгоняя сон. Поисковый луч прошел уже треть окружности, но ничего не обнаружил. Но ведь не менее четверти окружности занимает море, а откуда можно ждать ответа, Чарис не знает.

Ответ пришел, когда Чарис почти поверила, что надежды нет. Ответ слабый, он идет с далекого расстояния. Она нацелила прямой луч и увеличила мощность. Где-то на северо-востоке работает другой межпланетный коммуникатор.

Пальцы Чарис замелькали, точнее нацеливая луч, увеличивая его мощность. Экран перед ней затуманился, снова начал проясняться. Она поймала отзыв! Чарис действовала быстро, она сама не поверила бы, что возможна такая быстрота. Какой-то инстинкт заставил ее отклониться от экрана, так чтобы ее не было видно тому, кто ей ответил.

Фигура, появившаяся на экране, явно не принадлежала человеку на правительственной службе, хотя это человек, у фигуры гуманоидные очертания. На человеке такой же тусклый комбинезон, как на торговцах; на поясе у него не разрешаемый законом станнер, а незаконный мощный бластер. Чарис разорвала связь в тот момент, как на лице этого человека появилось выражение откровенного изумления.

Тяжело дыша, девушка вернулась на свое место перед экраном. Другой пост — где-то к северу. Но бластер? Такое оружие строго запрещено для всех, кроме Патруля и Сил Обороны. Она колебалась. Может, снова включить связь? Попытаться поискать на юге? Она не узнала в фигуре на экране члена команды корабля, но все же он может быть человеком Джагана. В таком случае действия капитана на планете гораздо менее законны, чем она предполагала.

Став в стороне от экрана, Чарис снова включила поиск. Чуть погодя она поймала ответ с юга. Однако на экране на этот раз показался не вооруженный космонавт, но очень знакомый рисунок — знак разведчика с посольской печатью. Следовательно, на планете есть небольшая разведочная станция, осуществляющая контакт с чужаками. На дежурстве не было никакого оператора; об этом свидетельствует характер сигнала. Но ее передача будет записана. Она может послать сообщение и надеяться, что через несколько часов оно будет прочитано. Чарис начала набирать кодированные символы слов.

## Глава пятая

Еле слышный звук, легкое прикосновение к телу.

Чарис оглянулась со спокойствием, которое само по себе свидетельствует о необычности ситуации. Она сидела перед коммуникатором, набирала свой призыв о помощи. А потом — сразу оказалась во сне.

Но после одного-двух мгновений поняла, что это не прежний сон. На ней комбинезон, тот, что она надела, прежде чем начала блуждания по опустевшему посту. Босые ноги болят. Чарис взглянула на них. Они избиты и исцарапаны, из царапин идет кровь. И теперь она испытывает не спокойствие и удовлетворенность, как в предыдущем сне. Сейчас она устала и смущена.

Как и раньше, в утреннем свете волнуется море. Вокруг нее утесы, а сама она на мягком мелком песке. Она на берегу — в этом нет сомнений. Но это не может быть сном.

Чарис повернулась. Она ожидала увидеть пост на краю узкой полоски воды, но сзади оказались только утесы. Девушка видела цепочку углублений в песке, ведущую к тому месту, где она стоит. Это ее след. Он теряется вдали. Но она не знает, где находится и как попала сюда.

Она испытала страх, сердце забилось сильнее, дыхание стало быстрым и поверхностным. Она не может вспомнить. Никакие усилия не пробуждают память.

Но, возможно, она сумеет вернуться по своему следу? Однако, повернувшись, чтобы попытаться, Чарис поняла, что не может это сделать. Какой-то барьер, ощущение такое же острое, как физическая боль, мешает ей уйти. Она буквально не может сделать ни шагу назад. Дрожа, Чарис осмотрелась и снова попыталась двинуться. И усталость от усилий, которые пришлось при этом приложить, чуть не заставила ее упасть лицом вниз. Однако если вернуться она не может, идти вперед ей ничего не мешает.

Она попыталась оценить направление своего движения. Находится ли она к северу или к югу от поста? Ей кажется, что к югу. Правительственная база тоже к югу от поста. Если продолжать идти, может, она доберется до нее?

Чарис не задумывалась о том, насколько мала такая возможность. Без припасов, даже без обуви, долго ли она продержится? Ее тревожили какие-то странные мысли. Может быть, она навлекла это на себя, потому что пыталась связаться с базой при помощи коммуникатора? Она закрыла глаза руками и стояла, пытаясь понять, проследить причины, которые привели ее сюда. Может, сознание отказало ей? И взяла верх потребность освободиться, добраться до правительственной базы? В каком-то смысле это объяснение, но оно ведет к новым неприятностям.

Чарис, хромая, направилась к морю и села на скалу, чтобы осмотреть ноги. Они были в ссадинах и царапинах. Она опустила их в воду и прикусила губу от резкой жгучей боли: соленая вода коснулась ран.

Вполне возможно, эта планета лишена жизни, подумала Чарис. Янтарно-золотое небо покрыто легкими облаками, но в нем не видно птиц или других летающих существ. На песке и скалах ни клочка растительности, и, кроме отпечатков ее ног, на песке никаких других следов.

Чарис расстегнула комбинезон и сняла рубашку. Разорвать ее было нелегко, но наконец удалось, и она обмотала ноги полосками ткани. Послужат хоть какой-то защитой: ведь она не может навсегда остаться здесь.

К югу примерно в ста футах утес выступал в море, и не видно было никакого пути обхода. Придется подниматься. Но Чарис еще какое-то время оставалась на месте, пытаясь разглядеть опоры для рук и ног. Все равно нужно будет карабкаться.

Она голодна, как в горах Деметры, а сейчас у нее нет даже черствого хлеба. Хочется есть и пить — и вода издевательски плещется у ног. Идти в пустыню — безумие, но назад ее не пускает невидимая преграда. Даже простой поворот головы, чтобы взглянуть на углубления в песке, требует больших усилий.

Она решительно поднялась на перевязанные ноги и направилась к утесу. Оставаться здесь и постепенно слабеть бессмысленно. Может, есть за утесом какая-то надежда, а не только голый песок и камни.

Подъем потребовал огромных усилий, ладони она исцарапала почти так же, как ноги, обломала ногти. Подтянулась на неровную поверхность и легла, прижав руки к груди, слегка всхлипывая. Потом подняла голову и огляделась.

Она находилась на краю еще одной узкой долины, такой же, как та, в которой расположен торговый пост. Но здесь нет никаких зданий, ничего, кроме деревьев и кустарников. Недалеко от нее в море впадает небольшая река. Чарис облизала пересохшие губы и направилась туда. Через короткое время она сидела на голубой почве, руки ломило от холодной воды. Она пила из пригоршней, не думая о том, будет ли здесь, на Колдуне, действовать иммунизационная сыворотка, инъекцию которой она получила на Деметре.

Если морской берег был лишен жизни, то о долине этого не скажешь. Утолив жажду, Чарис села и увидела существо с прозрачными крыльями, летящее наискосок над водой. Коснувшись воды, оно поднялось, унося в когтях бьющуюся добычу. И исчезло в кустах у стены утеса вместе со своей жертвой.

И тут сверху послышался звук, как будто кто-то ударил костью о кость. Другое летающее существо, гораздо крупнее и материальнее, вылетело из углубления в скале и заметалось над девушкой. У существа были голые кожистые крылья, тело лишено перьев или шерсти, кожа сморщенная, в складках. Голова непропорционально велика и разделена пополам; огромная пасть издает щелкающие звуки.

К первому летающему существу присоединилось второе, их крики оглушали. Щелкуны опускались все ниже и ниже, и любопытство сменилось у Чарис тревогой. Один такой летун не страшен, но стая существ, явно нацелившихся на нее, представляет серьезную угрозу. Девушка огляделась в поисках убежища и устремилась под защиту ветвей ближайшей рощи.

Очевидно, этот ее маневр не укрылся от щелкающих летунов, потому что, хоть она больше их не видела, их крики продолжали ее преследовать. Что-то проскочило мимо нее и с писком скрылось в тени.

Чарис остановилась в нерешительности. Что еще может таиться в этом лесу? Сильно пахло растительностью. Иногда запах приятный, иногда непривычный для ее обоняния. Она наступила на какой-то мягкий предмет, и он лопнул, прежде чем Чарис успела убрать ногу. Нагнувшись, она увидела какой-то раздавленный фрукт. Много таких висело на ветвях дерева, под которым она стояла, и лежало на земле. Очевидно, ими питался сбежавший пискун.

Чарис подобрала плод и поднесла к носу, вдохнула незнакомый запах, не в силах решить, приятный он или отталкивающий. Это пища, но можно ли ее есть, другой вопрос. Держа в руках фрукт, Чарис двинулась в сторону моря.

Щелканье над головой не стихало, оно перемещалось вместе с ней, но море влекло к себе девушку, словно обещая безопасность. Наконец она миновала последний ряд кустов, которые цеплялись за серый песок.

На горизонте появилась темная полоска. Чарис решила, что это не просто облако. Остров. Она так внимательно его разглядывала, что вначале не обратила внимания на летающие существа.

Они больше не вились над ней, но изменили курс, улетели в море и там вились над водой, плетя сложные рисунки. А в волнах что-то шевелилось, что-то двигалось под поверхностью. Приближалось к берегу, направляясь прямо к ней.

Чарис бессознательно сжала плод, так что он раздавился меж пальцами. Судя по волнению воды, пловец — кто бы это ни был — крупный.

Но она не ожидала того кошмара, что поднялся из воды и повернулся к узкой полосе песчаного берега. Бронированное тело, на котором висят зеленые водоросли, уцепившиеся за острые выступы пластин-чешуек; голова с рогами над каждым глазом; пасть, полная острых зубов...

Существо выбиралось из воды. Лапы его были вооружены когтями, соединенными перепонкой. Оно взмахнуло хвостом, раздвоенным и кончающимся двумя остриями; хвост буравил воду. Щелкуны подняли громкий шум, поднялись выше, но не оставили поля боя морскому чудовищу. Однако это существо не обратило на них внимания.

Вначале Чарис испугалась, что оно увидит ее; однако существо не приближалось, и девушка отчасти успокоилась. Еще несколько шагов, и чудовище выбралось из воды и с отчетливым звуком, похожим на хрюканье, легло на песок.

Голова его поворачивалась вправо и влево, потом застыла, легла на вытянутые передние лапы. Полное впечатление, будто существо решило подремать на солнышке. Чарис колебалась. Щелкуны перестали обращать на нее внимание, сосредоточившись на чудовище. Ей пора незаметно уходить.

Девушке хотелось убежать, скрыться в кустах, уйти из долины, которая так похожа на западню. Но разум подсказывал, что нужно действовать не торопясь. По-прежнему не отрывая взгляда от существа на берегу, Чарис начала отступать. В течение нескольких секунд она надеялась, что это ей удалось. Потом...

Крик над головой прозвучал оглушительно. Ее заметил щелкун. И остальные с криками устремились к нему. И тут Чарис услышала другой звук, свист, такой высокий, что от него заболели уши. Ей не нужно было слышать топота и треска раздавленных ветвей, чтобы понять, что существо с раздвоенным хвостом преследует ее.

Единственная надежда — добраться до узкого конца долины. Может, там удастся подняться на утес. Ветки кустов цеплялись за одежду и рвали ее, царапали кожу. Она пробежала мимо ручья и оказалась на поляне, покрытой густой голубой травой. Трава путалась в ногах, острые края листьев разрезали кожу.

Над головой продолжали кричать щелкуны, они носились вверху, ныряли, ни разу не коснувшись ее, но проллетали так близко, что она приседала. Она поняла, что они пытаются помешать ей скрыться. И углубилась в кусты, закрывая лицо руками от ветвей, тяжестью тела прокладывая дорогу.

И вот она у цели — у скальной стены, ограничивающей долину. Но позволят ли ей щелкуны подняться? Чарис прижалась к камню и из-под руки посмотрела вверх, на стаю кожистых существ. Потом посмотрела туда, где качающиеся ветви обозначают движения морского чудовища.

Все они нацелены на нее! Чарис закричала и принялась отбиваться руками.

Крики...

Она, защищаясь, дико замолотила руками, прежде чем поняла, что происходит. Щелкуны в своем полете пересекли линию движения чудовища. И столкнулись с неприятностями. Как молния, ударил раздвоенный хвост, тела щелкунов разлетелись по сторонам, ударялись о каменную стену.

Дважды еще ударял хвост, разбив первую волну нападающих, потом вторую. Щелкуны слишком увлеклись целью, чтобы вовремя свернуть. Всего пять из них успели подняться с криками вверх и больше не возвращались.

Чарис повернулась и, нащупывая опоры для рук и ног, начала подниматься. Раздвоенный хвост теперь отделял ее от щелкунов. Пока она поднимается, нападения с их стороны может не опасаться. Она сосредоточила все внимание на подъеме, пытаясь добраться до карниза, откуда можно дотянуться до ветвей, свисающих сверху.

Она поднялась в гущу ветвей, перевалила через край карниза, легла и быстро оглянулась. Над головой продолжали виться щелкуны, они яростно метались, а внизу... Чарис заглянула вниз.

Чудовище у подножия стены, своими перепончатыми лапами оно цепляется за скалу. Дважды оно умудрялось повиснуть и немного подтянуться, но оба раза падало назад. Либо опора оказалась ненадежной и не выдерживала веса чудовища, либо оно слишком неуклюже, чтобы подняться. Двигалось оно действительно неуклюже, большой вес мешает подъему.

Но оно настойчиво продолжало отыскивать опору в камне. Ясна его целеустремленность. Чарис осторожно стала продвигаться в зарослях, опасаясь, что запутается в ветвях, споткнется и упадет. Наклонившись, сорвала ветку, чтобы отогнать щелкуна. Тот набрался решимости и нырнул к самой ее голове. Ветка не коснулась его, но он торопливо отлетел.

Пока она передвигается по карнизу, то может пользоваться этой защитой. Но когда девушка повернулась, чтобы подниматься дальше, руки оказались заняты. И она приближалась к узкому месту, где с трудом можно поставить ногу.

Чудовище упорно продолжало свои попытки подняться. Если она поскользнется, то окажется в пределах его досягаемости.

А подниматься тяжело: щелкуны вьются над головой, едва не касаются плеч. Она отгоняла их веткой, но они становились все смелее, подлетали все ближе, и рука девушки устала от взмахов импровизированного хлыста.

Чарис прислонилась к стене утеса. Похоже, рептилия снизу до нее не дотянется. Но щелкуны продолжали действовать без помех, а она устала, так устала, что опасалась: даже если они отстанут, у нее не хватит сил, чтобы завершить подъем.

Она потерла руками глаза и попыталась подумать, хотя тупела от продолжающихся криков щелкунов, как будто этот шум одурманил ее мозг, завернул его в какой-то кокон. И только прекращение шума вернуло ее к действительности.

Отвратительные существа перестали виться над головой. Как одно, они развернулись и устремились к отверстиям в скалах, из которых вылетели. Удивленная, девушка смотрела им вслед. Но звук шел снизу. Опираясь на руку, Чарис заглянула вниз.

Чудовище с раздвоенным хвостом повернуло и громоздко двигалось назад по раздавленной растительности. Не оборачиваясь на карниз, на котором стояла девушка, оно уходило к морю. Как будто кто-то приказал щелкунам и чудовищу отвязаться от нее.

Но почему она так интерпретирует их действия? Чарис с отсутствующим видом пыталась стереть с пальцев липкую мякоть плода. Тишина, все неподвижно. Вся долина, кроме волнения листвы, обозначающего проход чудовища, словно лишена жизни. Как будто кто-то произнес заклинание.

Чарис упрямо продолжила подъем, каждое мгновение ожидая возвращения щелкунов. Но тишина не прерывалась. И наконец девушка оказалась на вершине и огляделась в поисках укрытия.

Плато, очень похожее на то, которое использовал для посадки Джаган. Но на этом нет следов ракет. Оно тянется к югу, открытое солнцу и взгляду, без всяких надежд на убежище. Чарис сомневалась, чтобы могла снова спуститься к морю. Поэтому она повернула на юг, хромая и все время прислушиваясь, не раздастся ли щелканье над головой.

Яркое пятно на фоне тускло-красных скал. Странно. Она не видела его раньше, когда осматривала плато. Оно такое яркое и обещает пищу...

Пища... Девушка прикрыла рукой глаза и снова опустила руку. Словно пыталась убедить себя, что это не галлюцинация, существует независимо от гложущего ее голода.

Но если бы пища была галлюцинацией, разве она не должна быть знакомой? Еда с Деметры или с других планет, где она жила? Но это не чрезвычайный рацион и не выставка знакомых ей хлеба, мяса, фруктов. На зеленой полоске ткани несколько темно-зеленых шаров, блестящий белый сосуд, полный густой желтой жидкостью, груда плоских, слегка голубоватых лепешек. Скатерть с накрытым обедом! Это должна быть галлюцинация! Всего этого здесь раньше не было, иначе она увидела бы.

Чарис подошла и посмотрела на предметы на скатерти. Протянула грязную исцарапанную руку и коснулась края чашки. Жидкость в ней теплая. Запах незнакомый, не приятный и не неприятный. Странный. Села, борясь с голодом, со стремлением наброситься на пищу, и задумалась об ее странном появлении ниоткуда. Сон? Но она может коснуться этой пищи.

Она взяла голубую лепешку, обнаружив, что по консистенции она напоминает оладью. Сложив ее в виде ложки, Чарис набрала густой желтой жидкости и поднесла ко рту. Это суп? Сон это или нет, но можно прожевать и проглотить. После первого пробного глотка она стала с жадностью есть, больше не думая о том, сон это или реальность.

## Глава шестая

Чарис обнаружила, что вкус пищи определить так же трудно, как и запах. Сладкий, кислый, горький. Но в целом еда приятная. И только опустошив чашку с помощью импровизированной ложки из лепешки, она снова задумалась о происхождении пищи.

Галлюцинация? Конечно, нет! Чашка вполне реальна на ощупь, как реальна пища, она теплая и приятно заполнила желудок. Чарис принялась поворачивать в руках чашку, разглядывая ее. Цвет чистый, почти прозрачный — белый; форма удобная, но никаких украшений нет. Чашка радует взгляд и предполагает наличие высокоразвитой цивилизации, решила Чарис.

Ей не нужно было даже притрагиваться к ткани, чтобы понять, что она такая же, как та, что показывал ей Джаган. Итак, все это связано с туземцами Колдуна. Но зачем оставлено здесь, на голой скале, в ожидании ее появления?

Стоя на коленях, по-прежнему держа чашку в руках, Чарис осмотрела плато. Судя по положению солнца, полдень давно миновал, но здесь нет ни тени, ни укрытия. Она совершенно одна в пустоте и понятия не имеет, как мог появиться этот щедрый дар. И главное — почему?

Почему? Это удивляет ее даже больше, чем как. Можно считать, что это оставлено для нее. Но это означает, что «они» знали о ее появлении и так рассчитали, что желтый суп даже не остыл, когда она впервые его попробовала. Однако никаких следов пребывания «их» не видно.

Чарис облизала губы.

— Пожалуйста... — голос ее прозвучал тонко и хрипло. Прислушавшись к нему, она вынуждена была признать, что и испуганно. — Пожалуйста, где вы? — Она говорила просительно, призывно. Ответа не было.

—Где вы? — Она заставила себя произнести это громче, умоляюще.

Тишина вынудила ее поморщиться. Как будто кто-то незримый разглядывает ее. Она ощутила себя экземпляром для изучения. И захотела уйти отсюда — немедленно.

Она осторожно поставила пустую чашку на камень. Осталось несколько плодов и две лепешки. Чарис завернула их в ткань. Встала и по причине, которую сама не могла бы объяснить, повернулась в сторону моря.

— Спасибо. — Снова решилась она повысить голос. — Спасибо. — Может, еда и не предназначалась для нее, но она в это не верила.

Держа в руке сверток с едой, Чарис пошла по плато. В южном конце она оглянулась назад. Ей была хорошо видна белая чашка. Она оставалась на месте, там, где она ее положила, на голом камне. Однако девушка почти была уверена, что она исчезнет, и именно поэтому смотрела только вперед и больше не оглядывалась.

К югу местность напоминала огромную лестницу, созданную гигантами. Этот пролет опускался широкими уступами. Некоторые уступы покрывали пурпурные и зеленые растения,хилые кусты и жесткая трава с острыми краями. Чарис осторожно передвигалась с одного уступа на другой, ожидая появления щелкунов или других враждебных форм жизни.

Она старалась щадить ноги, и путь занял много времени, хотя другого способа измерить время, кроме движения солнца, у нее не было. Надо найти убежище на ночь. Ощущение благополучия, пришедшее с сытостью, постепенно рассеивалось: Чарис думала о том, что принесет ей ночь Колдуна, если она не успеет найти надежное укрытие.

Наконец она решила остаться на выступе, которого достигла. Низкорослая растительность не скроет крупных животных, и неожиданного нападения она может не опасаться. Хотя Чарис не знала, сумеет ли защититься без оружия. Она осторожно развернула остатки пищи и разложила на листьях, сорванных с растения. Потом начинала скручивать ткань чужаков в веревку.

При помощи ветки она выкопала камень размером с кулак и торопливо привязала его к концу импровизированной веревки. Конечно, против настоящего оружия это смехотворная защита, но против местных животных может пригодиться. С веревкой под рукой Чарис почувствовала себя уверенней.

Солнечный свет уже уходил с низменных мест, таких, как то, в котором она паходилась. С наступлением темноты некоторые кусты начали неярко светиться. По мере того как углублялись сумерки, усиливалось и их свечение; дневная жара спадала, и ветерок нес с моря приятные запахи.

Чарис сидела спиной к скале и смотрела на открытую местность, откуда пришла. Оружие лежало у нее под правой рукой, но она понимала, что рано или поздно должна будет уснуть, что не сможет вечно бороться с усталостью, которая навалилась не только на веки, но и на все тело. А когда она уснет... Когда спишь на Колдуне, происходит самое неожиданное! Может, проснувшись, окажется в новом, еще более диком месте? Чтобы обезопасить себя дополнительно, она сложила еду за пазуху комбинезона, а веревку обвязала вокруг руки. Уходя в следующий раз, она прихватит с собой свои скромные запасы.

Хоть она и устала, Чарис пыталась бороться со сном. Нет смысла гадать, какая сила переместила ее сюда. Нужно сосредоточиться на простейших жизненных делах. Что-то помешало щелкунам и морскому чудовищу нападать на нее. Можно ли это приписать некоему присутствию, которое также снабдило ее едой? Если так, то чего «они» добиваются?

Изучают поведение чужака в различных условиях? Может, ее используют как подопытное животное? Это единственный логичный ответ на то, что с нею происходило. Но по крайней мере «они» не допустили, чтобы ей был причинен реальный вред. Она прижала рукой остатки пищи в комбинезоне. Всякие активные действия с «их» стороны были ей на пользу.

Ей так хочется спать... К чему бороться со свинцовыми веками? Но ... где она проснется на этот раз?

Проснулась она на выступе, замерзшая и онемевшая, в темноте, которая не была полной из-за светящейся растительности. Чарис мигнула. Может, ей снова это снится? Есть какая-то причина, почему она должна находиться здесь. Надо уходить с этого выступа.

Она неловко встала, обмотала ткань вокруг пояса. Сейчас еще ночь или уже раннее утро? Время не важно, важна необходимость двигаться. Вниз, туда. Девушка не пыталась бороться с этим принуждением, она пошла.

Светящиеся растения служили ей ориентирами. Она видела, что их свет или запах привлекает множество мелких летающих существ, которые, как искры, мелькали в этом причудливом сиянии. Мрачный Колдун по ночам приобретал некую призрачность и нереальность.

Тьма, в которой нет свечения, вот ее цель. Как и на берегу, когда она не могла и шагу сделать на север, так и теперь не смогла она бороться с силой, которая тянула ее к темному пятну. Настойчивое постоянное ощущение необходимости двигаться, которое она почувствовала проснувшись, все усиливалось.

Повинуясь чужой воле, она миновала светлую полосу растительности и углубилась во тьму — пещеру или расселину в скале.

Под ногами груды листвы, вокруг ощущение сомкнувшихся стен. Вытянутыми руками Чарис с обеих сторон задевала за камень. Но над собой она по-прежнему видела на бархатном небе мерцающие звезды. Это не настоящая пещера, а узкий проход в скалах. Но опять — почему? Почему?

По небу двигался огонек, двигался целеустремленно, в определенном направлении. Огонь какого-то летательного аппарата? Ее ищут торговцы? Или тот, кого она видела на экране коммуникатора? Но ей кажется, что огонь приближается с юга. Правительственный служащий, которого привлекло ее сообщение? Увидеть ее в темноте в этой расселине невозможно. Она переместилась сюда, чтобы скрыться — от опасности или от помощи?

И ее удерживают здесь. Никакие усилия не помогли ей ни сделать шаг вперед, ни отступить. Она словно застряла в каком-то липком веществе, ноги ее вместо средств передвижения превратились в корни. Днем раньше она впала бы в панику, но теперь она изменилась. Усилившееся любопытство заставляло ее временно мириться с таким положением. Она всегда была любопытна. В самых ранних путешествиях, которые совершал с ней Андер Нордхолм, как часть программы ее образования, самым частым ее словом было «почему». «Почему эти цветы здесь, а не там?» «Почему одни животные устраивают себе дома под землей, а другие на деревьях?» Почему? Почему? Почему?

Он был очень мудр, ее отец. Он всегда использовал ее любопытство, чтобы подтолкнуть дочь к собственным открытиям, к новому торжеству и удивлению. В сущности, он сделал мир учения таким совершенным и поглощающим, что она не любила общаться с людьми, которые не считали главной целью свой жизни такой поиск знаний. На Деметре она чувствовала себя как в ловушке, ее вечные «почему» наталкивались на невидимую стену предрассудков. Так было всегда и так будет. Когда она пыталась подвести детей, которых учила, к чему-то новому, разбудить в них жажду к новым знаниям, она всегда наталкивалась на стену нежелания и страха. Вначале она не верила тому, что видела, потом сердилась и наконец упорно решала продолжить битву.

Пока отец был жив, он успокаивал ее, направлял ее энергию на другие цели, где она была свободна действовать и изучать. Он подталкивал ее к исследованиям вместе с рейнджером, она записывала результаты открытий, сделанных правительственной группой, и считалась среди ученых равной. А с поселенцами было заключено неспокойное перемирие, которое после смерти ее отца перешло в открытую войну. Когда Толскегг взял верх и передвинул часы познания назад на тысячу лет, ее отвращение к ограниченности умов поселенцев переросло в открытую ненависть.

А сейчас Чарис, освободившись от Деметры, увидела перед собой множество новых «почему»; она многого не понимает, но может сосредоточить свой ум, может думать, использовать эти вопросы как завесу между собой и прошлым.

— Я узнаю! — Чарис не сознавала, что произнесла это вслух. Поняла это, только услышав гулкое эхо своих слов. И все же это не хвастовство, скорее обещание. Такие обещания она давала себе и раньше и всегда выполняла.

Над головой мерцала единственная звезда. Чарис прислушалась, и ей показалось, что она услышала гул двигателя вертолета, очень слабый и далекий.

— Вот как. — Снова она заговорила вслух, как будто тот, к кому она обращается, стоит рядом, на расстоянии вытянутой руки. — Вы не хотите, чтобы меня увидели. Почему? Для меня это опасность или возможность спастись? Что вам от меня нужно? — У нее не было причины ожидать ответа.

Неожиданно принуждение исчезло. Чарис снова могла свободно двигаться. Она попятилась и села у выхода из расселины, глядя на долину с ее причудливым освещением. В листве шумел ветерок, растения на нем словно приплясывали. Слышался стрекот, голоса ночных животных, успокаивающие в своей монотонности. Если в растительности двигались и более крупные животные, они делали это бесшумно. Как только принуждение покинуло ее, Чарис опять ощутила сонливость, она больше не могла бороться со сном, который наползал на нее, как волны на берегу моря.

Когда девушка снова открыла глаза, поверхность, на которой лежали ее руки, была освещена солнцем. Чарис встала с груды сухих листьев, послуживших ей постелью. Ее привлекло журчание воды. Еще один горный ручей помог ей совершить туалет и напиться. Она попыталась изготовить из листьев сосуд, чтобы прихватить с собой воду, но потерпела неудачу и отказалась от этой надежды.

Благоразумие требовало экономии припасов. Она позволила себе съесть только одну лепешку, теперь растрескавшуюся и зачерствевшую, и два плода — остаток пира на плато. Такое изобилие появилось только раз, и нет причины ожидать, что оно появится вторично.

Путь по-прежнему лежит на юг, но ноющие мышцы Чарис протестовали против карабканья вверх. Она пойдет на это, только если не будет иного выхода. Она вернулась к расселине и обнаружила, что это действительно проход, ведущий на более ровную местность. На западе виднелись высоты, они образовали стену между морем и плодородной равниной. К востоку лес. В нем самые высокие деревья, какие до сих пор видела Чарис на Колдуне. Их темная листва кажется угрожающей. На краю леса кустарники и поросль, которая, постепенно редея, превращается в траву — не жесткую, с острыми краями листьев, от чего она так страдала в приморской долине двухвостого чудовища, а похожую на мох;

ковер этого мха местами прерывается цветущими растениями; цветы, удивительно бледные по контрасту с темными стволами и листвой. Как будто призраки других, более ярких цветов, которые девушка видела на иных планетах.

Моховой газон искушает, но ступить на него означает выйти на открытое место, где девушку могут увидеть охотники. С другой стороны, она сама сможет далеко видеть. А в лесу или в кустах ее поле зрения будет ограничено. Помахивая своим оружием из веревки и камня, Чарис вышла на открытое место. Если будет придерживаться утеса, он послужит проводником на юг.

Здесь теплее, чем у моря. И мох оказался мягким, как она и надеялась. Чарис шла по бархатистой поверхности, расстилавшейся под ее избитыми ногами, обмотанными все еще не изорвавшейся тканью. Вдали от леса этот участок поверхности Колдуна оказался самым приветливым.

Всплеск крыльев над головой заставил ее вздрогнуть, но потом она увидела, что это не щелкуны, а настоящая птица, с оперением, с плюмажем, бледным, как цветы, и с ярко-красной, как из коралла, головой. Птица ее не заметила, но пролетела и исчезла за холмами в сторону моря.

Чарис не торопилась. Время от времени она останавливалась и осматривала насекомое или цветок. Она словно приближалась к концу пути раньше назначенного времени и могла позволить себе уделить внимание окружающему. Во время одной из таких остановок она с интересом следила за чешуйчатым существом размером с ее средний палец, которое перемещалось на крепких задних ногах, а передними когтистыми «руками» сосредоточенно и привычно раскапывало землю. Существо откопало два круглых серых шара, приплюснуло оба и нетерпеливо отбросило в сторону. Между этими шарами лежало свернутое многоногое туловище, как решила Чарис, крупного насекомого. Похожее на ящера существо расправило свою находку и внимательно осмотрело ее. Очевидно, решив, что она пригодна к употреблению, существо неторопливо приступило к еде, потом удалилось, время от времени останавливаясь и присматриваясь к поверхности, очевидно, в поисках другой добычи.

Миновала середина дня, а Чарис по-прежнему оставалась на открытой местности. Она гадала, появится ли на ее пути снова лес, и все время ожидала увидеть новую белую чашку и фрукты на зеленой ткани. Но ничего подобного не видела. Однако увидела дерево с такими же синими плодами, какие были ей оставлены, и с удовольствием их поела.

Она едва сделала первый шаг, как какой-то звук нарушил ее сонное успокоение. Крик — лихорадочный, задыхающийся, несущий в себе такую мольбу о помощи, что она отбросила страх. Чарис выронила груз плодов и побежала в сторону звука, размахивая своим каменным оружием. Этот ли крик разбудил ее или какая-то эмоция, передавшаяся неведомым путем? Она только знала, что там опасность и она должна помочь.

Что-то маленькое, черное, передвигающееся большими прыжками выскочило из леса. Оно не побежало к Чарис, а устремилось к утесу. Когда оно мелькнуло мимо, на девушку обрушилась волна страха. И тут Чарис снова испытала принуждение, такое же, какое помешало ей повернуть на север и прошлой ночью удержало в расселине. Но на этот раз принуждение заставляло ее бежать, бежать изо всех сил, уходить от неведомой опасности. Чарис повернулась и последовала за маленьким черным существом. Подобно ему, она направилась к приморскому утесу.

Черное существо бежало теперь молча. Чарис решила, что первые крики вызвало появление неожиданной опасности. Ей казалось, что она что-то слышит сзади. Рычание или сдавленный рев.

Беглец перед ней достиг утеса и отчаянно прыгал, не в состоянии уцепиться за его гладкую поверхность. Он скулил, продолжая свои попытки и все время падал назад. Когда появилась Чарис, он оглянулся и посмотрел на нее.

Она увидела большие глаза, в них мягкость, страх и мольба о помощи. Едва сознавая, что делает, она подхватила теплое пушистое тело, которое прыгнуло ей навстречу и прижалось к ней, вцепилось всеми четырьмя лапами в комбинезон. Зверек дрожал всем телом.

Есть подъем сбоку. Она, с ее более крупным телом, сможет подняться. Девушка начала подниматься, стараясь не прижимать к скале маленькое тело зверька. И оказалась в расщелине, задыхаясь от усилий. Ее горла коснулся теплый мягкий влажный язык. Чарис поглубже заползла в убежище, держа спасенное животное в руках. Из леса по-прежнему ничего не показывалось.

Но вот на фоне лавандовой растительности мелькнула какая-то тень. К этой тени внимание Чарис привлекло негромкое мяуканье ее спутника. Но она не смогла рассмотреть ее ясно, и тень скрылась в кустах. Пока к ним оно не приближается.

Но это животное не одно. Чарис ахнула. За животным между деревьями показалась фигура — не только гуманоидная, но и одетая в зелено-коричневый мундир разведчика. Чарис хотела крикнуть, позвать, но застыла. Опять, как и в расщелине, она потеряла способность действовать, застыла неподвижно, будто застряла в густой клейкой жидкости. Беспомощно смотрела она, как человек ходит взад и вперед, словно отыскивает какой-то след. Наконец он исчез в лесу вместе со своим четвероногим спутником.

Они так и не приблизились к утесу, но Чарис еще долго после их ухода была не в состоянии пошевелиться.

## Глава седьмая

— Миирии? — Мягкий звук с явно вопросительной интонацией. Впервые Чарис внимательно взглянула на пушистого беглеца и встретила такой же внимательный взгляд, устремленный на нее.

Шерсть, покрывающая все тело зверька, в коротких завитках, лоснящаяся и мягкая на ощупь. Все четыре лапы кончаются когтями, но когти втянуты, они больше не цепляются за одежду. Короткий хвост аккуратно сложен и прижат к задним лапам. Голова круглая, кончается тупой мордочкой. Только уши кажутся не соответствующими телу по размерам. Они большие и широкие и смотрят в стороны, а не нацелены вперед; на их заостренных кончиках мягкие кисточки серой шерсти того же оттенка, как та, что окружает большие удивительно синие глаза и узкими полосками тянется по внутренней части лап и по животу.

Эти глаза... Зачарованная, Чарис обнаружила, что с трудом может отвести от них взгляд. Она не обучена эмпатии — проникновению в мысли животных, но не может не видеть, что в этом маленьком привлекательном зверьке есть ореол разума и с ним хочется дружить. Но, несмотря на его очарование, зверька нельзя только прижимать и ласкать. Чарис была в этом так уверена, словно он обратился к ней на бейсике. Это больше чем животное, хотя насколько больше, она не знает.

— Миирии! — Теперь это не вопрос. В звуках нетерпение. Зверек поерзал у нее на руках. Снова светло-желтый язык мелькнул и коснулся ее кожи. Чарис разжала руки, испугавшись на мгновение, что зверек покинет ее. Но он только спрыгнул с ее рук на неровный пол расселины и стоял, глядя на лес, в котором скрылся враг.

Враг? Разведчик! Чарис о нем почти забыла. Что удержало ее от того, чтобы окликнуть? Может, он оказался здесь как раз в ответ на ее призыв о помощи. Но почему ей не позволили встретиться с ним? Потому что «позволили» — именно подходящее слово. Необъяснимый запрет был наложен на нее. И Чарис знала, даже не пытаясь проверить, что если она попробует пойти к лесу, ей не пройти через невидимую стену, которой кто-то или что-то окружил ее.

— Миирии? — Снова вопрос мохнатого. Зверек стоял, слегка приподняв одну лапу, и смотрел на нее от входа в расселину.

Неожиданно Чарис захотелось уйти с этой заросшей мхом поверхности. Ее раздражало бегство от помощи, которая ей так необходима. Вверх по утесу и назад к морю... Словно боль, ощутила она желание оказаться рядом с волнами.

— Назад к морю. — Она сказала это вслух, словно пушистый зверек может ее понять. Вышла из расселины и посмотрела вверх в поисках пути подъема.

— Миирии...

Чарис ожидала, что зверек исчезнет во мху. Но тот, наоборот, по-своему привлек ее внимание, прежде чем уверенно двинуться наискось вверх по стене утеса. Чарис последовала за ним, радуясь тому, что зверек, пусть на время, стал ее союзником. Может быть, он так испугался врага в лесу, что и сейчас не хочет отказываться от ее общества.

Она не так проворна, но не очень отстала от зверька, когда он достиг вершины утеса. Отсюда видно было море и линия серебристого пляжа. При этом виде охватывало ощущение мира. Мир? На мгновение к Чарис вернулось ощущение первого сна — удовлетворенность и мир. Животное шло впереди, на юг, вдоль по вершине утеса. Отсюда спуск на песок слишком крутой, поэтому Чарис снова последовала за мохнатым проводником.

Они спустились на серебряный песок по тропе, найденной ее спутником. Но когда Чарис собралась идти дальше на юг, существо с Колдуна начало тереться о ее ноги, испуская повелительные крики, явно требуя, чтобы она осталась. Наконец она села лицом к морю и, оглянувшись, вздрогнула. Она была в пещере из своего первого сна.

— Миирии? — Ее коснулся кончик языка, придавая уверенность, мягкое теплое тело прижалось к ней, ощущение удовлетворенности... все хорошо... исходит ли оно от спутника или из глубины ее самой? Чарис не знала.

Они вышли из моря, хотя девушка не видела, как они подплыли. Но это не угроза, как то чудовище, с раздвоенным хвостом. Чарис удивленно передохнула: в нее продолжало вливаться ощущение удовлетворенности. Они вышли из воды и остановились, глядя на нее.

Их две, они блестят на солнце, сверкают яркими блестками. Ниже ее ростом, они двигаются так грациозно, что Чарис сразу поняла: в этом ей с ними никогда не сравниться. Сознательно или бессознательно, но их движения — часть древнего прекрасного танца. У каждой на шее нитки драгоценного жемчуга, они же и на воротниках, причудливыми спиралями извиваются по груди, по талии, бедрам, обнимают браслетами стройные руки и ноги. На нее устремлены большие глаза с зелеными вертикальными зрачками. У Чарис ни на мгновение не вызвала отвращение форма головы, напоминающая голову ящерицы. Да, они другие, но не уродливые, а по-своему прекрасные. Над выпуклыми, украшенными драгоценными камнями лбами полоска жестких волос в форме V, нежно-зеленого цвета, чуть светлее, чем море, из которого вышли эти существа. Расширяясь, эти полоски спускаются на плечи, образуя нечто подобное крыльям.

На них нет одежды, не считая поясов, на которых висят самые разнообразные орудия и пара сумок. Но раскрашенная кожа в чешуйках создает впечатление роскошного наряда.

— Мииириии! — Пушистое тельце рядом с ней ожило. Чарис не сомневалась, что это возглас радости. Но ей не нужно было это подбадривание со стороны животного. Она не боится этих морских существ — это вайверны, хозяева, вернее, хозяйки Колдуна — крылатые драконы.

Они подошли, и Чарис встала, подняла пушистого зверька, ждала.

— Вы... — начала она на бейсике, но поднялась четырехпалая рука, коснулась ее лба меж глазами. Прикосновение не холодной кожи рептилии, а мягкой, как у нее самой, плоти.

Никаких слов. Скорее поток мысли и чувства, который мозг Чарис перевел в речь:

— Добро пожаловать, сестра...

Это признание родства не встревожило Чарис. У них разные тела, да, но эта передача мысли от мозга к мозгу — это хорошо. Она хочет, чтобы так было всегда.

— Добро пожаловать. — Трудно думать и не говорить при этом. — Я пришла...

В поле зрения Чарис появилась другая рука вайверна. В чешуйчатой ладони зажат белый диск. И, увидев его, девушка поняла, что не может отвести взгляд. Мгновенная вспышка беспокойства при этом неожиданном принуждении, потом...

Нет ни берега, ни шепчущего моря. Она в комнате с гладкими стенами, которые слабо светятся, словно морские раковины. В одной из стен окно, в него видно открытое море и небо. Под ним толстый матрац с покрывалом из легких перьев.

— Для уставшей — отдых.

Чарис одна, если не считать пушистого зверька, который по-прежнему с ней. Но предложение или приказ она уловила так отчетливо, словно они были высказаны вслух. Она подошла к матрацу и легла, укрыла мягким покрывалом измученное тело и погрузилась в другое время... мир... существование...

Там, куда она попала, невозможно измерить прохождение времени, да и воспоминания ее не были достаточно четкими, только обрывки испытанного и увиденного в том месте. То, что она узнала, погрузилось в подсознание, но возникало в нужный момент, так что обычно она и не подозревала о том, что владеет подобными тайнами. Обучение, тренировка, испытание — все вместе.

Проснувшись в комнате с окном, она по-прежнему была Чарис Нордхолм, но и кто-то иной, отчасти постигнувший знания, к которым у ее племени никогда не было доступа. Она коснулась края силы, слегка ухватила эту силу; но полное обладание силой не давалось, знание проскальзывало меж пальцев, как будто она пытается удержать воды моря.

Иногда она чувствовала разочарование своих учителей, что-то вроде раздражения, как будто они считали ее исключительно

206

тупой, остановившейся как раз на краю самого главного откровения, и тогда она испытывала гнев и стыд. У нее есть ограничения. Но она работала и сражалась с ними.

Что было сном — ее существование в другом мире или это пробуждение? Она знала, что комната ее находится в Крепости островного королевства вайвернов; бывала в других помещениях, не в Крепости. Познала глубины моря. Была она там наяву, физически или только во сне? Она танцевала и бегала по песчаным пляжам с друзьями, которые играли и соревновались вместе с ней, и испытывала ощущение счастья. Она считала, что это происходило в реальности.

Она научилась общаться с пушистым зверьком, хотя и в определенных пределах. Зверька звали Тссту, это была самка очень редкой лесной породы — не животное, но и не разумное существо в подлинном смысле, но звено связи с тем, кого род Чарис ищет многие годы.

Ее поглотило это существование в полусне, с ней были Тссту и вайверны, и воспоминания о нем сливались одно с другим, сменялись иными, гораздо менее реальными снами. Но всегда наступало пробуждение, такое внезапное и ошеломляющее, какое бывает у воина, заснувшего перед самым нападением врага.

Пробуждение наступило в один из тех периодов, которые Чарис считала реальными, когда она находилась в Крепости на острове, далеко от материка, где расположен торговый пост. Ее спутница Гита подразнивала ее, приглашала поделиться снами — этот процесс причудливого общения всегда повергал Чарис в изумление. Но молодая вайверн казалась задумчивой, и Чарис предположила, что часть ее внимания устремлена куда-то, что она в контакте с другими из своего племени, с которыми Чарис могла связаться, только если те захотят.

— Какие-то неприятности? — Она задала этот мысленный вопрос, и рука ее автоматически легла на сумку на поясе. Здесь ее проводник — резной диск, который ей дали. Она может использовать его, хоть и неуверенно, может контролировать опасные формы жизни, как чудовище с раздвоенным хвостом, или перемещаться. Конечно, полностью Силой она не овладела. Может, никогда не овладеет. Даже Мудрая, Гисмей, Читательница Стержней, не может сказать этого. Хотя вайверны — Чарис не знает, каким образом, — умеют отчасти проникать в будущее.

— Нет, участница моих снов. — Но в то же мгновение Гита исчезла. И осталось слабое впечатление тревоги — тревоги, связанной с ней самой.

Чарис достала свой проводник, он удобно лег на руку. Важно побольше практиковаться с ним. Каждый раз, обращаясь к Силе, она делала это все более умело. День прекрасный; ей приятно освободиться. Какая беда, если она с помощью диска перенесется на берег? И Тссту в последнее время ведет себя беспокойно. Для них обеих возвращение на заросший мхом луг может оказаться полезным и приятным. Возникло воспоминание — человек-разведчик. Почему-то она забыла о нем, как забыла о посте и торговцах. Все они ушли в прошлое, стали менее реальными, чем разделенный сон.

Сжимая диск, Чарис подумала о Тссту и тут же услышала из коридора ответное «Миирии». Девушка представила себе мшистый луг, задала вопрос и получила утвердительный ответ. Она подхватила пушистое тело — зверек прыгнул к ней — и прижала к себе. Подышала на диск и нарисовала новую мысленную картину — луг возле фруктового дерева, каким она его помнила.

Тссту высвободилась, встала на задние лапы и радостно замахала передними. Девушка рассмеялась. Она чувствовала себя молодой и свободной. Давно ей не было так хорошо. Некогда все ее внимание и интерес поглощала помощь Андеру Нордхолму, а потом не осталось ничего, кроме темных теней, пока к ней из-за моря не пришли вайверны. Но теперь вайвернов нет, есть только она, Чарис, и Тссту. Они свободны, вокруг широкая приветливая местность.

Чарис развела руки, подняла голову, так что лучи солнца упали на лицо. Волосы, которые всегда так интересовали вайвернов, она забрала сзади лентой из того же зеленого материала, что и облегающее платье, которое сейчас на ней.

На этот раз ноги ее защищены сандалиями из раковин. Их, кажется, невозможно износить, но они так легки, словно она ходит босиком. Чарис захотелось посоревноваться с Тссту в танце на мху. Она сделала несколько пробных движений и в этот момент уловила звук, который заставил ее попятиться под укрытие дерева, — гул мотора воздушной машины.

С юго-востока к ней приближался вертолет. По общим очертаниям он походил на воздушные машины, которые привозили с других планет. Но на этом вертолете есть символ принадлежности — крылатая планета Разведки, увенчанная золотым ключом. Вертолет снижался, двигаясь к морю, в общем направлении Крепости.

За все время, что она провела с туземцами, у них не было никаких контактов с инопланетянами, кроме нее самой. И вайверны никогда не упоминали о таких контактах. Впервые Чарис задумалась об этом. Почему она сама не задавала вопросов о правительственной базе, не делала попыток уговорить вайвернов отослать ее туда? Общаясь с жительницами Колдуна, она словно забыла о собственном племени. И это было так неестественно, что сейчас Чарис испытала тревогу.

— Миирии? — Лапа коснулась ее лодыжки. Тссту отчасти уловила тревогу Чарис. Но забота животного успокаивала лишь отчасти.

Вайверны не хотели, чтобы Чарис возвращалась к своим. Именно их вмешательство после первого пробуждения не дало ей вернуться на пост, заставило укрыться от вертолета ночью, избежать встречи с человеком из Разведки. Со стороны вайвернов она испытывала только доброту — да — и эмоции, которые ее род мог бы назвать любовью и заботой. Она у них училась. Но почему они привели ее к себе, старались отрезать от ее собственного племени? Как они собираются ее использовать?

Использовать — холодное слово, но ее сознание с готовностью ухватилось за него. Джаган привез ее сюда как средство контакта с этими самыми вайвернами, обладающими странными силами. А потом ее искусно извлекли с поста, привели к встрече на берегу моря. И, поняв это, Чарис ощутила, как освобождается от очарования, которое привязывало ее к этому Другому-Где вайвернов.

Вертолет исчез из виду. Он был вызван к ней? Чарис не была в этом уверена. Но она должна быть в Крепости, когда он прилетит. Девушка подозвала Тссту, подхватила ее и сконцентрировалась на диске для возвращения.

Ничего не произошло. Она не вернулась в Крепость, но оставалась на лугу под деревом. Снова Чарис стала представлять себе место, где она хочет оказаться, и оно стало яркой картиной в ее сознании — но только в сознании.

Тссту заскулила, прижалась головой к подбородку Чарис. Страх девушки передался ее спутнице. В третий раз Чарис попыталась воспользоваться диском. Но впечатление такое, будто сила, связанная с этим диском, отключена, вернулась к своему источнику. Отключена вайвернами. Чарис так уверена в этом, словно ей сказали, но есть только один способ проверить истинность догадки.

Она в четвертый раз подняла диск, на этот раз представив себе плато, где ей был предложен загадочный пир. Ветер, развевающий волосы, скалы вокруг... И оказалась там, куда и собиралась перенестись. Итак, диском она может пользоваться. Не может только вернуться в Крепость туземцев.

Они, должно быть, знают, что она покинула Крепость. И не хотят, чтобы она возвращалась, пока там посетители. Или она никогда не вернется?

Но вот сообщение Тссту. Одно из сообщений, которые приходят не в словах и даже не в образах, а как-то косвенно. Поблизости что-то нехорошее...

Чарис посмотрела на долину, в которой видела чудовище с раздвоенным хвостом. Она уверена, что ни морской обитатель, ни щелкуны не нападут на обладательницу диска. Она ничего странного внизу не заметила. Два щелкуна с криками устремились к ней, затем резко свернули и полетели к своим норам. С помощью диска Чарис оказалась на пляже внизу. Она забыла прихватить Тссту, но видела черное пятнышко на красной скале: маленькое животное быстро спускалось.

Тссту добралась до основания утеса и исчезла в густой растительности. Чарис пошла в сторону суши; мысленный призыв привел ее к ручью.

Смятый куст, вывороченная почва. А на камне яркая красная полоска. Над ней вьются, отталкивая друг друга, летающие существа. На краю лужи что-то блестит на солнце.

Чарис подобрала станнер — не просто оружие инопланетян. Она хорошо помнит именно этот станнер. Когда Джаган в своей каюте на космическом корабле объяснял ей ее обязанности, она много раз его видела. В рукояти мелкими камнями был выложен узор — крест в круге, знак личной принадлежности. Вряд ли два одинаковых станнера с таким знаком могут оказаться на Колдуне.

Чарис попыталась выстрелить, но курок щелкнул вхолостую: оружие разряжено. Примятый куст, перевернутая почва, это пятно... Чарис заставила себя провести пальцем по застывшей массе. Кровь! Она уверена, что это кровь. Тут была схватка, и, судя по потерянному станнеру, закончилась она не в пользу хозяина оружия. Иначе оно не было бы так брошено. Может, на него напал двухвостый? Но не видно следа, который оставил зверь, преследуя его. Этот след обязательно был бы виден. Тем не менее схватка тут происходила. Тссту заворчала. Низкий звук — ррруррх. Сигнал гнева или предупреждения. Чарис схватила зверька и воспользовалась диском.

## Глава восьмая

Запах забил Чарис горло, заставил закашляться, прежде чем она поняла, каков его источник. Поляна, на которой расположен пост. Именно сюда она и нацеливалась. С голой земли поднимается купол здания. Вернее, то, что от него осталось: пластапокрытие почернело, порвано и свисает клочьями. Тссту плюнула, зашипела, зарычала. Она сообщала Чарис, что необходимо немедленно уходить.

Но у рваного отверстия там, где когда-то был дверь, распростерта фигура. Чарис направилась к ней...

— Эээээий!

Она повернулась, держа диск наготове. Кто-то движется по тропе, ведущей вниз по склону утеса. Движется быстро и машет ей. Она может в любой момент исчезнуть, и сознание этого заставило ее остаться. Тссту снова плюнула и ухватилась когтем за одежду Чарис.

Из кустов на поляну выскочило коричневое животное и целеустремленно направилось к куполу. Спина у него была слегка изогнута, вдоль боков клочья шерсти светлее, сама шерсть длинная и густая. Уши маленькие, морда широкая, хвост пушистый.

Животное остановилось и принялось спокойно разглядывать Чарис. Тссту больше не протестовала вслух, но дрожала всем телом, и Чарис воспринимала ее страх. Девушка снова подняла диск.

Человек, который махал ей, исчез в кустах; должно быть, спрыгнул с последних нескольких футов. В зарослях прозвучал свист. Коричневое животное село. Чарис настороженно смотрела, как незнакомец выходит на поляну.

На нем зелено-коричневая форма Разведки, вдобавок высокие сапоги цвета тусклой меди из какого-то тонкого материала. На воротнике рубашки блеск металла — значок его службы, — как на вертолете. Он молод, хотя точный возраст определить трудно: в эти дни смешения рас и появления многочисленных мутантов не так-то легко определить число прожитых планетарных лет. Он не так высок, как обычные потомки землян, и строен. Кожа светло-коричневая. Либо природный цвет, либо результат обветривания и загара. Волосы, коротко остриженные, прилегающие к круглому черепу, почти так же вьются и такие же черные, как шерсть Тссту.

Быстро выйдя из кустов, он остановился и стоял, недоверчиво глядя на Чарис. Коричневое животное встало и подошло к нему, начало тереться о ноги.

— Кто ты? — спросил он на бейсике.

— Чарис Нордхолм, — механически ответила она. Потом добавила: — Этот твой зверь — Тссту его боится...

— Тагги? Его не нужно бояться. — Он погладил зверя по голове, почесал за ухом, и тот прижался к ноге человека. — Но ... кудрявая кошка! — Он смотрел на Тссту почти с таким же удивлением, что и на Чарис. — Где ты ее взяла? И как сумела с ней подружиться?

— Мииирррии. — Страх Тссту рассеивался. Она высвободилась из рук Чарис и села удобнее, наблюдая с осторожным интересом за человеком и его животным.

— Она пришла ко мне, — Чарис решила смешать прошлое и настоящее, — потому что ты и это твое животное преследовали ее!

— Но я никогда... — начал он и остановился. — А, тогда в лесу, когда Тагги увлеклась новым запахом! Но почему... кто ты? — Голос его прозвучал теперь резко, официально. — И что ты здесь делаешь? Почему спряталась, когда я осматривал это место раньше?

— А ты кто? — в свою очередь спросила она.

— Кадет Шенн Ланти, корпус Разведки, связник посольства, — ответил он на одном дыхании. — Это ты послала сообщение, записанное на нашей ленте? Ты была здесь с торговцами, хотя это было не сейчас, а раньше...

— Меня здесь не было. Я только что появилась.

Он направился к ней, а животное — Тагги — осталось на месте. Он разглядывал ее внимательно, с каким-то новым интересом.

— Ты была с ними!

Чарис не сомневалась, кого он имеет в виду.

— Да. — Она ничего не добавила, но он, казалось, и не ждет разъяснений.

— А теперь ты пришла только что. Зачем?

— А что здесь произошло? Этот человек... — Она снова повернулась к телу, но офицер разведки сделал быстрый широкий шаг и преградил ей путь.

— Не смотри! Что случилось?.. Я бы сам хотел знать. Было нападение. Но кто и почему... Мы с Тагги как раз пытались установить, что тут происходило. Долго ли ты была с ними?

Чарис покачала головой.

— Не знаю. — Это правда, но поверит ли ей этот Ланти?

Он кивнул.

— Вот как? Что-то из их снов...

Настала ее очередь удивляться. Что знает этот офицер о вайвернах и их Другом-Где? Он медленно улыбнулся, и выражение его лица изменилось, лицо стало совсем молодым.

— Я тоже видел сны, — негромко сказал он.

— Но я думала... — Она испытала легкое чувство — не удивления, но, как ни странно, негодования.

Он продолжал улыбаться — тепло и непринужденно.

— Что они не допускают мужчин в свои сны? Да, именно так они нам когда-то говорили.

— Нам?

— Рагнару Торвальду и мне. Мы уснули по их приказу — и по своей воле вышли из сна, поэтому им пришлось дать нам равный статус. С тобой они проделали то же самое? Заставили посетить Пещеры Завес?

Чарис покачала головой.

— Я видела сны, да, но об этих пещерах ничего не знаю. Они научили меня пользоваться этим. — Она показала диск.

Улыбка Ланти исчезла.

— Проводник! Тебе дали проводник. Вот как ты оказалась здесь!

— А у тебя его нет?

— Нам не дали. А ты не просила...

Чарис кивнула. Она поняла, что он имеет в виду. С вайвернами нужно ждать, пока они сами предложат. Просить у них ничего нельзя. Но, очевидно, у Ланти и этого Торвальда установились лучшие контакты с туземцами, чем у торговцев.

Торговцы ... нападение на пост. Не сознавая, что произносит мысли вслух, Чарис сказала:

— Человек с бластером!

— Какой человек? — Снова в голосе Ланти официальные нотки.

Чарис рассказала ему о той необычной ночи, когда, проснувшись, обнаружила опустевший пост, о том, как использовала поиск и что с его помощью обнаружила на севере. Ланти задал несколько вопросов, но она мало что смогла добавить к тому, что незнакомец на экране имел незаконное оружие.

— У Джагана была ограниченная лицензия, — сказал Ланти, когда она закончила. — Он был здесь с нашего молчаливого согласия, но вопреки нашим рекомендациям, и у него было лишь ограниченное время, чтобы доказать свое право на торговлю. Мы слышали, что он привез с собой женщину для контактов с туземцами, но это было, когда он только еще возвел пост...

— Шиха! — прервала его Чарис. Она быстро добавила эту часть своей истории.

— Очевидно, она не могла воспринимать сны, — заметил Ланти. — Они поступили с ней так же, как с тобой. Но она не ответила нужным образом, и потому сон подействовал на нее по-другому, сломал. Тогда Джаган сделал еще одну попытку и привез тебя. Но вот эти другие... те, кого ты уловила по связи на севере... от них жди неприятностей. Похоже, именно они нанесли здесь удар...

Чарис оглянулась на тело.

— Это Джаган? Или один из его людей?

— Да, член его экипажа. Зачем ты пришла сюда? В ту ночь ты послала призыв о помощи, хотела отсюда уйти.

Она показала ему станнер и рассказала, при каких обстоятельствах нашла его. Ланти перестал улыбаться.

— Коммуникатор внутри разбит, все остальное тоже — то, что не сожжено бластерами. Но... было там кое-что еще. Ты когда-нибудь такое видела? Было такое у Джагана? Может, часть его товара? Или подарок?

Ланти прошел к телу, на которое не позволял взглянуть Чарис, и поднял с земли около него какой-то предмет. Вернувшись, он показал девушке необычное оружие, треть которого была в крови. Внешне похоже на копье или дротик, но пилообразное острие занимает большую часть длины; оно гораздо длиннее, чем у обычного копья.

Ланти поднес оружие поближе, и Чарис инстинктивно сжала в руке диск. Поверхность острия очень похожа на ту кость, из которой сделан ее проводник.

— Никогда такого не видела. — Она сказала правду, но страх ее усиливался.

— Но у тебя есть какая-то мысль. — Он слишком проницателен!

213

— Предположение, всего лишь предположение, — продолжал Ланти, больше не глядя ей в глаза, словно требуя, чтобы она поведала ему свои мысли. Напротив, он со странным задумчивым выражением смотрел на необычное копье. — Оно туземного происхождения.

— Им не нужно такое оружие! — вспыхнула Чарис. — С помощью этого они могут контролировать любое живое существо. — И она протянула зажатый в кулаке диск.

— Да, потому что они видят сны, — согласился Ланти. — Но как же те из них, кто не может этого?

— Самцы? — Чарис впервые задумалась над этим. Теперь она вспомнила, что за все время, проведенное с вайвернами, ни разу не видела их самцов. Она знала, что они существуют, но их словно окружала стена молчания. О них ни разу даже не упоминали.

— Но... — Она не могла сразу согласиться с предположением Ланти. — Но там следы бластеров. — Девушка кивнула в сторону поста.

— Да. Огонь бластеров, систематическое уничтожение всех установок... и это... использованное для убийства инопланетянина. Довольно сложный сон, не правда ли? Но он реален, слишком реален! — Ланти уронил окровавленное копье. — Нам нужно получить ответы, и сделать это быстро. — Он посмотрел на нее. — Можешь связаться с ними? Торвальд отправился на совещание в Крепость, не зная об этом.

— Я пыталась... Они отгородились от меня.

— Мы должны узнать, что здесь произошло. Тело с этим копьем. Там... — Ланти махнул в сторону плато... — там пустой корабль. А здесь, насколько может установить Тагги, ни одного следа. Либо они улетели на вертолете, либо...

— Море! — закончила за него Чарис.

— А море — их территория; здесь ничего не может случиться такого, о чем они не знали бы.

— Ты хочешь сказать — это спланировали они? — холодно спросила Чарис. Она не могла себе представить, чтобы вайверны могли применить такое насилие. У туземцев есть собственная сила, но в нее не входит ни бластер, ни зазубренное копье.

— Нет, — сразу ответил Ланти. — Похоже на работу бандитов. Конечно, кроме этого. — Он носком сапога коснулся копья. — А если на планету высадился экипаж бандитов, чем скорее мы объединимся против них, тем лучше!

С этим Чарис согласна. Предприятие Джагана — всего лишь пограничная торговля, она все еще в рамках закона. А экипаж бандитов — это настоящие преступники, пираты, грабящие торговые посты, отбирающие все, убивающие и исчезающие раньше, чем подойдет вызванная помощь. А на недавно открытой планете, такой, как Колдун, они вполне могут задержаться.

— На планете есть подразделение Патруля? — спросила Чарис.

— Нет. Здесь вообще странная ситуация. Вайверны не разрешают основание крупного поселка. Они разрешили остаться нам с Торвальдом, потому что мы случайно выдержали их испытание сном вслед за тем, как выжили после нападения трогов. Но ни на какую станцию Патруля они не давали согласия. Время от времени разрешалось посещение разведчиков, и это все.

— Пост Джагана был экспериментом. Его открыли под давлением некоторых шишек в правительстве. Предлог — проверка, как туземцы отнесутся к неправительственному посту. А большие компании не захотели участвовать в игре. Слишком рискованно. Так лицензия досталась вольным торговцам. На планете только Торвальд, Тагги, его подруга Тоги, их детеныши и я. Плюс техник-связист, который постоянно находится на станции.

Услышав свое имя, коричневое животное подошло. Принюхалось к копью и зарычало. Тссту плюнула и впилась когтями в кожу Чарис.

— А кто он? — спросила девушка.

— Это росомаха, мутировавшее и прирученное животное земного происхождения, — ответил Ланти с отсутствующим видом, словно про себя думал о другом. — Можешь попытаться снова вызвать их? У меня предчувствие, что у нас нет времени.

Гита... Среди вайвернов эта молодая колдунья, с которой Чарис вместе училась, была к ней ближе всех. Может, она сумеет связаться не вообще с Крепостью, а с Гитой. Девушка не ответила словами на вопрос Ланти, но подышала на диск и закрыла глаза, пытаясь представить себе Гиту.

Во время ее первой встречи с вайвернами все они внешне показались ей одинаковыми, и инопланетянину трудно различить среди них отдельных индивидуумов. Но Чарис узнала, что украшения на их чешуйчатой коже различаются и имеют определенное значение. Младшие члены племени, становясь взрослыми и получая возможность пользоваться Силой, одновременно наследуют от старших и рисунок на коже, но вместе с тем видоизменяют его; вначале он упрощен, но со временем к нему добавляются новые знаки, символизирующие собственные достижения их носителей. Смысл их Чарис не могла расшифровать, но зато могла по ним отличать одного вайверна от другого.

Ей было нетрудно представить себе Гиту и направить мысль непосредственно подруге. Она ожидала мысленного контакта, но, услышав восклицание Ланти, открыла глаза и увидела саму Гиту; блестели на солнце золотые и алые круги на ее лице, вырост на спине вдоль позвоночника слегка шевелился, словно Гита на самом деле прилетела по воздуху.

— Тот-Кто-Видит-Правильные-Сны. — Мысленное приветствие достигло Ланти.

— Та-Кто-Делит-Сны. — Чарис поразилась, уловив мысленный ответ Ланти. Итак, несмотря на то, что у него нет диска, он может общаться с вайвернами.

— Ты звала! — Эта мысль нацелена на Чарис, она звучит резко, словно девушка допустила ошибку.

— Тут беда...

Гита повернула голову, осмотрела развалины поста, тело.

— Нас это не касается.

— Это тоже? — Ланти не стал поднимать копье, носком сапога он подтолкнул его к Гите.

Она взглянула на него, и ее отгородил от Чарис барьер, словно захлопнулась невидимая дверь. Но Чарис достаточно долго прожила с вайвернами, чтобы понять, как взволнована Гита: у нее дрожал гребень на голове. Недавнее равнодушие совершенно исчезло.

— Гита! — Чарис пыталась прорваться сквозь барьер. Но впечатление было такое, словно Гита не просто оглохла: Чарис и Ланти перестали существовать. Реальностью, полной смысла, оставалось только окровавленное копье.

Вайверны появились внезапно. Теперь их стало три. И у одной — Чарис быстро отступила на шаг — у одной гребень на голове почти черный; кожа вся покрыта бесчисленными узорами. Гисмей — одна из Читательниц Стержней!

Вначале впечатление раздражения; затем, когда вайверны взглянули на Ланти, — холодного гнева, ударившего, как оружие.

Офицер Разведки пошатнулся, лицо его позеленело, но он выдержал. И Чарис уловила удивление вайвернов.

Другая обитательница Колдуна, прибывшая вместе с Гисмей по призыву Гиты, не шевелилась. Но от нее тоже исходили эмоции — если их можно так назвать — ощущение предостережения, сдержанности. Гребень на ее голове тоже черный, но на коже нет ярких, сверкающих на солнце узоров. При первом взгляде Чарис показалось, что у нее вообще нет узоров, даже унаследованных от предков в молодости. Но потом она увидела ряды знаков, обманчиво простых, таких сходных с естественным цветом кожи, что они становились заметны только при внимательном разглядывании.

На Ланти и Чарис вновь прибывшая не обратила никакого внимания; она неотрывно, не мигая смотрела только на копье. Копье поднялось с того места, где его оставил Ланти, оказалось на уровне глаз вайвернов, подлетело к ним. Остановилось и повисло в воздухе.

Потом завертелось и упало на землю. С резким треском оно разломилось на части. Осколки в свою очередь завертелись и поднялись в воздух. Чарис, не веря своим глазам, смотрела на эти вертящиеся в воздухе обломки. Но вот они упали, затихли и образовали какой-то рисунок.

Девушка покачнулась. Тссту у нее на руках закричала. Росомаха взвыла. На глазах Чарис Ланти упал под ударом гневной мысли, такой острой и горячей. Словно в мозг вонзили раскаленное лезвие. Девушку окружил красный туман, но более всего она сознавала острую боль в голове.

Боль уводила ее во тьму, подтачивала волю, ослабляла решимость вырваться, сопротивляться. Боль или что-то другое принуждает ее, делает не Чарис Нордхолм, а орудием, которое можно использовать, ключом к другой, более сильной личности.

Боль подталкивает ее. Она поползла сквозь красный туман — дальше и дальше. Куда? Для чего? Только хлыст боли и необходимость подчиниться чужой воле, бьющей, как бичом. Все вокруг красное, красное. Но оно постепенно тускнеет, как огонь, превращающийся в пепел. От красного к серому, но серое остается вокруг, его можно увидеть...

Чарис лежала на спине. Справа от нее изгибающаяся стена. Над головой тоже изгиб стены. Эту стену она видела раньше. Сумеречно, но видно... голые стены... откидной стол... сиденье возле него. Торговый пост... Она вернулась на торговый пост!

## Глава девятая

Странно тихо. Чарис села на койке, поправила комбинезон. Комбинезон? Что-то погруженное в глубинах сознания шевельнулось, породило семена сомнения. Да, в помещении поста очень тихо. Девушка подошла к двери, приложила ладони по обе стороны дверной щели. Она закрыта? Но когда она надавила, дверь открылась, и она смогла выглянуть в коридор.

Двери вдоль всего коридора распахнуты, как и тогда, когда она выбралась на свободу. Чарис прислушалась, но не услышала ни звука: ни голосов, ни тяжелого дыхания спящих. Она прошла по коридору, босые ноги мерзли на голом полу.

Но ведь это, настойчиво говорил внутренний голос, она уже один раз проделала. Однако внешне она здесь и сейчас. Комнаты пусты; она заглядывала в каждую, чтобы убедиться. Вот и четвертая комната, экран связи на стене, стулья, груды лент с записями. Коммуникатор, она может включить его, поискать правительственную базу. Но вначале нужно убедиться, что она одна и в безопасности.

Торопливый осмотр поста — комната за комнатой. Время — все дело во времени. И вот она снова в помещении связи, наклонилась над приборной доской, набирает нужную комбинацию, чтобы включить поисковый луч.

Ожидание и затем сигнал с северо-востока. Экран затуманился и прояснился. Из тумана показался человек в поношенной форме торговца. Чарис разглядывала его, но он ей незнаком. Только незаконный бластер на поясе отличает его от любого другого члена экипажа пограничных торговых кораблей. Чарис разорвала контакт.

Она снова запустила поиск, поискала на юге и поймала сигнал — символ Разведки с печатью посольства. И начала медленно набирать сообщение.

Она на склоне холма. Холодно, темно, и она бежит, бежит до тех пор, пока не начинает задыхаться от боли под ребрами. Скоро начнется охота. Или Толскегг разрешит ей уйти, умереть в одиночестве от истощения, голода или в когтях какого-нибудь зверя? Теперь в его власти поселок и вся Деметра.

Деметра! Та часть ее, которая отрицала окружающее, снова ожила. Чарис дрожала не только от холода. Она взобралась на высоту над поселком, но в ней все сильнее становилось убеждение, что все это фальшь.

Сон. А есть такие, кто использует сны, как гончар — глину на своем круге. Если она застряла во сне, нужно проснуться — и проснуться поскорее. Не сон. Да, сон. Она чувствовала усталость, позывы голода, переходящие в боль, грубую поверхность, на которой спотыкается, цепляется за кусты, чтобы удержаться.

Это не реальность — сон! Кусты тают на глазах, превращаются в призраки. И сквозь их колышущиеся очертания она видит стену. Да, стену, прочную стену. Она не на Деметре, она...

Колдун! Как будто это название послужило ключом, исчезли превратившиеся в тени склоны гор на Деметре, улетели, как дым на ветру. Она лежит на груде матрацев. Справа от нее окно, в нем видна звездная ночь. Это Колдун и Крепость вайвернов.

Она не шевелится, лежит неподвижно, стараясь отделить сны от реальности. Пост... на него нападали. Этот офицер Разведки — Шенн Ланти... Она видит его так ясно, словно он стоит перед ней, держа перед собой окровавленное копье чужаков.

Копье. Оно раскололось под ударом вайвернов. Осколки двигались в причудливом танце, пока не легли, образовав рисунок. И этот рисунок вызвал такой гнев у жительниц Колдуна. Такой гнев...

Чарис села прямо. Ланти, упавший под ударом Силы вайвернов, она сама, вернувшаяся в прошлое — с какой целью, она не может догадаться. Но почему их гнев обратился против Ланти? Ведь это ее вина. Она вызвала Гиту. Она действовала слишком поспешно, необдуманно.

Руки ее устремились к сумке на поясе. Диска в сумке нет. Диск был у нее в руке, когда Сила обрушилась на нее. Может, она его выронила? Или его у нее отобрали?

Это может означать, что вайверны больше не считают ее другом или союзником. Что для них означает это сломанное копье? Без

218

диска Чарис оказалась пленницей в собственной комнате. Но у нее нет причин не пытаться определить, насколько ограничена ее свобода. Обнаружит ли она, что не способна двигаться, как в том бегстве вдоль берега, когда вайверны захватили контроль за ней?

— Тсссту? — Этот призыв Чарис произнесла едва ли не шепотом. Она не знала, может ли помочь кудрявая кошка, станет ли ее союзником против вайвернов, но оказалось, что она больше, чем предполагала, надеется на дружбу зверька.

От окна, рядом с которым лежит ее голова, послышался негромкий сонный звук. Там лежала Тсссту, свернувшись клубком, закрыв глаза, плотно прижав уши к голове. Чарис наклонилась и легко провела пальцами по голове зверька.

— Тсссту, — прошептала она умоляюще. Спит ли кудрявая кошка — она приняла это название породы, оно так подходит к Тсссту. Можно ли ее разбудить?

Уши дернулись, глаза открылись, показались узкие зрачки. Тсссту широко зевнула, показав длинный желтый язык. Она подняла голову и посмотрела на Чарис.

Сможет ли она общаться без диска, передавать не одни только смутные впечатления? Чарис наклонилась и подобрала кошку, подняла ее, так что узкие кошачьи глаза оказались на одном уровне с ее глазами. Может быть, Тсссту так тесно связана с вайвернами, что будет служить им, а не Чарис?

Прочь отсюда, напряженно думала девушка.

— Ррррууу, — согласилась Тсссту.

Тсссту начала вырываться из рук, она хотела освободиться. Чарис подчинилась ее желанию. Кудрявая кошка осторожно на мягких подушечках лап приблизилась к двери, вытянув тело, застыла, как охотник, подкрадывающийся к добыче. Потом вышла в коридор, чуть приподняв голову и широко расставив уши. Чарис предположила, что она при помощи всех своих чувств анализирует обстановку. Тсссту оглянулась на девушку, позвала...

Они шли мимо комнат, используемых как жилые помещения, спальни. Чарис не знала, выведет ли коридор их наружу. Она могла только надеяться на чутье Тсссту.

Даже без диска она пыталась уловить мысли зверька, узнать, есть ли здесь вайверны. Дважды Чарис была уверена, что прикоснулась к мысли — недостаточно, чтобы прочесть ее, только знала, что мысль была. Если бы не это прикосновение, она словно шла по пустыне.

Тсссту, казалось, знала дорогу, она бесшумно шла вперед, без колебаний поворачивала, как будто этот лабиринт коридоров ей хорошо знаком. Чарис заметила, что кудрявая кошка ведет ее в ту часть сооружения, где стены светятся тусклее, а сами стены ниже и грубее. Создавалось впечатление глубокой древности. Потом стены совсем потемнели, лишь в отдельных местах оставались пятна света. Девушка внимательно присмотрелась, чтобы понять, в чем смысл этих оставленных светлыми пятен. Оказывается, они образуют рисунок, похожий на тот, что Чарис видела на дисках. Здесь, на стенах, те же символы силы, которые помогают вайвернам призывать ее к себе на помощь.

Но эти рисунки не завершены, они не такие четкие и ясные, как на дисках. Она больше, грубее. Но, может быть, с их помощью посвященные открывают двери?

Тссту уверенно двигалась дальше. Постепенно температура в коридорах менялась. Чарис приложила пальцы к ближайшей спирали и отдернула их. Горячо! Она закашлялась, горло пересохло. Где она? Что это за место?

Несмотря на внутреннее предупреждение, она не могла не смотреть на узоры, заглядывать вперед, оглядываться на них, пока они не скрываются из виду. Они настолько закрыли ей поле зрения, что постепенно она видела только эти рисунки и остановилась с испуганным криком.

— Тссту!

Мягкая шерсть у ее ног, уверенное спокойствие в сознании. Иллюзии, пленившие девушку, на кудрявую кошку не действуют. Но идти в темноте, где существуют только завитки, круги, спирали, линии — это больше, чем может заставить себя сделать Чарис. Страх, подавляющий, вызывающий панику страх...

— Мииирриии!

Чарис чувствует Тссту, слышит ее, но не видит кудрявую кошку. Ничего не видит, кроме узоров.

— Назад! — слово прозвучало хриплым шепотом. Но теперь Чарис и сама уже не знает, куда это — назад. Сделать шаг — возможно, это значит свалиться в бездонную пропасть.

В этой массе узоров есть один рисунок... каким-то образом она сумела сосредоточиться на нем. Большой. Гораздо больше, чем она привыкла видеть, но на стене ясно очерченный круг — такой же узор, как на ее диске. Она в этом уверена.

— Тссту! — Она ощупью нашла кудрявую кошку. Только тусклые серебристые линии различает она в темноте. Сосредоточиться на этом рисунке, как на диске. Тогда она убежит?

Чарис колебалась. Куда убежит? Вернется на разрушенный пост? На мшистый луг? Нужно ясно представить себе цель, иначе перемещения не произойдет. Пост? Луг? Она не хочет возвращаться ни на пост, ни на луг. Она хочет не просто убежать, но понять, что происходит и почему. Но так этого не узнаешь...

И вдруг — она оказалась в другом месте. Ряды вайвернов, все они сидят, скрестив ноги на матрацах, все напряженно смотрят на двоих в центре. Ряды вайвернов, круги, потому что комната круглая, как чаша, со множеством карнизов-ступеней, на которых расположились вайверны.

В центре отдельно от всех Гисмей и ее спутница в еле заметных узорах. Они стоят лицом друг к другу, и между ними на темном полу обломки, похожие на иглы кусочки всех цветов радуги. Вайверны, как и все остальные в помещении, напряженно смотрят на эти осколки.

Волосы Чарис зашевелились от электричества, кожу закололо. Здесь сила, свободная, плывущая, она реагирует на ее присутствие физически. Никто из собравшихся не заметил ее появления. Сосредоточив все внимание, вайверны смотрели на осколки.

Осколки встали на концы, повернулись, заплясали, взлетели в воздух, образовали облачко, которое вначале окружило Гисмей. Трижды обернулись они вокруг ее тела, начиная с уровня талии, потом у горла и наконец над головой. Потом отлетели в пространство между двумя вайвернами, звенящим дождем обрушились на пол, образовав рисунок. От наблюдателей до Чарис донесся всплеск эмоций. Было достигнуто какое-то соглашение, установлено требование, обусловлено согласие на что-то. Что именно, Чарис не знала.

Снова осколки начали свой танец на остриях, подпрыгнули в воздух, образовали облако, которое окружило невзрачную вайверн. И Чарис показалось, что на этот раз они вращаются медленнее и облако блестит не ярко, а приглушенно. Оно разбилось, со звоном упало на пол — ответ, возражения, несогласие — все вместе.

Снова волна эмоций со стороны зрителей, но на этот раз слабее. Идет какой-то спор, и собравшиеся разделились во мнении. Теперь, по-видимому, Гисмей предстоит принять решение, потому что осколки снова устремились к ней.

На этот раз танец осколков был непродолжительным, и облако не качалось ни к Гисмей, ни к другой. Осколки словно вышли из-под контроля. Облако раскачивалось взад и вперед, как будто висело на невидимом маятнике. И каждое колебание все приближало его к тому месту, где стояла Чарис.

И в то же время она двинулась — не по своей воле, а по воле окружающих, спустилась по рядам ярусов и встала на открытом месте, на равном расстоянии от двух колдуний.

— Прочитанное прочитано. Для каждого спящего сон — воля Тех-Кто-Видел-Сны-Раньше. Кажется, видящая сны из другого мира, у тебя есть что сказать по этому поводу...

— По какому поводу? — вслух спросила Чарис.

— По поводу жизни и смерти, твоей крови и нашей, прошлого и будущего, — послышался неясный ответ.

Чарис не знала, где нашла силы для ответа, но ответила спокойным ровным голосом:

— Если вы ждете моего ответа, — она кивнула в сторону игл, — то прочтите мне, что они говорят, о премудрые.

Ответила ей тусклая вайверн:

— Мы не можем прочесть, хотя здесь явно есть смысл. Об этом говорит рисунок Силы. Мы можем только верить, что еще не пришло время ответа. Но в этом деле само время — наш враг. Когда ткешь сон, нить не должна прерываться. В наших снах ты и твое племя враждебны нам...

— Люди моей крови умерли на берегу, — возразила Чарис. — Но не могу поверить, что это дело ваших рук и воли...

— Нет, не наших. Их собственных. Потому что они начали злой сон и исказили рисунок. Они совершили дело, которое исправить невозможно. — Гисмей излучала гнев, хотя эмоции держала под контролем. Именно поэтому они казались еще смертоносней. — Они дали тем, кто не может видеть сны, другую силу, чтобы те сломали давно сложившийся рисунок. За это их следует наказать! Они нарушают все обычаи и порядки, они уже убивают — и это только начало. Мы больше не хотим иметь с вами ничего общего. Да будет так. — Она хлопнула в ладоши, и иглы собрались, сложились в две груды.

— Может быть... — начала вторая, тусклая вайверн.

— Может быть? — повторила Чарис. — Говори со мной ясно, о Владеющая древней мудростью. Я видела человека своего племени, мертвого у развалин дома, и с ним было не принадлежавшее ему оружие. Но у вас я не видела никакого оружия, кроме дисков Силы. Какое зло высвободилось в этом мире? Оно не мое и не человека по имени Ланти. — Она не знала, почему упомянула Ланти. Может, потому, что у него был налажен дружеский контакт с колдуньями.

— Ты одной крови с теми, кто принес сюда беды! — Ответная мысль Гисмей прозвучала резким свистом.

— Копье ваше, не мое! — настаивала Чарис. — И человек умер от него.

— Те, кто не видит сны, они охотятся, убивают такими копьями. А теперь они нарушили древний закон и ушли к злым чужакам. Чужаки дали им защиту от Силы, так что их невозможно призвать к порядку. Возможно, это не твоих рук дело, потому что с нами ты видела истинные сны и знаешь, как правильно использовать Силу. И человек Ланти вместе с другим, который раньше был с нами, он тоже видел сны, хотя это вопреки всем обычаям. Но сейчас появились такие, которые снов не видят, но поддерживают зло невидящих. И теперь наш мир разрушится, если мы не исправим это зло.

— И все же, — послышалась более спокойная мысль тусклой вайверн, — здесь есть и рисунок, который мы не можем прочесть. Но не можем и пройти мимо него, потому что в нем ответ на наш вопрос. Поэтому мы должны использовать тебя, хотя ни ты, ни мы не знаем, каким образом. Ты должна это узнать сама и призвать на помощь больший рисунок...

222

Чарис явно расслышала в этой мысли предупреждение. Но могла лишь догадываться об истинном значении этой многословной речи. Группа инопланетян — вероятно, бандиты, разграбившие торговый пост, — освободила самцов из-под контроля матриархов-вайвернов. И теперь самцы сражаются на стороне чужаков. В ответ вайверны как будто собираются нанести контрудар по всем инопланетянам.

— Больший рисунок — он направлен против людей моей крови? — спросила Чарис.

— Его нужно сплетать осторожно, потом хорошо нацелить и увидеть сон, — последовал полуответ. — Но он разрушит твой рисунок, как разрушил наш.

— И я часть этого рисунка?

— Ты получила ответ, который не могли получить мы. Раскрой полностью его значение. Может, это будет и ответ для всех нас.

— Она нарушила здесь наш рисунок, — прервала Гисмей. — Ее нужно отправить в Место-Без-Снов, чтобы она не могла продолжать разрушать то, что мы здесь делаем!

— Нет! Она получила ответ; она имеет право узнать смысл этого ответа. Отправить ее из этого места — да, это мы сделаем. Но во Тьму-Которая-Ничто? Нет, это нарушение ее прав. Время торопит, видящая сны. Ты должна увидеть истинный сон, если не хочешь нарушить наш рисунок. А теперь — прочь отсюда!

Многоярусная комната, наблюдающие вайверны — все исчезло. Вокруг Чарис темная ночь, но она слышит вблизи рокот морских волн. Вдыхает свежий воздух и видит над собой звезды. Она снова на берегу?

Нет. Глаза ее приспособились к слабому свету, и она увидела, что стоит на остроконечной скале. Вокруг во все стороны волны. Она одна на островке, возможно, посреди океана.

Опасаясь сделать шаг в любом направлении, Чарис опустилась на колени, не веря, что это правда. Тссту зашевелилась, испустила негромкий вопросительный звук, и Чарис подавила полувсхлип-полупротестующий возглас.


### Глава десятая

— Тебе видеть сон. Ты должна видеть истинный сон.

Скала, голый скалистый островок. Вершина высоко над морем, волны бьются внизу о крутые стены. Над головой кричат птицы, которых ее появление встревожило и согнало с гнезд. В полусвете раннего утра Чарис разглядывала свой насест. Первое изумление прошло, но беспокойство постепенно переходило в страх.

От того места, где она стоит, вниз ведет ряд широких уступов. Снизу широкое открытое пространство, с одной стороны

223

огражденное стеной утеса. Бледная и чахлая растительность цепляется за почву. Чарис посмотрела на море; она понятия не имеет, в каком направлении Крепость, где главный континент.

На некотором удалении в море видна точка. Возможно, еще один скалистый остров, но он слишком далеко, чтобы его можно было ясно разглядеть. Девушку поразила решительность и внезапность, с какой вайверны отправили ее со своего собрания. Они отослали ее сюда, и она считает, что они ничего не сделают, чтобы вернуть ее назад. Спасение должно быть делом ее разума.

— Мииирриии? — Тссту сидит среди скал, всей внешностью выражая неприятие окружающего.

— Куда мы отсюда пойдем? — переспросила Чарис. — Я знаю не больше тебя.

Кудрявая кошка взглянула на нее полуприкрытыми от ветра глазами. Чарис вздрогнула. Ветер несет в себе обещание дождя, подумала она. Оказаться застигнутой бурей на этой голой скале...

Единственное убежище возможно только на той площадке внизу. Лучше побыстрее добраться до нее. Тссту благоразумно уже пустилась в путь, она осторожно двигалась по уступу.

Действительно дождь, первые крупные капли. Но дождь означает питьевую воду. Чарис приветствовала ручейки, появившиеся среди скал. Буря, которая принесла воду для питья, может оказаться благословением для них обеих.

Птицы, кричавшие над головой, исчезли. Тссту, исследовавшая площадку, принялась работать над спутанным клубком у стены. Она подняла голову, подбородок ее был покрыт какими-то белыми нитями, и она слизнула их языком.

— ... ррии... — Она снова погрузила голову в клубок, попятилась и что-то понесла в зубах Чарис. Девушка протянула ладонь, и Тссту опустила на нее предмет, который может быть только яйцом.

Голод боролся с отвращением и победил. Чарис сломала скорлупу на верхушке и высосала содержимое, стараясь не замечать вкуса. Яйца и дождевая вода... Надолго ли их хватит? Долго ли они вдвоем будут оставаться здесь? А если ветер усилится и сбросит их в море?

— Тебе видеть сон. Ты должна видеть истинный сон. — Может, и это один из тех очень реальных снов, которые способны вызывать вайверны? Чарис не помнила, чтобы в других снах испытывала потребность есть и пить. Сон или реальность? Установить невозможно.

Но должен существовать какой-то выход!

Стена утеса немного спасала от дождя, но вода сверху стекала вниз, собиралась в лужи, заливала корни растений. Почва стала скользкой.

Если бы у нее был диск! Но в проходе, где на стенах горели рисунки, она не получила диск назад. Тем не менее сосредоточенность на этих рисунках привела ее на собрание вайвернов.

Предположим, у нее здесь было бы такое же средство перемещаться — куда бы она отправилась? Не назад в Крепость: теперь это враждебная территория. На разграбленный пост? Нет, если только она не ищет убежища. Но сейчас ей не это нужно.

Колдуньи вайверны против инопланетян. Если бы туземные ведьмы выступили только против бандитов и собственных неверных самцов, это было бы их дело. Но теперь они считают врагами всех инопланетян. И если изгнание на эту скалу — всего лишь средство, чтобы удержать ее от вмешательства в битву, оно хорошо придумано. Но они одной породы; вайверны, сколько бы у них ни было общего, — чужаки. И когда придет время вставать в строй, она окажется по другую сторону, хотя первоначально ее симпатии совсем не там.

Нет, Чарис совсем не тревожит, что произойдет со сбродом, с этими бандитами: чем быстрее с ними справятся, тем лучше. Но наказать их должны люди. Решать должны Ланти и этот Рагнар Торвальд, они представляют здесь инопланетный закон, хотя вайверны всех людей смешали в одну кучу. Если бы удалось их предупредить, была бы еще возможность вызвать Патруль. Он бы справился с бандитами и доказал вайвернам, что не все инопланетяне одинаковы.

Предупредить. Но даже с диском Чарис не добралась бы до правительственной базы. Она не была там раньше, не смогла бы представить ее себе мысленно, чтобы перенестись туда с помощью Силы. А Ланти — что произошло с ним на посту? Жив ли он после этого удара мысли вайвернов?

Возможно ли — только предположительно — возможно ли использовать личность как указатель цели? Не призывать к себе, как она с такими катастрофическими последствиями сделала на посту с Гитой, а наоборот, отправиться к этой личности? Она никогда не пробовала. Но это мысль.

Но сначала — средства. Имея диск, нужно сосредоточенно смотреть на его рисунок, и когда сосредоточенность достигнет нужной степени, использовать волю как трамплин в Другое-Где или вообще в другое место.

В коридоре она несознательно использовала сверкающий рисунок на стене, чтобы перенестись на совет вайвернов, и тогда не контролировала место своего прибытия.

Важен не сам по себе диск, а рисунок на нем. Допустим, она сможет воспроизвести здесь этот рисунок и сосредоточиться на нем. Спасение? Возможно, это ее единственный шанс. У нее нет средств покинуть это место. Почему бы не попробовать нелогичный путь?

Далее. Куда уйти? На пост? На мшистый луг? Любой пункт, который она может себе представить, не приблизит ее к базе разведчиков. Но если бы она смогла присоединиться к Ланти... Его она может представить себе отчетливо. Единственная другая возможность — Джаган, но на помощь торговца рассчитывать нечего, даже если он еще жив.

Ланти, по его собственным словам, имеет опыт в снах вайвернов и в использовании Силы. Может, поэтому он более восприимчив, как указатель цели? Слишком много предположительного, о чем можно только догадываться, но лучшей возможности она не видит. Конечно, если вообще возможно воспроизвести освобождающий рисунок.

Что у нее для этого есть? Камень — слишком твердая поверхность, чтобы чертить на ней. Внимание Чарис привлекла скользкая глина на краю увеличивающейся лужи. Поверхность относительно ровная, и на ней можно чертить камнем или веткой с куста. Но нужно сделать это правильно.

Чарис закрыла глаза и постаралась вспомнить. Вдоль всей длины рисунка извилистая линия — вот так. Потом, после разрыва, вот это. Что-то еще... чего-то не хватает. Возбуждение девушки росло. Она пыталась представить себе недостающее. Может, если расширить рисунок...

Но поверхность глины почти вся теперь покрыта водой. И ветер усиливается. Прижав к себе Тссту, Чарис скорчилась под защитой скалы. Ничего нельзя сделать, пока не стихнет буря.

Очень скоро Чарис начала опасаться, что не переживет ярости ветра, удушающего потока дождя. Опору давала только каменная стена. Поток продолжал поднимать уровень воды в луже, пока она не коснулась ног Чарис, но потом вода нашла выход и стала уходить в море.

Тссту была источником тепла в руках девушки, неясные мысли кудрявой кошки успокаивали ее. От животного к девушке переходила уверенность — не постоянно, а тогда, когда Чарис в ней больше всего нуждалась. Девушка подумала, многое ли из происшедшего Тссту понимает. Полоса связи такая узкая, что Чарис не знает, с чем сравнить уровень разумности животных Колдуна. Тссту может оказаться гораздо разумнее, чем кажется, или наоборот — не способной к подлинному общению.

Но вот ветер начал стихать, он больше не пытался вытащить девушку из убежища. Небо посветлело, и сплошной поток ливня превратился в мелкий дождик. Но Чарис по-прежнему не была уверена в правильности рисунка. Однако она с нетерпением ждала у лужи, думая, нельзя ли вычерпать ее руками.

На небе появились золотые полоски, когда она продвинулась вперед, держа в руке мокрую ветку с куста. Теперь нетрудно смахнуть листья и создать себе площадку для рисунка. Девушку охватило нетерпение — она должна проверить эту слабую надежду.

Она набрала в горсть воды, очистила полоску гладкой голубоватой глины. Пора! Чарис обнаружила, что ее пальцы слегка дрожат; она напрягала волю и мышцы, чтобы подавить эту дрожь, и поднесла конец ветки к липкой поверхности.

Вот так — извилистая линия в основании рисунка. Да! Теперь рассечь ее под правильным углом. Так, правильно... Но недостающая часть...

Чарис плотно закрыла глаза. Извилины, линия... А что еще? Бесполезно. Она не может вспомнить. Она мрачно смотрела на почти законченный рисунок. Но «почти» не поможет: он должен быть полным. Тссту сидела рядом, с кошачьей внимательностью глядя на линии в глине. Неожиданно, прежде чем Чарис смогла вмешаться, она протянула лапу и прижала к поверхности глины. Девушка вскрикнула, но кудрявая кошка прижала уши и негромко зарычала. Она убрала лапу, оставив три отпечатка на глине.

Три отпечатка? Нет, два! Чарис рассмеялась. Память Тссту лучше, чем у нее. Девушка стерла рисунок, разгладила поверхность и начала снова, на этот раз быстрее и увереннее. Извилистая линия, пересечение, два овала — не совсем там, где их поместила Тссту, но здесь и здесь.

— Мииирриии!

— Да! — Чарис повторила триумфальный возглас. — Подействует, маленькая? Подействует? И куда мы отправимся?

Но она знала, что уже приняла решение. Не место, а человек — ее цель. Во всяком случае в первой попытке. Если не удастся попасть к Ланти, она попробует мшистый луг и попытается оттуда пройти на юг, к базе. Но это будет означать потерю времени, а она не может позволить себе это. Нет, ради безопасности своего племени на этой планете ее первой целью будет Ланти.

Вначале она мысленно постаралась представить себе офицера разведки, вспомнила все мельчайшие подробности, какими могла снабдить память, и оказалось, что она помнит их очень много. Его волосы, черные, курчавые, как у Тссту; его коричневое лицо, серьезное и сдержанное, пока он не улыбнется и рот и глаза не смягчатся; его худое жилистое тело в зелено-коричневом мундире его корпуса; высокие сапоги цвета меди; и трущийся об эти сапоги спутник разведчика Тагги. Стереть росомаху; второе живое существо может спутать Силу.

Но Чарис обнаружила, что не может в сознании отделить этих двоих друг от друга. Человек и животное, они цеплялись друг за друга, несмотря на ее попытки забыть Тагги и видеть только Ланти. Снова создала она мысленно образ Шенна Ланти, каким видела его на посту, прежде чем призвала Гиту. Вот так он стоял, так выглядел. Действуем!

Тссту прыгнула ей на руки, вцепилась когтями в порванную одежду. Девушка с улыбкой взглянула на кудрявую кошку.

— Пора покончить с этим, прежде чем ты изорвешь в клочья мою одежду. Попробуем?

— ... рриии... — Согласие, переданное прикосновением мысли. Казалось, Тссту не сомневается, что они куда-то отправляются.

Чарис взглянула на рисунок.

Холод — полное отсутствие света — ужасающая пустота. Жизни нет. Она хотела закричать от этой пытки — не физической, а муки ума. Ланти... Где Ланти? Мертв? Неужели она следует за ним в смерть?

Снова холод — но другой. Свет... Свет несет в себе обещание знакомого и понятного. Чарис пыталась подавить тошнотворное ощущение, которое испытала, когда была там, где не существует жизнь.

Острый звериный запах. Рычание в ответ на предупреждающее «рррууугрр» Тссту. Чарис увидела вокруг каменистую пустыню — и коричневого Тагги. Росомаха расхаживала взад и вперед, время от времени останавливалась и рычала. Чарис уловила исходящее от зверя ощущение страха и недоумения. Расхаживала росомаха вокруг расселины, в которой скорчилась фигура, сжалась, лицом наружу.

— Ланти! — Крик Чарис прозвучал почти как благодарственная молитва. Она выиграла: они достигли разведчика.

Но если он и слышал, и видел ее, то никак не ответил. Только Тагги повернулся и подбежал к ней, высоко подняв голову. Его громкий крик — не угроза и предупреждение, а призыв на помощь. Должно быть, Ланти ранен. Чарис побежала.

— Ланти? — снова позвала она, опускаясь на колени перед расселиной, в которую он заполз. И тут она отчетливо увидела его лицо.

При первой встрече у него было настороженное отчужденное выражение, но живое. Этот человек дышал: она видела, как поднимается и опускается его грудь. Его кожа — она протянула руку, коснулась пальцами запястья, потом поднесла их к своей щеке — его кожа не горит от лихорадки, но она и не холодная. Но то, что делало его человеком, а не ходячей пустой оболочкой, исчезло. Высосано или изгнано из него. Ударом Силы вайвернов?

Чарис откинулась, сидя на корточках, и оглянулась. Это не расчищенная поляна перед постом, так что он не остался на том месте, где упал. Она слышит море. Они где-то в пустыне на берегу. Неважно, как и почему он оказался здесь.

— Ланти... Шенн... — Она произносила его имя, упрашивая, словно привлекала внимание ребенка. В мертвых глазах нет ответной искры, пустое лицо не меняется.

Росомаха протиснулась мимо нее. От зверя исходит острый запах. Тагги повернул голову, сомкнул челюсти на ее руке. Это не гнев, а просьба о внимании. Видя, что девушка смотрит на него, Тагги разжал пасть, повернулся в сторону суши и зарычал, предупреждая. Там опасность.

Уши Тссту, прижавшиеся при виде зверя с Земли, теперь снова были разведены. Кошка вцепилась когтями в Чарис. Что-то приближается. Девушка и сама остро ощущает предупреждение об опасности. Им нужно уходить.

Она снова взяла запястье Ланти, сжала его, потянула. Она не знает, сможет ли заставить его двигаться.

— Идем. Идем. Мы должны идти. — Может, ее слова для него лишены смысла, но на рывок он ответил, выполз из расщелины, встал. Девушка поддерживала его. Чарис обнаружила, что он слушается, пока она держит его за руку, идет, но как только она отнимает руку, он останавливается.

И вот, ведя Ланти, Чарис повернула на юг. Тссту бежала впереди, Тагги — сзади. Кто или что преследует их, девушка не знала. Больше всего она опасалась бандитов. У Ланти нет никакого оружия, даже станнера. Брошенный камень не защита от бластера. Если их преследуют, возможно, единственная надежда — найти убежище и спрятаться.

К счастью, местность не очень пересеченная. Вверх или вниз Чарис не смогла бы вести Ланти, даже такого покорного. Впереди видны признаки разлома, острые выступы скал на фоне неба. Возможно, среди них удастся найти временное убежище. Тагги исчез. Дважды Чарис оборачивалась в поисках росомахи, звать она не решалась. Она вспомнила свист, который слышала на мшистом лугу, когда впервые увидела офицера Разведки и его четвероногого спутника. Но повторить этот призыв она не может.

Она пошла быстрее. Под ее руководством Ланти ускорил шаги, но не было признаков, что он реагирует на что-то, кроме ее руки. Он был словно робот. В нынешнем его состоянии она ничего не может ему сказать. И не знает, временное это состояние и вызвано соприкосновением с Силой вайвернов или более постоянное.

Чарис знала, что скоро солнце зайдет. Ее цель — достичь скал до наступления темноты. И она их достигла. Тссту обнаружила то, что им необходимо, — нависающий камень, под которым почти пещера. Чарис протолкнула Ланти вперед в тень и потянула вниз. Он сел, глядя невидящими глазами в сумерки.

Чрезвычайный рацион? На поясе разведчика множество карманов, и Чарис принялась обыскивать их. В первом лента с сообщением или записью, потом несколько небольших инструментов; она не знает, для чего они используются; должно быть, для ремонта какой-то установки; три кредитных жетона, идентификационная карточка; четыре других карточки доступа, которые она не стала разглядывать; еще один пакет с материалами первой помощи. Вероятно, теперь они полезнее всего остального. Она передвигалась справа налево, опустошала последовательно карманы, потом возвращала в них содержимое, а Ланти не обращал никакого внимания на этот обыск. Но вот то, на что она надеялась. Она видела такое у рейнджера на Деметре. Питательные таблетки. Они не только утолят голод, но и подстегнут и восстановят нервную энергию.

Их четыре. Две Чарис вернула в тюбик, который положила к себе в карман. Одну разжевала. Таблетка безвкусная, но Чарис проглотила ее. Вторую неуверенно держала в руке. Как заставить Ланти съесть ее? Она сомневалась, чтобы в своем теперешнем состоянии он был способен есть. Похоже, остается только один способ. Она взяла с земли два камня, потерла о свою рваную рубашку, чтобы очистить от пыли. Потом взяла идентификационную карточку и тоже протерла. Растерла таблетку камнями, превратив ее в порошок на гладкой поверхности карточки.

Затем, заставив его открыть рот, девушка смогла высыпать порошок. Больше она ничего не может сделать. Возможно, концентрат подкрепит силы Ланти и устранит последствия шока.


## Глава одиннадцатая

Пока было еще светло, Чарис попыталась превратить полупещеру в крепость; она подносила камни и строила из них стену. Если они будут держаться за этой стеной, ее зеленое платье и зелено-коричневая форма разведчика останутся незамеченными. Прикусив обломанный ноготь, девушка заползла в укрытие.

Тени сгустились, и Чарис пощупала вокруг рукой. Она коснулась плеча Ланти и передвинулась ближе к нему. Тссту один раз «мииррикнула» и ушла на охоту. Тагги не показывался с того момента, как они оказались в скалах. Вероятно, росомаха тоже занята поиском пищи.

Чарис опустила голову на колени. В тесном пространстве нужно было свернуться клубком. Она не устала: действовали питательные таблетки. Но ей нужно подумать. Вайверны предупредили, что время против нее. Она сумела уйти с морской скалы, куда они ее изгнали, но, может, во время бегства сделала неправильный выбор. В нынешнем состоянии Ланти ей не союзник, а обуза. Утром она сможет восстановить рисунок и добраться до мшистого луга. Он южнее. Но она не знает, далеко ли от него до правительственной базы. Однако если будет двигаться вдоль берега, рано или поздно доберется до нее.

Но Ланти? С собой она не может его взять, в этом она уверена. А оставить его здесь в нынешнем состоянии... Каждый раз как необходимо принять жестокое решение, Чарис отшатывается от него. Он ей не друг; они в прошлом встретились только раз — на посту. Она не обязана помогать ему, а действовать ей необходимо.

Бывают времена, когда нужно пожертвовать одной человеческой жизнью ради многих. Но сколько ни уговаривала себя Чарис, она наталкивалась на преграду, такую же непреодолимую, как та, которой ее удержали вайверны. Ну, что ж, в темноте она все равно ничего не может сделать. Может, до утра Ланти придет в себя, выйдет из этого растительного состояния. Цепляться за такую надежду несерьезно, но Чарис надеялась. И попыталась уснуть — уснуть и не видеть никаких снов.

— ... ах... аххххх....

Жалобный стон. Чарис постаралась не слышать его.

— ... ах... аххххх!

Девушка подняла голову. Рядом с ней кто-то шевелится. Ланти в темноте она не видит, но рука ее ощутила его конвульсивную дрожь. И негромкий стон. Ему, должно быть, очень больно.

— Ланти! — Она потянула его за руку, и он склонился к ней, положил голову ей на колени, и его дрожь передалась ей. Стоны прекратились, но дышал он прерывисто, как будто дрожащему телу не хватало кислорода.

— Шенн, что с тобой? — Чарис хотелось увидеть его лицо. Когда она ухаживала за больными белой чумой на Деметре, то испытывала тот же страх и подтачивающее решимость раздражение. Что она может сделать? Что вообще можно сделать? Она привлекала к себе Ланти, обняла его покрепче. Но если раньше он был апатичен и похож на робота, то сейчас стал беспокоен. Поворачивал голову, удушливо закашлялся.

— Рррууууу. — Ниоткуда возникла Тссту — тень. Кудрявая кошка прыгнула Ланти на грудь, присела, вцепилась когтями, когда Чарис попыталась ее снять. Послышалось рычание, и меж камней показался Тагги. Он ткнулся носом в дрожащее тело Ланти, словно они вместе с Тссту пытались заставить страдальца лежать неподвижно. Четверых в пещере словно окутало облако: призыв о помощи, который Ланти не нужно излагать в словах, чтобы Чарис его поняла; тревога животных; ее собственная беспомощность. Девушка поняла, что наступил критический момент. Разведчик сражается, и если он потерпит поражение...

— Что мне делать? — громко воскликнула она. Это не борьба тела — она достаточно глубоко погрузилась в Силу вайвернов, чтобы понять это, — борьба разума, всей личности...

Воля — вот трамплин для использования Силы вайвернов. Желая, они напрягают волю, и их желание осуществляется. И вот она тоже напрягла волю ... она хочет помочь Ланти...

Темнота, холод, пустота — ничто. Это место, куда завело ее желание помочь, пространство, совершенно чуждое ее племени. Темнота, холод. Но теперь... Два маленьких огонька, мерцающие;

постепенно они становятся ярче, хотя темнота и холод пытаются уничтожить их; два огонька приближаются и становятся все больше, больше. Она не протягивает к ним руки, они сами приближаются к ней, словно она их позвала. И тут Чарис осознает, что есть и третий огонек, и энергию для него поставляет именно она.

Огоньки объединились и понеслись в темноте. Они ищут. Между ними нет ни мысли, ни речи, только стремление ответить на призыв о помощи. Темнота и холод всепоглощающие, это черное море без берега, без островов.

Остров? Слабое, очень слабое мерцание показывается в море. Три огонька вращаются, сливаются и устремляются к этой слабой искре во мраке. И вот четвертый огонек, похожий на затухающий уголь в почти погасшем костре. Три огонька раздувают этот уголь, не притрагиваясь к нему. У них нет такой силы, а огонь почти угас.

И вот огонек, который держится волей Чарис, раздувается, стремится поглотить огоньки животных. Она тянется вперед — не физически, не рукой, а внутренней силой — и касается огонька-спутника.

Тот устремляется к ней. Ее рвут на части, она корчится от боли: ее поглощают совершенно чуждые эмоции, дикие, несдержанные эмоции, они кипят в ней, пенятся, швыряют из стороны в сторону. Но она сопротивляется, стремится подчинить их и завоевать непрочное равновесие. Потом снова устремляется вперед, к второму огоньку.

И снова ее охватывает смятение, и снова начинается борьба за господство. Необходимость, которая свела их вместе, стремление помочь умирающему огоньку заставляют их действовать заодно. И когда Чарис призывает себе на помощь, они ей подчиняются.

Вниз, к этому почти погасшему огню, устремляется столб пламени, поток силы величайшего напряжения. И он прорывается, пронзает самое сердце гаснущего огня.

Смятение в пространстве. И вот Чарис словно бежит по коридору, в который выходят двери множества комнат. Из дверей выходят люди и совершенно не знакомые ей существа, они смотрят на нее, кричат ей что-то, пытаются дать понять о том, какие они значительные; Чарис почти оглохла, она на краю потери рассудка. А коридору не видно конца.

Голоса кричат, но сквозь них пробивается другой звук — рычание, рев, этот звук тоже требует ее внимания. Чарис не может бежать дальше...

Тишина, неожиданная, полная — и по-своему тоже приводящая в ужас. Потом — свет. И она снова обладает телом. Вначале сознавая только это, Чарис в благодарности и удивлении провела рукой по своему телу. Потом осмотрелась. У нее под ногами песок, серебристый песок. Но это не морской берег. В сущности

232

ни в одном направлении она не может ясно видеть, потому что везде клубами и спиралями движется туман, зеленый туман, того же зеленого цвета, что и ее платье.

Туман движется, завивается, в нем видна более темная сердцевина. В этой сердцевине заметно движение, как будто рука отводит занавес.

— Ланти!

Он стоит здесь, глядя на нее. Но это больше не пустая оболочка человека, которого она знала. В его теле и уме жизнь, сознание. Он протягивает к ней руку.

— Сон?..

Это сон? Раньше во снах у нее никогда не было таких отчетливых видений Другого-Где вайвернов.

— Не знаю, — отвечает она на его полувопрос.

— Ты пришла, ты... — В этом утверждении слышится удивление. Они были в пространстве, не предназначенном для их племени. Четыре огонька, соединившись, разорвали путы, которые удерживали его в месте, которого не должны знать люди.

— Да. — Ланти кивнул, как будто Чарис выразила эту мысль в словах. — Ты, и Тагги, и Тссту. Вы пришли вместе, и вместе мы вырвались.

— А это? — Чарис оглянулась на зеленый туман. — Где это?

— Пещера Завес — иллюзии. Но я считаю это сном. Они по-прежнему пытаются удержать нас.

— На сны есть ответы. — Чарис опустилась на колени и разгладила песок. Кончиком пальца начала выводить свой рисунок. Не очень отчетливо в рассыпающемся песке, но достаточно, она надеется, чтобы послужить ее цели. Она посмотрела на Ланти.

— Идем. — Чарис протянула руку. — Думай о полупещере... — Она быстро описала место, где они провели ночь... — и не выпускай мою руку. Мы должны попробовать вернуться.

Она почувствовала, как сжимается его рука, сильные пальцы впились в ее тело. И сосредоточила сознание на рисунке и на представлении уступа, на котором расположена пещера...

Чарис замерзла, все тело у нее затекло, рука болит, ладонь онемела. За ней скала, над головой нависающий камень, а из-за него светит солнце. Послышался вздох. Девушка оглянулась.

Ланти лежит, неловко свернувшись; его голова у нее на коленях, пальцами он сжимает ее руку. Лицо у него осунулось и посерело, он словно постарел на несколько лет. Но расслабленность и отсутствие сознания исчезли. Он пошевелился и открыл глаза, вначале недоуменно, потом узнавая.

Поднял голову.

— Сон!

— Может быть. Но мы вернулись — сюда. — Чарис высвободила руку и расправила затекшие пальцы. Другой рукой потрогала камни импровизированной стены, чтобы убедиться в их реальности.

Ланти сел и потер рукой глаза. Но тут Чарис вспомнила.

— Тссту! Тагги!

Животных не видно. В сознании девушки зашевелился страх. Они... они были этими двумя огоньками. И она их потеряла: в том месте с зеленым туманом их не было. Навсегда ли они потеряны?

Ланти зашевелился.

— Они были с тобой... там? — Скорее не вопрос, а утверждение. Он выполз из-под навеса и свистнул. Потом наклонился и протянул руку, привлекая ее к себе.

— Тссту! — громко позвала она кудрявую кошку.

Слабый — очень слабый — ответ! Тссту не осталась в том месте. Но где она?

— Тагги жив! — Ланти улыбался. — Он мне ответил. Ответил не так, как раньше. Он как будто заговорил.

— Они побывали там. Разве это могло их не изменить?

Мгновение он молчал, потом кивнул.

— Ты хочешь сказать, что там мы слились? Да, возможно, теперь мы уже никогда не сможем разъединиться.

Она вспомнила свой бег по бесконечному коридору с открытыми дверьми и кричащими фигурами в них. Может, это воспоминания Ланти? Его мысли? Не хотела бы она еще раз их увидеть!

— Нет, — сказал он, словно услышал ее мысли, — больше этого не будет. Но тогда это было необходимо...

— Более чем необходимо. — Чарис не хотелось вспоминать об этом объединении. — Беда больше, чем считают вайверны. — Она рассказала ему о том, что узнала.

Рот Ланти превратился в прямую линию, он слегка выпятил подбородок.

— Когда мы нашли копье, Торвальд был с ними, в Крепости. Они могли убрать его, как поступили со мной. И теперь могут без помех выступить против всех инопланетян. У нас на базе связист, а с тех пор как я ушел, мог высадиться и Патруль. Как раз по расписанию он должен прилететь. Если бы корабль не пришел, Торвальд перед уходом связался бы со мной. Там теперь два-три человека, и они не подозревают о силе вайвернов. Мы очень осторожно расширяли базу, потому что не хотели рисковать отношениями с туземцами. Эти бандиты уничтожили весь наш план! Ты говоришь, что воины вайвернов помогают им? Интересно, как они этого достигли. Насколько нам известно — а известно немного, — колдуньи полностью контролируют своих самцов. Поэтому те не могли вступить с нами в сотрудничество.

— У бандитов должно быть средство, нейтрализующее Силу, — заметила Чарис.

— Только этого нам не хватало, — горько ответил он. — Но если бандиты могут нейтрализовать их Силу, как колдуньи выступят против них?

— Вайверны кажутся очень уверенными в себе. — Чарис впервые испытала сомнения. На собрании в Крепости она приняла их предупреждение; уважение к Силе до сих пор не подвергалось испытаниям. Но Ланти прав. Если разбойники могут нейтрализовать Силу и освобождать самцов от влияния вайвернов, как те могут надеяться победить?

— Они уверены в себе, — продолжал Ланти, — потому что никогда раньше не встречались с тем, что угрожает их власти и образу жизни. Возможно, они даже представить себе не могут, что их Силе что-то способно противостоять. Мы надеялись постепенно дать им понять, что располагаем другим типом силы, но на это у нас не оказалось времени. Для них это угроза, но не очень страшная. Не такая, какой кажется мне.

— Их Сила сломана, — негромко сказала Чарис.

— Да, нейтрализована. Как ты думаешь, скоро ли они это поймут?

— Но нам ведь не понадобилась машина или прибор бандитов. Мы прорвались — вчетвером.

Ланти смотрел на нее. Потом откинул голову и рассмеялся, негромко, но искренне.

— Ты права. Интересно, что скажут на это наши колдуньи? Знают ли они об этом? Да, ты освободила меня из их тюрьмы. Это была тюрьма! — Улыбка его исчезла, лицо заострилось. — Итак, их Силу можно сломать или обойти, причем не одним способом. Но не думаю, чтобы даже это помешало бы им сделать первый шаг. А их нужно остановить. — Он поколебался, потом торопливо продолжал: — Я не говорю, что они должны смириться с вмешательством бандитов и не сопротивляться. Они считают, что угроза нависла над всем их образом жизни. Но если колдуньи начнут действовать, как собирались, если попытаются изгнать нас всех с Колдуна, то даже если они смогут противостоять оружию бандитов, они сами покончат с собой, со своей историей.

— Потому что если явилась одна банда разбойников со средством, нейтрализующим Силу, явятся и другие. Теперь просто вопрос времени, когда вайверны окажутся под контролем инопланетян. А этого не должно случиться!

— Ты говоришь это? — с любопытством спросила Чарис. — Ты?

— Тебя это удивляет? Да, они воздействовали на меня, и не в первый раз. Но я ведь разделял с ними их сны. И так как мы с Торвальдом сумели это сделать, пропасть между нами уменьшилась. Должно быть, и мы изменились после соприкосновения с Силой. Им тоже придется изменяться, хотя для них это нелегко, но нельзя допускать, чтобы их жизнь была разрушена. А теперь, — он осмотрелся, как будто мог призвать вертолет из воздуха, — теперь нам пора двигаться.

— Не думаю, чтобы они позволили нам вернуться в Крепость, — сказала Чарис.

— Да, если они выполняют свой план, направленный против инопланетян, их главная база окружена защитными экранами. Единственное место — наш штаб. Оттуда мы сможем вызвать помощь. И если успеем вовремя, справимся и с бандитами. Но где мы сейчас и как далеко база... — Ланти покачал головой.

— У тебя есть твой диск? — спросил он немного погодя.

— Нет. Он мне не нужен. — Чарис не уверена, насколько это правда. Впрочем, со скалы в море и из места зеленого тумана она смогла уйти. — Но я никогда не видела твою базу.

— Я опишу ее, как ты описала мне убежище в скалах. Поможет это?

— Не знаю. Я думаю, то место было сном.

— А тела наши оставались здесь, как якорь, и притянули нас назад? Возможно. Но в попытке вреда не будет.

Должно быть, время близко к полудню. Солнце нагрело камни. И, как заметил Ланти, они не знают, где находятся. Знакомых ориентиров не видно. Его предложение не хуже любого другого. Чарис огляделась в поисках полоски земли и камня или ветки, которыми можно было бы рисовать. Но ничего не нашла.

— Мне нужно что-то такое, чтобы чертить.

— Чертить? — повторил Ланти, оглядываясь. Потом издал восклицание, расстегнул карман пояса и извлек сумку первой помощи. Выбрал из ее содержимого тонкий карандаш. Чарис узнала стерильную краску, которой обрабатывают легкие раны. Краска по консистенции похожа на мазь. Девушка испробовала ее на поверхности камня. Следы плохо видны, но все же она их видит.

— Мы нацелимся на место, которое я хорошо знаю, — сказал Ланти, опускаясь рядом с ней на корточки. — Оно в полумиле от базы.

— А почему не на саму базу?

— Потому что там нас может ждать нежеланная встреча. Прежде чем пойти туда, я хочу немного разведать. Рискуем нарваться на серьезные неприятности.

Конечно, он прав. Вайверны могли уже сделать первый шаг; Чарис ведь не знает, сколько времени прошло с тех пор, как ее изгнали из собрания на остров. А также бандиты, стремясь избавиться от правительственных чиновников, могли захватить базу.

— Там озеро такой формы. — Ланти взял у нее карандаш и начал рисовать сам. — Потом деревья, ряд их идет в этом направлении. Остальное — луг. Мы будем на этом конце озера.

Трудно перевести эти знаки в живую картину, и Чарис уже начала отрицательно качать головой. Неожиданно спутник наклонился к ней и положил ладонь на лоб, сразу над глазами.


## Глава двенадцатая


Чарис увидела неясную размытую картину, не такую четкую, как в собственных воспоминаниях, но, вероятно, вполне пригодную для того, чтобы сосредоточиться. Но наряду с этой туманной картиной показалось и другое: за озером и лесом начал образовываться коридор со множеством дверей и выходящих из них фигур. Чарис отбросила руку Ланти и, тяжело дыша, смотрела на него, пытаясь прочесть ответное опасение в его глазах.

— Да, это опасно, — первым заговорил Ланти.

— Нет. Больше никогда! — Чарис услышала собственный пронзительный голос.

Но он и так согласно кивал.

— Да, больше никогда. Но ты увидела достаточно?

— Надеюсь. — Она взяла у него карандаш и выбрала поверхность скалы, чтобы чертить знак Силы. И, только начертив овалы, вспомнила о Тссту. Чарис остановилась.

— Тссту! Я не могу оставить ее. И Тагги...

Она закрыла глаза и послала свой молчаливый призыв.

— Тссту, иди сюда! Немедленно!

Прикосновение! Соприкосновение мыслей, туманных, как картина, которую послал ей Ланти. И — отказ! Решительный отказ — и неожиданный разрыв связи. Почему?

— Бесполезно, — услышала она голос Ланти, открывая глаза.

— Ты связался с Тагги. — Это не вопрос.

— Связался, но не так, как раньше. Он не слушает. Он занят...

— Занят? — Чарис удивился выбору слова. — Охотится?

— Не думаю. Его что-то заинтересовало — настолько, что он не хочет возвращаться ко мне.

— Но ведь они здесь, они вернулись с нами, не остались в Другом-Где? — Облегчение смешивалось с вернувшимся страхом.

— Не знаю, где они. Но Тагги не боится, он только заинтересован, очень заинтересован. А Тссту?

— Она разорвала контакт. Но... да, я думаю, она тоже не боится.

— Придется пока оставить их, — продолжал Ланти.

Если удастся, про себя добавила Чарис. Она снова взяла Ланти за руку.

— Думай о своем озере, — приказала она и сконцентрировала все внимание на еле заметном рисунке на скале.

Холодный ветер, он шелестит листвой. Прямые лучи солнца исчезли за путаницей ветвей, прямо перед ней мерцает поверхность озера.

— Получилось! — Она разжала руку. Ланти осторожно оглядывался, ноздри его слегка раздувались; он, как Тагги, ловил и классифицировал чуждые запахи.

Вдоль берега озера тропа, хорошо видная. В остальном место пустынное, словно ни один инопланетянин здесь раньше не бывал.

— Сюда! — Ланти указал на юг, в сторону от тропы. Говорил он почти шепотом, как будто подозревал, что они на вражеской территории.

— В том направлении холм, с него хорошо видно базу.

— Но почему?.. — начала Чарис. Спутник нетерпеливо нахмурился.

— Если первый ход сделан, вайвернами или бандитами, он нацелен на базу. Нас с Торвальдом нет, а одного Хантина колдуньи легко могут взять под контроль. И бандиты могли захватить это место, напасть неожиданно и уничтожить базу, как торговый пост.

Она пошла за ним, не задавая больше вопросов. На Деметре Чарис немало бродила с рейнджером; ей казалось, она умеет ходить по лесу. Но Ланти был в нем как дома, как Тагги. Он беззвучно переходил от одного укрытия к другому. Девушка с удивлением заметила, что внешне он никак не проявляет нетерпения, когда ее неловкость задерживала их. Она даже негодовала на эту его терпимость.

Чарис было жарко и очень хотелось пить. Она наконец поднялась на холм, куда ее привел Ланти. Законный обитатель норы в земле, на которую она наступила, наградил ее укусом, горло у нее пересохло, как в пустыне, когда они наконец легли рядом под укрытием кустов на вершине холма.

Под ними четыре купола базы, а чуть подальше — посадочное поле. С краю поля легкий вертолет, на середине выжженного ракетами пространства — небольшой корабль. Разведчик Патруля, решила Чарис.

Внизу все очень мирно. Никто не двигался у зданий, а на открытом пространстве росли бледные туземные цветы Колдуна. И среди них несколько более ярких пятен говорят о том, что в качестве эксперимента высажены и инопланетные растения.

— Все выглядит нормально... — начала она.

— Все выглядит неправильно! — Его шепот звучал, как гневный свист вайвернов.

Но на поверхности куполов нет следов бластера, как в торговом посту, вообще никаких признаков насилия. Однако Ланти явно встревожен, и Чарис принялась внимательнее разглядывать сцену внизу.

Сейчас середина дня, и все внизу выглядит сонным. Наверно, обитатели отдыхают. Чарис решила больше не спрашивать, а подождать, пока ее спутник не разъяснит своих подозрений.

Он заговорил негромко; возможно, скорее прислушивался к собственным мыслям, чем сообщал что-то Чарис.

— Антенна связи не поднята. Хантина не видно: обычно он в это время работает над своими скрещенными образцами. И Тоги... Тоги и детеныши...

— Тоги? — решилась спросить Чарис.

— Подруга Тагги. У нее двое детенышей, и они целые дни проводили на солнце на тех камнях. Им очень нравятся земляные личинки, а там их много. Тоги учила детенышей выкапывать их.

Но как он может так думать: если росомахи с детенышами нет на месте, значит были неприятности? Потом Чарис вспомнила о двух других его наблюдениях: нет антенны связи и не видно никого из персонала. Но ведь это такая мелочь...

— Если все это сопоставить... — Ланти либо прочел ее мысли, либо с удивительной точностью думал в том же направлении... — и получишь ответ. На базе складываются привычки. Днем антенна у нас всегда поднята. Таков приказ, и нарушить его можно только в чрезвычайных обстоятельствах. Хантин экспериментировал, скрещивая туземные растения с инопланетными. Его очень интересуют гибриды, и все свободное время он проводит в саду. А Тоги предпочитает земляных червей: только клетка удержит ее от тех камней. А найти клетку, из которой она не смогла бы выбраться... — Он покачал головой.

— Так что же нам делать?

— Подождем сумерек. Если база пуста и коммуникатор исправен — и на то и на другое очень мала надежда, — мы сможем призвать помощь из космоса. А сейчас спускаться нет смысла. Ведь все подходы к базе открытые.

И в этом он прав. На пограничных планетах обычай требует расчищать пространство вокруг зданий, и здесь купола так же открыты, как и торговый пост. На большом расстоянии от четырех куполов и посадочного поля нет никаких кустов, вообще заметной растительности. Подойти можно только в открытую.

Ланти повернулся на спину и принялся смотреть на куст, под которым они лежали. Смотрел он так пристально, словно наделся прочесть в путанице ветвей ответ на их проблемы.

— Тоги... — нарушила молчание Чарис. — Она похожа на Тагги? Ты можешь позвать ее? — Чарис не знала, чем поможет им росомаха, но попытаться связаться с ней — хоть какое-то действие, а теперь для нее бездействие непереносимо.

Ланти раздраженно ответил:

— А как по-твоему, что я стараюсь сделать? Но после рождения детенышей она стала не так восприимчива. Пока они маленькие, мы ее оставляли в покое. Не знаю, будет ли она теперь подчиняться командам.

Он закрыл глаза, свел брови. Чарис оперлась подбородком о руку. Насколько она может судить, база продолжает дремать на солнце. Покинута ли она на самом деле? Отправили ли ее обитателей в ту странную темноту вайверны своей Силой? Или она разграблена бандитами?

В отличие от пересеченной местности, избранной для поста Джаганом, здесь поверхность ровная, она не внушает опасений, кажется не представляющей угрозу. Или просто она вообще привыкла к пейзажам Колдуна, и они больше не кажутся ей такими чужими, как впервые, когда Джаган вывел ее из корабля? Давно ли это было? Недели назад? Месяцы? Чарис не могла определить, сколько времени провела с вайвернами.

Но здесь Колдун прекрасен под янтарным небом и золотым солнцем. Аметистовые оттенки листвы великолепны. Пурпур и золото — королевские краски тех дней, когда Земля приветствовала царей и цариц, императоров и императриц. А сейчас бывшие земляне расселились меж звезд, мутировали, приспособились, даже союзы планет образуются и изменяются, по мере того как поколения миграции все дальше и дальше уходят в пространство. Андер Нордхолм родился на Скандии, но она сама никогда не видела эту планету. Ее мать родом с Брана, а сама Чарис может считать свой родиной Минос. Три очень далеких друг от друга и очень разных планеты. Но она совсем не помнит Минос. Ланти... Интересно, откуда родом Ланти.

Чарис повернула голову, разглядывая его, пытаясь определить расу и планету, которые соответствовали бы его имени и внешности. Но недостаточно особенностей для определения. Разведка пополняется уроженцами всех планет Конфедерации. Он может даже быть землянином. То, что он разведчик, означает, что у него определенный тип характера и он обладает рядом полезных навыков. А то, что у него еще ключ — знак посольства, свидетельствует, что у него есть и дополнительные способности.

— Бесполезно. — Он поднял руку, защищая глаза. — Если она там внизу, я не могу с ней связаться.

— А чем, по-твоему, она могла бы нам сейчас помочь? — с любопытством спросила Чарис.

— Может, ничем. — Но ответ показался девушке уклончивым.

— Ты командуешь животными? — спросила она.

— Нет, Разведка так животных не использует — как бойцов или диверсантов. Когда нужно, и Тагги и Тоги хорошие бойцы, но они скорее действуют как разведчики. Во многих отношениях их чувства острее наших; они за короткое время способны узнать больше в новой местности, чем любой человек. Но Тагги и Тоги

240

прислали сюда в порядке эксперимента. После нападения трогов мы знаем, как они могут быть полезны...

— Слушай! — Чарис схватила его за плечо. Она распрямилась, прижалась к земле, склонила голову набок. Нет, она не ошиблась. Звук становится громче.

— Атмосферный флаер! — подтвердил ее догадку Ланти. — Назад! — Он глубже заполз под нависающие ветви и потащил за собой Чарис.

Флаер приближался с севера, он не пролетал над ними. Когда он опустился на посадочную полосу, Чарис увидела, что он больше вертолета — вероятно, шестиместный самолет трансконтинентального типа. Рассчитан на гораздо более дальние перелеты, чем вертолет.

— Не наш! — прошептал Ланти.

Летательный аппарат остановился, и из него вышли два человека и целеустремленно направились к базе. Шли они так уверенно, что наблюдатели поняли: никакой неожиданности они не предполагают. Они слишком далеко, чтобы различить черты лица, но хоть форма их похожа на форму торговцев, Чарис такую все же никогда не видела. Черно-серебряные цвета Патруля, коричнево-зеленые оттенки Разведки, серый и красный цвета медицинской службы, синий — администрации, зеленый — рейнджеров, красновато-рыжий — службы образования — все это она опознает с первого взгляда. Но эта форма светло-желтая.

— Кто это? — удивилась она. Услышав легкий возглас Ланти, добавила: — А ты знаешь?

— Кто-то... откуда-то... — Он покачал головой. — Что-то похожее видел, но не могу сейчас вспомнить.

— Разве у бандитов бывает форма? Тот, которого я видела с бластером, был одет как вольный торговец...

— Нет. — Ланти хмурился все сильней. — Это что-то должно означать... Если бы я только мог вспомнить!

— Это не правительственная служба? — спросила Чарис. — Может, какая-нибудь планетарная организация, действующая в космосе?

— Не знаю, что это может быть. Смотри!

Из купола вышел третий. Подобно тем двоим из флаера, на нем тоже был желтый мундир, а на воротнике и на поясе блестели знаки различия. Вторжение людей в форме на правительственную базу... Неожиданно Чарис пришла в голову дикая мысль.

— Шенн... может, началась война?

Некоторое время он не отвечал, а когда ответил, казалось, разговаривает сам с собой.

— Единственная война за последние столетия — война с трогами, а там внизу не троги! Я был здесь пять дней назад, и мы получали только самые обычные сообщения. Никакого предупреждения.

— Пять дней назад? — недоверчиво переспросила она. — Да ведь с того времени как нас захватили вайверны, прошло гораздо больше. Ты здесь не был недели.

— Знаю, знаю. Все равно, не думаю, что причина в войне. Просто не верю в это. А вот действия крупной компании... Если там решили, что есть чем поживиться... Если добыча достаточно велика...

Чарис обдумала его слова. Да, компании. Их постоянно проверяют, их действия расследуются, они подчинены правилам — насколько может все это поддерживать Конфедерация и Патруль. Но у них есть собственная полиция и выходящие за пределы закона методы, когда есть возможность уйти из-под контроля. Но что могло заставить одну из компаний прислать свою частную армию на Колдун? Какое сокровище тут можно добыть, прежде чем Патруль обнаружит незаконную деятельность?

— Но что здесь есть такого, что оправдывает их усилия? — спросила она. — Редкие металлы? Что?

— Только одно... — Ланти продолжал наблюдать за людьми внизу. Двое из флаера что-то обсуждали с тем, что пришел от куполов. Один из них пошел назад к самолету. — Только одно может показаться им достаточно ценным.

— Что? — Чарис приходили в голову самые нелепые предположения. Джаган должен был знать о любом достойном внимания туземном продукте и упомянуть о нем.

— Сама Сила! Подумай, что значила бы такая тайна и как ее можно использовать на других планетах!

Он прав. Сила — достаточно серьезная цель, чтобы привлечь даже большие компании. И в таком случае они способны бросить вызов даже Патрулю. Догадка Ланти очень точно объясняет все увиденное, особенно когда она вспомнила, что и Джаган об этом упоминал.

— Нейтрализатор. — Она рассуждала вслух. — Это ответ на использование Силы против них. Но как они могли создать его, не зная ничего о Силе? Может, считают, что смогут с его помощью контролировать вайвернов и заставить выдать их тайны?

— Нейтрализатор может быть видоизменением чего-то хорошо известного. А что касается остального... Да, они могут считать, что с колдуньями покончено.

— А при чем тут бандиты?

Ланти нахмурился.

— Не впервые компании используют крутых ребят в штатском и пытаются замаскировать свои действия, свалить вину на бандитов и скрыться с добычей. Если их поймают, они бандиты и больше никто. Если добьются успеха, компания выходит из-за укрытия, а они исчезают так же незаметно, как появились. Они, по-видимому, считают, что подавили всякое сопротивление, что ситуация у них под контролем. Теперь вызовут дополнительные силы для защиты ученых и техников, которые непосредственно и начнут изучать Силу. Все совпадает. Понимаешь?

— Но ... если это действует компания... — Чарис замолчала. Впервые вполне поняла, что это для них означает.

— Начинаешь понимать? Бандиты сами по себе — одно дело. Компания, охотящаяся за сокровищем, — совсем другое. — Голос Ланти звучал мрачно. — У них совсем другие возможности. Сейчас я не поставил бы звезду против кометы, что у них здесь нет полного контроля.

— Может, они и считают, что все кометы у них на доске под контролем, — Чарис тоже использовала символы игры, — но остается еще несколько блуждающих звезд.

На его губах появилась легкая улыбка.

— Может, две такие звезды?

— Четыре. Не надо недооценивать Тссту и Тагги. — И она говорила серьезно, как ни странно это звучит.

— Четыре: ты, я, росомаха и кудрявая кошка — против мощи большой компании. Неплохие шансы, а, джентль фем?

— Пока игра не закончилась, шансы есть. Фигуры еще не сняты с доски.

— Да, игра не закончена. И мы еще можем выровнять положение. Не думаю, чтобы наши друзья внизу уже встречались с колдуньями Колдуна. Даже мы не знаем всех их возможностей.

— Надеюсь, у них осталось их немало, — ответила Чарис.

Только недавно вайверны казались ей врагами. Теперь она от всей души желает им успеха. В войне — если их с Ланти догадка верна — в войне они будут на стороне колдуний.

— Что мы можем сделать? — Она снова стремилась к действиям.

— Подождем. Когда стемнеет, я хочу немного посмотреть, что происходит внизу. Точнее установить, кто против нас.

Он абсолютно прав, но как трудно ждать!

## Глава тринадцатая

Они снова лежали рядом, наблюдая за базой. Флаер улетел, оставив одного из пассажиров; тот вместе с офицером вернулся в купол. И снова база казалась пустынной.

— Это патрульный разведочный корабль, — сказал Чарис. — Неужели компания решится открыто выступить против Патруля?

— С хорошим прикрытием может рискнуть, — ответил Ланти. — Разведочный корабль докладывает нерегулярно. Если понадобятся объяснения, компания заявит, что обнаружила базу покинутой, и всю вину свалит на вайвернов. Что я хотел бы знать —

если это действует компания, — откуда она узнала о Силе? Джаган о ней что-нибудь говорил?

— Да, упоминал однажды. Но в основном говорил о таких вещах, как ткани. — Чарис потрогала ткань своего платья, которое выносит трудный путь гораздо лучше формы Ланти. — Он надеялся на хорошую прибыль, но мне казалось, что его больше всего интересуют материалы.

— Он появился здесь, вопреки протестам Торвальда, — заметил Ланти. — Мы не могли понять, как он вообще получил лицензию так близко к границе.

— Может, и его компания использовала как прикрытие? Он сам мог об этом и не знать.

Ланти кивнул.

— Вполне возможно. Послать его сюда в качестве консервного ножа. Использовать его отчеты, так как наши недоступны. Впрочем, найдутся ли закрытые материалы, если ставка достаточно высока? — цинично закончил он. — Большие суммы кредитов поменяли владельцев в этом деле. Готов дать в этом клятву на крови.

— Но что ты сможешь сделать там, внизу? — спросила Чарис.

— Если коммуникатор не отключен и я смогу до него добраться, достаточно одного сигнала, чтобы пришла помощь. И эти торговцы с бластерами предпочтут, чтобы им под одежду забрались земные осы!

— Ну, тут немало «если».

Ланти невесело улыбнулся.

— Жизнь полна «если», джентль фем. Много лет я ношу их пачками.

— Откуда ты, Шенн?

— С Тира. — Ответ короткий и окончательный.

— Тир, — повторила Чарис. Название ничего ей не говорит, но кто может запомнить тысячи планет, на которых поселились терране, укоренились, расцвели, принесли плоды и снова освободились, чтобы блуждать дальше?

— Планета шахт. Прямо — прямо вон там! — Он поднял голову и указал на север, где на небе появились яркие краски заката.

— А я родилась на Миносе. Но это мало что значит, потому что мой отец был учителем. Я жила на пяти... нет, на шести планетах. Деметра была седьмой.

— Учитель? — повторил Ланти. — Как ты тогда оказалась у Джагана? Ты просила о помощи. От чего?

Она коротко рассказала о Деметре и о своем вынужденном контракте.

— Не знаю, мог бы контракт удержать тебя у Джагана здесь, на Колдуне. На некоторых планетах он законный, но с помощью Торвальда ты бы его отменила, — заметил Ланти, когда она замолчала.

— Сейчас уже неважно. Знаешь, вначале Колдун мне совсем не понравился. Он меня испугал. Но теперь, даже после всего этого, я бы хотела на нем остаться. — Чарис удивили собственные слова. Она произнесла их импульсивно, но тут же поняла, что сказала правду.

— В соответствии с правилами, здесь никогда не будет поселения.

— Я знаю... Туземная разумная жизнь пятой степени. Мы от таких держимся в стороне. А вообще сколько их, вайвернов?

Он пожал плечами.

— Кто знает? На островах у них может быть несколько поселков, но мы бывали только на их главной базе, и то только с их разрешения. Возможно, ты знаешь о них больше нас.

— Эти сны, — задумчиво заговорила Чарис. — В чем тут можно быть уверенным? Могут ли самцы использовать Силу? Вайверны уверены, что не могут. Но если они в этом правы, что может сделать компания?

— Последовать примеру Джагана и использовать женщин, — ответил он. — Но мы не знаем, правы ли вайверны. Может, их самцы не могут «видеть верные сны» как они выражаются, но я-то видел, и Торвальд видел, когда при первом контакте они подвергли нас испытанию. Не знаю, смог ли бы я использовать диск или рисунок, как ты. Их контакты с другой жизнью всегда односторонние. Если бы они согласились попробовать по-другому...

— Слушай! — Девушка схватила его за руку. Рассуждения о будущем интересны, но сейчас нужны действия. — Что если ты используешь рисунок? Ты знаешь всю базу; ты сможешь незаметно оказаться везде, где захочешь. Лучший способ для разведчика!

Ланти смотрел на нее.

— Если бы получилось... — Она видела, что он загорелся. — Если бы только получилось!

Он разглядывал базу. Теперь купола отбрасывали длинные тени, хотя небо над головами оставалось ярким.

— Попробую свою каюту. Но как мне потом выбраться? Диска нет...

— Мы изготовим собственный или его эквивалент. Посмотрим. — Чарис выползла из-под ветвей. Начальный рисунок — его она может начертить на земле. Но вот вторая задача — извлечь Ланти оттуда... ему придется нести рисунок с собой. Как?

— Это можешь использовать? — Разведчик сорвал с дерева широкий темный лист. Его пурпурная поверхность была гладкая, только в центре возвышение, и размером он с две ладони.

— Попробуй этим. — Он снова порылся в кармане пояса и достал небольшой заостренный стержень.

Чарис осторожно нарисовала узор, который открыл для нее много своих неожиданных особенностей с тех пор, как она впер-

245

вые им воспользовалась. К счастью, линии на листе хорошо видны. Закончив, она протянула лист Ланти.

— Нужно действовать так. Вначале как можно отчетливей представь себе место, куда хочешь перенестись. Потом сосредоточься на этих линиях, проводи по ним взглядом, справа налево...

Он перевел взгляд с листа на базу.

— Они могут быть повсюду, — заметил он.

Чарис промолчала. Ланти знает местность лучше нее. Возможно, и ему не нравится бездеятельность. А если рисунок на листе сработает, он может побывать на базе и вернуться, и никто ничего не заподозрит. Да и вообще, если его увидят, зрелище человека, материализовавшегося ниоткуда, хоть кого приведет в замешательство, и Ланти успеет снова исчезнуть.

Выражение лица Ланти изменилось. Он принял решение.

— Пора!

Чарис в последнее мгновение заколебалась. Как уже было сказано, слишком много «если». Но у нее нет права разубеждать его и отговаривать.

Он скользнул по противоположному склону холма, так что холм отгородил разведчика от базы, потом встал, держа лист в руке. Стиснул зубы, лицо его сосредоточенно застыло. Ничего не произошло. Ланти посмотрел на нее, лицо его стало мрачно.

— Колдуньи правы. У меня не действует!

— Может быть... — У Чарис появилась новая мысль.

— Они должны быть правы! Не работает!

— Может быть, причина в другом. Это мой рисунок, тот самый, что они дали мне вначале.

— Ты хочешь сказать, что рисунки индивидуальны... это различные коды?

— Разумно так считать. Ты знаешь их разукрашенную шкуру. На ней узоры, унаследованные от предков, но есть и индивидуальные, собственные. Они должны облегчить им использование Силы. И на дисках каждой из них свой рисунок. Наверно, поэтому они и работают.

— Тогда придется действовать более трудным способом, — ответил он. — Пойду в темноте.

— Могу отправиться я, если ты дашь мне точку опоры, как тогда, когда мы явились сюда.

— Нет! — Отказ прозвучал категорично; во всей позе разведчика она читала упрямое несогласие.

— Тогда вместе, как пришли сюда?

Он взвесил лист в руке. Чарис понимала, что и на это он хочет ответить решительным «нет», но в ее втором предложении есть преимущества, которые он не может не увидеть. Она воспользовалась его нерешительностью. Конечно, ей совсем не хотелось отправляться в лагерь врага, но еще больше не хотелось оставаться одной и, возможно, стать свидетельницей пленения Ланти. По ее мнению, вдвоем, с использованием Силы, у них больше шансов, чем у Ланти одного.

— Мы можем попасть туда — и уйти — быстро. Ты ведь согласен, что это правда.

— Мне это не нравится.

Она рассмеялась.

— А что тут может нравиться? Но мы оба согласны, что это нужно сделать. Или просто будем сидеть здесь и ждать, что они сделают? — Конечно, так подталкивать его нечестно, но нетерпение ее так усилилось, что она боялась потерять над собой контроль.

— Ну, хорошо! — Он рассердился. — Комната выглядит так. — Он опустился на колено и начертил план, коротко объясняя его. И потом, прежде чем она смогла пошевелиться, те же коричневые пальцы прижались к ее лбу, снова дали ей возможность увидеть туманную картину. Чарис вырвалась, разорвав контакт.

— Я тебе говорила — не это! Больше никогда! — Девушке совсем не хотелось вспоминать то страшное время, когда их сознания соединились, когда чуждые мысли ворвались в ее собственные мысленные ходы.

Ланти вспыхнул и отдернул руку. Тревога девушки и легкое отвращение были побеждены чувством вины. Ведь в конце концов он старается облегчить ее задачу.

— Я теперь представляю себе комнату так же ясно, как представляла это место, а сюда мы попали благополучно, — торопливо сказала она. — Пошли! — Она схватила его руку, и он сжал пальцы.

Вначале комната, потом рисунок. Это уже знакомый опыт, и она совершенно в себе уверена. Но теперь — ничего не произошло!

Она словно наткнулась на невидимую непроницаемую стену. Барьер, которым преградили ей раньше путь вайверны? Нет. Она узнала бы тот барьер. Это что-то другое, другое ощущение.

Она открыла глаза.

— Ты почувствовал? — Возможно, Ланти сам не в состоянии осуществить перемещение; но они связаны, и, может быть, он тоже ощутил причину неудачи.

— Да. Ты знаешь, что это значит? У них есть нейтрализатор, он их защищает!

— И действует! — Чарис вздрогнула, смяла лист.

— Мы и так знали об этом, — напомнил он. — Ну что ж, пойду один.

Она не хотела признавать, что он прав, но пришлось. Ланти знает каждый дюйм базы, а она в ней чужая. У захватчиков могут быть другие средства безопасности, кроме нейтрализатора.

— У тебя даже нет станнера...

— Если попаду туда, это небольшое затруднение можно будет легко исправить. Нам нужно что-то большее, чем станнер. Это можешь сделать ты. Проберись на посадочную полосу. Если я смогу вернуться, мы используем вертолет. Управлять умеешь?

— Конечно! Но куда мы полетим?

— К вайвернам. Им нужно дать понять, кто против них. Мне надо найти доказательства, что это действия компании. Я согласен, что колдуньи могут не дать тебе перемещаться их способом, но ручаюсь, помешать вертолету прилететь на их главную базу они не могут. Нужно только добраться до них, и они узнают правду из нашего сознания, даже если не захотят.

Звучит просто. И Чарис приходится согласиться, что может получиться. Но все равно остается высокая преграда из многочисленных «если».

— Хорошо. Когда начнем?

Ланти пополз на их прежний наблюдательный пункт, она за ним. Осмотрев местность, он заговорил, но не ответил на ее вопрос.

— Ты обойдешь в том направлении, досчитаешь до ста после моего ухода. На полосе мы не видели охрану, но это не значит, что они не включили сигнализацию. Возможно, даже заминировали подходы.

Неужели он сознательно старается припугнуть ее?

— Сейчас нам пригодились бы росомахи. Их никакая сигнализация не обманет.

— Взвод Патруля тоже помог бы, — ядовито ответила Чарис.

Ланти не среагировал на ее насмешку.

— Я подойду с того направления. — Он указал на юг. — Будем надеяться на свои звезды. Удачи!

И исчез, прежде чем она успела мигнуть, растворился в кустах, как будто диск перенес его в Другое-Где. Чарис пыталась подавить растущее возбуждение. Она начала медленно считать. Несколько секунд ей еще слышалось негромкое шуршание, обозначавшее передвижение Ланти, потом — ничего!

У куполов никаких движений. Ланти прав: росомахи и Тссту сейчас пригодились бы. Чувства животных гораздо острее человеческих. Девушка подумала о бомбе, соединенной с детектором сигнализации, и собственное участие в операции начало казаться ей все менее и менее привлекательным. Вертолет — слишком соблазнительная наживка: те, что внизу, должны его охранять! Может, считают, что подавили всякое сопротивление?

— ... девяносто пять, девяносто шесть... — считала Чарис, надеясь, что делает это медленно. Всегда легче действовать, чем лежать и ждать.

— ... девяносто девять, сто! — Она поползла по склону, начиная собственный маршрут. Достаточно светло, поэтому она придерживалась укрытий, замирала в каждой тени, изучая следующие несколько футов или ярдов пути. И, чтобы не выходить из укрытий, пришлось двигаться не по кругу, а по сегментам овала. Во рту у Чарис пересохло, в отличие от влажных рук; сердце тяжело колотилось.

Она нашла ветку, старую и хрупкую, но для ее целей подойдет. Детекторы обычно настраивают так, что .они должны обнаружить подходящего вот на такой высоте — на уровне колена идущего человека или чуть ниже. Подумали ли они, что можно подползти? Ну, хорошо, для страховки — Чарис нарвала листьев. И с помощью прочных вьюнков привязала их к своей ветке.

Довольно грубое приспособление для обнаружения детекторов, но все равно хоть как-то увеличивает ее шансы. Теперь она продвигалась вперед еще медленнее, проверяя каждый фут пути.

Ветку трудно удержать в потных руках, плечи болят от необходимости удерживать ее на нужной высоте. Несмотря на все усилия, она почти не приближается к цели. Между нею и вертолетом как будто полконтинента.

Пока никаких детекторов. И когда-то этому должен наступить конец. Чарис замерла, чтобы передохнуть. Ни звука не доносилось со стороны куполов, никаких признаков охраны, живой или механической. Неужели захватчики считают, что им нечего опасаться, и не выставили часовых?

Растущая уверенность не должна приводить к беззаботности, говорила себе Чарис. У нее рука еще не лежит на дверце вертолета. Да, может быть и так! Сама машина может быть превращена в ловушку! Но если так, сможет ли она обнаружить эту ловушку и обезвредить ее?

Все в свое время, все в свое время...

Она снова подняла ветку, когда легкий ветерок донес слабый запах. Росомаха! Чарис знала, что эти животные в возбуждении — страхе или гневе, это ей неизвестно, — испускают острый запах. Может, тут проходила Тоги с детенышами?

Может ли Чарис установить контакт с самкой росомахой? Ведь та ее не знает. Ланти сегодня сказал, что после рождения детенышей Тоги стала менее восприимчива к общению с людьми и к контролю. Росомахи — хорошие охотники, они знакомы с местностью. Может, Тоги охотится? .

Чарис принюхалась, надеясь определить направление. Но запах очень слабый. Вероятно, на траве или листьях задержался след давнего прохода рассерженной росомахи. Недалеко, слева, патрульный разведочный корабль. Девушка на краю посадочной полосы. Чарис пошевелила перед собой собственным детектором и поползла дальше.

Крик, рычание, что-то забилось слева в кустах. Второй крик, сменившийся ужасным бульканьем.

Чарис прикусила язык, сдерживая собственный крик. Широко раскрытыми глазами смотрела она на качающийся куст. Еще один крик. На этот раз не тонкий, полный страха. И неожиданно несколько фигур появились на открытом месте, побежали к кусту. Когда они приблизились, Чарис смогла лучше разглядеть их.

Не инопланетяне, которых они с Ланти наблюдали с холма. Вайверны? Нет.

Вторично Чарис подавила крик. Потому что у бегущих фигур копья, такие же, как найденное ими с Ланти на посту. Они выше вайвернов, знакомых Чарис, гребень на голове и жесткая поросль на плечах ниже, напоминая не крылья, а щетину. Самцы вайвернов, которых Чарис ни разу не видела, находясь среди колдуний!

Их крик резал Чарис нервы, причинял боль ушам. Двое погрузили копья в затихший куст.

Крик сзади, со стороны куполов. Несомненно, человеческий. Слов Чарис не разобрала, но среди вайвернов началось смятение. Двое в тылу остановились, оглянулись. Услышав второй крик, они повернули и быстро побежали в том направлении. Передние достигли куста, вытянули вперед копья. Один из них крикнул. Снова слова непонятны, но судя по тону, разочарование и гнев.

Они скрылись из виду, потом показались снова. Двое несли между собой обвисшее тело. Кто-то из них убит неизвестным противником. Тоги?

Но у Чарис не было времени думать об этом. Со стороны куполов послышался новый крик, и все, кроме вайвернов, несущих тело, побежали туда.

Ланти. Неужели они обнаружили Ланти?


## Глава четырнадцатая


Самцы вайвернов ушли с посадочной полосы. Чарис могла продолжить путь к ждущему вертолету. Ланти придумал практичный план: на вертолете добраться до колдуний. Ланти?

Чарис потерла руки и постаралась спокойно подумать. Что-то случилось у куполов: логично связать этот шум с попыткой Ланти проникнуть к врагам. Возможно, сейчас он в плену. Или еще хуже.

Но если она захватит вертолет сейчас, когда внимание часовых отвлечено, возможно, это ее лучший шанс на спасение, хотя она и покинет человека, который, может быть, встревожил захватчиков, но в руки к ним не попал.

Выбора нет. В глубине души Чарис понимала, что его и не было. И теперь, во время последнего испытания, она чувствовала себя такой измученной, словно носители копий захватили ее в неравной схватке. Но она встала и побежала к вертолету.

Раскрыв дверцу кабины, Чарис остановилась. Она ожидала взрыва. Ничего не произошло. Она забралась внутрь и села за приборы управления. Пока все в порядке. Теперь — куда?

Крепость на западе — это все, что ей известно. Но море широкое, а она никогда не летала туда по воздуху, как Ланти. Может, воспользоваться в качестве указателя барьером, который мешает ей применять Силу? Слабый шанс, но все же шанс.

Чарис настроила приборы, приготовилась к крутому подъему и нажала нужную кнопку. Ее отбросило назад в кресле пилота. Вертолеты не предназначены для таких резких маневров. Но крутой подъем сразу уведет ее с посадочной полосы, и, может быть, ее не заметят.

Она глотнула и попыталась справиться с головокружением. Купола превратились в небольшие серебристые круги, едва видные в сгущающихся сумерках. Чарис установила курс на север и поставила вертолет на автопилот, пытаясь обдумать, как точнее использовать барьер.

Как проследить ничто? Пытаться проникнуть, пока не обнаружишь стену между собой и целью? Она знает, что остров вайвернов расположен к северу от правительственной базы, к югу от поста Джагана, и у нее нет даже луча коммуникатора, чтобы точнее определить положение.

Внизу, едва видимый, показался берег, неровная линия между сушей и морем. Рисунок. У нее должен быть рисунок! Чарис осмотрелась. Здесь нет листьев, нет ни земли, ни камня. Крышка коробки с припасами слева от нее? Чарис запустила туда руки и высыпала содержимое.

Пакет питательных таблеток. Она быстро переложила его в карман пояса. Сумка первой помощи, больше и с лучшим набором содержимого, чем у Ланти. Чарис радостно принялась рыться в ней в поисках стерильного карандаша. Его не было, зато нашелся большой тюбик с той же краской. И наконец большой лист пластопокрытия. На таких чертят карты. Поверхность его шероховатая: его много раз использовали, а потом стирали рисунок.

Подойдет, если она найдет, чем писать. Снова Чарис порылась в пакете и на самом дне нащупала тонкий цилиндр. И достала огненную трубку. Она бесполезна. А может, и нет?

Она лихорадочно настроила шкалу на самый слабый луч, прижала конец трубки к листу пластапокрытия. Весь лист может вспыхнуть. Но карты должны не поддаваться не только влаге, но и жаре. Однако эта использовалась в прошлом, может быть, слишком часто. Чарис быстро чертила, опасаясь допустить ошибку. Коричневые полоски глубоко врезались в поверхность, они слегка расплывались, но их хорошо видно.

Чарис выключила трубку и принялась разглядывать, что у нее в руках. Да, расплывчато, но различимо. У нее неплохая замена диска.

Теперь попробовать. Она закрыла глаза. Комната в Крепости — сосредоточься! Барьер! Но в каком направлении? Она знает только, что этот барьер по-прежнему существует. Ее идея о поиске направления с его помощью как будто провалилась. Но нельзя сдаваться после первой попытки.

Комната — рисунок — барьер. Чарис открыла глаза. Голова ее слегка повернута влево. Это ключ? Она может испытать его? Она отключила автопилот и изменила курс, направив машину от берега в глубь суши. Море не видно, внизу только темная суша. Чарис снова развернула вертолет и направилась назад.

Комната — рисунок... Голова ее снова повернута налево, но не намного. Хоть и не очень надежный указатель, придется им воспользоваться. Снова изменив курс машины, нацелив ее на воображаемую точку, Чарис повела вертолет в море.

Рисунок... попытаться. Она смотрела прямо вперед, когда встретила непроницаемую преграду. О, только бы она оказалась права!

Чарис понятия не имела, далеко ли она от острова вайвернов. Вертолет способен летать далеко, но острова могут находиться во многих часах полета. Она увеличила скорость и приготовилась терпеливо ждать.

Низко над горизонтом звезды. Нет, это не звезды! Слишком низко. Огни! Огни на уровне моря. Крепость! Чарис испытала Силу и словно на полной скорости налетела на стальную стену. И ахнула от физической боли столкновения.

Но вертолет никакой преграды не встретил. Он продолжал приближаться к огням.

Чарис не знала, что сделает, добравшись до Крепости. Но она должна предупредить, а Сила поможет вайвернам понять, что она говорит правду. Но, даже предупрежденные, что смогут сделать колдуньи? Они только замедлят свою гибель, если откажутся от нападения, которое уже подготовили.

Огни оказались окнами массивной Крепости. Верхние окна находились почти на уровне вертолета. Чарис взяла на себя управление и обогнула здание в поисках ровной площадки для посадки. И увидела такую площадку, словно специально для нее подготовленную.

Когда вертолет коснулся поверхности, Чарис увидела второй такой же вертолет. Итак, второй разведчик, Торвальд, еще здесь. Он станет ее союзником? Или он теперь пленник, спрятан в таком несуществовании, в каком был Ланти? Ланти... Чарис попыталась подавить мысли о Ланти.

Она держала при себе пласталист. Вокруг стены без дверей, без перерывов, а окна высоко, по крайней мере на этаж выше нее.

Огни, которые привлекли ее к этой площадке, горят на столбах. Итак, вайверны ожидали ее. Но здесь никто не ждет. Она может оказаться в ловушке.

Чарис кивнула. Это часть того, что обещала ей бледная вайверн. Она должна все делать сама, своими усилиями. Ответ надлежит добыть ей.

Так сказала бледная вайверн, поэтому ей и следует доставить ответ. Чарис держала пласталист обеими руками, чтобы видеть рисунок в мерцающем свете ламп. Острый гребень, бледная кожа с едва заметным рисунком — Чарис извлекала из памяти внешность вайверн, создавала изображение, чтобы сосредоточиться на нем, пока не были восстановлены все подробности. А потом...

— Итак, ты все-таки можешь видеть сны целенаправленно. — Не удивление, а констатация факта в виде приветствия.

В комнате темно. По обе стороны стола горят две лампы, но дают мало света, и Чарис чувствует, что за тем местом, где она стоит, большое пустое пространство. Вайверн сидит в кресле с высокой спинкой, по креслу пробегают разноцветные полоски, оно само словно живет своей особой жизнью.

Колдунья удобно откинулась, положила руки на ручки кресла, оценивающе разглядывая Чарис. Девушка нашла слова ответа.

— Да, я видела сон, мудрая, и потому стою здесь.

— Верно. И зачем ты стоишь здесь, видящая сны?

— Чтобы предупредить.

Вертикальные зрачки больших желтых глаз сузились, голова чуть поднялась, Чарис ясно ощутила отказ.

— У тебя есть оружие против нас, видящая сны? Ты многого добилась с тех пор, как стояла перед нами. Какой силой обладаешь ты, чтобы говорить нам: «Я вас предупреждаю»?

— Ты неверно поняла мои слова, мудрая. Я предупреждаю вас не о себе, а о других.

— И в этом ты взяла на себя больше, чем имеешь права, видящая сны. Ты прочла свой ответ у Тех-Кто-Ушел-Раньше-Нас?

Чарис покачала головой.

— Нет. Ты все еще неверно понимаешь меня, читающая рисунки. В том, что приближается, мы видим один сон, а не противоположные.

Глаза внимательно разглядывали ее, казалось, проникали в сознание.

— Правда, что ты сделала больше, чем мы считали возможным, видящая сны. Но ты не едина с нами в Силе, только в том, что мы дали тебе. Почему ты утверждаешь, что мы должны увидеть один и тот же сон?

— Потому что иначе снов вообще не будет.

— Ты действительно в это веришь. — Не вопрос, а утверждение. Однако Чарис быстро ответила:

— Да, верю.

— Значит, с нашей последней встречи ты научилась не только преодолевать нашу преграду. Что еще ты узнала?

— Что инопланетяне сильнее, чем мы считали, что у них есть средство уничтожать сны и защищать их самих, что они стремятся захватить Силу, чтобы использовать ее в своих целях в других местах.

Снова слабое покалывание, проникновение в сознание. Проверка, насколько правдивы ее слова. Потом:

— Однако ты не вполне в этом уверена.

— Не вполне, — согласилась Чарис. — Каждый рисунок состоит из линий. Поэтому, если давно знаком с рисунком и видишь только его часть, можешь представить себе все остальное.

— И ты раньше знала этот рисунок?

— Я слышала о нем, и слышал некто Ланти.

Допустила ли она ошибку, упомянув о разведчике? Судя по холоду, охватившему сознание, так и есть.

— Какое отношение к этому имеет мужское существо? — Свистящий гневный вопрос.

Чарис тоже рассердилась.

— Очень большое, мудрая. Возможно, он погиб в войне с врагом — вашим врагом!

— Как это возможно, если он... — Мысленная цепочка, соединявшая их, прервалась на половине фразы. Желтые глаза закрылись. Ощущение ухода было таким сильным, что Чарис ожидала: вайверн вот-вот исчезнет из кресла. Однако она продолжала сидеть в нем, хотя сознание ее явно находилось в другом месте.

Минуты тянулись бесконечно, потом Чарис увидела, что вайверн возвращается. Пальцы сжали ручки кресла. Желтые глаза открылись, их взгляд устремился к девушке, хотя в нем все еще не было сознания.

Чарис решила попробовать.

— Ты не нашла его, мудрая, там, куда вы его отправили?

Ответа нет, но Чарис уверена, что вайверн поняла ее.

— Его там нет, — продолжала девушка, — и нет уже какое-то время. Я сказала правду, он был занят вашими делами в другом месте. И, возможно, пострадал.

— Он не мог освободиться сам. — Руки вайверн разжались. Чарис показалось, что колдунья раздражена тем, что выдала свое возбуждение. — Не мог. Он всего лишь мужское существо...

— Но он также по-своему видящий сны, — прервала Чарис. — И хотя вы стремились изолировать его, устранить от борьбы, он вернулся — но не для войны с вами, а для борьбы с теми, кто вам угрожает.

— Какие сны у тебя были, что ты смогла это сделать?

— Не только мои сны, — возразила Чарис. — Его сны тоже, и сны других все вместе как ключом открыли его тюрьму.

— Приходится поверить в это. Но не понимаю причины такого поступка.

— Причина известна тебе и тем, кто делит с тобой сны. Послушай. — Чарис передвинулась к столу, протянула руку. — Похожа ли я на тебя? Есть ли у меня на коже рисунки снов? Но я вижу сны. Разве не могут мои сны отличаться от твоих, как отличается тело? Может быть, даже Сила, которую я использую, не та же самая.

— Слова...

— Слова, за которыми действия. Вы отослали меня и сказали, чтобы я освободилась с помощью снов, если смогу. Я смогла. Потом вместе с Шенном Ланти увидела во сне выход из более прочной тюрьмы. Ты веришь, что я все это сделала?

— Верю? Нет, — ответила вайверн. — Но Сила всегда различается, колеблется. И у Говорящих Стержней был ответ для тебя, когда мы вызвали Тех-Кто-Был-Некогда. Хорошо, я признаю, что ты говоришь правду. Теперь расскажи, что ты считаешь правдой, но для чего у тебя нет исчерпывающих доказательств.

Чарис рассказала об открытиях на базе и о предположениях Ланти.

— Машина, которая нейтрализует Силу, — вернула ее к прежней теме Вайверн. — Ты веришь, что она существует?

— Да. Что если ее используют против вас, прямо в этой Крепости? Ваши сны не будут действовать. Как сможете вы бороться против смертоносного оружия пришельцев?

— Мы знали, что наши сны не могут тревожить этих незнакомцев, — задумчиво говорила вайверн. — Не могут вернуть в нужное место нарушителей закона. — Теперь в ее голосе звучал гнев. — Но что они могут отобрать у нас Силу... нет, об этом мы не думали.

Чарис испытала облегчение. Последнее признание изменяет ее статус. Ее словно снова допускают в ряды вайвернов.

— Но они не понимают, что мужские существа не могут использовать Силу.

— Ланти может, — напомнила Чарис. — А как же его друг, которого ты знаешь? Торвальд?

Колебание, затем вынужденный ответ:

— Он тоже — немного. Ты считаешь, что и у других, не нашей крови и кости, может быть такая способность?

— Неужели так трудно это понять?

— И что ты предлагаешь, видящая сны? Ты говоришь о войне и битвах. Нашим единственным оружием всегда были сны, а теперь ты говоришь, что они нам ничего не дадут. Так каков твой ответ? — Снова враждебность.

А у Чарис нет ответа.

— То, что делают эти пришельцы, противоречит нашему закону и направлено против твоего народа. Есть такие, кто может прийти нам на помощь.

— Откуда? Со звезд? И как их позвать? Сколько им потребуется времени, чтобы прибыть?

— Не знаю. Но у вас есть этот человек, Торвальд, а он знает все ответы.

— Кажется, ты, видящая сны, считаешь, что я, Гидайя, могу отдавать здесь любые приказы, делать, что хочу. Но это не так. У нас совет. И есть среди нас такие, кто не станет слушать твою правду. Мы с самого начала разделились в этом деле, а чтобы отговорить от нападения, теперь потребуются длительные убеждения. Встанешь ли ты открыто рядом со мной, если убедить не удастся?

— Понимаю. Но ты сама сказала, мудрая, что времени мало. Позволь мне поговорить с Торвальдом, если он здесь, и узнать у него, как призвать на помощь из пространства. — Не зашла ли она слишком далеко в своей просьбе?

Гидайя ответила не сразу.

— Торвальд заперт прочно... — она помолчала и добавила: — Но теперь я сомневаюсь в прочности любых дверей и запоров. Хорошо, можешь пойти к нему. Я могу сказать тем, кто против этого, что ты присоединилась к нему в заключении.

— Как хочешь. — Чарис заподозрила, что Гидайя выдаст это за уступку партии, настроенной против инопланетян. Но она очень сомневалась в том, что вайверн считает, будто ее можно удержать Силой.

— Иди!

По крайней мере Торвальда не отправили в пустоту, которая служила тюрьмой Ланти. Чарис стояла на пороге обычной спальни Крепости. Единственное отличие от ее прежней комнаты — отсутствие окна. На груде матрацев лежал человек. Он тяжело дышал. Повернув голову, он что-то произнес, но девушка не разобрала слова.

— Торвальд! Рагнар Торвальд!

Бронзово-желтая голова не поднялась с матрацев, но глаза раскрылись. Чарис опустилась на колени рядом с мужчиной.

— Торвальд!

Он опять что-то произнес. Сжал руку в кулак и ударил ее по руке. Сон? Естественный? Или фантазия, внушенная вайвернами? Но она должна его разбудить.

— Торвальд! — Чарис позвала громче, взяла его за плечи и потрясла.

Он снова ударил ее, отбросил к стене, потом сел, открыл наконец глаза, дико осмотрелся. Увидев ее, напрягся.

— Ты реальная — мне кажется! — Вначале уверенное утверждение, потом сомнение.

— Меня зовут Чарис Нордхолм. — Они присела у стены, потирая руку. — И я реальна. Это не сон.

Да, не сон, но худшая из неприятностей. И есть ли у Торвальда ответы на самом деле? Она надеялась на это.

## Глава пятнадцатая

Он очень высок, этот офицер-разведчик, возвышается над ней. Чарис сидела на матраце, скрестив ноги, а он расхаживал взад и вперед по комнате, задавая очередной вопрос или заставляя повторить часть ее рассказа.

— Очень похоже на действия компании, — наконец высказал он свое суждение. — А это значит, что они очень уверены в себе. Считают, что у них все схвачено. — Он говорил не с ней, а словно про себя. — Сделка... должно быть, заключили сделку!

Чарис догадалась, что он имеет в виду.

— Думаешь, они убедили кое-кого закрыть глаза?

Торвальд пристально, почти неприязненно взглянул на нее. Коротко кивнул.

— Не с нашей службой! — рявкнул он.

— Но ведь Патрулю они не смогут сопротивляться. Если ты сумеешь послать сообщение.

Он мрачно улыбнулся.

— Вряд ли. Единственный аппарат связи с космосом на базе, а судя по твоему рассказу, база принадлежит им.

— На поле стоит корабль Патруля. На нем должна быть своя связь, — указала девушка.

Торвальд потер рукой подбородок, его невидящие глаза были устремлены на голую стену комнаты.

— Да, этот патрульный корабль...

— Они даже не охраняли вертолет.

— Значит, не ожидали неприятностей. Вероятно, решили, что весь штат базы у них в руках. Теперь будет по-другому.

Она понимала, что он прав. Захватив Ланти — она уверена, что именно это произошло, — и видя, как она улетает на вертолете, они насторожатся. Если раньше корабль Патруля не охранялся, то теперь, Чарис не сомневалась, он под постоянной охраной.

— Что же нам делать?

— Зависит от того, что они сделали с Ланти.

Или от того, молча добавила Чарис к словам Торвальда, жив ли он.

— Они знают, что у него остался по меньшей мере один сторонник. Ведь кто-то улетел в вертолете. Они могут просканировать Ланти, а у него нет защиты мозга.

Чарис обнаружила, что у нее дрожат руки. Внутри похолодело и засосало, холод разлился по всему телу. Торвальд всего лишь объективен, но она поняла, что сама не может быть такой, когда человек, о котором они говорят, нечто большее, чем просто имя, — живая личность, которая почему-то стала ей ближе всех. Она не замечала, что офицер Разведки молчит, пока он не опустился рядом с ней, положил свои руки ей на руки.

— Мы должны смотреть в лицо правде, — негромко сказал он.

Чарис кивнула, выпрямилась и подняла голову.

— Я знаю. Но я ушла, а он...

— Ты поступила единственным разумным образом. Он это знает. И еще кое-что. Этот самец вайверн. И животное, на которое напали в кустах... Ты считаешь, это была Тоги?

— Я перед этим уловила ее запах. И один из вайвернов был убит или серьезно ранен.

— Поэтому они могут считать, что мы не одни. И станут вдвойне осторожнее. Животные действуют вместе со своими хозяевами, это все знают. И всем известно, что они фанатично верны хозяевам. Ланти два года заботился об этих росомахах. На базе его могут держать ради контроля над животными.

Верит ли он сам в это? Или просто старается утешить ее, сделать так, чтобы она не испытывала чувства вины?

— Теперь этот нейтрализатор. — Торвальд снова встал и принялся беспокойно расхаживать. — Пока он у них есть, они словно в крепости. И сколько еще они будут ждать? Если проследили полет вертолета, то знают...

— Куда нацелить нападение? — закончила за него Чарис, впервые поняв всю возможную опрометчивость своего поступка.

— У тебя не было выбора, — сразу понял ее чувства Торвальд. — Важно было предупредить. А так как вайверны установили барьер, другим путем ты не могла до них добраться.

— Да, но есть способ вернуться на базу. — Чарис напряженно думала. Сумасшедший, дикий план, но может сработать. Торвальд слушал ее внимательно.

Шиха! Чарис мысленно вернулась в свою первую ночь на Колдуне, увидела женщину, которую контакт с вайвернами привел к безумию.

— Захватчики знают, что Джаган привез меня сюда, — начала Чарис. — И что я ушла с торгового поста под контролем вайвернов. Это они могут проверить. Возможно, у них даже есть запись моей просьбы о помощи. Но, наверно, они не подозревают, что это именно я увела вертолет. Или если знают — что они знают о Силе? Знают, что с ее помощью вайверны контролируют своих самцов. И решат, что я была под контролем вайвернов, когда захватила вертолет.

258

— Предположим, я дам им понять, что сбежала и направилась назад, на базу, потому что решила, что там буду в безопасности. Я буду действовать, как Шиха.

— А если они поместят тебя под сканнер? — хрипло спросил Торвальд. — Или уже узнали от Ланти, что ты можешь сделать с помощью Силы?

— Если они знают об этом, то не захотят применять сканнер. Не сразу. Им потребуются демонстрации моих способностей, — возразила Чарис. — Знать слишком много они не могут. Что ты сообщил? Твои сообщения, должно быть, и привели их сюда.

— Сообщения? Что мы в них говорим, кроме самых общих мест? У нас приказ не торопиться в делах с колдуньями. Они помогли нам уничтожить здесь базу трогов — собственно, сами сделали это. Вначале они не торопились дружить с нами. Согласие на переговоры исходило с их стороны, но контакт был установлен на очень непрочном основании. Не понимаю, откуда этот нейтрализатор. Из наших отчетов невозможно извлечь сведения, чтобы построить его. Мы сами знаем недостаточно. Может, эта машина — модификация чего-то известного, и они привезли ее с собой в качестве эксперимента. Тогда их эксперимент удался, даже слишком!

— Но, в таком случае, они не очень хорошо знакомы с Силой и с тем, как она действует, — вернула его Чарис к своему предложению.

— Согласен. Они подчинили себе каким-то образом самцов. Но те никогда не могли видеть сны и использовать Силу. Разведчики компании должны лишь смутно представлять себе, как действует Сила.

— Значит, я могу что-нибудь рассказать им о Силе, а проверить они не смогут?

— Если не используют сканнер, — напомнил он.

— Но если имеешь дело с проблемами сознания, нельзя уничтожать мозг, — возразила Чарис. — Говорю тебе: если к ним придет беженка от вайвернов и согласится им помогать, они не станут подвергать ее опасности. Захотят, чтобы я рассказала добровольно.

Торвальд смотрел на нее.

— Существует не один вид силы, — медленно сказал он. — И если они заподозрят, что ты ведешь двойную игру, не колеблясь, используют любые средства, чтобы тебя сломать и узнать, что им нужно. Компания в таком случае торопится, и ее агенты действуют безжалостно.

— Ну, хорошо. А каков твой ответ? Кажется, у меня лучшие шансы попасть на базу на моих условиях. Есть ли у тебя или у колдуний выбор? Если попытаешься проникнуть на базу, как Шенн, тебя ждет та же участь.

— Да.

— А я представляю нечто им нужное — инопланетянка с опытом использования Силы. В этих обстоятельствах у меня неплохие возможности подобраться к нейтрализатору. И если я смогу вывести его из строя, колдуньи сделают все остальное. А так вайверны подозревают и нас, просто потому что мы с другой планеты.

— А как ты убедишь вайвернов, что будешь действовать против собственного рода?

— Они читают мои мысли с помощью Силы. Правду от них не скрыть. Без поддержки целой армии — а ее у нас нет, — назад базу не отберешь. А кто-то должен сделать шаг, опередить захватчиков.

— Ты не знаешь, на что они способны... — начал Торвальд. Чарис встала.

— За мной люди уже охотились. Можешь не рассказывать мне о жестокости. Но пока я представляю хоть некоторую ценность для них, меня будут сохранять. И я считаю, что сейчас я твой единственный ключ.

Девушка на секунду закрыла глаза. Это страх, внутренний озноб. Да, она знает, каково столкнуться с враждебностью; она убегала от нее. А теперь должна беззащитной идти туда, где ее могут ждать самые страшные пытки, какие только может подсказать воображение. Но это шанс. Она знает это со времени разговора с Гидайей. Возможно, постоянное использование Силы вырабатывает уверенность. Но ведь на базе она не сможет пользоваться Силой: помешает нейтрализатор. Придется рассчитывать только на свой ум и удачу. Или будет еще что-то? У базы бродят росомахи: Тоги и ее детеныши, — они свободны и охотятся на стражников чужаков. У Чарис не было контакта с Тоги, но с Тагги она была едина в том странном поиске Ланти. И с Тссту тоже. Где сейчас животные?

— У тебя еще что-то есть на уме? — Вопрос, должно быть, вызван ее изменившимся лицом.

— Тссту и Тагги... — начала она и объяснила подробнее.

— Не понимаю. Ты говорила, что их с тобой не было в Пещере Завес и позже.

— Да, но они ответили на мой призыв. Не думаю, что они заключены в каком-то месте сна. Может быть, какое-то время бродили сами по себе после того, что произошло. Это было пугающее испытание. — Чарис вспомнила коридор, открытые двери, через которые на нее обрушились мысли Ланти, и снова вздрогнула. — Может, они бежали от того, что помнили.

— Значит, они могут вернуться?

— Думаю, да, — просто ответила Чарис. — Между нами прочная связь. Возможно, она никогда не ослабнет. И если я их найду, у меня появятся союзники, о которых на базе и не подозревают.

— А если нейтрализатор прервет ваш контакт? — настаивал Торвальд.

— Если я встречусь с ними до появления на базе, они будут знать, где я и что нужно делать.

— У тебя на все есть ответы! — Собственное признание ему не нравилось. — Ты собираешься одна идти в логово врага. Пружина захлопнется, и все?

— Может, я не смогу это сделать. Но мне кажется, другого решения нет.

— Снова ты верно прочла рисунок, видящая сны!

Они удивленно оглянулись. В комнате стояла Гидайя и с ней Гисмей.

Торвальд раскрыл рот, потом снова закрыл. Поджатые губы говорили, что он понимает необходимость сохранять молчание, но негодует.

— Вы убедились, что так нужно действовать? — спросила Чарис у вайверн?

Движение плеч Гисмей соответствовало человеческому пожатию.

— Я, держательница Верхнего Диска, согласна с теми, кто делит со мной сны. Ты, которая не вполне нам чужая, веришь, что так нужно сделать. И согласна взять дело в свои руки. Да будет так. Но мы ничем не можем тебе помочь, потому что зло, принесенное в наш мир, окружило нас стеной. Мы не можем ее пробить.

— Да, когда я окажусь там, вы не сможете мне помогать. Но кое-что можете сделать раньше.

— Что именно? — спросила Гисмей.

— Найти Тссту и Тагги и вызвать их ко мне.

— Тссту обладает некоей силой, но можно ли ее вызвать... Старшая вайверн колебалась. — Но когда кто-то идет в логово двоехвоста без диска в руках, нельзя отказывать ни в какой просьбе. Да, мы поищем маленького зверька и второго, который служит человеку. Возможно, мы сможем сделать и больше, используя их как орудие...

Гисмей энергично кивнула.

— Хорошая мысль, Читательница Стержней! Ее стоит использовать. Мы можем начать действия, чтобы чужаки были заняты, не думали бы только о тебе и о том, что ты среди них делаешь. Ходить по их комнатам мы не можем, но можем видеть. — Она не стала объяснять.

Повернувшись к Чарис, Торвальд вмешался:

— Я пойду с тобой — в вертолете!

— Нельзя! — возразила Чарис. — Я не полечу в вертолете. Я должна прийти так, словно заблудилась...

— Я ведь не сказал, что мы высадимся на базе. Но я буду возле базы, достаточно близко, чтобы вмешаться, когда потребуется. — Он сказал это вызывающе, сердито глядя на вайвернов, словно сопротивлялся их воле.

Когда потребуется, подумала Чарис. Скорее — если потребуется.

— Хорошо, — ответила Гидайя, хотя Гисмей слегка шевельнулась, словно собралась возразить. — Возьми свою машину и лети — в то место...

В сознании Чарис мгновенно возникла картина плоской скалы, природной посадочной площадки.

— Примерно в миле от базы! — воскликнул Торвальд. Он, должно быть, тоже уловил эту картину и узнал место. — Мы подлетим с юга, ночью, без посадочных огней. Я посажу вертолет без труда.

— А Тссту и Тагги? — спросила Чарис у вайверн.

— Они присоединятся к вам. Теперь идите.

Чарис снова оказалась на площадке, где ждали два вертолета, но этот раз с ней был Торвальд. Девушка направилась к машине, в которой прилетела, но офицер разведчик схватил ее за руку.

— В моем, не в этом. — И повел ее к другому вертолету. — Если заметят его посадку, решат, что я вернулся и прячусь. Не свяжут с тобой.

Чарис согласилась, что это разумно. Торвальд сел за управление, а она сзади. Они поднялись прыжком, который лучше слов говорил о нетерпении Торвальда. И полетели под ночным небом над океаном.

— У них может быть поисковый луч, — сказал Торвальд, не отрывая рук от приборов. — Попробуем укрыться. Но придется лететь кружным путем. На север, потом на запад, потом с юга...

Путь действительно оказался долгим. Глаза Чарис сами собой смыкались. Несмотря на скорость машины, внизу продолжало расстилаться блестящее ночное море. Трудно было смириться, что приходится лететь от цели, а не прямо к ней.

— Откинься, — голос Торвальда звучал негромко и ровно. Он полностью овладел собой. — Поспи, если сможешь.

Спать? Как можно спать, когда впереди такая задача?

Спать... да это... невозможно.

Тьма, густая, непроницаемая тьма. Непроницаемая? Что это значит? Тьма, а потом в самом ее сердце — маленький огонек, пытающийся разогнать эту тьму. Огонь в опасности. Она должна добраться до него и подкормить. Чтобы он снова ярко засверкал! Но когда Чарис попыталась двигаться быстрее, ничего не получилось. Она приближалась медленно, словно под большой тяжестью. Огонь загорелся ярче, потом снова стал мерцать. Чарис знает, что если он погаснет, снова его не зажечь. Но одна она не может оживить этот огонь и шлет лихорадочный призыв о помощи. Ответа нет.

— Проснись!

Кто-то дергает Чарис, голова ее болтается. Она подняла голову, помигала, глядя на огонь. Как он похож на тот, в темноте.

— Ты видела сон! — В голосе звучит осуждение. — Они тебя захватили. Но они не должны были...

— Нет! — Она пришла в себя настолько, чтобы высвободиться из рук Торвальда. — Это был не их сон.

— Но ты видела сон!

— Да. — Она съежилась на сиденье вертолета, который летел на автопилоте. — Шенн...

— Что с ним? — быстро спросил Торвальд.

— Он еще жив. — Из тьмы Чарис принесла это небольшое утешение. — Но...

— Но что?

— Он едва держится. — Это тоже из тьмы, хотя и не так утешающе. Что подвергло Ланти такому напряжению? Физическая боль? Действие сканнера? Он жив и продолжает сопротивляться. Это она знает точно. И так и сказала.

— Настоящего контакта не было? Он ничего тебе не сказал?

— Ничего. Но я почти добралась до него. Если попытаюсь снова...

— Нет! — закричал на нее Торвальд. — Если он под сканнером, ты не знаешь, что еще могут у него узнать после вашего контакта. Ты... тебе придется выкинуть его из головы.

Чарис только посмотрела на него.

— Придется, — упрямо повторил он. — Если они узнают о тебе, ты не сможешь появиться там, как собралась. Разве не понимаешь? Ты единственный шанс, который остался у Ланти. Но чтобы помочь, тебе придется добраться до него лично, физически, а не так!

Торвальд прав. У Чарис хватило здравого смысла, чтобы согласиться с ним. Но ей не стало легче. Она вспоминала о слабом огне, который вот-вот погаснет во тьме.

— Быстрей! — Она облизнула пересохшие губы.

Он устанавливал новый курс.

— Да.

Вертолет повернул направо, направляясь к берегу, который по-прежнему не виден, и к задаче, поставленной ею перед собой.

## Глава шестнадцатая

Когда вертолет садился, управляемый уверенной рукой Торвальда, звезды больше не казались огненными точками. Скоро рассвет... Рассвет какого дня? Время то тянется, то летит, с тех пор как Чарис ступила на почву Колдуна. Она больше не уверена в последовательности минут и часов. Девушка стояла на скале, дрожа на холодном ветру.

— Миииирррииии! — Приветственный крик. Чарис опустилась на колени, протянула руки навстречу устремившейся к ней тени. К ней прижалось теплое тело, язычок ласково коснулся горла, подбородка, вызывая ощущение уверенности. Тссту снова с Чарис, она готова к контакту, она рада встрече.

Прикосновение к ноге более жесткой шерсти возвестило о появлении Тагги. Он издал легкий хриплый звук, когда она положила руку на его поднятую голову, почесала за маленькими ушами.

— Тагги? — Торвальд подошел от вертолета.

Росомаха выскользнула из-под руки Чарис, подошла к офицеру разведчику. Тагги принюхался к его полевым сапогам, встал на задние лапы, передними опираясь на тело Торвальда, и зарычал. Невозможно было ошибиться в вопросительном тоне его рычания, в требовании ответа, которое ощутила в своем сознании Чарис. Тагги хочет того, кого знает лучше Торвальда.

Чарис присела, прижимая к себе Тссту, но мысленно устремившись к Тагги, пытаясь уловить поток его мысли, черпать из этого такого чуждого для нее источника мыслительной энергии. Она заставляла себя не отшатываться от этого незнакомого, свирепого мышления. Тагги опустился на все четыре лапы. Переступая с ноги на ногу, он смотрел на нее.

Мысли — впечатления, подобные маленьким искрам, — закружились, словно над расшевеленным костром. Чарис представила себе Шенна Ланти, Шенна, каким видела его в последний раз на склоне холма у базы.

Тагги подошел к ней. Она протянула приветственно руку, и он сжал ее зубами, но не настолько сильно, чтобы прокусить кожу. Она видела, как он так же ласково покусывал Шенна. И все сильнее и требовательнее слышался его вопрос.

Чарис подумала о базе, какой видела ее с холма, и поняла, что Тагги уловил этот образ. Он выпустил ее руку, повернулся в новом направлении и начал принюхиваться.

Чарис с некоторыми опасениями решила послать росомахе нужное мысленное сообщение. Тссту гораздо сильнее настроена на нее. Как дать хищнику ощутить опасность, как дать ему понять, откуда она исходит? Представить себе Шенна пленником?

Вначале она представила себе, как Ланти свободный стоит у воды. Потом добавила путы на руках и ногах, ограничивающие эту свободу. Тагги гневно зарычал. Значит ей удалось! Но осторожно! Росомаха не должна безрассудно броситься навстречу опасности.

— ...рииуууу... — крикнула Тссту. Чарис знала, что это предупреждение. Росомаха оглянулась на них.

Вопрос, устремленный не к ней, а к кудрявой кошке. Животные общаются на своей волне. Может, это и есть лучший выход.

Чарис сменила направление предупреждения, она больше не пыталась смешаться с диким потоком мыслей Тагги, а нацелилась на Тссту. Ударить по врагу — да. Освободить Шенна — да. Но пока нужна осторожность.

Рычание Тагги стало спокойнее. Он по-прежнему нетерпеливо переступал с ноги на ногу, ясно было, что он хочет уйти, но Тссту сумела внушить ему необходимость осторожности и хитрости, какими владеет ее порода. Росомахи очень любопытны, но они же обладают сильным инстинктом самосохранения; они не пойдут в ловушку, какой бы соблазнительной ни была приманка. А Тагги теперь знает, что перед ним ловушка.

Снова Чарис сосредоточилась на Тссту. Просто, как могла, мысленно рассказала о своем плане проникновения на базу. Неожиданно она посмотрела на Торвальда.

— Может ли нейтрализатор помешать связи сознания с сознанием?

Тот ответил правду:

— Вполне вероятно.

Животные должны оставаться снаружи. Тссту, она маленькая, она сможет служить связником между росомахой и базой.

— Мииирриии! — Согласие и новое быстрое прикосновение языка к щеке Чарис.

Девушка встала.

— Больше нет смысла откладывать. Пора идти. — Опустив кудрявую кошку, она развязала волосы, встряхнула их. Они свободно легли на плечи и шею. К тому времени как доберется до базы, они спутаются, в них застрянут листья и веточки. Материал своего вайвернского платья она разорвать не может, но от ползания по земле на нем немало грязных пятен. На руках и ногах у нее свежие и полузажившие царапины. Она вполне выглядит так, словно несколько дней блуждала в глуши. Больше того, в последнее время она питалась в основном таблетками, похудела, и теперь ей не нужно изображать голод и жажду. Она чувствует и то и другое.

— Осторожней... — Торвальд протянул руку, как будто хотел удержать ее.

Контраст между этим простым предупреждением и тем, что может ждать ее впереди, показался Чарис таким забавным, что ей пришлось подавить смех. Она сказала:

— Сам помни об этом. Если тебя заметят с воздуха...

— Вертолет они могут заметить, меня нет. Я присоединюсь к тебе, как только смогу.

Это «как только смогу» продолжало звучать в ушах Чарис, когда она пошла прочь. Ему лучше было бы сказать «если смогу». Теперь, когда она начала действовать, всевозможные страхи, продукт живого воображения, ожили в ней. Чтобы не думать о них, она стала представлять себе Шиху. Для захватчиков на базе она должна быть Шихой, женщиной, привезенной торговцами для контактов с вайвернами, той самой, которую сломила чужая Сила. Она должна стать Шихой.

Тагги исполнял роль разведчика и проводника, он вел ее с высоты, на которой приземлился вертолет. Здесь, в низинах, перед рассветом было еще темно, и Чарис трудно было идти. Волосы ее цеплялись за ветви; она высвобождалась, добавляя новые царапины к старым. Но все это только к лучшему.

Некоторое время она несла Тссту, но когда они приблизились к базе, животные укрылись, и Чарис их не видела и не слышала, но поддерживала мысленный контакт.

Солнце серебряными каплями заблестело на поверхности куполов, когда Чарис вышла на открытое место перед базой. Нет необходимости изображать усталость, потому что теперь она двигалась в дымке истощения, рот пересох, ребра болезненно поднимались при каждом вздохе. Она должна выглядеть как беженка, полубезумная, вышедшая из враждебной чужой глуши к своим — в поисках безопасности и убежища.

Во втором куполе видна дверь. Чарис направилась к ней. Движение. Показался человек в желтом и уставился на нее. Чарис крикнула — крик похож на карканье — и упала.

Оклики, голоса. Она не пыталась разобрать их, но продолжала лежать там, где упала. Ничего не говорила, когда ее перевернули, подняли и унесли в купол.

— Что делает здесь женщина? — Это один голос.

— Она блуждала в кустах. Смотрите, какая исцарапанная и грязная. И это не форма службы. Она не отсюда. Скажите капитану, что произошло.

— Она умерла? — Третий голос.

— Нет, просто потеряла сознание. Но, во имя Диса, откуда она взялась? На этой планете нет поселений...

— Сюда, капитан. Она просто выбежала из кустов. Потом увидела Ворга, что-то крикнула и упала лицом вниз!

Щелканье магнитных подошв космической обуви. В помещение, где она лежит, вошел четвертый.

— С другой планеты, верно... — новый голос. — Что это за тряпка на ней? Не форма, она не отсюда.

— Может быть, с поста, капитан?

— С поста? Минутку. Верно. Они привезли женщину для контактов с этими каргами-змеями. Но когда мы захватили их корабль, этой там не было.

— У них было две женщины, капитан. Первая спятила, совсем сошла с орбиты. Поэтому они привезли вторую. Ее не было, когда мы захватили корабль. Мы нашли здесь ленту, в которой просьба о помощи. Только она могла послать это сообщение. Потом ушла с поста и продолжала бежать...

Кто-то дернул ее за платье. Должно быть, трогали материал.

— Эту ткань делают змеи-карги. Она была у них.

— Пленницей, капитан?

— Может быть. А может, и нет. Ноннан, пришли сюда врача. Он приведет ее в себя, и тогда мы получим некоторые ответы. Остальные — прочь отсюда. Она скорее начнет говорить, если вы все не будете так на нее пялиться.

Чарис пошевелилась. Ей не нравилась мысль о враче из персонала компании. Такой специалист может использовать средства, развязывающие язык, а у нее против них нет защиты. Лучше сделать вид, что она приходит в себя до его появления. Она открыла глаза.

Ей не потребовалось симулировать крик. Он вырвался естественно. Она увидела не офицера компании, как ожидала, а существо, пришедшее словно из кошмара. К ней склонился один из самцов вайвернов; пасть его была слегка раскрыта, обнажая набор клыков, которыми он так щедро вооружен. Узкие зрачки глаз разглядывают ее с дружеским вниманием.

Чарис крикнула вторично, подобрала под себя ноги и села, стараясь как можно дальше отодвинуться от вайверна на койке, на которую ее уложили. Лапа с когтями уцепилась за матрац всего в нескольких дюймах от ее тела.

Весьма человеческий кулак соприкоснулся с головой вайверна, сбив его с ног и отбросив к стене, и место чудовища занял человек в форме. Чарис снова закричала, укрываясь от вайверна, который выпрямился и проявлял все признаки гнева.

— Уберите ее! Змея! — кричала она, вспомнив, как Шиха называла вайвернов. — Не отдавайте меня ей!

Офицер ухватил туземца за чешуйчатые плечи и грубо толкнул в сторону двери. Чарис обнаружила, что плачет. Она не пыталась сдержать рыдания, прижалась к стене, стараясь стать совсем незаметной.

— Не пускайте ее ко мне! — умоляла она человека, который теперь стоял лицом к ней.

Типичный наемник на службе компании. Чарис видела таких в космопортах и понимала, что его нельзя считать глупее офицера-космонавта. То, что он участвует в незаконной акции, делает его вдвойне подозрительным. Но он молод, а его обращение с туземцем, возможно, говорит, что он расположен к ней.

— Кто ты? — Вопрос задан тоном, который требует быстрого и правдивого ответа. И она может пока отвечать правдиво.

— Чарис... Чарис Нордхолм. Ты... ты из миссии? — Он поверит, что она не разбирается в формах, сочтет его правительственным чиновником.

— Можно сказать и так. Я командир этой базы. Итак, тебя зовут Чарис Нордхолм. А как ты оказалась на Колдуне, Чарис Нордхолм?

Не надо очень стараться, чтобы ответ звучал связно, решила Чарис. Она попыталась вспомнить поведение Шихи.

— Они у вас здесь. — Она посмотрела на него, как надеялась, с подозрением и страхом.

— Говорю тебе: туземцы не причинят тебе вреда. Если ты говоришь правду, — со значением добавил он.

— Говорю правду... — ответила она. — Говорю правду... Я Чарис Нордхолм. — И заговорила бесцветным голосом, словно повторяла затверженный наизусть урок: — Они... они меня привезли сюда... встретиться со змеями! Я не хотела... меня заставили! — Голос ее перешел в вопль.

— Кто тебя привез?

— Капитан Джаган, торговец. Я была на торговом посту...

— Вот как... Значит, ты была на торговом посту. А что произошло потом?

Снова она частично может говорить правду. Чарис покачала головой.

— Не знаю! Змеи... они отдали меня змеям... вокруг змеи... они забрались ко мне в голову... — Они зажала руками уши, принялась раскачиваться. — В голове... меня заставили разговаривать с ними...

Капитан сразу клюнул на это.

— Где это было? — Он спросил резко, чтобы проникнуть в туман, который, как он считал, окутывает ее сознание.

— В их... в их доме... в море... в их доме...

— Если ты была у них, как смогла уйти? — В комнату вошел еще один человек и направился к ней. Капитан знаком остановил его и нетерпеливо ждал ответа. — Как ты ушла от них? — повторил он снова подчеркнуто, чтобы привлечь ее внимание.

— Не знаю... я была там... потом оказалась одна... одна в лесу. Побежала... было темно... очень темно...

Капитан обратился к вошедшему:

— Можете вернуть ей рассудок?

— Откуда мне знать? — ответил тот. — Ее нужно накормить, напоить.

Врач протянул ей чашку. Чарис обеими трясущимися руками поднесла ее ко рту. Ощутила языком прохладу. Потом заметила слабый привкус. Какой-то наркотик? Может быть, она уже проиграла: ведь у нее нет защиты от наркотиков. Она допила. И как можно дольше держала чашку у рта.

— Еще... — Она вернула чашку врачу.

— Не сейчас, потом.

— Ты оказалась в лесу. — Капитан поторопился вернуть ее к рассказу. — А что потом? Как ты попала сюда?

— Я пошла, — просто ответила Чарис, не отрывая взгляда от чашки, как будто она гораздо важнее вопросов капитана. Раньше она никогда не играла такой роли и надеялась, что делает это достаточно убедительно. — Пожалуйста, еще... — попросила она врача.

Тот наполнил чашку на треть и дал ей. Она проглотила жидкость. Даже если там наркотик, так правильно. Теперь подумаем о голоде.

— Я хочу есть, — сказала она. — Пожалуйста, дайте мне поесть...

— Я принесу, — сказал врач и вышел.

— Ты пошла, — настаивал капитан. — Откуда ты знала, куда идти? Как пришла сюда?

— Откуда знала? — снова повторила Чарис. — Я не знала... но это просто. В одну сторону меньше кустов... я пошла туда. Потом увидела здание и побежала...

Врач вернулся и сунул ей в руку мягкий тюбик. Чарис пососала его, попробовала вкусную сытную пасту. Она узнала восстановительный рацион хорошо оснащенной базы.

— Как вы считаете? — спросил капитан врача. — Может она просто так пойти в правильном направлении? Мне это кажется странным.

Врач задумался.

— Мы ведь не знаем, как действует эта Сила. Они могли направить ее, и она об этом даже не подозревает.

— Это значит, что она — их способ проникнуть сюда! — Капитан враждебно взглянул на Чарис.

— Нет, как только она попадает под действие альфа-поля, всякое принуждение заканчивается. Вы видели, как освобождаются от контроля их воины. Если карги с какой-то целью ее направили сюда, сейчас действие их приказа кончилось.

— Вы в этом уверены?

— Вы видели, что происходит с самцами. Контроль внутри поля не действует.

— Что же нам с ней делать?

— Может, мы сумеем что-нибудь узнать от нее. Она была с ними, это очевидно.

— Это больше ваша область, чем моя, — заметил капитан. — Поместите ее с тем. Он по-прежнему без сознания?

— Я вам говорил, Лазга, это не обычная потеря сознания. — Врач был явно раздражен. — Какой-то уход. Я не понимаю. Знаю только, что он жив. До сих пор не подействовало никакое укрепляющее. Никогда ничего подобного не видел...

— Ну, по крайней мере она не в таком состоянии. Может, вы сумеете что-нибудь узнать от нее. Попытайтесь, и чем быстрее, тем лучше.

— Идем. — Врач говорил мягко. Он протянул руку к Чарис.

Она оторвалась от тюбика, из которого высасывала последние капли.

— Куда?

— В хорошее место. Ты сможешь там отдохнуть. Там есть еще пища... вода...

— Туда? — Она указала на дверь.

— Да.

— Нет. Там змеи.

— Один из воинов был здесь, когда она пришла в себя, — объяснил капитан. — Он еще больше испугал ее.

— Никто тебя не обидит, — успокаивал ее врач. — Я не позволю.

Чарис позволила уговорить себя. Этот разговор о «нем», которого лечит врач... Это Ланти!


### Глава семнадцатая


В четырех комнатках помещался маленький, но хорошо оборудованный госпиталь базы. Самая плохая его особенность, с точки зрения Чарис, — единственный выход наружу, у которого уже сидел вооруженный бластером охранник. Чтобы освободиться, нужно миновать его.

Врач ввел ее внутрь, поддерживая под руку, и она осмотрелась внешне бессмысленным взглядом. Они прошли в третью комнату, и он прикосновением к руке остановил девушку. Она покачнулась, притронулась рукой к стене, чтобы удержаться, надеясь, что эту реакцию припишут ее состоянию.

На узкой койке на спине лежал Ланти. Глаза его были широко раскрыты, но лицо было такое же пустое, лишенное выражения, как тогда, когда она нашла его меж скал. Он снова стал пустой оболочкой живого существа, личность исчезла.

— Ты знаешь этого человека?

— Знаю этого человека? — повторила Чарис. — Кто он? Знаю его... откуда мне... — Она легко разыграла смятение. Чарис видела, что врач внимательно наблюдает за ней.

— Пошли. — Он снова взял ее за руку, провел в следующее помещение. Еще две койки. Он посадил ее на ближайшую.

— Оставайся здесь.

И вышел, закрыв за собой дверь. Чарис провела руками по спутанным волосам. Даже сейчас за ней могут наблюдать через какую-нибудь видеосистему, так что не стоит рисковать. Она на базе, а подозрительность их только естественна. Но на всякий случай она легла на койку и закрыла глаза.

Внешне могло показаться, что она спит. Но она напряженно думала. Ланти... что с Шенном? В первый раз она видела его в таком состоянии после удара Силы вайвернов. Но сейчас дело в другом, и по немногим словам, которыми обменялись капитан и врач, девушка решила, что это состояние не результат их действий. Они сами в замешательстве.

«Уход» — так это назвал врач. Чарис едва не села. Ей показалось, что она нашла ответ. Ланти избрал этот путь бегства! Он сознательно ушел, прежде чем его смогли подвергнуть действию сканнера или наркотика правды, вернулся в ту тьму, туда, где его может ждать смерть. И у него для этого должен быть очень сильный мотив.

Сила не действует внутри этого их альфа-поля. Чарис коснулась рукой платья, нащупала пласталист — свой ключ в то место, куда ушел Ланти. Она не может его использовать. Она нашла Ланти, вернее, его пустую оболочку. Но нужно найти еще нейтрализатор или как-то остановить его действие. Она быстро теряла уверенность.

Вот что самое трудное: изображать спокойствие, когда каждый нерв требует действий. Чарис вначале должна убедить всех в том, что она только испуганная беглянка. И она заставила себя лежать неподвижно, хотя ей хотелось вырваться из этой маленькой комнаты, проверить, закрыта ли дверь на замок.

Она пришла на базу ранним утром; теперь все захватчики: люди и самцы-вайверны — встали. Не самое подходящее время для исследований. Исследования! Чарис сосредоточилась, послала мысль — не подкрепленную силой, но свою собственную, — попыталась связаться с Тссту. Если и этот контакт прерван альфа-полем...

Мысленное прикосновение, такое же мягкое и деликатное, словно кудрявая кошка коснулась ее языком. Чарис почувствовала прилив возбуждения. Путь не закрыт! Она установила контакт, пусть слабый и неуверенный, с животными за пределами базы.

Теперь не просто прикосновение, а прочное единство. А вот и свирепое побуждение, которое связывается с Тагги. И еще одно! Ланти? Нет. Это не его коридор. Подкрепление потока Тагги — его подруга, самка росомаха! Удача, на которую Чарис не рассчитывала.

Тссту пытается послать ей сообщение, она привлекает мысленную энергию росомах, чтобы усилить импульс. Предупреждение? Не совсем; скорее предложение временно воздержаться от действий. Чарис очень смутно уловила намек на связь с колдуньей вайверн. Должно быть, колдуньи, как и обещали, принимают участие. Но когда Чарис попыталась узнать больше, кудрявая кошка оборвала контакт.

Девушка начала думать о Ланти. Раньше потребовалась помощь Силы, чтобы достичь его — Сила плюс ее воля и плюс помощь двух животных. Но в вертолете она нашла его одна и сознательно к помощи Силы не обращалась. Если он слишком долго пробудет в мире тьмы, сможет ли вернуться? Маленький огонек может превратиться в пепел и не загореться снова.

Чарис заставила себя подумать о черноте, о полном отсутствии света, и всепоглощающей тьме, от которой ее род бежит с тех пор, как научился пользоваться огнем, чтобы отгонять тех, кто бродит в сумерках. Холод охватил ее тело, тьма сгущалась... Искра далеко, в сердце этой тьмы...

Кто-то дергал ее, тащил назад. Чарис застонала от боли. Открыв глаза, она увидела узкие зрачки на морде рептилии. И в этих зрачках — свирепое удовлетворение.

— Змея! — закричала она.

Самец вайверн улыбнулся; очевидно, ее ужас его забавляет. Он схватил ее за платье, вцепился когтями в ткань, потащил с койки. Но когда попытался притронуться второй лапой, тут же отдернул ее, словно задел за огонь. Тонко крикнул и отскочил.

— Что здесь происходит? — послышался человеческий голос. За туземцем показался человек, схватил самца за плечи и оттащил.

Чарис смотрела, как врач выпроваживает вайверна из комнаты. Потом подошла к двери: охранник вошел в комнату Ланти и помог врачу вывести туземца, который продолжал испускать высокие тонкие крики. Они исчезли, и девушка подошла к койке Ланти.

Шенн! Она не крикнула вслух, но, обращаясь к нему мысленно, знала, что ответа не будет. И все же хотела получить хоть какую-нибудь поддержку.

Глаза его широко открыты, но в них пустота. Ей не нужно касаться его расслабленной руки, чтобы понять, что он ей не ответит.

Крики вайверна не стихали. Напротив, снаружи их подхватил все усиливающийся хор. Должно быть, там собралось много туземцев. Может, среди них замаскированные люди компании?

Чарис колебалась. Ей хотелось выглянуть и узнать, что происходит, но такой поступок не соответствует ее нынешней роли. Она должна прятаться, испуганная до полусмерти, в каком-нибудь коридоре. Она прислушалась... Шум стихает... Лучше вернуться в свою комнату. И Чарис заторопилась назад.

— Ты... — В дверях стоял капитан Лазга, за ним врач. В голосе капитана звучала враждебность.

Чарис села на койке, поднесла руки к волосам.

— Змея... — она быстро перехватила инициативу. — Змея старалась забрать меня!

— И не зря! — Лазга быстрыми шагами подошел к койке. Схватил девушку за руку стальными пальцами и повернул к себе лицом. — Ты использовала трюки колдуний. Змея — ты сама змея! Эти быки снаружи, у них есть основание ненавидеть такие трюки. Они хотят добраться до тебя когтями. Гатгар говорит, что ты действуешь вместе с Силой.

— Это невозможно! — вмешался врач. — С самого начала, как она появилась тут, мы за ней следим. Ничего не зарегистрировано. Гатгар знает, что она была с самками, и только поэтому так действует.

— Что мы вообще знаем о Силе? — спросил Лазга. — Конечно, с тех пор как она здесь, показания только отрицательные. Но, возможно, у нее есть способ скрыть свою связь. Правду нам даст сканнер.

— Посадите ее под сканнер, и у вас ничего не останется, кроме сожженного мозга. Она будет такой же, как этот парень. И что нам это даст?

— Спустим на нее самцов — и тогда что-нибудь узнаем.

— Что можно узнать у мертвой? Они довели себя до убийственного гнева. Не торопитесь, и может быть...

— Не торопитесь! — Звук, который произвел капитан, очень похож на рычание Тагги. — У нас не осталось времени. Она знает, где база колдуний. Я говорю: нужно допросить ее и узнать. Тогда мы сможем действовать и действовать быстро. У нас приказ скрыть все следы дела.

— Но что хорошего, если мы уничтожим то, что добудем? Конечно, вы можете прорваться туда и подавить всякое сопротивление. Но вы ведь знаете, что до сих пор мы ничего не узнали. Сила не действует без подготовки и обучения. Может быть, у мужчин она вообще не действует. У вас есть женщина, чувствительная к Силе. Почему бы не использовать ее, как собирался Джаган, добыть необходимую информацию? Насильно этого не получишь.

Лазга выпустил Чарис. Но по-прежнему стоял над девушкой, глядя на нее так, словно хотел проникнуть в ее череп и подчинить себе.

— Мне это не нравится, — заявил он, но больше не возражал. — Хорошо, но не спускайте с нее глаз.

Капитан вышел. Но врач не последовал за ним. В свою очередь, он пристально посмотрел на Чарис.

— Хотел бы я знать, какую игру ты ведешь, — сказал он, поразив Чарис своей откровенностью. — Эти карги не могут контролировать тебя в пределах поля. Но... — Он покачал головой, скорее в ответ на собственные мысли, и не закончил фразу. Неожиданно вышел и закрыл за собой дверь.

Чарис продолжала сидеть на койке. Самец вайверн, по имени Гатгар, обвинил ее в том, что она действует с помощью Силы, но это не так. Во всяком случае не с использованием рисунка, как делают вайверны. Может быть, — рука Чарис легла на пласталист под платьем, — может быть, ей больше не нужна помощь рисунка? Может быть, то, что она здесь делала: установила контакт с Тссту, попыталась добраться до Ланти, — это другой метод использования той же силы?

Но если это так, значит можно пользоваться Силой, несмотря на нейтрализатор. Чарис мигнула. Это предположение открывает поле для самых широких размышлений. Она может связаться с Тссту, а Тссту, в свою очередь, свяжется с росомахами. А что если Тссту, росомахи, Чарис и Ланти объединятся и разорвут альфа-поле врага?

Ланти... Мысли ее всегда возвращаются к Ланти, как будто в рисунке, который совсем не рисунок, он необходимый элемент. Как в тот раз, когда она не могла вспомнить правильный рисунок, и ей помогла Тссту. Чарис не могла бы объяснить, почему она в этом уверена, но это так.

Она снова легла на койку и закрыла глаза. Нужно вырвать Ланти из тьмы, снова объединиться с ним. Чарис выпустила мысль-вопрос, развернула ее, как рыбак размахивает леской или как поворачивается поисковый луч коммуникатора. Вайверн, работающая с силой, могла бы осуществить этот поиск точнее и надежнее. Она сама, без помощи Силы, может только сосредоточиться на Тссту и быть относительно уверенной в установлении контакта. Но этот слепой поиск — гораздо более трудное дело.

Прикосновение! Чарис застыла. Тссту! Нужно удержать этот контакт, ей нужна поддержка, нужна дополнительная нервная энергия для выполнения задачи. Но Тссту не хочет. Она словно вырывается из рук Чарис. Однако Чарис держит линию контакта туго натянутой, шлет по ней свое настойчивое требование. И тут включается Тагги. Девушка напряглась, ощутив удар гораздо более свирепой мысли росомахи. Через Тссту обратилась она к Тагги с просьбой о помощи, об объединении воли. Ланти... Чарис заставила свой призыв принять форму имени... Ланти. Теперь присоединилась еще одна воля — Тоги, самка росомаха связана с самцом. Их объединившаяся энергия обрушилась на Чарис, как удар.

Чарис долго держала эту связь, как альпинист осматривает веревку с узлами, прежде чем подняться на опасный горный склон. Пора! Объединившиеся воли превратились в копье; Чарис не только нацелила его, но и сопровождала в полете.

Во тьму этого места пустоты, в самое необычное Другое-Где, куда может привести сила вайверн, полетела стрела в поисках слабого огонька. И Чарис — острие этой стрелы. И вот он перед ней, очень слабый, уголек, близкий к затуханию. И стрела, которая была Чарис, и Тссту, и Тагги, и Тоги, ударила в самое сердце угля.

Завертелись в диком танце фигуры. Из всех дверей коридора повалили толпы и окружили ее. Она не может убежать от них, иначе линия жизни порвется. Это гораздо хуже, чем в первый раз, когда она прошла этим запретным путем, потому что мысли и воспоминания Ланти стали гораздо реальнее. Чарис испытала такой ужас, что оказалась на самом пороге безумия.

Но цепь выдержала и оттянула ее назад. Она лежит на койке, ощущая под собой твердую поверхность. Контакт прервался, росомахи исчезли, Тссту исчезла.

— Я здесь.

Чарис открыла глаза, но не увидела человека в коричнево-зеленой форме. Она повернула голову к стене, которая по-прежнему разделяет их.

— Я... вернулся.

Снова уверенность, не выраженная в словах, но не менее отчетливая и приходящая с легкостью, с какой посылают мысли вайверны.

— Почему... — Губы беззвучно повторили мысленный вопрос.

— Либо это, либо сканнер, — ответил он сразу же.

— А теперь?

— Кто знает? Они и тебя взяли?

— Нет. — Чарис быстро рассказала, что произошло.

— Торвальд здесь? — Мысль Ланти ускользнула, и Чарис не пыталась последовать за ней. Потом он вернулся на уровень коммуникации. — Установка, которая нам нужна, в главном куполе. Ее охраняют самцы вайверны, чувствительные к телепатическим волнам. И они будут сражаться насмерть, чтобы установка действовала и они оставались свободны.

— Мы можем добраться до нее? — спросила Чарис.

— Мало надежды. Я пока такой возможности не вижу, — последовал его разочаровывающий ответ.

— Ты хочешь сказать, что мы ничего не можем сделать? — возразила Чарис.

— Нет, но нам нужно больше знать. Они больше не пытаются разбудить меня. Возможно, это дает мне шанс действовать.

— Самец вайверн сказал им, что я использую Силу. Но я не использовала рисунок, и их машина ничего не зарегистрировала, поэтому они не поверили самцу.

— Ты это сделала? Без рисунка?

— Да, с помощью Тссту и росомах. Значит ли это, что нам рисунок вообще не нужен? Что и вайверны в нем не нуждаются? Но почему машина ничего не заметила?

— Может, действовала на другой волне, — ответил Ланти. — Но самец уловил. Возможно, на других волнах они чувствительней своих хозяек. Может быть, они и сами могут пользоваться Силой, просто не знают об этом. Если они слышали тебя и раньше...

— То могли услышать и мой последний призыв к тебе?

— И насторожиться? Да. Значит, нужно действовать. Я даже не знаю, сколько их на базе.

— Колдуньи обещали помочь.

— Как они могут? Любое их послание заглушит поле.

— Шенн, вайверны контролируют своих самцов с помощью Силы. А самец, которого я видела, считает, что я могу использовать ее здесь. А что если мы соединимся снова? Не сможем ли контролировать их внутри поля?

В потоке мысли наступил перерыв, затем Ланти ответил:

— Откуда нам знать, что подействует, а что нет, пока не испытаем? Но я хочу быть готовым уйти отсюда на ногах. А мне виден у выхода охранник с бластером. Возможно, объединившись, мы подчиним себе самцов, но уж инопланетян, не чувствительных к контролю за мыслями, не сможем подчинить.

— Что же нам делать?

— Объединиться. Попробуй связаться с Торвальдом... — приказал он.

На этот раз первое звено цепи образовала не Чарис, а Ланти, он поддержал ее поиск кудрявой кошки. Тссту ответила раздраженно, но присоединила росомах.

Линия продлевалась, поворачивалась ... и вот ответ.

— Ждите. — По цепи, звено за звеном, пришло это предупреждение. — Колдуньи начинают действовать. Ждите их сигнала. — Животные разорвали контакт.

— Что они могут сделать? — спросила Чарис у Ланти.

— Я знаю столько же, сколько ты. — Он насторожился. — Идет врач.

Тишина. Чарис со страхом думала, насколько хорошо справится Ланти со своей ролью. Но если врач не надеется привести в себя разведчика, может, не станет его внимательно осматривать. Она лежала, прислушиваясь к звукам, которые могут донестись из-за стены.

Дверь ее комнаты открылась, вошел врач с подносом, и на нем еда, настоящая еда, а не рацион. Он поставил поднос на откидной столик, повернулся и посмотрел на нее. Чарис попыталась выглядеть так, словно только что проснулась. У врача напряженное лицо. На еду он указал резким жестом.

— Ешь! Тебе нужно подкрепиться!

Чарис села, откинула волосы, попыталась разыграть замешательство.

— Если ты умна, — продолжал врач, — то все расскажешь капитану. Он специалист в таких набегах. И если не знаешь, что это такое, то скоро узнаешь на собственном опыте.

Чарис побоялась спросить, что означает это предупреждение. Единственная ее защита — продолжать делать вид, что она испуганная беглянка.

— Больше ты не сможешь отказываться. У нас дважды сгорели все чувствительные предохранители.

Чарис застыла. Связь, дважды она устанавливала связь. Она отразилась на предохранительных устройствах захватчиков.

— Я вижу, ты меня поняла. — Врач кивнул. — Я так и думал. Тебе лучше заговорить, и побыстрее! Капитан может спустить на тебя этих быков.

— Змеи! — Чарис обрела дар речи. — Он отдаст меня змеям? — Ей не нужно было изображать отвращение.

— Дошло? Должно было дойти: они ненавидят Силу. И охотно уничтожат всякого, кто ее использует. Так что договаривайся с капитаном. Он сделает тебе неплохое предложение.

— Симкин!

В крике слышалась тревога, и врач повернулся. Послышались звуки, какой-то резкий треск, крики. Врач выбежал, оставив дверь открытой. Чарис тут же оказалась в комнате Ланти.

Теперь слышалось шипение бластера в действии. А такое щелканье Чарис слышала, когда за ней охотились птицы в утесах Колдуна.

И тут, словно собственный ускорившийся пульс, что-то пробежало по всему телу:

— Пора!

Этот сигнал не прозвучал вслух, но Чарис ответила немедленно. Она увидела, как Ланти одним гибким движением соскользнул с койки. Он тоже готов.


## Глава восемнадцатая

Ланти знаком велел Чарис держаться за ним, сам пошел впереди, направляясь к выходу из госпиталя. Здесь по-прежнему, спиной к ним, стоял охранник, преграждая им дорогу. Он следил за происходящим снаружи. Бластер он держал в руке и двигал им, как будто следил за перемещениями цели.

Разведчик с осторожностью охотящейся кошки пересек приемную, шум снаружи заглушал звуки его движений. Но стражника, должно быть, предупредил какой-то инстинкт. Он повернул голову, увидел Ланти и, крикнув, попытался повернуться и направить на разведчика бластер.

Слишком поздно! Что именно сделал Ланти, Чарис не знала. Но удар он нанес явно не обычный. Охранник упал, бластер выпал из его руки и заскользил по полу. Чарис прыгнула, и пальцы ее сомкнулись на рукояти этого отвратительного оружия. Выпрямившись, она бросила его Ланти, и тот легко поймал.

Они увидели сцену дикого смятения, хотя их взору открылась только небольшая часть базы. Люди в желтой форме укрывались, полосуя воздух лучами бластеров. Очевидно, они пытались отразить какое-то нападение сверху. Справа от входа в купол лежали, мертвые или без сознания, два самца вайверна. Во всех направлениях валялись обожженные щелкуны.

— Сюда... — Ланти указал на купол, около которого лежали вайверны.

Но если попытаться добраться туда, они станут целью тех, кто бластерами отгоняет щелкунов. Шум нападения стихал; меньше тел падало на землю. Чарис видела, как Ланти сжал губы, лицо его стало мрачно. Она поняла, что он готовится к действиям.

— Беги! Я тебя прикрою.

Она на глаз измерила расстояние. Недалеко, но ей показалось, что открытое пространство тянется бесконечно. А что самцы вайверны? Те, которых она видит, неподвижны, но могут быть и другие.

Чарис прыгнула, выскочив на открытое место. Услышала крик и шипение бластера. Ей чуть обожгло руку. Она закричала, но удержалась на ногах и пробежала в дверь, споткнувшись о тело вайверна. Упала внутрь и тем самым спасла себе жизнь: над ней пролетело копье. Она перекатилась и остановилась у стены. Оттолкнулась от нее, чтобы посмотреть на нападающих.

Самцы вайверны, их трое, двое с копьями, один с садистской медлительностью поднимает оружие. Вайверн наслаждается ее страхом и тем, что сейчас он распоряжается ситуацией.

— Ррррррууггггтх!

Вайверн, уже готовый к броску, повернулся к двери. На туземцев накинулся рычащий пушистый шар. Они завопили, отталкивая росомаху. Но животное, воспользовавшись внезапностью нападения, пронеслось мимо них и исчезло в соседнем помещении.

— Чарис! Как ты?

К ней подскочил Шенн. На уровне ребер его мундир дымился, и он бил по нему левой рукой.

— Поразительно плохой выстрел для человека компании, — заметил он.

— Может, им приказали не убивать. — Чарис пыталась вернуть самообладание. Но хоть она и встала спиной к стене, продолжала смотреть на самцов, пораженная, что они еще не пустили в ход копья. Должно быть, их потрясло появление росомахи.

Шенн пригрозил бластером троим самцам.

— Двигайтесь! — коротко приказал он. Выражение глаз туземцев показало, что они хорошо представляют себе, на что способно это оружие.

Они отступили из небольшой прихожей в главное помещение купола. Тут стоял большой коммуникатор, но один взгляд сказал Чарис, что они не смогут им воспользоваться: установка сожжена бластером, она почти расплавилась.

Но она не единственная в помещении. На импровизированном основании из упаковочных ящиков стоит сложная машина, на которой мигают огоньки. Рядом с ней шесть самцов вайвернов. Они словно греются от холода у костра. Они подняли копья, но увидели бластер в руке Шенна.

— Убьем! — Это слово, полное ненависти, проникло в сознание Чарис.

— И умрете сами! — ответила Чарис той же мысленной речью.

Головы, с заостренными мордами, увенчанные гребнями, качнулись. Удивление, тревога, страх — все это окружило самцов и мерцало, как огоньки на машине, которую они охраняли.

Ланти может сделать только одно: уничтожить машину вместе с самцами. Они защищают ее своими телами. По мнению Чарис, туземцы готовы умереть таким образом. Но единственная ли это возможность?

— Должна быть лучшая, — ответил на ее мысль Шенн.

— Убейте! — Это не самцы. Требование свирепое и четкое. Из-под обломков коммуникатора показался Тагги.

— Сюда! — Маленький черный клубок устремился к Чарис. Девушка наклонилась и подняла Тссту. Сидя у нее на руках, кудрявая кошка немигающим взглядом осмотрела самцов вайвернов.

— Мы умрем — вы умрете!

Четкое предупреждение. Но вайверн, который послал его, не поднял копье. Напротив, положил четырехпалую руку на установку.

— Это серьезно. — На этот раз Ланти воспользовался звуковой речью. — Там должна быть кнопка, которая все взрывает. Отойдите! — Он отдал мысленный приказ и взмахнул бластером.

Туземцы не пошевелились, их упрямая решимость ответила на приказ Ланти. Сколько будет длиться такая ничья? Рано или поздно появятся люди компании.

Чарис опустила Тссту и вернулась в прихожую. Однако хоть она смогла прикрыть наружную дверь, никакого замка у нее не оказалось. То место, куда прижимают ладонь, теперь превратилось в почерневшую дыру.

— Убей колдунью! С тобой мы договоримся.

Она отчетливо услышала эту мысль, возвращаясь в помещение связи.

— Ты как мы. Убей колдунью и будь свободен! — обратился самец к Ланти.

Тссту зашипела, прижав уши к круглой голове; попятившись, она прижалась к Чарис. Тагги зарычал со своего места рядом с Ланти, в его маленьких глазах горел боевой огонь.

Туземец взглянул на животных. Чарис уловила его нерешительность. Шенна вайверн мог понять; Чарис он ненавидит, потому что в его представлении она едина с колдуньями, всегда обладавшими Силой. Но связь с животными для него неожиданна, и он боится.

— Убей ведьму и тех, кто с ней. — Он принял решение, объединив незнакомое с Чарис. — Будь свободен, как мы.

— Вы свободны? — Откуда-то Чарис черпала слова. — За пределами этой комнаты, там, куда не достигает эта машина инопланетян, разве вы свободны?

В желтых глазах горячая ненависть, рычание отвело чешуйчатые губы от клыков.

— Свободны ли вы? — подхватил Шенн, и Чарис с готовностью уступила ему руководство. Для самцов вайвернов она символ того, что они ненавидят. Но Ланти мужчина, и для них он не враг.

— Еще нет. — Трудно признавать правду. — Но когда умрет колдунья, мы будем свободны.

— Но, может быть, не нужно убивать и умирать.

— О чем ты думаешь? — вслух спросила Чарис.

Ланти не взглянул на нее. Он напряженно смотрел на предводителя вайвернов, как будто удерживал туземца на месте одной силой воли.

— Мысль, — сказал он, — всего лишь мысль, которая может решить проблему. Иначе все кончится настоящей кровавой бойней. Ты думаешь, теперь, когда они узнали, что может сделать для них машина, эти самцы когда-нибудь перестанут быть потенциальными убийцами своего же рода? Мы можем уничтожить машину — и их, но это было бы поражением.

— Не убивать? — вмешалась мысль вайверна. — Но если мы не убьем их, пока их сны бессильны, они снова поработят нас и используют свою Силу.

— На мне они использовали Силу, и я был во тьме, где только пустота.

Вайверны были изумлены.

— И как ты ушел из этого места? — Было ясно, что вайверн понял, о каком месте говорит Ланти.

— Она искала меня, и они искали меня, и вместе все вытащили оттуда.

— Почему?

— Потому что они мои друзья. Они желают мне добра.

— Между колдуньей и самцом не может быть дружбы! Она хозяйка, он повинуется ее приказам во всем. Или становится ничем!

— Я был ничем, и однако я здесь. — Шенн мысленно устремился к Чарис. — Связь. Докажи им. Связь!

Она перебросила мысленную нить к Тссту, оттуда к Тагги, потом снова к Ланти. Они снова слились, и Шенн мысленно обратился к вайвернам. Чарис видела, как предводитель туземцев покачнулся, словно под ударом сильного ветра. Потом инопланетяне отступили и разъединились.

— Так это было, — сказал Шенн.

— Но вы не такие, как мы. У вас самцы и самки могут быть другими. Верно?

— Верно. Но знай вот что: вчетвером, действуя как один, мы победили Силу. Разве сможете вы всегда жить с машиной и с теми, кто ее привез? Можно ли им доверять? Заглядывали ли вы в их сознание?

— Они используют нас для своих целей. Но мы согласились на это ради свободы.

— Отключи машину, — неожиданно сказал Шенн.

— Если мы это сделаем, придут колдуньи.

— Нет, если мы не захотим.

Чарис была изумлена. Не много ли обещает Ланти? Но она начинала понимать, за что он борется. Пока на Колдуне существует пропасть между самками и самцами вайвернов, всегда будет возможность для компаний вмешаться и причинить неприятности. Шенн пытается уничтожить эту пропасть. Столетия традиции, поколения различного воспитания — все против него. Против него врожденные предрассудки и страхи, но он хочет попытаться.

Он даже не спросил ее согласия и поддержки, и она обнаружила, что не возражает против этого. Как будто связь устранила сопротивление решению, которое она считает правильным.

— Связь!

Взрыв, запах горящего пластапокрытия. Солдаты компании обратили бластеры против купола! Что собирается делать с этим Ланти? У Чарис было только мгновение для этой мысли, потом ее сознание объединилось с остальными.

Снова Ланти нацеливал и направлял острие мысли, послал его мимо растекающейся стены купола, прямо в сознание врагов, не подготовленное к такому нападению. Люди падали на месте. Бластер, изрыгающий огонь, завертелся на земле, посылая волнистую смертоносную струю.

У Шенна хватило храбрости начать игру, и он выиграл. Сможет ли выиграть и в большей игре?

Предводитель вайвернов слегка шевельнул рукой. Те, что своими телами ограждали машину, отошли.

— Это не Сила, какую мы знаем.

— Но она рождена Силой, — ответил Шенн. — И другая жизнь может быть порождена той, какую вы знаете.

— Но ты не уверен.

— Я не уверен. Но знаю, что убийство оставляет только мертвых, и никакая Сила, известная живым, не вернет мертвых. Вы умрете, и другие умрут вслед за вами, если вы начнете мстить. И кому будет польза от вашей смерти? Только инопланетянам, которым вы не сможете ответить.

— Но ты на нашей стороне?

— Разве можно скрыть правду, когда соприкасаются сознания?

Своеобразный занавес молчания отгородил туземцев, они совещались. Наконец предводитель возобновил контакт.

— Мы знаем, ты говоришь правду, как понимаешь ее. Никто раньше не мог разорвать путы Силы. То, что ты это сделал, возможно, означает, что ты сумеешь защитить нас. Мы принесли свои копья для убийства. Но ты прав: мертвые остаются мертвыми, и если мы осуществим свое желание убийства, умрут все. Поэтому мы попробуем твой путь.

— Связь! — Снова приказ Ланти. Он сделал жест рукой, и вайверн нажал кнопку на установке.

На этот раз не копье, устремленное вперед, а защитная стена мысли. И они едва успели соорудить эту стену. Началось наступление. Чарис покачнулась под ударом, ощутила твердую руку Шенна. Он стоял, чуть расставив ноги, задрав подбородок, словно противостоял физическому нападению, отвечал ударом на удар кулака.

Трижды обрушивался удар, пытаясь пробить стену, добраться до самцов вайвернов. И каждый раз стена выдерживала. И тут они явились физически: Гисмей, яркие узоры на ее теле горели, словно огнем; Гидайя — и еще две колдуньи, которых Чарис не знает.

— Что ты делаешь? — Обжигающий вопрос.

— То, что должен. — Ответ Шенна Ланти.

— Отдай нам то, что принадлежит нам! — потребовала Гисмей.

— Они принадлежат не вам, а себе!

— Они ничто! Они не видят сны, у них нет Силы. Они ничто, только мы придаем смысл их существованию.

— Они часть всего. Без них вы умрете; без вас они умрут. Разве можно это считать ничем?

— А ты что скажешь? — Вопрос Гисмей задан не Ланти, а Чарис.

— Он говорит правду.

— По обычаям вашего народа, не нашего!

— Разве я не получила ответ Тех-Кто-Ушел-Раньше? Ответ, который ты, мудрая, не смогла прочесть? Возможно, и это — такой же ответ. Четверо добровольно стали одним, и каждый раз как мы делаем это, мы становимся сильнее. Разве смогли вы пробить стену, созданную нами? А ведь вы обрушили на нее все Силу. Вы древний народ, мудрая, и много знаете. Но, может, когда-то давно вы свернули с дороги истины и тем ослабили свою Силу? Люди сильны, когда ищут новые дороги. А когда говорят: «Не существует других дорог, мы должны идти только по той, которую знаем», — они слабы, и будущее их туманно.

— Четверо стали одним, однако каждый из этих четырех разный. Вы все одинаковы в своей Силе. Разве вы никогда не думали, что полезно вплетать другие нити в узор, использовать новые формы, чтобы достичь Силы?

— Это глупо! Отдай нам наше, или мы уничтожим тебя! — Гребень Гисмей дрожал, все ее тело словно загорелось от гнева.

— Подожди! — прервала ее Гидайя. — Правда, что эта видящая сны получила ответ от Стержней, доставленный волей Тех-Кто-Видел-Сны-Раньше. Мы не смогли прочесть этот ответ, но он был послан ей и оказался истинным. Разве ты можешь отрицать это?

Ответа не было.

— Тут были сказаны слова, за которыми добрая мысль.

Гисмей шевельнулась, гнев ее не уменьшился. Но она не стала возражать открыто.

— Почему ты выступила против нас, видящая сны? — продолжала Гидайя. — Ты, перед которой мы открыли столько дверей, кому мы позволили воспользоваться Силой, почему ты обернула против нас наш дар? Ведь мы никогда не хотели тебе зла?

— Потому что здесь я поняла правду: есть слабость в вашей Силе, вы слепы и не видите зла, которое вам угрожает. Пока ваше племя разделено, пока вас разделяет стена презрения и ненависти, вы сами готовите свою гибель. Именно потому, что вы открыли передо мной двери и показали прямую дорогу, я то же самое сделаю для вас. Зло исходит от моего народа. Но мы не одинаковы. У нас тоже есть свои разделения и преграды, свои преступники и разбойники.

— Но молю тебя, мудрая, — торопливо продолжала Чарис, — не настаивай на сохранении этой пропасти, через которую проникает зло извне. Ты сама видела, что существует два ответа на Силу. Один исходит от машины, которую можно включать и отключать по воле инопланетян. Другой вырастает из семян, которые посеяли вы сами, и возможно, вы станете им пользоваться.

— Без этого мужчины у меня только Сила, которую вы мне дали. С ним и с этими животными я гораздо сильнее. Настолько сильнее, что это мне больше не нужно. — Она достала лист с рисунком, показала его колдуньям. Потом смяла лист и бросила на пол.

— Мы должны посоветоваться. — Гисмей сузившимися глазами смотрела на смятый рисунок.

— Да будет так, — ответила Чарис, и колдуньи исчезли.

\* \* \*

— Сработает ли? — Чарис сидела в помещении командира базы. На экране на стене видны ряды воинов вайвернов, сидящих на корточках. Они охраняют все еще не пришедших в себя людей компании в ожидании прибытия Патруля.

Ланти лежал в кресле, а у него на ногах посапывали во сне два детеныша росомахи.

— Разговариваете! — Торвальд говорил раздраженно, глядя на переносное связное устройство. — Когда вы проделали

283

это, я уловил только гудение, и от него у меня до сих пор болит голова.

Шенн улыбнулся.

— Стоит это запомнить, сэр. Думаю ли я, что наши доводы их убедят? Не стану высказывать предположений. Но колдуньи не глупы. А мы доказали им, что они способны терпеть неудачи. Мне кажется, это их потрясло. Они всегда владели Колдуном. Со своей Силой и снами считали себя неуязвимыми. Теперь они знают, что это не так. И перед ними две возможности: ничего не делать и погибнуть или пойти по новой дороге, о которой мы говорили. Готов поручиться, что вначале последует перемирие, потом начнутся вопросы.

— У них своя гордость, — негромко сказала Чарис. — Не слишком нажимай на них.

— Зачем это нам? — ответил Торвальд. — Не забывай, мы тоже видели сны. Но переговоры будешь вести ты.

Тон его голоса ее удивил, а он продолжал:

— Джаган предположил верно: женщина может послужить посредником. Колдуньи вынуждены согласиться, что Ланти и в меньшей степени я завоевали их уважение. Но все равно лучше будут разговаривать с тобой.

— Но я не...

— Не уполномочена действовать на дипломатическом уровне? Уже уполномочена. Наша миссия обладает широкими полномочиями, а ты теперь представляешь нас. Ты включена в штат. Вы все, в том числе Тссту и Тагги, входите в состав делегации для переговоров с колдуньями.

— И на этот раз твой договор будет добровольным.

Чарис не понимала, почему Шенн так в этом уверен, но приняла его уверенность.

— Связь!

Она автоматически подчинилась невысказанному приказу. Это новый рисунок, он складывается на глазах, изменяется, и она позволяет ему увлечь себя, чувствует, что он открывает ей новые дороги. Ей помогают аккуратные мысли Тссту, контролируемая свирепость и любопытство Тагги и иногда Тоги.

Это нечто иное, в чем-то ближе, в чем-то отличней, другая сила, которая становится неотъемлемой ее частью. Это дружба. Рука сжимает руку, она всегда рядом, до нее можно дотронуться в случае нужды. Эту дружбу она принесла из Другого-Где вайвернов и всегда будет в ней нуждаться.

# Вторжение
# к далеким
# предкам

Andre Norton. Forerunner Foray. 1973.

## Предисловие автора

Парапсихологию теперь во всем мире воспринимают всерьез, ее перестали чураться и опасаться. Какое-то время ее относили к фантастике все, кроме тех немногих, кто располагал подтвержденными фактами. Преодолев барьеры насмешек и суеверного ужаса, парапсихология стала наконец предметом серьезных исследований и удивительных экспериментов.

С глубокой древности известен дар психометрии. Сегодня существует немало документов, удостоверяющих способность некоторых людей узнавать историю незнакомых им ранее предметов, входя с ними в мысленный контакт. Это явление использовал английский археолог Т.С. Летбридж, с помощью психометрии исследуя в Британии раскопы поселений и памятники культуры дороманской эпохи. Проявления психометрии и сделанные благодаря им археологические открытия описаны ученым в книге «Экстрасенсорное восприятие, привидения и жезл пророка».

Я и сама являюсь свидетельницей четырех «считываний» информации с предметов человеком, обладавшим талантом психометрии и развившим его тренировкой. Результаты меня ошеломили. Работа с тремя полученными из моих рук предметами дала абсолютно уверенную и подробную информацию об их истории. На четвертый раз сведения оказались более расплывчатыми, так как объект «считывания» (фрагмент античного украшения) побывал во многих руках.

В одном случае данные психометрии полностью совпали с тем, что я знала о предмете. В другом — подробное описание истории куска очень редкой и старой китайской ткани было через месяц с небольшим подтверждено экспертами. Причем я и сама до этого не знала ничего об этом предмете.

Поставленный Летбриджем эксперимент по привлечению к археологии психометристов может положить начало новой методике исторических исследований.

# Глава первая

Зианта стояла перед дверью, свободной рукой поглаживая перчатку, крепко облегающую другую руку. Энергия, упрятанная умельцами в переплетениях ткани, отвечала теплым покалыванием. Ей приходилось наблюдать работу с такими перчатками, но обо всем спектре их возможностей оставалось только догадываться. С Ясы запросили бешеную цену даже за разовое пользование только одной перчаткой.

Зианта еще раз послала мыслеимпульс через прочную дверь в коридор, просмотрела его от начала до конца. Ничего настораживающего, как и предвидела Энния. Глубоко вдохнув, выставила разогретую пульсирующими иголочками ладонь и прижала ее к замку. Сейчас станет ясно, стоит ли перчатка такой кучи денег.

Бежали секунды. Зианта облизнула пересохшие губы — похоже, Ясу все-таки надули. Эта мысль умерла, не успев оформиться: дверь начала послушно убираться в стену, открывая вход. Еще один мощный импульс через порог: вдруг на пути есть охранные устройства, нейтрализовывать которых ее не научили?

Все чисто. Высший лорд Джукундус слишком традиционен в выборе средств защиты — они для Воровской гильдии не опаснее детских погремушек. Однако, переступив порог, она положила ту руку, что была без перчатки, на пояс, богато украшенный самоцветами. В каждом из камней спрятан крошечный, но мощный детектор. Включать свет не было необходимости. Она просто опустила на лоб устройство ночного видения, замаскировавший под богато декорированный обруч, кажущийся неотъемлемой деталью ее модного головного убора. Особым был и плащ: нажав на кнопку у ворота, она обретала невидимость. Стоимость ее сегодняшнего туалета превышала годовой бюджет населения небольшой планеты. Она выражалась в сумме, недоступной математическим познаниям Зианты.

Она вошла в большую комнату, обстановка которой была роскошной даже для Корвара — планеты удовольствий. Сокровища... ее взгляд скользил равнодушно — она проникла сюда лишь ради одной вещи. Зианта плотно обернула плащ вокруг тела, чтобы не коснуться ничего в этой комнате: даже крошечная утечка энергии могла оставить след, который ее выдаст. Она проскользнула через комнату к противоположной стене. Если план Ясы сработает и налет пройдет чисто, Джукундус ничего не заподозрит до тех пор, пока его тайны не будут выгодно проданы.

Прибор ночного видения позволял свободно ориентироваться во мраке. Но не только он помогал ей — она получила уже два сигнала от спрятанных в поясе детекторов. В таких случаях приходилось сосредотачиваться, чтобы подстраховаться мыслеуправляемыми защитными устройствами, хотя на это тратилась лишняя психическая энергия.

Всю стену занимало изображение космического пейзажа. Ей нужно было избавиться от перчатки, но не хотелось даже на секунду отрывать свободную руку от детекторов. Пришлось расстегнуть застежку перчатки языком и вытерпеть жгучий укол.

Освободив руку, Зианта извлекла из-за пазухи миниатюрный диск и прижала его к одной из звезд на пейзаже. Стена завибрировала, и это болью отозвалось в мозгу. Участок стены пополз вверх, открывая большой шкаф. Приборы, сработанные умельцами гильдии, действовали безупречно. Но дальше ей предстоит полагаться только на собственные способности.

Шкаф заполняли ряды кубиков, таких маленьких, что в руке могло поместиться сразу несколько штук. В этом множестве необходимо быстро и точно найти нужные и психометрически считать с них информацию.

Невольно задержав дыхание, она приложила пальцы к крайнему кубику в верхнем ряду, потом — к соседнему, к третьему... Не этот, не этот... До конца ряда так и не встретился нужный, хотя все они были начинены бесценными данными. Здесь Джукундус хранит свои записи. Не важно, что его имущество на разных планетах теперь конфисковано и он вынужден скрываться. Эти кубики помогут лорду вернуть свою власть над людьми, построить другую, еще более пышную и могущественную империю.

Есть! Она достала кубик из среднего ряда и поднесла его к голове выше обруча, точно против середины лба. Это был наиболее опасный момент налета. Сейчас она не могла рассеивать внимание ни на детекторы, ни на свою мыслезащиту: нужно полностью сосредоточиться на считывании. Микрозапись не содержала слов или образов, все было закодировано набором непонятных символов, которые Зианта была обязана скопировать в памяти... Кажется, все. Вернув кубик в гнездо, она снова стала водить пальцами по рядам: Яса предполагала, что записей может быть две.

Так и есть! Опять она была незащищенной, не способной к каким-либо действиям, пока не закончит прием информации. Но ведь мог быть и третий куб; пришлось проверить весь шкаф, чтобы убедиться, что их только два. Зианта с облегчением закрыла шкаф, стена с пейзажем опустилась на место, щелкнул запор.

Она снова укуталась в плащ — теперь нужно исчезнуть так же незаметно и осмотрительно, как проникла сюда. Снова лавирующие шаги, чтобы ничего не коснуться, не оставить ни малейшего намека на след... Но что это?

Она хотела еще плотнее запахнуть плащ, боясь задеть стоящий на пути столик с дорогими безделушками. Но ткань проскользнула меж пальцев, а рука потянулась дальше, вперед, хотя она вовсе не желала этого.

Зианта обмерла от страха, решив, что ее кисть захвачена каким-то хитроумным силовым капканом, не обнаруженным детекторами. Затем поняла, что просто нечто психически требовало ее внимания.

Это было незнакомое ей и пугающее ощущение. Она всегда считала свои психометрические способности достаточно сильными. Сейчас Зианта была на грани паники: на этом столике было нечто, что обладало более сильным зарядом психической энергии, чем все приборы гильдии. Это «нечто» притягивало ее, словно магнит.

Страх усиливался сознанием растущей опасности из-за того, что она задерживается на месте своего преступления. Но перед ней было нечто, что требовало использования ее таланта.

Она плотнее прижала к голове обруч. На столе — шесть предметов. Неведомое животное, искусно вырезанное из цельного самоцвета. Розовый кристалл с заточенным внутрь крылатым цветком с планеты Виргал III. Шкатулка из каменного дерева со Стира — пустая. Головоломка из концентрических колец — такие делают только на Лисандере. Изукрашенная сапфирами корзиночка для лакомств. И среди этих драгоценных вещиц — сухой комок глины, пыльный, невзрачный.

Зианта увидела на этом странном здесь предмете таинственные знаки. Рука сама потянулась к ним — и словно оказалась охваченной жгучим пламенем. Нет, она все-таки не притронулась к безобразному комку: этого делать нельзя, ни в коем случае нельзя — для нее это гибель.

Торопливо обмотав руку полой плаща, девушка опасливо обогнула стол. Какая-то ловушка, устроенная таинственными силами, скорее всего даже не Джукундусом, но явно с целью обезоружить любого подобного ей носителя психоэнергии. Эта догадка напугала ее не меньше, чем если бы сейчас взвыла сирена тревоги или загрохотали у входа сапоги Патруля.

Не помня себя, она выбежала за дверь; щелкнул замок. Ей казалось, что даже на улице слышно ее учащенное, рвущее грудь дыхание — дыхание существа, чудом избежавшего смерти. И в то же время ее жгло желание вернуться, схватить этот комок глины, или облепленный ссохшейся землей камень, или что оно там — но узнать, что это было!

Зианта мучительно боролась с искушением, а руки между тем подправляли ее наряд; и вот она уже выглядит под стать другим женщинам, развлекающимся здесь. Это было частью разработанного для нее плана. Он удался блестяще, Яса получит то, ради чего организовала дорогостоящую операцию. Но в душе Зианты не было упоения успехом. Ее терзало сомнение: не осталось ли там, за дверью, нечто несравненно более ценное, чем награда Ясы...

Рин выступил неожиданно ей навстречу из бокового коридора. Он был одет и вооружен, как профессиональный телохранитель. Гильдия телохранителей пользовалась некоторым покровительством властей, так как оберегала важных персон и богачей от покушений. А те, кто превратил Корвар в центр развлечений галактической элиты, имели причины и средства нанимать личную охрану.

Она на ходу едва заметно наклонила голову: все в порядке. Рин двинулся за ней, на шаг позади, как и положено телохранителю богатой дамы. Многочисленные зеркала, украшавшие коридоры и холлы громадного здания, отражали стройную фигуру в нарядах Девы Золь. Золотистый плащ являлся великолепным фоном для драгоценностей: пояса, ожерелья и головного убора с эффектно задранным кверху сверкающим обручем. Маска довольства и высокомерия застыла на лице, наведенная толстым слоем грима.

Спустившись, они окунулись в веселую толпу, где смешались одежды, облики и наречия обитателей разных миров Галактики. Корвар был не только центром развлечений, но крупным транзитным портом. Для путешествующих и кутящих здесь лордов провести вечер или неделю в обществе Девы Золь считалось весьма престижным, хотя и дорогим, приключением. Энния, одолжившая на этот вечер Зианте свои туалеты, вышколила ее на славу. Сама же она, согласно плану операции, развлекала сейчас высшего лорда Джукундуса в каком-то дворце где-то далеко отсюда...

Центральный холл представлял собой пестрый калейдоскоп гостей, прогуливающихся, сталкивающихся в дверях банкетных и игорных залов. Они погрузились в этот разнонаправленный поток; Зианта продолжала идти, ни разу не обернувшись на Рина. Между тем она бросала цепкие взгляды на лица встречных — зондировала. Ее преследовало навязчивое ощущение, что она под наблюдением. Что это: опасность, реакция истощенной психики или контакт с комком глины лишил ее покоя? Она и сейчас чувствовала где-то в глубине сознания зовущее притяжение камня. Но это заглушалось каким-то более близким раздражителем, хотя в нем не было ничего, не подвластного ее воле.

А действительно ли есть слежка? Но ведь ее поле надежно заэкранировано скрытыми в одежде устройствами. Техника, которой располагает Воровская гильдия, известна только узкому кругу посвященных, нигде ничего подобного не купишь. Эти успокоительные доводы не разогнали, однако, тягостную атмосферу — чего? Поиска? Слежки? Скорее — поиска. Ее ищут, но еще не обнаружили, иначе она тут же поняла бы это.

Повинуясь чуть заметному жесту Зианты, телохранитель поспешил вперед и вызвал флиттер. Выйдя на воздух, она поплотнее запахнула плащ и подняла воротник. Ночная прохлада подействовала умиротворяюще, она вздохнула свободнее: видимо, тревога была все же напрасной, никакой угрозы нет.

Внизу был Тикил, море кипучего веселья, музыки и ярких огней. Беззаботность вдруг захватила и Зианту. В душе поселилась радость: сегодня она наконец совершила то, для чего много лет ее готовили — обучали и охраняли. Сегодня она оплатила этот тяготевший над ней долг. Может, теперь она станет свободной?

Свобода... Зианта зябко поежилась, словно поток воздуха проникал сквозь купол в кабину флиттера. Когда-то она уже была свободна, но можно ли ту жизнь назвать счастьем? Ложась на курс к вилле Ясы, флиттер описывал широкий круг. Многоцветье веселых огней далеко внизу сменилось угрюмой чернотой трущоб. Диппл... Он и днем был грязно-серым, как его унылые бараки, как лица тех, кто прозябал за стенами облезлых жилищ.

Те, кто облюбовал Корвар для своих утех, много бы дали, чтобы покончить с этим позорным пятном нищеты. Но Диппл был всегда, и он будет всегда, пока на свете существует бедность и неустроенность.

Зианта откинулась на сиденье. Пусть ее нынешняя свобода весьма относительна, но она лучше, чем существование серых людей Диппла. Жизнь внизу — и ее жизнь. Разве можно сравнить? Разве имеет она право хоть на минуту усомниться в том, что счастлива?

Нахлынувшие воспоминания перенесли Зианту на много лет назад, в космопорт. Она, жалкая и вечно голодная, выклянчивает у взрослых предметы и рассказывает что-нибудь об этих вещицах. Она сама придумала этот трюк, сама научилась угадывать прошлое предметов. Она боялась, что кто-нибудь отобьет у нее этот нищенский заработок, ибо была уверена, что обучиться такому фокусу может любой, кто захочет.

Появившаяся в порту Яса обратила внимание на небольшую кучу зевак, окруживших тоненькую девочку. Положив на ладошку небольшой брелок, та объявила его озадаченному владельцу, кому раньше принадлежала безделушка, как и когда она появилась у нынешнего хозяина. Лишь мельком взглянув на этот сеанс, Яса прошла мимо. Она повидала немало примечательного в разных мирах Галактики. Ум и чутье, присущие саларикам, подсказали, что юная бродяжка наделена необычными и сильными природными способностями.

Вскоре для Зианты началась новая жизнь. По приказу Ясы ее отыскали, привезли на виллу, поразившую нищенку своей роскошью, и заставили учиться.

Это был изнурительный труд. Яса не давала ей никакой поблажки. Но учеба не тяготила Зианту, она жадно впитывала знания. Ей было интересно, ведь прежде никто ничему ее не учил. И хозяйка, и воспитательница были одинаково настойчивы, но понадобились годы, чтобы Зианта стала тем, что есть — совершенным и безотказным воровским инструментом, самым ценным из всех сокровищ Ясы.

К своей хозяйке Зианта испытывала сложную гамму чувств, от почтения и благодарности до инстинктивного отчуждения по отношению к существу другой космической расы. Яса была саларика, из расы, произошедшей от кошачьих. Ей была свойственна замкнутость, углубленность в собственный мир, доходящая до эгоцентризма. При этом чужестранка была умна и практична, свободно общалась и сотрудничала с представителями иных рас, не поступаясь, однако, ни на йоту собственной индивидуальностью. Высочайший интеллект сочетался со своеобразным взглядом на многие вещи. Яса была рождена лидером; она сумела подняться по иерархической лестнице до уровня высшего руководства гильдии, для женщин обычно недостижимого.

Прошлого Ясы никто не знал, да и возраст ее казался неопределенным. Но к ее словам, произносимым с легким придыханием, а в минуты гнева — с шипением, внимали как лорды, так и бродяги на многих планетах. Ее приказам повиновалось больше обитателей Галактики, чем некоторым правительствам.

Зианта была из потомков терран. Но из какого мира вихрь межпланетной войны забросил ее в трущобы Диппла, уже не установишь. Она помнила себя уже на Корваре, среди безликой массы таких же, лишенных прошлого и будущего переселенцев, покинувших свои испепеленные миры.

Непримечательная внешность ничего не говорила о родине Зианты. Ни цветом кожи, ни разрезом глаз, ни телосложением она не выделялась из миллионов. И эта неприметность повышала ее ценность для Ясы. Тем более что в гильдии таких, как Зианта, обучали маскироваться под облик других рас, даже некоторых нечеловеческих. Пока в таком обучении не возникало надобности. Возраст Зианты ставил всех в тупик: прожив на вилле много лет, она все еще выглядела не вполне еще оформившейся девушкой. Благодаря учебе и тренировкам, ум ее был способен запоминать и удерживать массу сведений, а психические способности стали сильнее.

Во всем подчиняясь Ясе, Зианта приняла гильдейскую клятву верности и стала членом галактической воровской организации. Щупальца гильдии проросли не только в цивилизованные страны, но и в варварские миры. Поговаривали, что подобные контакты простираются даже в царство темных сил...

Союзы заключались и распадались, приходили к власти и подвергались опале правители. Но гильдия была и оставалась, то сама олицетворяя высшую власть, свергая и назначая правительства, то затаившись в глубоком подполье. У нее были свои законы, нарушителя которых ожидала неотвратимая и жестокая смерть.

Они миновали погруженный во мрак Диппл, флиттер пролетал над сияющими жемчужинами роскошных вилл, утопающих в зелени. Изящные сады и парки перемежались сохранившимися островками дикой природы. Чем ближе становилась вилла Ясы, тем явственнее ощущала Зианта беспокойство. Стиснув под плащом руки, которые покалывало, словно они были обтянуты энергетическими перчатками, она вернулась мыслями туда, к шкафу с кубиками. К шкафу ли? Это была просто работа, к которой ее столько готовили. Нет, не к шкафу, а к столику. Там, среди блеклых безделушек, лежит сейчас этот обломок... она почувствовала что-то похожее на сильный голод. Боль пронзила виски, запульсировала в груди.

Скорей бы прилететь... И сразу — к Огану. Нет, не получится: сперва нужно переписать то, что в ней. Но потом — да, потом к Огану. Он поймет и объяснит, почему она не в себе, почему ее жжет желание дотронуться рукой до этого пугающего предмета. Иначе эта навязчивая тяга лишит ее покоя, разрушит сложный и нежный механизм ее способностей. Оган знает, он много лет учил ее парапсихическим трюкам, он избавит ее от этой завораживающей тяги.

Флиттер сел на крышу, освещенную громадными буквами рекламы. Вилла официально являлась представительством саларикской торговой фирмы. Для властей Яса была шефом этой коммерческой компании, и ее деятельность на этом поприще тоже была весьма доходной. Многие боссы гильдии имели два лица, но далеко не все поставили свой легальный бизнес с таким блеском и размахом, как уважаемая в Тикиле и на всем Корваре леди Яса.

Освещение в доме было минимальное, в ночной тишине лишь изредка доносились приглушенные звуки. Но Зианта знала, что все, кто должен, ждут ее и готовы к работе. Яса цепко держала всех своих людей в когтистых руках, никому не прощала лени или небрежности. Об ослушании не могло быть и речи: никто не хотел испытать на себе силу гнева властной саларики.

Панель из органического стекла после легкого царапанья ногтем бесшумно скользнула в сторону. Переступив порог комнаты, Зианта подождала, пока ароматические струи обдадут ее тем запахом, который в данную минуту угоден хозяйке. Девушка давно привыкла не морщиться от чересчур густых ароматов. Она знала, что таким способом Яса обеспечивала себе возможность близкого контакта с существами других рас, так как от предков унаследовала обостренную реакцию на чужие запахи.

На этот раз Зианта едва вытерпела привычную процедуру — мучившая ее после испытанного напряжения головная боль еще усилилась. Когда закончится съем информации, нужно будет попросить Огана закодировать ее сон, чтобы он был глубоким и долгим.

В комнате царил полумрак; народ Салара, благодаря строению своих глаз, не нуждается в ярком освещении. Яса возлежала среди подушек, свернувшись клубочком — в своей излюбленной позе. С ней контрастировала вытянувшаяся во всю длину фигура Огана, чуть покачивающаяся в гамаке возле окна.

Как и многие в этом доме, Оган был загадкой. Слухи говорили, например, что Оган — член подпольной преследуемой властями касты психотехников. Никто не знал, сколько ему лет. Досужие языки утверждали, что Оган уже не однажды подвергался процедуре продления жизни, и многие пытались строить догадки о расовой принадлежности этого небольшого, всегда изящно выглядящего человечка, который казался особенно тщедушным рядом с массивными салариками, слугами Ясы.

Этот хрупкий на самом деле был очень Оган. Помимо такого разящего оружия, как парапсихические силы, он великолепно владел древними боевыми искусствами. Сейчас, лежа в гамаке, он отвернулся к открытому окну — возможно, плавающий в комнате аромат был ему неприятен. Но стоило появиться Зианте, он тут же повернулся к ней.

В этот миг Зианта поняла, что не хочет делиться своей тайной с этим загадочным человеком. Еще минуту назад она жаждала одного — обрести покой. Но сейчас он показался ей непомерной ценой за глиняный комочек, который пугал и манил ее. Она им не скажет. Она не хочет, чтобы Оган оставался полновластным и бесцеремонным хозяином ее чувств и мыслей.

— Здравствуй. — Голос Ясы был почти мурлычущим. Зианта в очередной раз залюбовалась стройной, грациозной фигурой хозяйки, слывшей среди своих соплеменников красавицей. Густые темные волосы, больше напоминавшие драгоценный мех, блестели, переливаясь, на голове, шее, плечах, сбегая почти до локтей. Лицо с острым подбородком было тоньше, благороднее, не таким приплюснутым и широким, как у большинства салариков. Но все это тот, кто впервые видел Ясу, замечал уже потом, сперва же видел только ее поразительные глаза. Огромные, с приподнятым кверху раскосым разрезом, они отливали красным золотом, переходящим в таинственную черноту подвижных, при ярком свете — по-кошачьи узких вертикальных зрачков. Подобно изредка встречающемуся в копях Салара драгоценному коросу, эти глаза то и дело вспыхивали глубоким внутренним светом, оттеняя серую кожу лица, почти лишенную ворса. Таким же, но гораздо более тусклым светом отливали два крупных короса, украшавшие ворот ее одежды.

Рука с надетыми на когти кованными на заказ колпачками поманила Зианту. При этом движении золотистое платье хозяйки, увешанное по поясу ароматическими мешочками, зашуршало, переливаясь в приглушенном свете тусклых лампионов. Зианта уловила донесшийся с ложа тихий рокот. Яса мурлыкала, Яса была довольна.

— Ты здесь, милашка, стало быть, все в порядке. Оган!

Психотехник молча слез с гамака и махнул рукой, веля Зианте приблизиться. Она присела возле стола, сдвинув обруч со лба на гладкие волосы. Сейчас доставленная информация перейдет на ленту стоящего на столе прибора. При этом ее память будет исследована и очищена от эпизодов, расшифровка которых может навести врагов на след.

Включив аппарат, девушка открыла мыслеканал. Пройдет несколько минут, и каждый символ, украденный из кубиков, перейдет из ее памяти на ленту. Но ведь тогда и тайна обломка станет достоянием прибора, исчезнув из ее памяти! Зато обо всем узнают хозяева этой машины, передающей на видеоэкран расшифрованную информацию. Нет! Ее рука легла на кнопку отключения. Она успеет остановить вовремя.

Вот здесь. Голова закружилась, как обычно после сеанса. Теперь ее мозг свободен от всего, что было с момента, когда открылась стена, и до... До чего? До выхода за дверь? Нет, она помнит, помнит тот комок, прибор не успел добраться до него!

— Великолепно. — Громкое довольное мурлыканье помогло Зианте полностью очнуться от сканирования. — Просто отлично, высший класс. Что ж, милашка, ты наверняка утомлена и заслуживаешь отдых. Отправляйся в свое гнездышко.

Несмотря на долгие тренировки, этот первый настоящий, такой трудный и опасный налет вконец истощил ее силы. Она приняла из рук Огана чашку с какой-то молочного цвета жидкостью и выпила ее в несколько глотков.

— Пусть будет красивый сон, — улыбнулась Яса в той мере, в какой ее мимика вообще это позволяла. — Во сне тебе откроется твое самое большое желание. Ты скажешь мне о нем, и я его исполню, как ты исполнила для меня это задание.

Ответом был равнодушный кивок. Девушка не сомневалась, что хозяйка выполнит обещание. Вознаграждение за успешную акцию было в гильдии законом. Но сейчас ей смертельно хотелось спать, помощь Огана для этого не понадобится.

Пройдя в свою комнату, она выскользнула из наряда Девы Золь и, переступив через ворох ярких тканей, направилась к постели. Но нет... Она физически ощущала толстый слой грима на лице. И лишь смыв краску, а вместе с ней — горечь и триумф этого долгого вечера, она вышла из-под струй ласкового пара. Как хорошо снова быть самой собой.

А какой же еще? Зианта оказалась у зеркала жестокой правды — так про себя она называла этот неумолимый овал, специально предназначенный для работы со сложным маскировочным гримом. Зеркало беспощадно отражало все дефекты лица, волос, кожи, увеличивая поры или морщины. То, что увидела она, было Зиантой. Но если в ней и жили какие-то зачатки женского тщеславия, она простилась с ними в этот момент крайней усталости.

Стройное тело было худосочным и бледным. Волосы после душа свились в мелкие серебристые завитки, хотя обычно, при дневном свете, они казались темнее. И продолговатые, чуть отрешенные глаза отливали тем же темно-серебристым цветом. Бледность лица подчеркивали очень яркие, довольно красивой формы губы, хотя рот был скорее большим, не женским. Что же до остального... Она безрадостно окинула взглядом истинную Зианту и отошла от зеркала.

Ей уже не хотелось быть *самой собой*. Все, что она попросит у Ясы, — самый шикарный, самый большой набор косметики, чтобы не только для налетов, а постоянно быть *другой*. Но тут же Зианта критически оценила свой порыв — грим не добавит ей уверенности...

Чего она сейчас действительно хотела больше всего — взять тот комок в руки, подержать его в руках... Она бы смогла разгадать его тайну!

Зианта вздрогнула. Что за сила в этом предмете, что она не может противостоять ему? Ведь она думала совсем о другом, и вдруг в голове возникла эта мысль... Словно она вот сейчас может протянуть руки и взять. Она действительно хотела сделать это. Что случилось с ней этой ночью?

Дрожь сотрясла все ее тело. Нырнув в постель, она с головой закуталась в плотное покрывало.


## Глава вторая

Она пробудилась внезапно, так резко, что если сны и были — в памяти не осталось ни следа. Но теперь она знала, что ей следует делать — словно бы получила приказ хозяйки. Снова, как ночью, ее охватила дрожь от страха, но острое желание было сильнее всех остальных эмоций.

Она помнила предостережения Оган: страх, вера и навязчивые идеи очень опасны. Они способны разрушить психику, исказить хранимую мозгом информацию. Но лишь теперь Зианта поняла, какой взрывной силой становится даже для тренированного сознания навязчивая идея.

Над Корваром вставало солнце. Ни малейший шум не проникал через звуконепроницаемые стены, но Зианта знала, что на вилле уже началась утренняя суета — здесь царил жесткий распорядок, известный и хозяевам, и слугам. Ей не хотелось выходить, но отступить от обычного режима — значит привлечь к себе излишнее внимание бдительной Ясы и профессионала Огана. И все-таки надо еще хоть чуточку посидеть здесь, одной, согревая под одеялом босые ноги и глядя на освещенный зарей сад.

Хорошо, что день будет солнечным. Пасмурная погода подавляет психическую энергию. Она подвержена и другим воздействиям, реагирует на силовые поля машин, магнитные и солнечные бури, эмоции окружающих... Чтобы задуманное удалось, нужно выбрать момент и место, чтобы у нее была всесторонняя поддержка.

Эмоциональная подпитка...

Психическая энергия...

Об этом часто рассказывал Оган. Среди его аппаратуры много удивительных машин, но стоит ей самовольно приблизиться хотя бы к одной, тем более нажать кнопку, и сразу же ее замысел окажется под угрозой разоблачения. Нет, нужен совсем другой источник.

Она наложила пальцы на закрытые веки и напряглась, вызывая мысленный образ. Хорошо, если Харат где-нибудь поблизости и ничем не занят, — тогда он среагирует. Вызов... Еще... Кажется, принял. Значит, он вне заэкранированных стен лаборатории — уже хорошо. Она заспешила. Несколько минут на освежающий душ, затем — к зеркалу правды. Сегодня ей не до украшения внешности — наоборот, она должна выглядеть так, чтобы ни один встречный не испытал побуждения еще раз на нее посмотреть.

Стоит ли манипулировать ростом? Пожалуй, нет — чтобы вызвать массовую зрительную галлюцинацию, потребуется значительный расход энергии. Значит, рост оставляем свой. Что ж, она появится в Тикиле компаньонкой второго класса из мира Йони. Несколько движений — и на голове заколыхался сноп меднорыжих волос; кожа приобрела слегка зеленоватый оттенок; темные линзы изменили цвет глаз. Готово.

Зеленое платье с глубокими разрезами легло на плечи и грудь, бедра и ноги туго обтянули серебристые брюки. Теперь дело за драгоценностями, которые будут не просто украшениями, а помощниками. Она, вздохнув, отложила в сторону несколько безделушек, очень полезных, но дававших иногда побочные энергетические всплески, которые могут уловить детекторы Патруля. Итак, неброская брошь у ворота; браслет на запястье; на пальцы — кольца, скрепленные ажурной золотой цепочкой. Взаимодействие браслета и колец давало эффект, близкий к вчерашней энергетической перчатке, хотя и не такой мощный.

Внимательный осмотр у зеркала: все в порядке, образ безупречен. Теперь к пульту. Пальцы пробежали по клавишам, и вот перед ней легкий завтрак и бокал тоника с соком. Выбранное меню не возбуждало ее, но добавляло сил.

Звукоизоляция на вилле была везде, хозяйка не терпела шума. Тишина в коридоре не обманула Зианту, она знала, что все уже на ногах. Теперь надо собраться: безмятежность на лице, спокойствие во взгляде. Она подошла к видеосторожу, нажала клавишу. Отлично, ее новый облик запечатлелся на пленке. Оставалось объяснить цель, ради которой она собиралась покинуть виллу.

— Иду к мастеру-гемологу Каферу на Рубиновую улицу. — И эти слова легли на пленку. Это обычный порядок для любого, уходящего из дома. Не должно вызвать подозрений. Она отправилась к ювелиру выбрать награду, обещанную Ясой. А неподалеку от магазина Кафера — место, куда ее тянуло как магнитом.

Зианта постояла у видео, со страхом ожидая, что вот-вот загорится красный сигнал запрета. Такое могло быть, если, например, Оган наметил для нее в ближайшие часы какие-нибудь занятия или эксперименты. Но засветился белый огонек — путь свободен.

Терзаемая опасением столкнуться носом к носу с хозяйкой или Оганом, она заставила себя идти неспешным шагом. Чтобы не быть лишний раз записанной аппаратурой Огана, она не стала посылать повторный вызов Харату. Едва сдерживая волнение, Зианта поднялась на крышу к своему флиттеру. Здесь грелся на солнышке, закрыв глаза, один из личных охранников хозяйки — Снаскер, ветеран многих воровских стычек и настоящих сражений. Его уши и лицо были изуродованы боевыми шрамами, но в мощном теле не появилось и намека на стариковскую дряблость. Он услышал Зианту и открыл полинявшие от времени глаза с сузившимися от яркого солнца черточками зрачков. Взгляд его был почти безразличным.

— В Тикил? Небось гулять? — почти промурлыкал саларик.

— Да, если тебе этого хочется, Снаскер.

— С тобой — хочется, крошка. — Телохранитель вскочил в кабину. Зианта замешкалась, чтобы поднять на руки маленькое существо, семенящее к ней с приветственным клекотом.

Его речи девушка не понимала, но в мозгу зазвучали слова: «Я с тобой. Ты звала. Харат здесь».

Она устроилась в кабине за спиной Снаскера, держа Харата на коленях. Ее маленький попутчик часто дышал от возбуждения, широко открыв клюв и тараща круглые глаза.

Кем следует считать Харата — негуманоидом или животным с мощным телепатическим полем — Зианта не знала. Голубоватый пушок, покрывавший тело, мог быть и легкими перышками, и очень тонким мехом. Крыльев он не имел, зато в кармашках его специального покроя одеяния лежали, свернувшись, четыре небольших щупальца. Трехпалые ноги покрывал тот же пух, но более редкий, доходящий только до щиколоток, вернее — до шпор. При своей потешной внешности он был экспансивен, даже истеричен, и мог в минуту раздражения пустить в ход тяжелый крючковатый клюв и острые когти на ногах. Серо-голубые глаза время от времени прикрывались подвижными пленками.

К Огану он попал еще в яйце, привезенном неведомо откуда одним из гильдейцев. Помимо телепатии, у Харата были отличные психокинетические способности. Но работать с предметами такого веса и на таких расстояниях, каких хотел от него Оган, он еще не мог. Возможно, виной тому был совсем еще небольшой возраст Харата. Но Зианта и Оган знали, как сильно может воздействовать это забавное существо на психическое поле других.

На Корваре, а тем более в Тикиле, где предавались развлечениям выходцы из самых дальних и экзотических миров, на облик Харата никто не обращал внимания. Он любил сопровождать в город кого-нибудь из домочадцев и даже мирился с тем, что иногда для таких походов на него надевали что-то вроде шлейки с поводком. Оган поощрял такие вылазки, надеясь, что это поможет тренировке способностей Харата. А любопытное существо приходило в восторг от перспективы поглазеть на разномастную публику Тикила. Сейчас Харат дрожал от возбуждения на коленях Зианты и пощелкивал клювом.

— Куда? — обернулся к ним Снаскер.

— К Каферу, — бросила Зианта.

Внизу уже мелькали серые бараки Диппла, но Зианта от волнения не замечала ничего. Она боялась, что ее возбуждение почувствует Харат. Где-то в позвоночнике запульсировал комочек энергии, который разбудил в ней веру в удачу. Сегодня она сможет, сможет! Однако этот сгусток энергии ползет все выше... Рано запускать его в голову, еще не время...

Снаскер посадил машину на утопающей в зелени эспланаде. Видные даже при солнце мигающие огни цветных реклам зазывали прохожих в торговые ряды Рубиновой улицы. Сгорая от нетерпения, она степенно направилась к Каферу. Побывать там необходимо, а уж потом можно приступать к своему делу.

Деньги со всех планет текли на Рубиновой улице широкой рекой. И глубокий полноводный ручей ответвлялся от этого потока в кассу торговца Кафера.

Витрины его магазина были исключительным по красоте зрелищем, особенно для любителей и знатоков драгоценностей. Рядом с прекрасно ограненными камнями были расставлены крошечные фигурки из самоцветов, тончайшей работы безделушки, многие — с клеймами древних мастеров.

Хотя сейчас мысли Зианты были направлены не в сторону этого великолепия, она испытала волнующее восхищение, увидев совершенно потрясающую диадему. Вся она была собрана из ажурных цилиндриков, сплетенных из тоненькой проволоки. На каждом цилиндрике качалась крошечная подвеска — цветочек, листик, фигурки насекомых или животных, выполненные с бесподобным мастерством. Если надеть такую диадему, все эти прелестные вещицы будут мелодично позванивать в такт шагам. Поражал воображение и миниатюрный город, сделанный из флюоресцирующего сплава, секрет которого знали древние мастера Лидиса IV. Ювелиры воспроизводили в точности мельчайшие детали архитектуры; на улицах даже были люди размером с ноготок.

Она долго рассматривала витрину. Рядом с Зиантой то и дело останавливались прохожие, среди которых были и подлинные ценители ювелирного искусства. Несмотря на ранний час, поток людей, фланирующих по Рубиновой улице из лавки в лавку, был уже довольно оживленным. Зианта двинулась вниз по улице, держа Харата на плече. Он вертел головой, стараясь ничего не пропустить вокруг, порой щебетал что-то. Зианта не устанавливала с ним мыслеконтакта, берегла силы. Как ни стремилась она к цели, но заставляла себя не торопиться, останавливаться у витрин, заходить в лавки.

Добравшись до конца улицы, она не могла больше сдерживаться и, ускорив шаг, пересекла нарядно украшенный сквер. За ним возвышалось здание, в котором она побывала вчера вечером. Сюда, на эту сторону, выходили окна апартаментов Джукундуса. Ей нужно оказаться к ним как можно ближе.

К ее огорчению, сквер мало подходил для дела, требовавшего отсутствия лишних любопытных. Все скамейки были заняты, в аллеях гуляли люди, зашедшие в этот цветущий оазис в поисках тени и прохлады. Чем дольше она бродила по дорожкам, тем сильнее овладевало ею отчаяние. Но девушке не хотелось мириться с поражением — она должна отыскать и отыщет подходящее место!

Харат, уловив ее волнение, тоже забеспокоился. Щебетание перешло в клекот. Он заерзал на плече Зианты, больно царапаясь когтями через платье. Его следует успокоить. В таком состоянии он никудышный помощник.

На самой окраине сквера она увидела, что ее упорство вознаграждено: в тенистой пальмовой аллее стояла одинокая — и свободная! — скамейка. Подойдя, Зианта поняла, почему эта скамейка пустовала: она вся была мокрая от росы, которую из-за густой тени не успело высушить утреннее солнце. Решившись, Зианта подняла подол платья и села, ощутив через тонкие брюки ледяное прикосновение. Но тут же забыла об этом маленьком неудобстве, сосредоточившись на своем замысле.

Сняв с плеча, она посадила Харата против себя на колени и поймала его взгляд. Как только их глаза встретились, между ней и маленьким спутником установилась немая связь. Харат понял, что девушке требуется его помощь, и был готов помогать.

Теперь займемся. Зианта готовилась применить всю энергию, запасенную за утро. Тепло поползло по ее позвоночнику, поднялось к ее лопаткам, затем — к плечам. Охватило жаром шею и пришло, забилось в висках. Теперь осталось довести частоту пульсаций до нужного ритма — с этим она справилась без труда. Сосредоточение — и вся она превратилась в острый клинок энергии. Даже Оган мог только в самых общих чертах объяснить, что происходило с ней в момент фокусировки.

Зианте и Харату уже не требовалось глядеть друг на друга — они были в более высоком контакте. В сознании оформился образ предмета, преследовавший ее с самого вечера. Сейчас она была как бы не здесь, не на садовой скамейке, а парила там, над заветным столиком.

Сначала схематично, потом все яснее и четче формировала она в сознании вид комка, эту уродливую фигурку. Еще усилие — и мысль слилась с реальностью. Пора! Все ее существо воплотилось в остро направленное желание — иметь этот камень. И тут же Зианта ощутила еще один поток энергии — Харат понял ее.

*Сюда!*

Она послала этот приказ, как живому существу. Напряжение было предельным. Она видит, как берет комок. Ну же!

*Сюда!*

Она держала пробитый ею мыслеканал еще какое-то время. Но вот даже поддержка Харата уже не могла скомпенсировать расход энергии. Силы оставили ее, наступила полная опустошенность. Она бесконечно трудно возвращала себя, свое сознание в сидевшее на мокрой скамье тело. Оно сопротивлялось этому вторжению бешеными ударами сердца, головокружением. Никогда еще выход из психического транса не был для нее столь мучителен. Время и пространство смешались, она не воспринимала окружающее, не могла сделать ни одного движения. Слезы бессилия застилали глаза, изо рта струйкой тянулась слюна, стекая по подбородку. Шли минуты, а ей никак не удавалось остановить мелькавшую в глазах карусель кустов, деревьев, прутьев садовой ограды. В опустошенное сознание пробивались волны страха, исходившие от Харата. Он был смертельно напуган ее состоянием, подобием обморока. Зианта с трудом двинула тяжелыми, чужими руками, чтобы успокоить своего маленького дрожащего помощника.

Возвращение к реальности было отравлено горьким разочарованием. Она не смогла... Это не ее удел, это выше ее способностей. Заветный камешек так и остался недостижимым.

Но... Отчего так возбужден Харат? Он толкает ее своим легким тельцем и все глядит и глядит на землю. Жаркая волна обдала ее. Не может быть! Вот он!

С трудом согнув одеревеневшую спину, девушка протянула руку к этому комку. Она сумела своей волей пробить канал! Она вызвала сюда этот предмет, она смогла это! И ей помог Харат — их сдвоенный импульс переместил этот комок...

Вот он, уродливый и желанный, у нее на коленях. Зачем он ей? Зианта не могла об этом думать, она сейчас хотела отдыха, как спортсмен после бешеной гонки не видит ни публики, ни побежденных соперников, мечтая только об одном — глотке воздуха в сдавленные судорогой легкие.

Сколько прошло времени — минуты? часы? Она не знала. Там, откуда она вернулась, совсем иное время, это и миг, и вечность, слитые вместе... Ее зазнобило от холода мокрой скамейки, но все еще не было сил подняться на ноги.

Зианта безразлично скользнула взглядом по коричневатому пыльному комку. Но что-то заставило снова посмотреть на него и уже не отводить глаз. Он опять притягивал ее, как вчера — там, у столика! Девушка лишь улыбнулась запекшимися губами. Этот грязный обломок стоил всех затраченных ею усилий — это она знала твердо. И так же твердо знала, что должна понять его тайну. Хотя это может стоить ей жизни.

Однако, в теперешнем состоянии она не способна работать с ним. А пока силы не восстановятся, не стоит входить в прямой контакт. Она достала из-за пояса и открыла кошелек. Обернув руку подолом юбки, чтобы не касаться своей добычи, взяла камень и положила на дно кошелька. Хранилище не из самых надежных, но лучшего у нее не было.

Еда... питье... Нужно срочно восстановить силы. По пути сюда она приметила на главной аллее какую-то лавку с горячей едой. Взяв Харата на плечо, Зианта медленно направилась туда. Тенистая аллея кончилась, солнце стало пронизывать ее влажную одежду, согрело озябшее, изнеможенное тело. Харат как ни в чем не бывало вертел головой по сторонам. Энергетический шок, лишивший ее сил, у него, похоже, не проявился. Зианта поразилась, как это легкое тельце с крошечной головкой оказалось способно исторгнуть такой огромный заряд энергии практически без последствий. Ей возвращение к норме давалось гораздо мучительнее.

Войдя в лавку и устроившись за столиком, она выбрала еду нажатием клавиш на меню-панели. Поедая питательный бисквит, Зианта не забывала маленького друга, время от времени поднося к его клюву кусочки, смоченные в витаминном тоник. Дополнив ленч чашкой теплого сладкого сока, она почувствовала, как уходит из тела боль усталости, возвращаются силы.

Рука скользнула к поясу — он здесь! Ей удалось то, что прежде она пыталась проделывать в лаборатории Огана лишь с крошечными предметами. Он счел, что в этой области ей не добиться успехов, и прекратил эксперименты. А она захотела — и смогла. Оган недооценил свою подопечную...

Харат, проявляя заботу о себе, клювом и раздвоенным, как у змеи, языком считал крошки бисквита с пушистой грудки. Внезапно он замер и, повернув голову назад, через легкую ткань впился когтями в ее тело. Едва не вскрикнув от боли, она опустила взгляд в чашку и всю свою начавшую восстанавливаться энергию превратила в подвижный луч, обшаривающий все вокруг.

Она знала, что Харат более чувствителен ко всему. Шестым, седьмым, или сколько их там у него, чувством Харат улавливал опасность раньше Зианты, даже раньше Огана.

Что его насторожило? Ее истощенный нагрузкой мозг сканировал сейчас вяло, не мог отыскать источник тревоги. Быть может, Оган следил за ней? Он способен не только на это, но даже на то, чтобы незаметно внушить ей всю ее сегодняшнюю программу. Ее догадка перерастала в уверенность. Психотехник еще вчера заподозрил, что она что-то скрывает, и организовал все это. Не потому ли они с Харатом смогли беспрепятственно покинуть виллу?

Стоит ей повернуть голову туда, куда глядит Харат, и она увидит Огана. Ей не убежать — у наставника достаточно скрытой в одежде аппаратуры и психической силы, чтобы заставить ее замереть даже на середине шага.

Коготки Харата на ее плече на мгновенье сжались. Но зверек тут же засуетился и принялся слезать, цепляясь когтями за ее платье и балансируя двумя верхними щупальцами. Харат вскочил на стол, погрузил щупальце в чашку, вынул обратно и стал слизывать сладкий сок.

Он не был голоден. Он играл — так же, как вчера вечером она играла роль Девы Золь. Харат избрал роль беззаботной забавной зверушки, которая думает только о вкусной еде. Зианта еще больше насторожилась: Харат по каким-то причинам не счел возможным пользоваться телепатической связью. Лизнул — вскинул голову — проглотил. Лизнул — проглотил. На нее — никакого внимания.

Вверх, вниз. Вверх, вниз. Медленно — быстро — быстро. Зианта закусила губу: Харат — Харат! — передавал зашифрованное сообщение. Она подняла чашку и сделала глоток, одновременно выстукивая по пластику тот же ритм: так... так-так... Харат предупреждал, что где-то близко появился сенситив — человек, натренированный для выявления психоизлучений. Это не Оган. Харату незачем предупреждать о нем, ведь для него Зианта и Оган — одинаково любимые домочадцы, союзники.

Что же тогда? Обычный обход Патруля, один из которых оценивает состояние психического поля, а другой, в случае надобности, подключает специальную аппаратуру, чтобы засечь источник повышенной энергии? Такой контроль проводился время от времени в местах, где возможна активная деятельность Воровской гильдии.

Успех, которым она недавно гордилась, показался ей теперь ужасной оплошностью, способной обойтись ей очень дорого.

Если в момент телепортации камня сенситив находился поблизости, то он уловил мощный всплеск психической энергии — и теперь ведется поиск. Неслучайно Харат прибегнул к коду. Они будут в сравнительной безопасности, пока не вступят в мысленный контакт. Ведь простого подозрения мало, чтобы поставить кого-то перед аппаратурой Патруля.

Она вновь потянулась к чашке. Харат провел задним щупальцем по голове. Это был намек, что нужно сматываться. Но для успеха важно определить, как близко от них сканирует сенситив. В любом случае ей ни в коем случае нельзя привлечь к себе внимание. Идти к флиттеру медленно, чтобы сбить ищеек со следа. Сейчас она уже не так изнурена, как сразу после сеанса. Но все ее тело молило о пощаде, силы восстановились далеко не полностью. Справится ли она?

Любой сенситив, тем более специалист-патрульный, способен выявить человека, растратившего энергетический заряд. А если ноги подведут и она пошатнется? Ее тут же задержат для психопробы. А затем...

Нет, об этом нельзя даже думать! Нужно собраться с силами и двинуться к стоянке — спокойно, не спеша.

Здесь ни в коем случае нельзя больше задерживаться — это место сенситив наверняка засек. Зианта вынула кусочек пластика — кредитную карточку фирмы Ясы — и сунула в прорезь автомата. Харат тут же вцепился в платье и вскарабкался ей на плечо.

То, что ей удалось подкрепиться, исправило многое. Она могла теперь двигаться, не опасаясь, что рухнет от слабости. Главное — не спешить, но и не плестись. Идти ровно, спокойно. Вот так. Хорошо.

Харат прикрыл пленкой глаза. Уснул? Вовсе нет — острые коготки судорожно вцепились в плечо Зианты. Просто он изолировал свое сознание и был весь начеку, пытаясь установить, откуда опасность. Девушка тоже поставила барьер, но не так сосредоточенно, как ее маленький союзник: ей нельзя закрыть глаза, иначе она не будет видеть, куда идет.

Хотя ее спутник просигналил «охотник», сенситив не обязательно должен быть мужчиной. Так. Шесть, семь... Человек десять в поле зрения. Кто из них?

Вот эти — обычные зеваки торгового квартала, бродят от одного магазина к другому. А там, подальше — трое мужчин, одетых, как торговцы. Зианте хватило бы пары минут, чтобы просканировать окружающих и выявить противника. Но этим она выдаст и себя. Надо хотя бы запомнить лица на тот случай, если за ней будет слежка до самой виллы.

# Глава третья

Войдя в лифт, она нажала на кнопку стоянки флиттеров. Так и подмывало оглянуться — проверить, нет ли слежки, но годы муштры помогли ей побороть это желание. Ни жестом, ни взглядом она не выдала беспокойства. Клавишу вызова автоматического флиттера девушка вдавила так сильно, что суставы пальцев побелели. Томительно тянулись секунды ожидания. Эти мгновения были, наверное, самыми трудными: когда избавление уже совсем близко, опасность быть схваченной особенно пугает.

Перед ней открылась дверца опустившегося флиттера. Немного торопливее, чем требовала осторожность, Зианта вошла в кабину. Ее пальцы лихорадочно забегали по пульту, набирая код полета. И лишь когда машина взлетела, девушка рискнула бросить взгляд на взлетную площадку. Ничто не говорило о преследовании. Но это еще не значит, что за ней не ведут наблюдение.

Спустя минуту флиттер сел в центре главного рынка — огромной, заполненной людьми площади неподалеку от космопорта. Здесь в ходу были товары, купленные у космонавтов, которые, согласно закону, имели право совершать мелкие торговые сделки. Впрочем, эта поблажка не уменьшала число космических бродяг, промышлявших контрабандой. Здесь было одно из узловых мест, где гильдия располагала массой явок, защищенных мощным силовым экраном от любого сенситива. Здесь Зианта могла наконец расслабиться — лишь немного, ибо осознание того, что лежит у нее в кошельке, не отпускало ее ни на миг. Она углублялась в торговые ряды, лавируя между палаток и лавок. На гильдейской явке ей могли предоставить транспорт, помочь уйти от Патруля — если, конечно, за ней и вправду следят.

Легкое покалывание, исходящее от браслета, вело туда, где можно рассчитывать на помощь. Вечерело. Харат вовсе не жаждал встретить вне дома холод и тьму надвигающейся ночи, о чем намекал сейчас недовольным бормотанием и щелканьем клюва.

Впереди, над входом в одну из неприметных лавчонок, вспыхнули буквы, составившие имя торговца: «Какиг». Покалывание браслета усилилось. Вышедший ей навстречу мужчина был серокожим, как все саларики, но без признаков кошачьей расы. Видимо, его предки когда-то приспособились к гуманоидному миру.

Зианта небрежно поправила прическу, обнажив руку с браслетом. Пароль был узнан.

— Джентль фем! — прозвучало тонко и пронзительно. — Отведайте ароматы звездных миров. Вам наверняка понравится «Огненное дыхание» Андросы, а от «Алмазной пыли» с Алабана вы будете без ума...

— Есть ли у вас «Серповидная лилия десятидневного цветения?»

Лицо торговца не выразило ничего, кроме вежливой любезности к покупателю.

— Это редчайшее из благовоний готово смочить ваши волосы, милая девушка. Но не здесь — столь тонкий экстракт может потерять свою прелесть на открытом воздухе.

Она последовала за хозяином внутрь лавки.

Тот хлопнул в ладоши, и, словно из-под земли, перед Зиантой появился мальчуган в униформе.

Какиг приказал:

— Отведи девушку к Ларосу.

Благодарно кивнув, Зианта поспешила за маленьким провожатым, который ловко пробирался сквозь бурлящий людской поток. Девушка даже запыхалась, пока не очутилась наконец возле не слишком респектабельной стоянки, где были припаркованы несколько флиттеров.

— Вон тот, четвертый. — Грязный палец мальчишки указал на одну из машин. Бросив вокруг себя быстрый взгляд, юнец кивнул: — Пора!

Зианта почти бегом устремилась к флиттеру и забралась в кабину. На месте пилота сидел саларик. Он метнул на пассажирку недоверчивый взгляд, но, заметив браслет, успокоился. В кабине плавал тонкий аромат. Сушеные лепестки серповидной лилии десятидневного цветения могли хранить свой запах несколько лет. Его любила Яса, и так пахло везде, где хозяйка Зианты имела влияние. А таких мест в Галактике были тысячи...

Впервые с того момента, как Харат предупредил об опасности, девушка рискнула обратиться к своему пушистому товарищу мысленно:

«Мы свободны?»

«Теперь — да».

Если бы мыслеобраз имел тон, как высказанное слово, то этот лаконичный ответ мог означать, что Харат раздражен, даже сердит. Но Зианта не делала попыток ублаготворить спутника. Сейчас, когда забота о безопасности стала ненужной, ее мысли вернулись к полученной таким трудным способом добыче. Сознание, что у нее оказалась вещь, покушаться на которую она не имела права, лежало в душе тяжким грузом.

Оправдать подобный поступок могло только одно: если похищенная вещь действительно представляет огромную ценность. Однако это сомнительно: Джукундус тогда хранил бы ее в сейфе, а не на виду, среди безделушек. Скорее всего, он даже не обратит внимания на столь незначительную пропажу.

Словно невзначай Зианта положила руку на бедро, ощутив притягательную выпуклость кошелька. И снова в ней боролись две силы: страстное желание исследовать загадочный камень и страх при мысли коснуться этой вещи. Но девушка не сомнева-

307

лась, что притяжение камня победит боязнь. Скорее всего — успокаивала она себя — манипуляции с камнем окажутся менее рискованными, чем способ его похищения.

Она хотела сохранить свою добычу в тайне. Но Харат... От него обо всем станет известно Огану. Психотехник сумеет воздействовать на Харата тщательно подобранным сочетанием импульсов. Впрочем, вряд ли в этом будет надобность — Харат сам бросится рассказывать Огану о такой интересной прогулке. Если бы она смогла подобрать мыслеимпульсы, чтобы заблокировать память маленького помощника...

Но ей не удалось ничего предпринять. Харат сердито защелкал клювом, показывая, что не расположен к мыслеконтакту. А через несколько минут флиттер уже садился в парке виллы. Как только Зианта спустила Харата на землю, тот стрелой умчался в дом, чему отнюдь не помешала внешняя неуклюжесть этого существа. Девушке стало ясно, что времени у нее в обрез. Скорее к себе в комнату — там она попытается хоть что-то узнать о своей добыче.

Забравшись в постель и укутавшись покрывалом, она извлекла из кошелька вожделенный обломок. Положила на ладонь — ничего, только легкое тепло. Тогда она поднесла комок ко лбу — и отпрянула: голову пронзила мгновенная острая боль. Импульс был неожиданным и беспощадным, как удар. На нее нахлынула целая гамма эмоций, и самой сильной был парализующий страх, равного которому она до этой минуты не знала. Вскрикнула ли она, или крик лишь внутренней реакцией ее потрясенного сознания?

Обессиленная, мокрая от липкого пота, она упала на подушки, не сразу поняв, что пугающее оцепенение уже не сковывает ее. Камень... Где он? Увидев его между подушек, Зианта отпрянула, словно перед ней был готовый к прыжку хищный зверь.

Девушка ощутила горечь: ей, видимо, не по силам обладание, а тем более исследование загадочного предмета. Но страх и разочарование постепенно ослабевали, уступая место новому приступу неодолимой тяги к пыльному серому комку.

Вместе с тем ее сознание не освободилось от того нового, пугающего, восставшего из глубины веков, что вторглось в нее в короткое мгновение контакта. Как изгнать из себя это чужое? Девушка, шатаясь, встала с постели и, с трудом передвигая ноги, поплелась в освежитель. Ею двигала потребность в очищении, она хотела снова быть только Зиантой, а не...

— Не кем?

Она в отчаянии выкрикнула это вслух. На ходу сбрасывая одежду, очутилась наконец под струями горячего влажного пара. Постепенно в тело возвращались жизнь и тепло, но она не убавляла температуру, пока не почувствовала, что это нечто враждебное ее духу и разуму, чуждая ей частица ее испаряется, исторгается прочь.

Укутавшись в длинный халат, девушка в раздумье расхаживала по комнате. Она не только сумела подавить желание вновь взять в руки комок, но стала искать способ избавиться от него. Пришла даже мысль закопать камень где-нибудь в глубине сада.

Он все так же лежал на простыне между подушек. Она опустилась на колени у постели и стала, не прикасаясь, рассматривать артефакт. С этого и надо было начать, а не делать опрометчивой попытки познать его сущность весьма рискованным способом.

Грубая фактура поверхности комка не рассеяла уверенность в его искусственном происхождении. Присмотревшись, Зианта увидела контуры какой-то фигуры. Они были едва намечены и могли обозначать как примитивное изображение человека, так и неумелую скульптуру животного или чудовища. Хотя четыре конечности смутно угадывались, на том месте, где подразумевалась голова, не было ничего. Но девушке это не показалось дефектом — что-то подсказывало, что это изделие таким и было задумано. И еще — она знала это неведомо откуда — этот предмет создан в глубокой древности, не поддающейся исчислению в веках или эпохах. И при попытке «считывания» вся эта бездна времен обрушилась на нее. Ведь чем дольше предмет подвергается эмоциональному воздействию, тем больше он «обрастает» информацией. Для того чтобы из хаотического калейдоскопа хранимых этим комком впечатлений выделить нечто цельное, связное, потребуется не один сеанс «считывания», целая методика исследований. Лишь тогда эта нелепая фигурка раскроет какую-то часть того, чему была свидетелем.

Она много знала психометрии из рассказов Огана. В разные времена люди, наделенные даром сенситива, имели дело то с природными минералами, то с изделиями человеческих рук, излучавшими накопленную информацию. Очень долго такие занятия слыли черной магией — как и вся область парапсихологии, недоступная большинству людей. Да и те, кого судьба наделила психоэмоциональным даром, не понимали его природы, не умели ни контролировать, ни правильно использовать свои необычные способности. Не потому ли только малая часть экспериментов давала четкие и неоспоримые результаты? Как правило, сеансы «магии» или проваливались из-за неумелости сенситива, или подменялись обыкновенным шарлатанством. Да и результаты удавшихся экспериментов хотя и не вызывали сомнений, но не имели научного объяснения. Лишь спустя века парапсихология перестала быть объектом опасливых страхов или едких насмешек, а наделенных этим даром людей стали не бояться, а изучать. Лишь тогда дело сдвинулось с мертвой точки. Первое, во что поверили люди, — возможность передачи мыслей. Телепатия была признана как научный факт.

Раса, к которой принадлежала Зианта, позже многих вышла в космос, и потому не успела ассимилировать или сильно мутировать в результате расселения по иным мирам, с отличными от земных условиями жизни. И лишь вступив в контакты с другими разумными обитателями Галактики, люди узнали, что для многих звездожителей телепатическая связь была нормальным, а иногда — единственным способом общения. Таковы были расы вайвернов с Колдуна, тассу с Йиктора и многие другие гуманоиды. Знание известных, а также вновь открываемых населенных миров входило в программу обучения Зианты — ведь каждый народ имел свои особенности, постижение которых могло пригодиться девушке для ее службы в гильдии. Так считал Оган, требовательный и терпеливый наставник, превративший талант Зианты в безотказный и точный инструмент. Благодаря Огану она умела очень многое. Но это...

Древний... Очень древний...

— Сколько веков? — Углубившаяся в свои мысли, Зианта не сразу поняла, что вопрос прозвучал не в ее сознании. Она подняла голову.

На пороге стояла Яса, источая благоухание лилий. У ног хозяйки возбужденно вертелся Харат, пощелкивая от нетерпения клювом.

— Ну?.. — Голос Ясы был вкрадчив и тих, но в нем уже слышалась примесь шипения: хозяйка с трудом сдерживала гнев. — Так сколько этой вещи веков, и вообще, что это такое? Где она?

— Там. — Зианта кивком указала на лежащую между подушек фигуру.

Саларика скользнула к постели мягкой поступью хищника и склонилась над предметом. Зианта вздрогнула, услышав яростное шипение.

— Кто позволил тебе это? Кто, я тебя спрашиваю?

Янтарно-красные глаза впились в лицо девушки. В этом немигающем взгляде трудно было найти что-то человеческое — так глядели далекие четвероногие предки леди Ясы.

Зианта не предполагала, что после всех сегодняшних потрясений еще способна чего-то бояться. Но увидев, в каком бешенстве хозяйка, девушка оцепенела от страха. Сейчас ее могла спасти только правда или нечто, близкое к правде. Она сглотнула и хрипло произнесла онемевшими губами:

— Я...

— Что «я»? Кто послал тебя сделать это?

— Послал?.. Нет... Когда я была у Джукундуса, это... оно тянуло меня. И потом... я не могла ни о чем думать... и вот... вот оно.

— Может, все это к лучшему?

Оган возник так же неслышно, как Яса.

— Мощное поле притяжения, — продолжал он, — возникает порой, если сенситив чересчур напряжен, работает на пределе.

Скажи, — он подошел к Зианте вплотную, — когда ты впервые ощутила воздействие: до «считывания» или после?

— После, когда уже уходила. Это был необычайно сильный зов, я ничего подобного прежде не чувствовала.

— Что ж, ничего необычного. Видимо, после сеанса ты излучила психоволны, и они попали в резонанс с полем этого предмета. Это и породило такую мощную ауру артефакта. Где, кстати, хранил его Джукундус — в сейфе?

— Нет. — Она подробно описала столик с безделушками, среди которых стояла фигурка.

— Что все это... — начала Яса, но Оган жестом прервал ее. Он положил руку на лоб Зианты. Ей не хотелось сейчас этого прикосновения — легкого, успокаивающего, хотя оно могло быть и другим — настойчивым, требовательным, иссушающим все силы. Но девушка не отстранилась: только Оган со своим умением проверить правдивость ее рассказа — а она сказала всю, или почти всю, правду — мог спасти ее от гнева хозяйки.

— Итак, — голос наставника звучал ласково и проникновенно, — ты была настолько заворожена этим предметом, что решилась на телекинез...

— Я не нашла иного способа...

— Выходит, в тебе таятся возможности, которых мы прежде не использовали?

— Мне помог Харат.

— Так. — Казалось, Яса сейчас вопьется когтями в лицо девушки. Но слова леди, хлеставшие Зианту, причиняли не меньшую боль. — Она все продумала, даже взяла с собой Харата, чтобы обрушить на нас неприятности.

Харат встопорщил пушок на голове и защелкал клювом, как бы выражая солидарность с разгневанной хозяйкой.

— Уж теперь все сенситивы Тикила настороже. А что будет потом, когда Джукундус заметит пропажу?..

Оган засмеялся. Зианта почувствовала, что он охвачен радостным возбуждением.

— Леди, — с улыбкой сказал психотехник, — подумайте, сколько комнат в штаб-квартире Джукундуса. Двести? Триста? Четыреста? Он их все ежедневно обходит? А если он оставил эту вещь на каком-то там столике, вряд ли хватится ее в ближайшее время. Допустим даже, что сенситив Патруля засек излучение Зианты. Но если у них не было наготове сканера, определить или выследить ее не могли. Они с Харатом... вернее — Харат вовремя прервал мысленный контакт. И пусть сенситивам известно, что кто-то из находившихся в парке генерировал колоссальный поток энергии. Ну и что с того?

Оган осмотрел девушку и нахмурился.

— Уж не вообразила ли ты, что скрылась от Патруля благодаря своему уму и находчивости? Запомни: это просто везение, на которое нельзя рассчитывать в серьезном деле.

Ей не хотелось спорить. Она кивнула:

— Я знаю. Если бы не Харат...

— Вот именно... А сейчас Харат расскажет нам все об этой вещи.

— Но... — Зианта сделала протестующий жест.

— Что «но»?

— Я...

— Ты для этой работы не годишься, во всяком случае сейчас. Разве ты не утомлена до предела?

Наставник был терпелив, словно обращался к ребенку. Этот размеренный голос она помнила еще с той поры, когда была совсем девочкой и проявляла непослушание.

— Харат, — холодно и твердо повторил Оган.

Ей хотелось закрыть артефакт руками, грудью, всем телом. Ей хотелось спрятать от этих людей вещь, к обладанию которой она так страстно стремилась. Да, ее неудачная попытка доказала, что она не в состоянии «прочесть» это послание из тьмы веков. Но она по-прежнему была в его власти, ей необходимо было узнать, откуда он взялся и почему так неодолимо притягивает ее.

Харат гордо прошелся по комнате, польщенный вниманием людей к своей персоне. Но, услышав приказ Огана взять артефакт, вцепился в юбку Ясы, выбивая клювом протестующее стаккато.

Яса присела на пол рядом с воспитанником и стала легонько поглаживать его по пушистой головке. Не прибегая к мыслеимпульсам, она каким-то своим способом воздействовала на маленького телепата, гладя его и ласково мурлыча.

Харат отпустил подол Ясы, еще раз щелкнул клювом и пошел по подушкам медленно и опасливо, точно в любую секунду мог грянуть взрыв. Шерсть его встала дыбом. Одно из щупалец покинуло кармашек, протянулось к комку и легонько, самым кончиком, тронуло его.

Зианта, сгорая от любопытства, открыла свой канал связи, надеясь принять то, что будет «считано» Харатом.

— Самых ранних не касайся, — услышала она, как сквозь завесу, последние слова Огана. — Начни с последних слоев информации.

На Зианту нахлынули эмоции — страдание и беспомощность овладели сейчас Харатом.

«Все сразу... Слишком много всего... много...»

Харату хотелось закончить на этом сеанс, но гипнотический голос Огана буквально сотряс не только маленькое тельце зверька, но пронзил мозг Зианты.

— Я сказал: последние записи. Выполняй!

«Там... глубоко... Там спрятана черная смерть...»

Отрывистые мысли были подобны крикам тонущего. Словно от ожога, щупальце отдернулось от фигурки.

— Где взял это Джукундус? — присоединилась к допросу Яса. — Ну же, мой храбрый малыш, ты должен увидеть! Скажи, что это за предмет?

«Старое... Очень старое место... Там лежит смерть... непонятное... тайное... Холодно... Темно... Много веков нет солнца... Смерть и холод... Там великий... великий лорд... Больше ничего не вижу!»

Щупальце решительно отдернуто и водворено в кармашек. Но глаза Харата остались прикованными к артефакту. Зианта уловила новый импульс:

«Это... Вы зовете их предтечами... Очень древний... Один... Там их было два... Один из пары...»

Зианта очнулась, услышав рядом шипение, и посмотрела. Яса вся дрожала от возбуждения, в полуприкрытых глазах горел алчный огонь.

— Очень хорошо, мой малыш! — Ее рука протянулась, чтобы погладить Харата, но тот уклонился от ласки и заковылял по постели к Зианте.

«Я не могу объяснить, — телепатически излучил он, обращаясь ко всем, — но знаю, что она включена в это. Только она, — щупальце указало на девушку, — сумеет отыскать место, где тьма, холод и смерть».

Глядя в неподвижные круглые глаза Харата, Зианта ощутила слабость и озноб, как после сеанса телекинеза. Она со страхом поняла, что сказанное правда. По воле случая, или же в силу своих особых психических возможностей, она обречена остаться в плену этого предмета. И ей не освободиться от притяжения — оно сильнее ее.

Яса поднесла к своему лицу один из мешочков и глубоко вдохнула аромат лилии.

— Эта вещь из усыпальницы предтеч! — Кровавый огонь в глазах саларики разгорелся ярче. — Оган, нужно узнать, где Джукундус добыл эту вещь.

— Он мог купить ее, а может, привез откуда-нибудь... — Отрывистый голос Огана выдал охватившее его волнение.

— Какая разница? — Яса надменно нахмурилась. — Разве существует что-либо, чего мы не можем узнать? Зачем тогда нам служат тысячи глаз и ушей?

— Если вещь куплена, то она, вероятно, из уже обнаруженного и разграбленного захоронения, — предположила Зианта.

— Ты так думаешь? — Яса повернулась к ней. — По-твоему, на эту неказистую вещицу мог кто-то позариться купить, не подозревая о ее происхождении? А Джукундус, кстати говоря, увлекается историческими изысканиями. Он может не знать о связи этого предмета с предтечами, но держит его у себя не случайно, а с целью исследования. Так что для начала я хорошенько спрячу его...

Яса протянула к фигурке руки, но пальцы ее беспомощно повисли в воздухе. Она не могла прикоснуться к загадочной находке!

— Оган, что это? Почему?

Склонившись над подушками, ученый еще раз осмотрел предмет. Затем положил между своих ладоней руку Ясы и на несколько мгновений замер.

— В нем колоссальный заряд психической энергии. Прежде я только слышал о концентрациях такой силы. — Отпустив руку саларики, сухопарый человечек прошелся по комнате. — Глаза его блеснули, озаренные догадкой. — Здесь небывалые возможности: эта штука может служить для фокусировки при парапсихологических экспериментах. Она вобрала в себя всю энергию, действовавшую на нее не только на протяжении веков, но и сегодняшним утром, во время телепортации. Нужно ослабить заряд, иначе до этой вещи опасно дотрагиваться. — Оган посмотрел на Зианту долгим тяжелым взглядом.

— Возьми его. Немедленно!

Девушка сделала шаг к постели еще раньше, чем до нее дошел смысл приказа. Рука спокойно взяла с простыни фигурку, ощутив легкое тепло, но не встретив барьера, который воспрепятствовал прикосновению Ясы.

— Налицо избирательная психосвязь, — заключил Оган. — Пока предмет не потеряет своего заряда — если такое вообще возможно, — касаться его может только Зианта.

— А ты что, не в состоянии нейтрализовать это поле? — Приговор Огана был явно не по душе Ясе. — Чего тогда стоит вся твоя аппаратура?

— Идти на эксперимент слишком рисковано, — не уступал ученый. — Опыт обращения с подобными уникальными предметами отсутствует. Ведь впервые за многие века на одной из тысяч планет найдена вещь, которой поклонялась чужая раса. В старые времена и некоторые правители, окруженные всеобщим обожанием, концентрировали энергию, которую вливали в них вассалы. Она позволяла этим живым богам творить настоящие чудеса и укрепляла их славу всемогущих повелителей смертных.

— И ты решил, что перед нами — такая богоподобная вещь? — с недоверием спросила Яса.

— Я могу сказать только, что у нее небывалая концентрация психической энергии. Воздействовать на такой артефакт приборами — значит рисковать уничтожить его информационное поле. Что означает возможность упустить редчайший шанс.

Яса довольно замурлыкала.

— Ты намекаешь, что лучше использовать этот шанс с помощью нашей крошки... — В ее взгляде, брошенном на Зианту, были и прощение, и требовательность.

— Не могу ничего твердо обещать, леди, — ученый предостерегающе поднял руку, — но надеюсь, что этот ключ поможет нам отворить дверь в глубину веков. Для начала необходимо проследить путь этого предмета к Джукундусу. Я сомневаюсь, что он представляет себе, насколько эта вещь уникальна. Ведь он недолюбливает сенситивов, как всякий человек, ведущий тайную жизнь. Таким вовсе не по душе открывать кому-то свое сознание. Так что вряд ли в окружении Джукундуса существует человек, способный распознать суть этой вещи. Сейчас энергия артефакта разбужена — ее пробудил сеанс телекинеза. А до того, как это было сделано, только Зианта смогла воспринять его поле, и то благодаря игре случая. Произошло редкое совпадение: и ее возбужденное состояние, и путь вблизи того самого столика, и абсолютно сумасбродный замысел заполучить предмет посредством телепортации. Так или иначе — он здесь, и нам надо постараться использовать небывалую удачу.

— А теперь, моя девочка, — сказал Оган, обращаясь к Зианте, — тебе предстоит попытаться «прочитать» эту вещь.

— Нет! — вскрикнула она. — Я... пыталась, но не сумела. Это... кошмар. Меня всю обожгло!

Яса рассмеялась.

— Я отобью у тебя, милашка, охоту самовольничать. Ты сделаешь все, что скажет Оган, иначе твое сознание окажется под надежным замком. — Хозяйка произнесла это спокойно и легко, но Зианта с ужасом поняла, что над ней нависла смертельная угроза. В то же время ее тяга к артефакту не ослабевала, а неудачу первой попытки она расценивала теперь как указание передохнуть и собраться с силами. Повторить эксперимент сейчас она просто физически была не способна.

— Береги его, милашка. — Яса направилась к выходу. — Впрочем, он и сам пока неплохо охраняет себя. Я мы пока попробуем разузнать, когда, где и каким путем этот предмет попал к Джукундусу. — Эти слова хозяйки донеслись уже из-за закрываемой двери.


## Глава четвертая

Дополнительных разъяснений не требовалось, слова Ясы означали, что похищенный Зиантой артефакт обрек ее на положение узницы, пока полчища шпионов не разузнают историю приобретения загадочного предмета. К тому же Оган наверняка проявит интерес и к камню, и к ее проявившемуся вдруг психокинетическому таланту. Она уже готовилась мысленно к мучительным экспериментам и тестам; когда же через некоторое время вызов в лабораторию так и не поступил, сперва облегченно вздохнула, но затем почувствовала себя уязвленной. Либо психотехник не рискует работать с артефактом, несущим заряд, либо все еще готовит для Зианты изнурительные проверки.

Время ее заточения тянулось медленно. Она завязала уже два узелка на поясе, чтобы отсчитывать дни. Девушка ощущала нарастающее беспокойство. Рассеять его не могли ни развлекательные видео, ни трехмерные стереопередачи из Тикила. Двое суток пустого времяпрепровождения начисто выбили ее из колеи.

Утро третьего дня застало ее сидящей после беспокойной ночи у окна, за которым раскинулся парк. По желанию Ясы он больше походил на джунгли и поддерживался именно в таком состоянии.

Предтечи... Никто точно не мог сказать, сколько цивилизаций, сколько рас населяли Космос во все времена. На такой вопрос не могли дать ответ даже закатане — потомки рептилий, чей век гораздо дольше человеческого. Эта древняя раса выдвинула немало блестящих умов в области истории и археологии. Народ Зианты сравнительно недавно освоил межзвездные сообщения, и тут же потоки переселенцев хлынули в иные миры. Их родная планета на окраине Галактики называлась Земля, или Терра, а светило — Солнце. Одни бежали от войн и политических интриг, другие — в поисках лучшей судьбы, богатства и славы. Самые смелые пускались в неизведанные глубины космоса и либо гибли, либо открывали новые миры, становясь основателями очередной колонии землян. Из-за воздействия необычных природных факторов — звездных излучений, микроорганизмов, химических соединений — поколения переселенцев подвергались мутациям, их потомки уже мало походили на своих прародителей. Одни стали великанами, другие карликами; у одних стала пышная шевелюра, другие совсем лишились волос. Изменялся цвет кожи, даже количество пальцев, острота зрения или обоняния у колонистов разных миров были неодинаковы. Особенно хорошо это было заметно в Диппле — пристанище неудачников с сотен планет. И улицы Тикила также демонстрировали великое многообразие разумных порождений природы.

Тем же изменениям, что земляне, подвергались в свое время и более древние расы, которых называли предтечами. Их путь по космосу отмечали загадочные следы: испепеленные дотла миры — памятники титанических конфликтов, а также руины циклопических сооружений, монументальные гробницы и непонятного назначения устройства, которые на некоторых планетах продолжали действовать и до сих пор, миллионы лет.

Каждая новая находка рождала новые загадки, над которыми безуспешно бились лучшие умы Галактики. В ученом мире шли постоянные споры о принадлежности этих памятников, к какой относить их эпохе, к какой цивилизации. Закатане собрали тысячи легенд разных народов, в результате всплыли схожие имена, и только. Было ли это названием рас или их правителей — никто не знал. Как вообще можно определить принадлежность к культуре? Например, остатки древнего горда город на Архоне IV и порты в Мочикане и Вотане были отнесены к «культуре заати» только потому, что имели одинаковые затейливые резные орнаменты.

Ученые лелеяли надежду, что удастся отыскать какой-то архив, ленты с записями или что-то подобное, способное пролить свет на тайны предтеч. Увы, эти надежды становились все более призрачными. Правда, совсем недавно, пару лет назад, была открыта планета, представляющая собой один гигантский город. Этот мегаполис считался памятником некой сверхцивилизации, и сейчас его дотошно изучали, рассчитывая установить его связь с предтечами.

Зианта сжала руками виски. Ее тоже интересовали предтечи. Может быть, их тайна скрыта здесь, в этой шкатулке? Она взглянула на небольшой ящичек, куда Яса уложила укутанный шарфом артефакт. Все эти дни девушка не извлекала его на свет, но думала о нем непрерывно.

Ключом к мегаполису послужил случайно найденный перстень с очень странным камнем. Быть может, ее находка — тоже ключ? Но где дверь, которую она откроет?

Здесь, на Корваре, была своя древняя тайна — Рухкарв. Довольно заурядные руины на поверхности маскировали входы в подземные шахты и галереи, тянувшиеся на непостижимую глубину. Сооружение этих катакомб приписывалось неведомой расе, по некоторым признакам — даже негуманоидным существам. Спуск в подземелья Рухкарва для многих исследователей окончился трагически, и теперь рейнджеры Диких Земель, на территории которых находится этот загадочный реликт прошлых эпох, никого даже близко к нему не подпускали. Однако неутомимые историки продолжали спор, был ли Рухкарв местом обитания существ, близких по образу жизни к муравьям, или убежищем одной из воюющих сторон, или, может быть — пересадочной станцией для тех, кто владел тайной перемещения между мирами...

Зианта поднялась и, влекомая притяжением артефакта, вынула сверток из шкатулки и поднесла его к окну, через которое били лучи света. Ей казалось, что этот естественный свет может обезвредить предмет, лишивший ее покоя, освободить ее от подчинения ему.

Она принялась разворачивать шарф складку за складкой, пока ткань не упала на пол. В лучах солнца фигурка казалась еще более нелепой, словно ребенок пытался неумелыми пальцами сделать что-то из куска глины. Нет, эта примитивная вещь вряд ли могла принадлежать расе, достигшей звезд.

Дрожа от страха, Зианта слегка коснулась предмета. И не ощутила ни тепла, ни какого-нибудь импульса! Выходит, Оган прав: артефакт зарядился в результате телекинеза, а теперь приобретенный потенциал иссяк. Она уже смелее стала водить пальцем по фигурке, особенно внимательно ощупывая то место, где должна быть голова.

Поверхность, визуально казавшаяся шероховатой, рельефной, на ощупь была совершенно гладкой. Но что это? В верхней части фигурки рука почувствовала несильное, но явственное покалывание.

Словно в трансе, девушка крепко сжала в пальцах предмет, а затем другой рукой повернула верхнюю часть — это вышло помимо воли, просто она знала, что именно так должна сделать.

Верх фигурки сдвинулся, отделился от нижней части и откинулся, словно крышка маленького ларца.

Внутри стенки и дно хранилища были обложены тонкими серебристыми нитями, чтобы уберечь то, что лежало там. Такие же нити прикрывали содержимое сверху. Зианта поставила ларец на подоконник. Ей хватило благоразумия не касаться нитей незащищенной рукой. Девушка взяла со стола ложку с длинным черенком, которой во время завтрака вычерпывала сочную мякоть из какого-то экзотического фрукта, и ее черенком легонько разворошила комок нитей, пока в проделанное отверстие не приник солнечный луч. От его прикосновения нити вспыхнули тысячами ярких бликов, а глубоко под ними зажегся изумрудно-голубой огонек.

В гнездышке из нитей покоился камень овальной формы. Прежде Зианта не встречала камней такого цвета и не смогла определить его. Она, не дотрагиваясь, рассматривала его. Он был гладким, сферическая поверхность не имела следов огранки. Вдруг почувствовав, что впадает в транс, девушка закрыла глаза и принялась на ощупь укладывать пушистые нити обратно, прикрывая ими камень.

Она читала о кристалломантии, одном из древних способов стимулировать ясновидение. Для этого сенситив фиксировал внимание на шарике из прозрачного, чистой воды, камня, и высвобождал с его помощью энергию. Снова Оган оказался прав: этот камень, долго используемый подобным образом, получил огромный заряд психической энергии.

Зианта поспешно сложила обратно обе половинки и повернула фигурку в противоположную сторону. Затем внимательно осмотрела ее: никаких следов того, что она только что открывалась. Со вздохом облегчения она снова замотала ее в шарф и поместила обратно в шкатулку.

А что, если попробовать поработать с кристаллом? Что она увидит — смерть или мрак? Этого видеть она не хотела, как не хотела сообщать об этом своем открытии Ясе или Огану. Они, конечно же, заставят ее смотреть в камень, а ей это вовсе не...

Она тут же поставила экран на свои мысли. Но если Оган что-то заподозрит, это, конечно же, не поможет. Хорошо хоть, что сейчас он чем-то серьезно занят за пределами виллы — это ей на руку.

Спустя час поступил вызов от Ясы. Зианта застала хозяйку в обществе одного из координаторов гильдии. Он рассматривал вошедшую девушку, словно перед ним был некий инструмент, и он прикидывал, насколько этот предмет эффективен. Яса спокойна, хотя общение с руководителями гильдии было зачастую небезопасно для тех, кто стоял на ступень ниже и претендовал на то, чтобы занять более высокое место. Путь наверх лежал, как правило, через убийство. Смерть подстерегала тех, кого руководители сочли ненадежным, а также тех, кто мешал карьере кого-либо из честолюбивых нижестоящих гильдейцев.

Когда проводилась инспекция, редко обходилось без неприятностей. Но Яса ничем не выдала своего беспокойства, а сквозь ее кошачью невозмутимость не пробился бы и детектор правды. Она смотрела на Зианту немигающим, нарочито сонным взглядом. На коленях хозяйки сидел Харат. Глаза его были подернуты пленкой, словно он спал. Зианта поняла: это предупреждение для нее. Она много лет прожила здесь и знала: любая необычная деталь означает сигнал тревоги и призыв к обороне.

На самом же деле Яса была далеко не так беспечна, как хотела показать, да и Харат находился здесь отнюдь не в роли комнатной зверюшки. Сейчас он старается пробиться через экран к сознанию гостя, чтобы уловить утечку информации. Все это означает, что Яса не расположена посвящать во что-либо Координатора и требовала от Зианты особой бдительности. А поскольку главным событием на вилле девушка не без оснований считала похищение артефакта, именно это следовало держать в тайне.

— Макри, ты хотел увидеть сенситива, который считывал информацию Джукундуса. Вот, она перед тобой.

Перед ней сидел крупный мужчина, некогда мускулистый и привлекательный, но теперь чрезмерно располневший. Он был в форме космолетчика с капитанскими эмблемами. Костюм был гостю явно тесен — то ли шитый не на него, то ли носимый им с давних времен. Лицо, темно-красного цвета, гладко выбрито, кроме маленькой курчавой бородки. На бритой голове топорщилась искусственными кудряшками серебристая сеточка — такие надевались под шлем космонавтами.

Глаза его тонули в одутловатых щеках, но не были добродушными, как у многих толстяков. Они глядели на девушку жестко и властно, их серебристый блеск напомнил ей игру нитей, из которых было сплетено гнездо для кристалла. Это сейчас было опасной ассоциацией, и Зианта поспешно упрятала мысли о камне на самое дно сознания.

Вдоволь насмотревшись на девушку, координатор недоверчиво хмыкнул. А затем на Зианту посыпались короткие резкие вопросы — гостя интересовали все подробности налета на апартаменты Джукундуса. О содержимом лент разговор, естественно, не велся — оно было начисто стерто из ее памяти приборами Огана. Она пересказала свои действия шаг за шагом с момента проникновения в квартиру и до возвращения на виллу. Полученное от Ясы предупреждение совпало с собственным желанием девушки сохранить тайну артефакта — тучный посетитель ничего не услышал от нее ни о столике с безделушками, ни о последующем сеансе телепортации.

Когда Зианта закончила, лицо хозяйки оставалось по-прежнему непроницаемым, и по его выражению девушка не могла определить, удалось ли ей выполнить негласные инструкции или же она допустила какую-то оплошность. Макри снова хмыкнул. Яса повернулась к нему.

— Убедился? Все в точности так, как мы тебе доложили. Аппаратура Огана это подтвердила. Так что нет никаких оснований опасаться, что налет обнаружен.

— Хочется верить в это. Но в Тикиле вдруг стало жарко, очень жарко! И это как-то связано с Джукундусом. В то же время не похоже, чтобы он узнал о считывании его микрозаписей. Но город наводнен сенситивами, они всюду рыщут и что-то вынюхивают. Вот эту, — он снова взглянул на Зианту, как на неодушевленную вещь, — ее вы держите «под колпаком»?

— Можешь проверить. — Яса безразлично зевнула. — Она все это время была здесь. Наши детекторы не обнаружили, чтобы ее сознание кем-то зондировалось. Или ты сомневаешься в надежности приборов Огана?

— Оган? — Это имя он произнес, показывая, что ученый для него значит не больше, чем Зианта, всего лишь другой воровской инструмент. — Решаем так. Оставлять ее здесь все же опасно. Наша работа вокруг Джукундуса идет успешно, и нельзя допустить никаких сбоев. Вышли ее куда-нибудь подальше, хотя бы на время.

Яса снова зевнула.

— Мне как раз нужно уезжать, так что и предлога искать не придется. Отправлюсь с инспекцией филиала своей фирмы на Ромстке, а ее прихвачу с собой.

— Договорились. Мы дадим знать, когда вам можно будет возвратиться.

Координатор грузно поднялся и без единого слова направился к выходу. Зианта поняла: это была умышленная грубость. А как отреагирует Яса?

По-кошачьи треугольное лицо саларики осталось непроницаемо спокойным, насколько мог судить человеческий глаз. Только бескровные губы приоткрылись и слегка раздвинулись, обнажив белые кончики того, что обеспечивало жизнь и безопасность ее предков: острые, несущие смерть клыки.

— Макри... — медленно проговорила Яса. Голос был бесцветен и не окрашен эмоциями, как и лицо саларики. — Он вел себя со мной так, будто сейчас прокладывает себе путь на самый верх. Что ж, тот, кто думает о чем-то возвышенном, рискует угодить в яму у себя под ногами. Он даже не догадывается, насколько помог нам: теперь есть повод покинуть Корвар, не вызвав подозрений Координатора и тех, кто его послал. Макри возомнил себя большим боссом, а по сути сделал то, чего я добивалась.

— Удалось узнать что-то новое? — спросила Зианта.

— Разумеется, милашка. Когда Яса приказывает глазам, чтобы они смотрели, ушам — чтобы слушали, носам — чтобы вынюхивали, ее приказ выполняется. Мне теперь известно общее направление, откуда пришла к Джукундусу эта вещь. Остается найти тех, кто ее изготовил, проникнуть в их время и узнать многие похороненные в веках тайны. Это должны сделать мы, и не кто иной! Мы отправимся на Вэйстар.

Вэйстар! Об этой планете Зианта много раз слышала на протяжении всей своей небольшой жизни. Большинство космических скитальцев считали Вэйстар легендой, но гильдия знала, что это не вымысел. Хотя лишь избранные могли указать путь к этому миру. Вэйстар использовался Воровской гильдией, хотя не был собственностью какого-либо верховного сановника подпольной организации, как многие тайные космические базы.

Вэйстар был тем, чем являлся и задолго до создания гильдии, до того, как народ Зианты устремился к звездам. Это была планета преступников, место встреч почти исчезнувших ныне космических пиратов. Теперь сюда стекались грабители после налетов на разных планетах, где их поджидали агенты гильдии, скупавшие награбленное. Впрочем, порой гильдия не брезговала и похищением кораблей грабителей для собственных нужд.

Если верить всяким россказням, то Вэйстар когда-то являлся космической станцией для исчезнувшей давным-давно цивилизации, от которой остались только мертвые планеты, обращающиеся вокруг почти угасшего красного карлика. В общем, история Вэйстара не менее загадочна, чем тайны Рухкарва. И визит на планету преступников был немногим безопаснее спуска в бездонные катакомбы.

— Этот Макри... Если мы отправимся к Вэйстару... — с сомнением проговорила Зианта и осеклась.

Агенты гильдии могли узнать Ясу, и тогда... ее заподозрят в предательстве. А если такое случается с высшим членом Воровской гильдии, смерть ожидает не только его самого, но и все его окружение — кроме, конечно, тех, кто по сговору с той же гильдией участвовал в низвержении своего хозяина.

Яса провела рукой по пушистой головке Харата и неожиданно довольно похоже воспроизвела щелканье, которое Харат издавал своим крючковатым клювом.

— Макри — просто старикан на побегушках у высших членов организации. Я права, малыш?

«Он искал что-нибудь, чем смог бы навредить тебе», передал Харат. «Но ничего не смог найти. Он думал, что благодаря защитным устройствам в его мысли никто не может проникнуть», с презрением закончил Харат свой доклад.

— А это возможно? — вырвалось у Зианты.

Чтобы посмотреть на нее, Харат повернул голову почти на сто восемьдесят градусов. Большие немигающие глаза уставились на девушку.

«Харат может читать мысли».

Ей оставалось гадать, что означал этот ответ, сопровождавшийся щелканьем клюва. Она с детства верила в могущество приборов, и сейчас была поражена тем, что Харат сумел прорваться через созданные специалистами гильдии психобарьеры. Девушка еще раз убедилась, насколько способности пушистого телепата отличаются от возможностей обычного сенситива.

Но если Харат был с Ясой, он не только защищал от зондирования ее сознание, но и сообщал ей каждую мысль, которая рождалась в мозгу Макри и... И мысли о камне! Нет! Она не смеет думать об этом здесь! Надо оградиться! Нет, тоже плохо. Когда от сознания вообще не поступает информация — это настораживает. Нужно о чем-то думать. Думать... Вэйстар. Она думает только о Вэйстаре...

— Харат хорошо читает мысли. Молодец, малыш! — промурлыкала Яса, поощряя своего помощника. — Что же касается Макри, — продолжала размышлять вслух хозяйка, — то и на Вэйстаре найдутся люди, перед которыми этот кусок жира будет раболепствовать, словно он ростом меньше нашего Харата, превзошедшего его и отвагой, и способностями.

— Если там нас ожидает такая поддержка, успех на Вэйстаре обеспечен. — Зианта посчитала необходимым польстить амбициям Ясы.

— Я тебя прошу, милашка, отвыкать от изречения очевидных истин. Да, мне там есть на кого опереться, но это не значит, что все будет сделано за нас. Я продумала свои действия еще до появления здесь Макри, подарившего нам благопристойный предлог для путешествия. Но не обещаю, что это будет развлекательная поездка. Работа нас ждет трудная, к тому же лететь придется в анабиозных камерах.

Такая перспектива не порадовала Зианту, но она была в полном подчинении у Ясы и не могла протестовать. Перелет в анабиозе был самым примитивным способом, его применяли пионеры Космоса на заре звездоплавания. Команды кораблей годами лежали в своих капсулах замороженными, и к некоторым не возвращалась жизнь в пункте прибытия. Девушка догадалась, что в данном случае такой опасный способ путешествия избран Ясой из соображений секретности.

Вечером этого же дня их флиттер опустился в порту, и они взошли на борт каботажного космолета, совершавшего рейсы только в пределах местной звездной системы. Но ведь... Впрочем, удивляться Зианте пришлось недолго. Как только они очутились в своей каюте, Яса извлекла из дорожного ящика два длинных плаща с капюшонами. Девушка знала о свойствах этих балахонов: для постороннего глаза одетые в них фигуры искажались до неузнаваемости. Накинув плащи, они, не мешкая, прошли по безлюдным коридорам и спустились на нижнюю палубу. Там Яса провела Зианту к грузовому лифту, который доставил их обратно за борт.

Спеша за хозяйкой по территории порта, девушка с замиранием сердца ждала, что их окликнут. Но плащи служили безупречно: обе беспрепятственно достигли дальнего причала. Здесь стояли несколько звездолетов, зафрахтованных вольными торговцами. Яса схватила Зианту за рукав и ускорила шаг, устремившись к какому-то транспортнику с неясной эмблемой и полустертым названием на потемневшем от времени борту.

Возле спущенного трапа не было ни души. Яса, не отпуская руку Зианты, почти бегом поднялась по металлическим ступеням и нырнула в люк. Внутри их тоже никто не встречал, корабль словно вымер. Девушке пришло в голову, что все они специально чем-то заняты, чтобы не видеть прибывших пассажиров.

Они поднялись на три уровня, и здесь их ждала открытая дверь каюты. Они вошли, и Яса поспешно захлопнула дверь.

— Приятного путешествия, джентль фем! — прозвучал вдруг голос Огана. Вид у психолога был странным: облаченный в грубую рабочую одежду, он стоял у стены возле двух длинных и узких ящиков. Зианта внутренне содрогнулась — это были анабиозные капсулы. Даже сейчас, по прошествии многих столетий их использования, при этом варварском способе путешествия бывали трагические случайности. Зианта путешествовала в космосе впервые — не считая изгладившегося из памяти когда-то выпавшего на ее долю космического перелета, когда ее, подобно другим обитателям Диппла, выбросил с родной планеты пожар войны.

— Пока все идет по плану. — Яса свернула плащи и уложила их в ящики вместо подушек. — Артефакт положи сюда.

Зианта нехотя протянула шкатулку, которую крепко прижимала к груди, пока они пробирались по территории порта.

Яса взяла ящичек в руки. Девушке показалось, что саларика хочет убедиться, на месте ли артефакт. Но хозяйка не стала открывать шкатулку, а бережно положила ее на одну из самодельных подушек.

— Очень благоразумно, леди, — подал реплику Оган. — Если между трансом и анабиозом есть какая-связь, такое соседство может дать результат. Он будет с тобой, Зианта, и кто знает — быть может, по пробуждении ты ответишь нам на многие вопросы об истории этой фигурки.

Зианта замерла. Ей уготован сон рядом со смертью и мраком, спрятанным в этом предмете! Оган предложил такое, не подумав. Впрочем, нет: он все понимает, но ему глубоко безразличны и переживания девушки, и ее судьба. Ее берегли, пока ее дар представлял часть имущества гильдии. Но теперь — она сознавала это — они работают не на гильдию. Яса вовлекла Огана в сугубо личное предприятие. И теперь ценность Зианты измеряется степенью ее полезности для этого предприятия. Ее вырвали из среды, где ей была гарантирована хоть какая-то безопасность. Но пути назад нет, как нет и малейшей надежды на бегство.

— Давай, ложись сюда. — Оган протянул руки, и они повисли над ее головой. — Ну же, не упрямься, как ребенок. Ты уже испытывала гипноз — и осталась цела и невредима. Лучше подумай, что ты нам расскажешь, когда проснешься.

В этой тесной каюте у Зианты не было никакой возможности увернуться. Игла шприца в руках Огана вошла в ее руку чуть повыше локтя — и вот уже психолог укладывает ее безвольное тело в узкий ящик. Можно даже было бы сказать, что здесь мягко и уютно, если бы не мрачные мысли о будущем. И мысль о лежащей возле головы шкатулке...

— Хорошо. Видишь, как все легко и просто. Смотри сюда, ведь ты это уже делала раньше... раньше... раньше... раньше...

Монотонные слова тяжело падали в сознание, и было не оторвать взгляда от блестящего шарика, зажатого в пальцах Огана. Сил и желания сопротивляться не было.

— Раньше... — Голос исчез. Она уже спала.

## Глава пятая

Первым побуждением Зианты было желание срочно скрыться, сбежать от опасности. Над нею (если в космосе применимо понятие «над») нависло что-то огромное, пугающе тяжелое.

После долгого, неизвестно сколько длившегося сна их разбудили, чтобы они пересели на другой корабль, который пересек окружающее Вэйстар кольцо защиты — первую линию обороны планеты, состоявшую из обломков старых звездолетов. Их было много, очень много, словно весь звездный флот Конфедерации специально взорвали, чтобы образовался этот железный барьер.

Проникнуть через защитный слой осколков можно было только по тщательно охраняемому коридору, расчищенному среди металлического хлама. И тогда взору открывалась грандиозная картина висящей в пустоте космической станции, созданной представителями неведомой, но явно высокоразвитой цивилизации. За много веков дрейфа среди звезд поверхность сооружения покрылась вмятинами и заплатами. По обе стороны гигантского корпуса были оборудованы причалы для космолетов. Сейчас, стоя на одном из них, девушка со страхом глядела на висящие над головой глыбы искореженного металла. Ей чудилось, что они падают прямо на нее. Напрасно Зианта убеждала себя, что равновесие масс этих обломков и станции незыблемо уже сотни лет, что многие поколения обитателей космической базы изо дня в день бестрепетно взирают на нависший над ними железный молот.

Лишь войдя вслед за Ясой внутрь, Зианта избавилась от этого страха. Обстановка здесь была более уютной, поддерживалась даже небольшая сила тяжести.

В центре станции было огромное круглое помещение, опоясанное множеством разноэтажных балконов и галерей. Стены излучали странный зеленоватый свет, придававший неприятный мертвенный оттенок лицам обитателей. Впрочем, лица как таковые были только у представителей гуманоидных рас. Девушка увидела здесь много существ, совершенно отличных не только от людей, но и от всех известных ей форм разума, хотя на Корваре ей довелось познакомиться с множества звездных миров.

Видимо, Яса хорошо ориентировалась здесь. Она повела девушку на один из верхних уровней. Сила тяжести была гораздо меньше, чем на Корваре, и они поднимались, почти не касаясь ступеней, но следовало не забывать хвататься руками за перила и специальные скобы.

Местами на стенах проступали неясные контуры — остатки древней росписи, украшавшей станцию за много веков до того, как народ Зианты освоил космоплавание. Можно было различить очертания каких-то остроугольных фигур и кругов, но их было слишком мало, чтобы представить себе целиком былое творение древних художников.

Возле двери, к которой они подошли, стоял охранник в форме космонавта. При виде незнакомок он взялся за рукоять висящего на поясе лазера — запрещенного во всей Конфедерации смертоносного оружия. Но, видимо узнав Ясу, отступил в сторону, позволяя им войти.

Взгляд девушки не знал, на чем остановиться, блуждая по разнообразию вещей и мебели, которыми была буквально забита комната. На всем этом добре лежал отпечаток разных культур, стилей, эпох. Скорее всего, здесь собрали трофеи с многих десятков ограбленных кораблей. Некоторые предметы явно принадлежали негуманоидным расам. Нагроможденная как попало мебель была когда-то богато украшена резьбой, инкрустирована ценными металлами, но теперь представляла собой лишь потрепанный хлам.

Среди этой причудливой свалки в продавленном кресле с облупившейся позолотой развалился тот, к кому Яса решила обратиться за консультацией. Увидев вошедших женщин, он не удосужился встать, а лениво щелкнул пальцами. Тотчас же зеленокожий гуманоид бросился в глубь склада и приволок еще два довольно крепких стула.

Зианта впервые видела члена Воровской гильдии, который столь фамильярно вел себя с Ясой. Но та, по-видимому, решила не обращать внимания на формальности и спокойно уселась, разглядывая хозяина заполнявших комнату сомнительных сокровищ. Подобно своим богатствам, он представлял собой удручающую смесь помпезности и неряшливости.

Чистейший терранин лицом и фигурой, он был облачен в варварски-пышные одежды. Коротко остриженную голову украшал обруч зеленого золота со свисавшим на лоб коросом. От глаз к подбородку проходили искусно сделанные косметические шрамы, превратившие лицо в свирепую маску.

Широкие штаны из светлого меха плохо гармонировали с наброшенным на плечи кителем адмирала Патруля, расшитым звездами и позументами. Рукава кителя обрезаны, а голые руки унизаны блестящими браслетами с земными рубинами и зелено-голубыми камнями, названия которых Зианта не знала.

Этот человек держал на коленях поднос, на котором были не варварские яства, а нечто изумительно совершенное и потому абсолютно неуместное среди этой безвкусицы. То был миниатюрный пейзаж: сад с деревцами и кустиками, посреди него — крошечное озерцо с каменистым островком, к которому плыла микроскопическая лодочка. Зеленокожий слуга-вайверн принял поднос с колен хозяина и перенес на стол. Взгляд Зианты был прикован к этому дивному творению неизвестных ей умельцев.

Человек наконец заговорил на бейсике. Вопреки пиратскому облику, голос был приятного тембра, а речь вполне интеллигентной.

— На Вэйстаре, джентль фем, нет никакой растительности. И для меня сделали вот этот сад. Он пахнет свежей листвой и озером. Я закрываю глаза — и переношусь в настоящий парк...

Яса молча поднесла к лицу ароматический мешочек. Увидев это, человек улыбнулся. При этом шрамы задвигались и лицо сделалось похожим на сатанинскую гримасу.

— Прошу извинить, джентль фем. Вэйстар богат всем на свете, в том числе и запахами. Жаль, что это оказались не те ароматы, которые вам по нраву. Однако давайте перейдем к главному, не то ваши запасы сушеных лепестков лилии выдохнутся прежде, чем мы доберемся до сути дела. В общих чертах мне изложили вашу проблему. Хотелось бы помочь вам, насколько это будет возможно. Здесь возможны самые непредвиденные сложности. Одним словом, между нами должно быть полное взаимопонимание.

В улыбке на лице Ясы не было и тени тепла — только беспощадная прямота.

— Разумеется, Сренг. Мы обсудим все, до мельчайших деталей.

Зианта молча наблюдала за начавшейся дуэлью. Их взгляды впились друг в друга. В их мире любой сделке предшествовало отчаянное соперничество. Но сейчас противники зависели друг от друга, и общий интерес должен был в конечном итоге победить недоверие и алчность. По пути на Вэйстар хозяйка не сочла нужным посвятить Зианту в свои планы. Но девушка и без того понимала, что именно этот неопрятный человек способен, по мнению Ясы, помочь им проследить путь глиняной фигурки к Джукундусу.

— Наш компьютер проанализировал те общие ориентиры, что вы нам передали, — сказал он. Возможно, его честолюбию льстило то, что гордая леди Яса оказалась здесь в роли просительницы. — Дальнейшие уточнения можно получить только, использовав сенситива. Остальное зависит от вашего решения, джентль фем.

Яса взглянула на Зианту:

— Мы займемся уточнением...

Ладонь девушки крепко стиснула заветную шкатулку. Зианту охватил страх: сумеет ли она сделать это без тренировки? Быть может, у Сренга есть свой сенситив, специально обученный работе с картой? Но тогда... То, что спрятано в шкатулке, попадет в чужие руки. Яса не пойдет на это без самой крайней необходимости.

Методика ведения подобного поиска была знакома любому сенситиву. Но далеко не все добивались успеха. Тем более что обычно сенсорный поиск шел по картам городов, в крайнем случае — планет. Зианта никогда не слышала, чтобы он применялся на космической карте. Девушка надеялась, что Яса не возлагает на предстоящий эксперимент особых надежд, и возможная неудача не слишком ослабит позицию саларики в этой сделке.

Яса словно угадала внутреннее смятение своей воспитанницы.

— Но нам необходим отдых, — надменно произнесла она, напомнив таким образом о своем высоком положении и связанных с ним привилегиях.

— Ваше желание — мое желание, — послышался обусловленный этикетом ответ, в котором, однако, сквозила немалая доля иронии. — ССссфани проводит вас. Не обессудьте за бедность апартаментов, но здесь, увы, не Корвар и это лучшее, чем мы располагаем. Когда отдохнете — дайте знать, и мы приступим к работе.

В сопровождении зеленокожего вайверна они прошли дальше по коридору и вошли в комнату, также загроможденную разномастными трофеями. Когда слуга ушел, Яса встала напротив Зианты и проговорила с подчеркнутой теплотой:

— Отдохни, милашка, восстанови силы. От этого зависит наш общий успех.

Слова слетали с губ хозяйки, а руки тем временем быстро двигались, рисуя в воздухе сложный узор. Зианта без труда прочитала условный код.

Проникающее излучение! Девушка не удивилась: на планете преступников подозревается каждый, в этом залог безопасности воровского мира. Не исключено и сканирование мозга — наверняка кругом полно аппаратуры.

— Постараюсь, леди.

Она опустилась в гамак, оказавшийся на удивление удобным, несмотря на ветхий вид. Яса подошла к автомату питания. Прочитав список блюд, она раздраженно фыркнула, но тем не менее пробежала пальцами по облупленной клавиатуре.

— Сплошная синтетика. Похоже на тюремный рацион. Но подкрепиться все-таки придется, нам нужны силы. — Яса говорила громко и язвительно, словно специально для тех, кто сидит сейчас у подслушивающего устройства. Она достала из камеры автомата тюбик с концентратом и протянула Зианте.

— Постарайся съесть это, милашка.

Девушка принялась за еду. Пища почти без вкуса и запаха не могла доставить удовольствия, но содержала необходимую норму витаминов и калорий. Механически пережевывая теплую массу, Зианта думала о предстоящем испытании. Она и страшилась его, и хотела в то же время заняться поиском поскорей, чтобы узнать что-то новое об артефакте. Чтобы подавить нарастающее возбуждение, отдохнуть, как требовала Яса, ей приходилось хотя бы внешне оставаться безмятежной.

Девушка заставила себя расслабиться. Лежа с закрытыми глазами, принялась освобождать мозг, накапливая психическую энергию. И вдруг ощутила посторонний импульс... Какой-то несильный раздражитель... Нечто промелькнуло, слегка дотронувшись по касательной до ее сознания.

Слегка обеспокоенная, Зианта сконцентрировала внимание на этой тени незримого чужого прикосновения. Вот... Снова... Оно появлялось и исчезало, словно редкая размеренная пульсация. Девушка поняла: ей не показалось — ее сканировали! Те, кто этим занимался, не предполагали, что она способна распознать столь легчайшее прикосновение.

Кто же это? Сенситивы Сренга? Они хотят проверить ее возможности или...

Ее охватила паника. Собрав волю, Зианта поставила психобарьер. Через несколько минут, немного успокоившись, она попыталась проанализировать свое открытие. Уловленный ею импульс был слишком слабым для направленного зондирования мозга. Возможно, это дала о себе знать контролирующая сеть, наброшенная на весь Вэйстар или его отдельные участки с целью выявить присутствие на станции посторонних сенситивов.

Но ведь о ее роли в этой миссии Сренгу прекрасно известно. Яса не скрывала от него способностей своей подопечной. Кто же тогда проявил к ней столь специфическое внимание? Представитель гильдии, подосланный недругами Ясы, чтобы шпионить за ними? Или конкурент, имеющий свой интерес к артефакту? Так или иначе — где-то рядом враг.

Для доклада хозяйке у нее нет фактов — ничего, кроме смутного ощущения. Благоразумнее молчать, пока она не убедится, что ее действительно пытаются зондировать. А пока — ни на минуту не ослаблять защиту.

Зианта не опустила мысленный экран и тогда, когда они вновь очутились в комнате Сренга. За время их отсутствия здесь кое-что изменилось: часть мебели удалили, чтобы поставить огромный стол. На нем была развернута протертая на сгибах пластика звездная карта. Изображенные на ней кружки, линии и знаки ничего не говорили девушке — она никогда не интересовалась астронавигацией. Но это не имело значения: путеводителем по карте должен стать артефакт. Если эксперимент удастся, он подскажет сенситиву нужную точку. Девушка достала фигурку из шкатулки и сжала ее в руке. Все мысли отключены — только фигурка, которую она медленно вела над картой. В левой части — ничего.

Вот уже три четверти карты миновала ее рука, сжимавшая артефакт. Фигурка оставалась мертвым кусочком глины. И вдруг... В мозгу вспыхнула картина — до пронзительно отчетливая, абсолютно живая и реальная. Она могла дотронуться до этих серых камней, до ветвей деревьев, которые раскачивались под напором ветра!

— Камни... — Она не слышала своего голоса, не знала, что слова слетают с ее пересохших губ. Фигурка налилась теплом, и все ярче наполнялась жизнью заполнившая сознание картина. — Деревья... И дорога... Она проложена среди камней к... нет!

Она хотела отбросить фигурку прочь. Но рука по-прежнему ощущала горячее прикосновение. И в мозгу продолжал жить увиденный ею кошмар. Она почувствовала себя навсегда заточенной в этот жуткий мир — и закричала, взывая к помощи.

Ужас внезапно схлынул, сковавший ее страх начал рассеиваться. Она вернулась в свой мир, плачущая, потрясенная и обессилевшая, и рухнула бы на пол, если бы Яса не поддержала ее.

— Там... Смерть! Мрак и смерть... Гробница Турана... Смерть!

Кто такой Туран? Она не помнит. Она не хочет и не будет вспоминать! Зианта повела вокруг затуманенными глазами. Сренг навис над столом, лихорадочно чиркая что-то на карте. Только сейчас она заметила, что фигурка осталась в ее ладони, и брезгливо отшвырнула его от себя. Глиняный комок покатился по карте и свалился бы на пол, но Сренг подхватил его. С ухмылкой разглядывая реликт, он заговорил с Ясой:

— Значит, там гробница... И, скорее всего, не разграбленная. Во всяком случае, в наших записях ничего похожего не упоминается. Что ж, поздравляю... — Он перевел глаза на Зианту, и его лицо превратилось в широкую улыбающуюся маску. — Но ведь ты сказала не все, девушка? Вещь находилась у тебя довольно долго, ты наверняка узнала что-то еще?

Охваченная слабостью, девушка лишь помотала головой.

— Там смерть... Она ждет... — выдавила она.

— На то она и гробница, — пожала плечами Яса. — В гробницах всегда ждет смерть. Но все страшное давным-давно стало лишь горсткой праха. Ну, приди в себя, милашка!

Хозяйка повернулась к Сренгу:

— Сомнений нет, это предтечи.

— Ты действительно уверена, что благодаря прошедшим векам там теперь все безопасно? — покачал тот головой. — Могли остаться хитроумные ловушки. Отправившись туда, можно или завладеть несметным богатством, или сгинуть в какой-нибудь западне. Можно обрести Свиток Шлана, а можно пасть от неведомой опасности.

Яса холодно рассмеялась.

— Разве тебе в новинку ставить на кон жизнь? Я здесь не для того, чтобы выслушивать трусливые предостережения. Да и ты не сидел бы здесь со своими трофеями, если бы всегда был таким нерешительным и пугливым. Неужто время так изменило тебя? Я ставлю на эту карту, Сренг. Игра того стоит. Вспомни усыпальницу Шлана — императора, похороненного вместе с величайшими сокровищами. А другие находки? Что насчет Вара, Лланфера, а также Садов Арзора? А целая планета Лимбо? Надо продолжать? Учти, здесь шансов больше — эту часть скопления никто толком не исследовал.

Сренг поизучал карту.

— Да уж, не исследовал... А как же Джукундус?

Яса досадливо отмахнулась.

— Он там не был, мы проверяли. Но он был способен перебежать нам дорогу, ему для этого достаточно было психометрически изучить этот предмет. Но теперь, — саларика с торжеством улыбнулась, — если он этого не сделал, то уже не сможет.

— А этот самый Туран, — Сренг повернулся к Зианте. — Ну, кто он?

— Больше ничего не могу вспомнить. Я все вам сказала. Туран — всего лишь имя.

Он с сомнением прищурил глаза. Зианта поняла, что этот человек не поверил ей. Что он сделает? Посадит ее перед сканером? По телу девушки пробежала дрожь, оно покрылось липким потом. Зианта со страхом смотрела на Сренга. Тот молчал, задумчиво водя пальцем по лежащему на столе артефакту.

Девушка затаила дыхание. Вдруг он заметит стык и сумеет открыть фигурку? Но Сренг щелчком подтолкнул глиняный комок в ее сторону.

— Держи. Он должен всегда быть при тебе. Я слышал, что сила таких штуковин возрастает, если с ними постоянно контактирует сенситив. — Сренг хлопнул ладонями по коленям и весело взглянул на Ясу.

— Что ж, решено. Нам понадобится корабль. Сейчас возле базы Юбан. Его налет на Фенрис потерпел неудачу, но он ускользнул от Патруля и теперь болтается в пространстве, ожидая моих распоряжений. Это, правда, не лайнер, и комфортабельного путешествия обещать не могу...

— Мы не претендуем на пассажирские кабины, — перебила Яса. — У нас с собой спальные мешки, останавливающие время.

— Сон — хорошее средство в трудных перелетах, — кивнул Сренг. — Я тоже летаю таким образом. Кстати, о Юбане: это мой человек.

Зианта уловила в его голосе намек на предупреждение, но хозяйка, казалось, приняла эти слова за славную шутку. Она, безусловно, не доверяла Сренгу, но в силу обстоятельств была вынуждена положиться на его помощь.

Интересно, где сейчас Оган? После пересадки на корабль, идущий к Вэйстару, девушка его не видела. И все же она была уверена, что психотехник участвует в задуманном хозяйкой деле.

Недолгое оставшееся до отлета время они провели в отведенной им комнате. Дважды Зианта уловила уже знакомое осторожное прощупывание. Это и беспокоило ее, и разжигало любопытство. На нее воздействовал не прибор — в этом девушка была убеждена. Живой человек... Кто он? Оган? Но у него иные характеристики мыслесигнала. Значит, кто-то посторонний пытается проникнуть в ее сознание. За какой информацией охотится неизвестный сенситив?

Наконец они оказались на корабле. Опять гробоподобные ящики для сна, опять в изголовье Зианты улеглась заветная фигурка. Но теперь девушка уже не испытала страха. Если в прошлый перелет ей и снилось что-нибудь, в памяти ничего не сохранилось и никаких неприятных ощущений не осталось.

Когда их разбудили, корабль уже вышел на орбиту над планетой. Над головой настойчиво трещал зуммер: их приглашали в пилотскую рубку. Там их встретил Юбан.

— Итак, где мы садимся, джентль фем? Посмотрите на обзорные экраны: вот планета, на которую вы хотите совершить посадку, — хрипло произнес хозяин корабля.

Юбан показался Зианте чересчур молодым для того, чтобы быть капитаном. Его можно было бы назвать интересным, если бы не холодный блеск в глазах, наталкивающий на мысль о характере жестком и недобром. Этот человек мог бы служить наглядным пособием для лекции о последствиях мутации: на руках капитана было по шесть пальцев, а на месте ушных раковин зияли узкие слуховые отверстия. Широкий длинный китель явно скрывал еще какие-то отличия в телосложении.

Этот опасный человек наверняка умел держать в повиновении свою разношерстную команду. В нем необъяснимым образом сочеталась свирепость пирата с интеллигентностью, причем достаточно высокого уровня.

Яса взяла Зианту за руку и подвела к экрану.

— Где? Ты узнаешь эти места?

Видя растерянность девушки, Юбан развел руками.

— У нас нет ни времени, ни горючего, ни людей, чтобы кружить на орбите и обыскивать планету. И потом... — он слегка тронул верньер, и изображение стало отчетливее, — здесь искать нечего, почти все выгорело дотла.

Зианта вспомнила ленты, отснятые с орбит испепеленных планет. Эти некогда цветущие миры оказались жертвами атомных войн или природных катаклизмов. Большинство являли собой мертвые спекшиеся шары. Лишь на некоторых небольшие островки, не тронутые пламенем, спустя века оживила причудливая радиоактивная флора.

Мир под ними тоже в свое время постигла катастрофа. Теперь уже нельзя было определить, явилась ли ее причиной свирепая людская вражда или слепые силы природы. Изломанные взрывами скалы смотрели в небеса, словно грозящие черные персты. Кое-где на голых равнинах пробивалась чахлая растительность. Обожженные острова омывал океан, наверняка поглотивший в момент катастрофы немалую часть суши. Не исключено, что место, которое она увидела, работая со звездной картой, теперь где-то на дне океана.

У нее нет ни одного ориентира...

Черт побери! Экран словно подернулся рябью, и перед ней предстал город с раскинувшимися вокруг цветущими угодьями.

Откуда-то пришло название: «Сингакок». Вот силуэт башни Вута, щели кривых улочек...

— Здесь!

Но когда она выкрикнула это, город уже исчез. Под ними снова чернели только обугленные камни. Зианта уронила голову на руки. Сингакок... Вут... Откуда пришли эти слова? Почему ей знаком этот город, словно она жила здесь, бродила по его извилистым улицам... Но ведь его нет!

Юбан уже занимался вводом информации для посадки.

Надо остановить их, сказать, что она поддалась наваждению. А вдруг это видение вызвано артефактом? Может, здесь и вправду был этот город? Почему, в конце концов, кораблю не сесть именно в этом месте? Оно ничем не хуже любого другого.

Она старалась не думать о том, что будет, если вдруг окажется, что она ошиблась. Корабль начал снижение. Юбан напряженно следил за экранами, выбирая сравнительно ровное место для посадки. При этом был проведен анализ состава атмосферы, уровне радиации и прочих свойств планеты. Несмотря на спаленную когда-то поверхность, планета была уверенно классифицирована как относящаяся к Типу Один — то есть люди могут находиться на поверхности без защитной одежды и приборов для дыхания.

Когда они совершили посадку, вокруг были вечерние сумерки, и Яса с Юбаном решили подождать с разведкой до утра. Юбан предложил женщинам переночевать в его каюте, а сам устроился на ночлег в рубке. Когда они остались наедине, Зианта решилась поделиться с хозяйкой своими сомнениями.

— У меня, в общем-то, нет уверенности... — шепотом начала она, но подумав, что здесь могут быть подслушивающие устройства, запнулась.

— Но ведь что-то же заставило тебя выбрать именно это место, — заметила Яса.

Зианта сбивчиво рассказала о том, как увидела на экране изображение Сингакока — города, явно уже давно не существующего.

— Сингакок... Вут... — повторила названия саларика.

— Это не бейсик, а какой-то другой язык, — пояснила Зианта.

— Вспомни все детали. Представь себе этот город как можно четче, — приказала хозяйка.

Зианта сосредоточилась — и снова улицы Сингакока ожили в ее сознании. И чем старательнее напрягала она память, тем больше возникало подробностей.

Выслушав ее рассказ обо всем, что запечатлелось в ее сознании, Яса довольно промурлыкала:

— Это похоже на истинное видение. Дождемся Огана. Если до его прибытия ничего не найдем, он попробует провести с тобой сеанс ясновидения.

— Оган будет здесь? Когда?

— Милашка, неужто ты решила, что я в подобной ситуации позволю себе лишиться такого союзника? Обратиться к Сренгу я была вынуждена в силу необходимости: его компьютеры хранят больше сведений о тысячах миров, чем есть у Службы Разведки. И только у него есть сведения о планетах, где не бывал никто, кроме обитателей Вэйстара, никогда не бывал. Но брать Сренга в компаньоны было бы чистым безумием. Оган идет по нашим следам вместе с теми, кто мне предан. С ними мне не страшны ни Сренг, ни Юбан, что бы они ни замышляли. Теперь вот что: если уже завтра мы отыщем следы этого твоего Сингакока — прекрасно. Пусть Юбан со своими людьми роют там землю, пока не прибудет Оган. Твоя же задача — тянуть время. Не открывай пути к гробнице Турана, пока мы не дождемся подкрепления.

Гробница Турана... Эти слова тяжело упали в ее сознание, пробудив не память (откуда это в ее памяти?), а леденящий душу страх. Зианта вдруг явственно ощутила, что ей угрожает смертельная опасность.

## Глава шестая

«Зианта!»

Этот зов разбудил ее. Он был не голос, донесшийся извне, нет, это просто проникло прямо в сознание и прогнало сон; она лежала, открыв глаза и настороженно вслушиваясь.

«Зианта!»

Ей не приснилось. Оган? Она тут же начала мысленный поиск, забыв о том, что на корабле Юбана могли быть детекторы, способные засечь психоконтакт.

Снова в сознание ударила волна, которую не спутаешь ни с чем. Харат! Но ведь он оставался на вилле, когда они улетали. Расстояние между Корваром и этой затерянной среди неведомых звезд планетой не может преодолеть даже самый сильный мысленный сигнал.

«Я слышу...»

Она была не в состоянии задать свои вопросы, подавленная мощной энергией Харата.

«Думай обо мне... Нам нужен ориентир».

К ним прибыли союзники и идут сюда! Зианта послушно сосредоточилась, сформировав в сознании образ Харата и изо всех сил удерживая его. Она забыла о своих переживаниях — сейчас важно зажечь маяк для тех, кто спешит на помощь Ясе.

И вдруг неожиданно, как хлопок: «Все. Достаточно».

Связь прервалась, Харат отгородился экраном. Они получили то, что им нужно, и прекратили общение. Восстановить наведенный мыслемост, пробиться сквозь защиту Харата ей не по силам.

Из соседнего гамака доносилось размеренное дыхание Ясы. Саларика крепко спала, свернувшись, по своему обыкновению, уютным клубочком. Наверное, нужно разбудить хозяйку, сообщить, что подкрепление приближается.

И все же — откуда здесь Харат? Он ничего не пожелал объяснить Зианте — что ж, она тоже промолчит. Во всяком случае, до утра. Или до нового сеанса связи.

Они встали рано. Опасаясь детекторов или подслушивающих устройств, Зианта решила рассказать Ясе только когда они покинут корабль. Юбан ждал их уже одетый и снаряженный для похода — значит, он отправляется вместе с ними. Зианта поняла: ей придется удвоить осторожность.

Капитан пиратов цепко следил за каждым ее движением, за руками, прикреплявшими к поясу мешочек с пищей и сосуд с тонизирующим питьем. Девушка чувствовала, что этот человек с радостью надел бы на нее упряжь, чтобы полностью подчинить себе. Заметила она и станнер у пояса капитана. Ни ей, ни Ясе Юбан не предложил никакого оружия.

Выйдя из корабля, они стояли некоторое время возле трапа, молча озирая выжженную пламенем пустыню. Разве может быть, что именно здесь лежал ее город — кипучий, полный шума и красок?

На этой земле, израненной шрамами чудовищных взрывов, жизнь умерла много веков назад. Зианта непроизвольно поднесла руку к груди. Там висел на шнурке мешочек, внутри которого покоился артефакт. Только он мог указать ей дорогу в этой голой пустыне.

Яса подошла к девушке почти вплотную.

— Сингакок? — вкрадчиво, со скрытой издевкой спросила хозяйка. — Это и есть твой город?

Да, Яса имела основания так говорить с ней. Обезобразившие эту землю нагромождения камней не давали даже намека на следы какой-то разумной деятельности.

Девушка растерянно смотрела вокруг.

— Я... Я не знаю...

Где же башня? Где длинные улицы? Значит, она опасалась не зря: ее видение было лишь галлюцинацией, следствием переутомления и впечатлительности.

— Так куда нам идти? — Юбан и еще два вооруженных пирата ждали ее указаний. — Что, решила подшутить над нами? Где он, твой город?

Яса повернулась к говорившему, глаза ее гневно сверкнули.

— Что ты знаешь о возможностях сенситива, пилот? Таланту нельзя приказать. Прозрение приходит само, оно не поддается

335

насилию. Оставь девушку в покое. Настанет час — и она будет знать, куда нам направиться.

Лицо Юбана не дрогнуло, в глазах промелькнул холодный блеск. Зианта уловила за этой маской подозрение, смешанное с лихорадочным нетерпением. Она боялась этого человека, способного заметить малейшую фальшь и наказать за обман без жалости и снисхождения. Нет, она недостаточно умна и хитра для роли, которую назначила ей Яса. Она боится этих беспощадных глаз. Если она что-то обнаружит — скрыть находку она просто не сумеет.

Все четверо молча ждали, предоставив девушке возглавлять экспедицию. Ей ничего не оставалось, как исполнять их невысказанную волю. Зианта сделала несколько шагов по черным камням, запустила руку в мешочек, достала фигурку и сжала в ладонях. Затем закрыла глаза.

Видение пришло мгновенно — как сильный удар, едва не сбивший ее с ног. Она стояла посреди шумной улицы, заполненной людьми. Мимо с грохотом проносились какие-то диковинные машины. В ее мозг проникали обрывки чьих-то мыслей, но она ничего не могла понять, оглушенная исполинской мощью ворвавшейся в нее энергии.

— Зианта! — Кто-то тряс ее за плечо. Девушка открыла глаза и встретила пристальный, вопрошающий взгляд Ясы.

— Это здесь... На этом месте был город... — прошептала Зианта.

— Это замечательно. — Юбан быстро подошел к ним. — Но как нам обыскивать его? Прикажешь повернуть время вспять? Нужны хоть какие-то следы. Где они? Скажешь ты, наконец, куда нам идти? — Его слова били наотмашь, содержали презрение и угрозу.

Видение не дало ей никакой конкретной информации. Ее руки крепче стиснули артефакт. А что, если открыть его и достать камень? Быть может, он подскажет нужный путь? Нет, этого делать нельзя. Она постарается, насколько возможно, не посвящая никого в тайну фигурки.

— Я попробую, — тихо сказала она, освобождаясь от рук Ясы. Подойдя к плоскому камню, села на него, склонилась и прижала артефакт ко лбу...

И мгновенно утонула в потоке лиц, множестве голосов. Они кричали и шептали, звучали то громче, то тише, говорили на давно умерших, никому не известных языках. Она сделала усилие, чтобы остановить этот вихрь, сосредоточившись на главном.

Сингакок... Туран... Это бросала это имя, словно якорь, в круговорот жизни давно исчезнувшего города.

— Туран, — настойчиво повторила она.

Лица стали бледнеть, подернулись дымкой; голоса затихли и пропали вдали. А вокруг себя она услышала топот и шарканье множества ног. По улицам двигалась процессия — впереди Туран, а сразу за ним... Это ее место! Она обязана идти за Тураном!.. Бежать?.. Ничего не выйдет...

— Что с ней? — донеслось откуда-то издали. Она уже где-то слышала этот хриплый голос.

— Тс-с-с, — прозвучало в ответ. — Она ищет...

Этот обмен репликами не имел никакого отношения к Турану. Ей нужно следовать за ним. Фигуры и лица людей вдруг утратили реальность, превращаясь в бесплотные тени. Живым оставался только Туран, его связь с ней.

Видение процессии расплылось, задрожало, стало таять. Она увидела, что ноги ее ступают не по улице Сингакока, а по голой каменной пустыне. Ей захотелось остановиться, позвать Турана, вернуть видение. Но оно таяло, таяло... Лишь звучало еще невнятное пение, нежное и чистое, как голоса птиц, выпущенных на волю. И совсем смутно — удары барабанов. Они глухо бухали под землей. О, как неохотно отпускает земля Турана! Туран...


Тени окончательно исчезли. Зианта не сумела их удержать, не смогла вызвать вновь. Она стояла, тяжело дыша, сжимая в руке теплую фигурку. Перед ней отвесной красной стеной высился каменный утес. Под ним — она не сомневалась — находится то, что они ищут. Артефакт вернулся на место, откуда его когда-то извлекли.

Девушка оглянулась. За ее спиной стояли Яса, Юбан со своими людьми и выжидающе смотрели на нее.

— То, что вам нужно... — Она говорила с трудом, у нее почти не осталось сил, как бывало и раньше после больших потерь психической энергии. — Оно лежит здесь. — Она кивнула в сторону красного утеса и поспешно опустилась на камень — ноги подкашивались от слабости.

Яса шагнула к ней.

— Ты уверена, милашка?

— Уверена, — почти прошептала девушка. Сейчас ей были необходимы покой и отдых. Тело и мозг истощены до предела.

Саларика дала ей две розовых капсулы. Зианта послушно отправила их в рот и стала ждать, пока стимулятор подействует. Юбан тем временем обследовал утес. Затем подозвал своих людей, что-то приказал им, и те отправились вокруг скалы в разные стороны, осматривая и выстукивая каменный монолит.

— Здесь сплошной камень, — пожал плечами Юбан, но в этот момент его окликнул один из помощников. Капитан поспешил на зов.

Яса раздраженно фыркнула.

— Разве я не говорила, чтобы ты ничего не открывала, пока не появится Оган? — В голосе хозяйки нарастало шипение разъяренной кошки.

— Он уже близко. — Зианта чувствовала, как к ней стремительно возвращаются силы. — Я получила сигнал сегодня под утро.

— Вот как. — Шипение сменилось довольным мурлыканьем. — Прекрасно. А ты не пытаешься обмануть Юбана? Это действительно то?

Зианта посмотрела на каменную стену.

— Туран лежит здесь.

Но кто такой Туран? Она не знала, кто или что скрыто под этим именем. Как не могла объяснить, почему оказалась перед этим утесом. Это артефакт привел ее туда, где лежит... Она не хочет! Ей страшно. Бежать... Бесполезно — от Турана не убежать... Страх и отчаянье захлестнули ее. Она не знает и не хочет знать, кто такой Туран. Сингакок... Она никогда не сдастся ему...

По приказу капитана один из его людей отправился к кораблю. Юбан подошел к женщинам.

— Там что-то, похожее на замурованный вход. Я послал за лазерами.

— Только будьте осторожны, — предупредила Яса. — Не забудьте о глубинных детекторах.

— Разумеется, леди, — хмыкнул Юбан. — Детекторы также принесут, не беспокойтесь. — Он перевел взгляд на Зианту. — Что она узнала? Это гробница?

— Туран лежит там, — ответила девушка.

— А кто он такой? — допытывался Юбан. — Царь? Император? Повелитель звездных миров? Правитель галактической империи предтеч или просто древний властитель здешнего народа? Что ты молчишь, отвечай!

Яса с яростью прервала допрос:

— Она устала. Подобные нагрузки истощают даже мужчин-сенситивов. Если откроешь усыпальницу и дашь ей какой-нибудь предмет оттуда, она проведет сеанс психометрии и сможет ответить на твои вопросы. А сейчас оставь ее в покое. Девушке необходим отдых.

— Ладно, — буркнул капитан. — Она, как-никак, привела нас сюда. — Он отвернулся и зашагал обратно к утесу.

Яса уселась возле Зианты и обняла ее за плечи.

— У тебя есть контакт с Оганом? Ему следовало бы уже появиться.

Собрав остатки сил, девушка вызвала в сознании образ психотехника и послала поисковый импульс. После того, как Харат ночью бесцеремонно оборвал контакт, она не пыталась связываться с ним. К тому же, Харат мог и заупрямиться. Она предпочитает вызывать Огана, если, конечно...

Ответ? Слабое касание, которое тут же исчезло. Оган? Это не Харат — даже такой слабый его сигнал она отличила бы от человеческого. Значит, Оган. Почему тогда он не принял ее сообщения?

Выслушав девушку, Яса пожала плечами.

— Ничего страшного. Скорее всего, он опасается детекторов. Раз он нашел тебя, значит, знает, где мы и чем занимаемся. Тебе, милашка, все удалось сделать отлично. Не сомневайся: я не забуду того, что ты сделала.

Саларика умолкла, так как к ним приблизились двое из команды корабля. Они тащили какой-то ящик и компактный лазер — такие применяются для шахтных работ на астероидах. Но сначала Юбан приказал обследовать место предполагаемой кладки детекторами.

Экран прибора засветился. Обе женщины подошли поближе, всматриваясь в изображение. Юбан показал на расплывчатые контуры.

— Там и впрямь пустота. Похоже, это усыпальница. Попробуем световым излучением проделать ход внутрь. Не беспокойтесь, я дам узконаправленное воздействие.

Он стал регулировать лазер, пробуя силу импульса на лежащих вокруг каменных обломках. Наконец удовлетворенно кивнул, видимо добившись строго определенной глубины излучения. Направив лазер на скалу, осторожно повел по едва намеченным очертаниям когда-то замурованного входа. И вот яркий луч прибора пронзил мрак древней гробницы.

— Можете проходить к Турану, — усмехнулся Юбан.

Стиснув в ладони фигурку, Зианта вскинула другую руку к горлу. Она была потрясена — у нее перехватило дыхание. Ее смятение нарастало. Всем своим существом девушка ощущала смертельную угрозу, таившуюся в чернеющем проеме. Краткий миг, не дольше взмаха ресниц, отделяет ее от гибели...

Юбан первым шагнул в темноту. Яса подтолкнула Зианту, и та, обмирая от ужаса, последовала за предводителем пиратов.

Фонарь в руках Юбана осветил внутренность помещения, в котором они оказались. Но их глазам предстало лишь хаотическое нагромождение обломков. Здесь, без сомнения, когда-то действительно была усыпальница, причем очень богатая. Но ее давным-давно вскрыли грабители. Опустевшие сундуки успели обратиться в пыль. Никаких ценностей, ничего, что можно было бы считать памятником минувших эпох, реликвией предтеч.

— Пусто! — в бешенстве процедил Юбан. — Проклятье, здесь ничего не осталось!

Он еще раз повел по сторонам фонарем и двинулся вперед, но Яса схватила его за рукав.

— Подожди! Нам нужно все осмотреть, причем очень тщательно. Иначе мы ничего не узнаем. Вспомни: грабители охотятся за драгоценностями и предметами роскоши, а то, что представляется им малоценным, нередко оставляют. А это может оказаться дороже любых безделушек. Так что будем действовать с максимальной осторожностью. Попробуем немного расширить проход, а затем приступим к методичному осмотру.

— Ты надеешься отыскать что-то в этой рухляди? — Юбан недоверчиво покачал головой, но все же поплелся назад. — Что ж, дело твое. Хотя, по-моему, это пустая затея.

Зианта оперлась спиной о стену. Страх волнами накатывал на нее, и с каждым разом у нее оставалось все меньше самообладания. Неужели ни Яса, ни Юбан не ощущают ничего подобного? Ведь эта гробница буквально пропитана ужасом мучительной смерти. И исходит этот ужас не из груды обломков — он таится там, дальше, за...

Она резко повернулась и кинулась к выходу. Страх просачивался через пол, через стены, он вот-вот вцепится ей в спину... Стук собственного сердца настолько оглушил девушку, что она не слышала ни окрика Юбана, ни увещеваний Ясы. А когда руки мучителей схватили ее, она еще долго отчаянно боролась, стремясь во что бы то ни стало уйти из этого прибежища черного кошмара.

— Сбежать пыталась? — Голос Юбана над головой, его железная хватка на плечах.

— В чем дело, милашка? — В ледяном тоне саларики было что-то, заставившее Зианту прекратить борьбу.

— Там... за стеной... там смерть! — дико закричала она. Ей чудилось, что не руки капитана, а нечто жуткое и бесформенное сковало ее тело, удерживая в этом страшном склепе. И она снова закричала, но из груди вырвался лишь слабый беспомощный стон и еще что-то, похожее на тоненький визг загнанного охотниками зверька.

Сильная пощечина, от которой голова Зианты мотнулась в сторону, вывела ее из истерики. Она бессильно повисла на руках Юбана, всхлипывая от боли, от того, что они не желают слушать ее, заставляют приблизиться к... Закрыться! Нужно закрыть свое сознание!

Разжав пальцы, она отшвырнула от себя фигурку, словно это могло дать ей избавление от нависшей угрозы.

— Зианта! — Окрик хозяйки был требовательным, беспощадным.

Девушка снова всхлипнула. Больше всего на свете хотелось ей сейчас спрятаться от... чего? Она не знала, но ужас леденил ее грудь.

— Зианта, о какой стене ты говорила?

— Не-е-т! — Она кричала прямо в лицо Ясе.

Та, видимо, поняла состояние девушки и устало бросила Юбану:

— Оставь ее. Иначе она потеряет либо свой дар, либо разум. Отпусти, пусть успокоится.

— Что это она вообразила? — Юбан недоуменно глядел на рыдающую девушку.

— Не знаю. — Яса втянула ноздрями аромат из неразлучного поясного мешочка. — Но здесь определенно что-то есть. Мы не двинемся дальше, пока не обследуем это помещение досконально.

— Погляди, капитан!

Юбан обернулся. Один из его людей, стоя на коленях, рассматривал глиняный черепок, из которого торчали кончики сверкающих серебристых нитей. Артефакт, ударившись о камни, открылся, и теперь его содержимое не составляло тайны. Капитан поднял черепок и раздвинул путаницу нитей. Камень сейчас же засиял голубовато-зеленым светом. Юбан восхищенно присвистнул. Его рука потянулась к черепку, чтобы взять это сокровище. Яса предостерегла:

— Осторожно. Если это то, что я думаю, мы сможем теперь узнать очень многое.

— То, что ты думаешь? — переспросил капитан. — И что же это такое? Одна из любимых безделушек древнего монарха?

— Это фокусирующий камень, — услышала Зианта уверенный ответ хозяйки. Девушка была поражена: Яса мгновенно разгадала истинное назначение артефакта. — Такой камень, — продолжала саларика, — помогал сенситивам концентрировать и направлять психическую энергию. Эту энергию он способен хранить сотни лет. Если все это так, то Зианта сможет использовать камень, и мы проникнем в любые тайны применявшего его народа. Кто знает — вдруг мы получим ключи от сокровищ, которые во много раз ценнее того, что унесли отсюда грабители?.

— Или выслушаем еще одну сказочку твоей девчонки, — перебил Юбан. — Мне нужны доказательства.

— Ты получишь их. Позднее. А сейчас ей необходим отдых, она израсходовала слишком много сил. Пусть приходит в себя, а мы пока продолжим обследование гробницы. Если здесь пусто, камень подскажет направление дальнейших поисков.

Зианта похолодела. Этого нельзя допустить! Яса должна понять, она не может не понять. Нужно только улучить момент, когда они останутся наедине. Она объяснит, на какой ужас толкает Яса и себя, и ее. И Туран, и этот затерянный в толще столетий мир, и частица его — фокусирующий камень — все это представляет опасность для тех, кто вторгается в прошлое. Оган... Он бы понял, наверняка почуял бы дыхание смерти, идущее от этих стен, от этих осколков минувшего. Яса хочет найти ключ к тайнам предтеч... Только авторитет Огана сможет убедить хозяйку в том, что бывают двери, открывать которые гибельно, ибо за ними таится... Нет! Нельзя даже думать о том, что похоронено в этом жутком месте!

Зианта сосредоточилась на создании непроницаемого мысленного барьер, чтобы отгородиться от всего этого. Из последних сил она доплелась до корабля и улеглась в постель. Даже под покрывалом ее продолжало лихорадить. Яса села у изголовья, положила ладонь на лоб девушки, стараясь успокоить ее.

— Оган, — шептала Зианта. — Он должен почувствовать, как это опасно...

Яса кивнула.

— Я верю. Камень огромной силы... Хотя он находился внутри фигурки, его мощности хватило, чтобы ты могла войти с ним в контакт. Подумай, насколько четче будут эта связь с освобожденным от оболочки камнем! Ну ладно, милашка, пока отдыхай. На, положи это под язык и ни о чем не думай. Пока не появится Оган, я попытаюсь удержать этих бандитов от каких-либо действий. А потом, получив подкрепление, мы выполним то, что задумано.

Зианта отрешенно кивнула. Ее веки стали тяжелеть — сильное успокаивающее снадобье, которое дала Яса, подействовало. Погружаясь в забытье, она слышала вкрадчивые слова хозяйки:

— И Оган, и Харат помогут тебе работать с фокусирующим камнем. Ты не будешь делать все в одиночку, — слышался сквозь сон голос.

Это хорошо, подумалось Зианте. Она больше не будет одна... Она не может одна... Одна...

Холодно... Откуда эта стужа?.. И мрак, поглотивший ее... Это во сне...

— ...еще укол, капитан?

— Попробуй. Угости ее еще разок, иначе нам от нее не будет проку.

Снова холод. И боль. Зианта разлепила тяжелые веки. Глаза резанул свет прожектора, лившийся на камни и стену с вырезанным провалом входа. Грубые руки трясли ее, подводя к ненавистной стене.

Юбан, увидев, что девушка проснулась, подскочил и рванул ее за волосы, повернув к себе лицом.

— Очнись, ведьма! — Он снова дернул за волосы. — Очнись!

Сон... Это должно быть сном... Они не имеют права быть здесь, это место принадлежит Турану. Сейчас войдет императорская стража, и эти грубые люди будут громко кричать, прося смерти, но она не придет к ним, не избавит от мук. Тот, кто нарушил покой Турана, заслуживает самой страшной кары.

— Она проснулась. — Юбан, все еще держа Зианту за волосы, склонился к ней и посмотрел прямо в глаза. — Ты сделаешь это, слышишь, ведьма? — Он говорил, медленно растягивая слова, точно опасаясь, что она не расслышит. — Сейчас ты возьмешь свою игрушку и будешь глядеть в нее, пока не узнаешь, что здесь спрятано. Поняла?

Зианта молчала, не находя слов. Это сон. Это не может быть явью. Нет, нет! Здесь, где лежит Туран, нельзя использовать камень! Иначе откроется дверь в...

«Оган! — кричало ее сознание. — Оган! Харат!»

Она встретила... Харат, это он! Мощный импульс союзника соединился с ее полем, помог ей вступить в контакт... с каким-то новым, другим разумом. Этот другой ответил на их объединенный зов ярким всплеском своей энергии.

— Она должна взять эту штуку в руки, — проговорил голос позади нее.

— Давай его сюда! — Юбан крепче стиснул ее запястье и стал выворачивать кисть. Она почувствовала на ладони враждебное прикосновение камня. Пытаться вырваться? Но что она может против этой силы?

«Харат... Я не могу... Они заставляют меня смотреть в камень... Харат...»

Она ухитрилась оттолкнуть камень и сжала пальцы в кулак. Юбан снова принялся выламывать ее руку, держа наготове сияющий кристалл. Она знала, что это — злое сияние, она старалась не глядеть в него.

«Харат!» — исступленно звала она.

«Держись! — Ответ Харата слился с какой-то другой ободряющей волной. — Мы уже почти...»

Юбан рванул ее руку. Она вскрикнула от боли, и в эту же минуту капитан вложил камень в ее вывернутую ладонь и своей рукой сжал пальцы девушки в кулак. Крепко держа Зианту за волосы, он стал пригибать ее голову к руке с камнем.

— Смотри!

Сопротивляться было невозможно. Сверкающий камень был теплым, грел ладонь. Девушка видела, как его цвет изменился, стал глубже, окрасился красноватыми бликами... В нем кипела жизнь, он излучал бешеную энергию и притягивал ее, затягивая в...

Она закричала и услышала далекие выстрелы. Но в ту же секунду рухнула наземь, упав лбом на сверкающий камень, превратившийся вдруг в кипящее озеро энергии, готовое полностью поглотить ее.

## Глава седьмая

От застоявшегося густого горьковатого запаха сушеных лилий было трудно дышать. Она замурована, погребена заживо! Ее замуровали вместе с Тураном. Он уже мертв. Она тоже умрет, когда воздух здесь закончится...

Она — Винтра, захваченная в плен воинами Турана, и именно он нанес ей этот последний, такой беспощадный удар.

Винтра? Кто такая Винтра? И почему она в этом темном месте? Она попыталась двинуться и услышала во мраке лязг и скрежет металла. Прикована! От таких цепей не освободиться, она только изранит руки и истратит на тщетную борьбу остатки драгоценного воздуха...

Винтра? Нет, ее зовут Зианта! Припав спиной к стене, она пыталась остановить бешеный поток мыслей, образов, имен, отделить реальность от галлюцинаций. Наверное, она в трансе, ей не удается отличить сон от яви. Оган когда-то предупреждал о подобной опасности. Нельзя впадать в транс, когда рядом нет опытного психолога, способного помочь сенситиву, если его состояние станет опасным или будет угроза его рассудку.

Она прибегла к спасительному приему. Оган... Харат... Сформированные в сознании знакомые образы послужили якорем, опорой для возвращения в мир реальности.

Память вернулась! Юбан силком притащил ее в усыпальницу и заставил смотреть в камень. Значит, все это — просто видение? Нет. Жестокая явь. Она ощущает тяжесть цепей, слышит их звон, она задыхается от недостатка воздуха. Она...

Винтра! В ее сознании будто появился странный переключатель. В одном положении — она сама собой, в другом — иной человек. Та, что обречена на смерть возле саркофага Командора. Ей предначертана участь погребальной жертвы, как единственной пленнице, захваченной в последнем походе на горные племена. Ее переполняет ненависть к Турану. Из-за него она вынуждена умирать здесь, как рыба, выброшенная на сушу. Но там, в горах, остались родные. Они отомстят за свою Винтру. Они...

Снова мелькание образов, разноголосица имен. Кто она? Кто?

Зианта! Обратное переключение... Ей нужно вернуться в свой мир, а для этого необходимо выйти из транса. Оган!.. Харат!.. Она в отчаянье цеплялась за эти имена, она молила о помощи, об избавлении от этого сна — самого страшного из тех, что приходили к ней в минуты погружения в транс. Прежде, соскользнув в иные плоскости, воплотившись в иную личность, она тоже воспринимала видения как реальность. Но столкнувшись с чем-то слишком опасным, она могла управлять собой, вернуться в настоящий мир. Теперь же она тщетно напрягала мозг, ставила один за другим барьеры мысленной защиты — все оставалось по-прежнему. И не было никого, кто мог бы ей помочь... Ей не хватает опоры, чтобы вынырнуть из этого кошмара в своем времени, в своей настоящей личности.

Харат!.. Оган!.. Она, собравшись всеми силами, пыталась найти их.

Едва уловимое прикосновение. Ей не показалось! Это ответ на ее зов. Спасите же меня... Верните меня... Я погибаю!..

Да! Слабое прикосновение. Ответ. Какой-то необычный: он не пришел прямо, а пробивался к ней, растекаясь, словно вода, которая ищет путь между камней, — отступает, отклоняется туда и сюда, но неуклонно продвигается вперед.

Харат! Я здесь! Найди меня! Спаси меня! Я задыхаюсь, я не могу справиться одна с этим кошмаром! Ты слышишь меня?

Это не он!

Зианта явственно чувствовала чье-то присутствие. Но это не Харат, не Оган. Их бы она узнала сразу. Хотя если она сейчас в ином измерении, то, быть может, принимает их импульсы искаженными до неузнаваемости? Она осторожно коснулась...

Потрясение, ужас... Настолько сильный, словно тот, другой, получил сокрушительный, смертельный удар.

«Помоги мне», — умолял, требовал он. Зианта растерялась. Ведь он отозвался на ее сигнал. Он шел ей на помощь. Почему же тогда...

«Мертва! Мертв!»

Неслышимый вопль из глубины гробницы был как поток ужаса.

«Я живая», — ответила Зианта. В этот сигнал она вложила всю силу, всю надежду на избавление.

«Мертв! Мертв!» — донеслось как бы издалека. Сигнал слабеет! Тот, другой, покидает ее! Она останется здесь одна... Нет!

Скорее всего, она выкрикнула это громко. Вопль отразился от сводов темницы, его отголоски еще долго звенели в ушах.

— Нет! — крикнула она вслух, так ей было легче ощущать себя.

Тишина, нарушаемая только ее собственным хриплым дыханием. Воздух... Его все меньше... И вдруг — голос:

— Где мы?

Голос! Не мысленный сигнал — живые слова!

— В гробнице Турана, — произнесла она правду. Правду, которая стала ей известна от Винтры.

— Но я... Я Туран... — пробормотал голос. — Но я ведь не Туран!

Какие-то шорохи, стуки — движение? А затем — мысленный приказ, четкий, требовательный:

«Свет!»

Появилось слабое, все усиливающееся свечение. Почему она сама не додумалась до этого? Зианта немедленно присоединилась к его мысленной команде, помогая добиться большей яркости света.

— Здесь мало воздуха, мы на грани гибели, — сообщила она.

— В другое измерение! Иди, быстрей!

Этот приказ заставил ее мозг построить необходимую систему трансформации. И вот она уже не чувствует себя прикованной. Один шаг, другой — она покинула собственное тело. Этот трюк она проделывала и раньше, правда весьма неохотно. Но освобождение от телесной оболочки входило в курс обучения, который давал ей Оган. Теперь же полученный навык помог обрести на какое-то время безопасность.

Свет был достаточным, чтобы видеть внутренность склепа. Первое, что бросилось ей в глаза, — собственное тело, лежащее на полу, закованное в цепи, продетые сквозь торчащие из стены кольца. Слева, на возвышении, возлежал Туран, укрытый богатым командорским плащом, с которого свисали поникшими соцветиями увядшие лилии. В изголовье ложа горела свеча — ее зажег своей командой тот, другой. Вот пламя резко взметнулось вверх.

«Выход для души, — раздалось в ее сознании. — Видишь?»

Она поняла, хотя о существовании прохода было известно не ей, а Винтре. Осмотрела стены гробницы: так и есть — в камне прорублена щель, задвинутая монолитом в форме бруса.

— Нужно отодвинуть эту глыбу... Тянем ее на себя...

У нее появилась надежда! Но не нужно спешить. Если это судорожно подергивающееся на полу тело умрет, она тоже погибнет. И в ее нынешнем бесплотном существовании запаса энергии надолго не хватит. Необходимо всю ее направить на глыбу. Объединить усилия... Они трудились с яростным ожесточением. Проклятая глыба никак не хотела поддаваться. Ее уже охватил страх. Но тут брус поддался их усилиям в окружающей темноте — свет без их поддержки погас.

— Рука... Моя правая рука... — простонал голос.

Она послала ему на помощь остатки энергии и, обессиленная, провалилась во мрак... Вот ты какая — смерть...

— Винтра!..

Она еще жива? И снова в теле несчастной девушки, закованной в кандалы? Свет снова горел, и через выход для души поступал холодный, но животворительно свежий воздух.

Туран опустился рядом на колени, разглядывает опутавшую ее цепь.

— Ну и обычай, — покачал он головой. — Принести человеческую жертву, чтобы воздать погребальные почести царственному герою-воину...

— Ты... Туран... — Она попыталась отодвинуться от него. Рядом с нею шевелился, говорил — мертвец. На его теле были страшные раны, слишком серьезные, чтобы их смогли исцелить жрецы Вута, унесшие Командора в Нижний Мир. А сейчас он возле нее...

— Не Туран, — услышала она. — Хотя придется быть им, как тебе — Винтрой, пока мы не найдем способа вернуться назад, в собственный мир.

— Это ты... ты был с Харатом? Или... Ты явился, когда меня заставили сфокусироваться на камень?

— Да, — коротко ответил он, не желая, видимо, ничего больше говорить о себе. — Что вы там делаете с этим камнем? Пытались использовать психометрию?

Зианта кивнула.

— Ясно. Это и перебросило нас сюда. Чем больше я буду об этом знать, тем лучше. Расскажи мне.

Он не просил — приказывал. И она признала за ним это право. Цепь упала с ее тела: он отыскал секретный замок на одном из звеньев. Вздохнув с облегчением, Зианта начала рассказывать об артефакте. Как она кралась по апартаментам Джукундуса, стояла возле столика с безделушками. Про свою радость, когда удалось телепортировать камень, и муку, вызванную непреодолимым притяжением безобразного комочка глины.

— А сейчас у тебя на лбу такой же камень?

Ничего не понимая, Зианта подняла руки, ощупала голову. Волосы, более длинные и пышные, чем были у нее, стягивал какой-то обруч, вернее — головной убор из нескольких узких обручей. А с них свисал на лоб камень. Как она не заметила его раньше? Ведь он висел у нее прямо перед глазами! Она сдернула обруч.

Фокусирующий камень! Тот же или очень похожий. Ответ могло дать прикосновение, но Зианта не рискнула дотронуться до камня. Почем знать, что еще случится с ней после этого?

— Это он?

Девушка со страхом взглянула на корону. Она вроде бы сумела полностью вытеснить сознание Винтры из этого красивого тела. Но когда она смотрела на камень, то чувствовала, что Винтра вновь пробуждается в ней. Было бы интересно изучить свойства этого камня, узнать его историю. Но она рискует окончательно и безвозвратно перевоплотиться в пленницу, которую бросили мучительно умирать возле тела Командора.

— Винтра... Винтра должна знать силу этого камня, — нехотя сказала она, не считая возможным скрыть истину.

— Если сила камня такова, что он может воплощать меня в Турана, а тебя — в Винтру, то возможно провести и обратный процесс. Это необходимо выяснить. Не бойся, ты не одна. Моя воля поддержит тебя. Я буду начеку и не дам тебе навсегда стать Винтрой.

«Туран — завоеватель, ее враг. Ему нельзя доверять!» — кричала та частица, которая была Винтрой. «Туран — друг, он помог сбросить оковы, дал свет и воздух. И только он может вернуть в реальность, в мир, где живет Зианта».

— Я попытаюсь, — тихо сказала она, хотя все ее существо содрогнулось в предчувствии нового наваждения, затаившегося в этом кусочке цветного минерала.

347

Оказывается, камень можно легко отделить от остальных украшений короны. Отцепив подвеску, она поднесла ее ко лбу...

На ее плечи легли руки Турана. Он направлял ее — не словами, а потоком энергии.

— Я ничего не вижу, — произнесла она в отчаянье, и вдруг он заговорил медленно, нараспев:

— Норнох над Волнами. Норнох Трех Зеленых Стен. Повинуйтесь, лурлы!

— Повинуйтесь Д'Эйри, Хранительнице Глаз, — услышала она свой голос. — Туран, что происходит? Я выговариваю слова, которых не понимаю.

Она прижала руки к вискам, и волосы, более не поддерживаемые обручами, тяжело упали на ее плечи и грудь.

— Ты стала Винтрой. — Его руки на ее плечах не были руками мертвеца, от них исходило тепло. Сейчас он был якорем, удерживающим ее в границах реальности.

— Но до того, как была Винтра, — поправился он, — до Винтры была другая... Д'Эйри. Она имела дар и могла использовать камень.

— Значит, это опять видение, родившееся в трансе?

— Конечно. Ты просто не помнишь всего, что узнала, глядя в камень, а я принял это через тебя. И еще: у этого камня существует двойник, незримо связанный с ним. Их вместе, неизмеримо раньше Винтры, применяла Д'Эйри. Эти камни стремятся к соединению. Тот, что находится в прошлом, действует, словно магнит, на своего напарника. В этот канал мы с тобой и угодили.

— Но Винтра...

— Она не обладала даром, — пожал плечами Туран. — Для нее это была всего лишь одна из драгоценностей, принадлежавших Турану. Ведь этот камень раскрывает свою уникальность не каждому. Для большинства это — мертвая вещица, и только. Но сенситив, фокусируясь на камень, способен оживить его мощь. Ты разбудила камень, и он стремится сейчас воссоединиться со своей парой, находящейся в еще более далеком прошлом. Помогай ему — это наш шанс на спасение.

— Сколько же веков отделяет нас от двойника моего камня? — спросила Зианта, боясь услышать ответ.

Туран покачал головой.

— Трудно сказать. Может быть, не одна эпоха.

Руки девушки дрогнули, корона с глухим стуком упала на земляной пол склепа.

— И если мы не отыщем... — Она оборвала вопрос на полуслове. Если Туран так же растерян, как и она, лучше не знать об этом. Только его уверенность поддерживает в ней надежду на возвращение.

Он подошел к возвышению.

— Ты... Ты в его теле и способен управлять им?

Насколько она знала от Огана, в ее время о подобном явлении ничего не известно. По Галактике ходили тысячи легенд про некромантов, про оживление мертвецов, которых использовали для ответов на вопросы и в других, самых неожиданных, целях. Но переход сознания в мертвое тело... Это нечто совершенно неизвестное. Насколько устойчиво такое явление? Долго ли он сможет заставлять двигаться это мертвое израненное тело? Другое дело — она, вошедшая в тело Винтры, когда та была еще жива. Ей просто пришлось немного напрячься, чтобы ее индивидуальность вытеснила сознание Винтры. Но вот Туран...

Колеблющееся пламя свечей делало его лицо подобным фантастической маске. Он посмотрел на Зианту.

— Я не знаю. Пока мне это удается. Не слышал, чтобы нечто подобное кто-нибудь проделывал раньше. Однако нам ни к чему задерживаться здесь. Надо выбраться отсюда как можно скорее.

Он встал под отверстием, взмахнул руками и подпрыгнул. Зианта отшатнулась. Она с ужасом подумала о том, чем закончится смелая попытка, если тело мертвеца перестанет повиноваться новому хозяину. Но руки Турана уже ухватились за край отверстия для выходов души. Он еще мгновение повисел... и сорвался вниз.

— Так не выбраться. Нужно что-то придумать... Вроде лестницы.

Он огляделся, но не увидел вокруг ничего подходящего. Затем он шагнул к возвышению и, приподняв гроб за один конец, установив его почти вертикально под отверстием. Затем вытащил цепь Винтры из стенных колец. Цепь оказалась довольно длинной.

— Подержи гроб, пока я не выберусь, — велел он девушке.

Зианта надвинула корону поглубже на голову, подошла и стала удерживать гроб. Он вскарабкался по нему, обмотав цепь вокруг пояса. Вот его голова и плечи скрылись в отверстии. Еще усилие... Он выбрался наружу. Затем лязг металлических звеньев, и к ней спустился конец цепи. Она ухватилась за него...

Через минуту она уже стояла, съежившись, под дождем и холодным порывистым ветром. В сознании пробудилась память Винтры: «Стражники».

— Здесь должна быть охрана, — прошептала она Турану. Он спокойно обматывал цепь вокруг талии, предполагая, что она еще может им пригодиться.

— Вряд ли они будут особенно бдительны в такую ненастную ночь, — успокоил он. — Не бойся, идем.

Вскоре она совершенно продрогла. Для церемонии ее обрядили в очень тонкий хитон, который никак не защищал от пронизывающей стужи. Тонкая ткань намокла, облепила ее дрожащее тело. Пышные волосы растрепались по ветру, с них стекала влага.

В ночной мгле она с трудом различала рядом неясный силуэт своего спутника. И лишь его рука, обнимавшая ее за плечи, была теплой, успокаивающей.

— Думаю, нам нужно в Сингакок. — Она с трудом расслышала это сквозь вой ветра и шум дождя.

— Но ведь они... — Страх Винтры подкатил к горлу.

— Они поклоняются Вуту. Вут сотворил чудо — перед ними снова живой Туран. Если я появлюсь в городе таким образом, это наверняка облегчит наше положение. Мы хоть сможем узнать, что известно здесь о твоем камне. Береги его, Зианта. Только он сможет возвратить нас обратно, если такое возвращение вообще возможно.

Он говорил резонные вещи, но ею в этот миг владели только эмоции, главным образом — страх. Винтра смертельно боялась оказаться вновь среди тех, кто вынес ей приговор и заживо похоронил в гробнице. Но ведь она Зианта, она не должна подчиняться Винтре! И когда Туран зашагал к городу, она послушно последовала за ним.

Вдоль дороги плотной стеной росли деревья, они хоть немного ослабляли бешеные порывы ветра. Поднявшись на холм, они увидели множество огней: внизу, в долине, лежал Сингакок. Дорога сбегала с холма и делала петлю, затем поворачивала по направлению к зареву огней.

Они присели передохнуть под кроной раскидистого дерева.

— У тебя не сохранилось памяти Турана? — Зианта спросила это, не рассчитывая на хороший ответ. Ведь тело было уже мертво, когда им завладел этот человек. Откуда же взяться памяти в мертвом теле?

— Порой мне кажется, что к моей собственной памяти примешивается еще чья-то. Но это очень смутно... Лучше ты постарайся узнать все, что помнит Винтра.

— Я не пускаю ее в себя. Иначе боюсь, что не смогу управлять ею.

— Но нельзя же действовать вслепую. Куда нам идти? Постарайся пробудить хотя бы воспоминания о городе, о расположении улиц.

Зианта чуть ослабила контроль, но это не дало ей ничего, кроме эмоций узницы, находившейся под строгой охраной вплоть до того дня, когда ее возвели на жертвенный алтарь.

— Винтра была пленницей, она не знает Сингакок.

— Ну конечно же! А жаль... Ладно, если что-нибудь припомнишь, сообщи. Что ж, таится нам нет смысла. Давай поторопимся. Чем скорее достигнем города, тем лучше для нашего плана.

Скользкий спуск с холма был еще труднее, чем подъем. Они то и дело спотыкались и падали, царапая руки и тело о колючий кустарник. Хорошо ли повинуется этому человеку тело Турана?

Когда они спустились, дорогу осветила фарами ехавшая из города машина. Застыв на месте, оба ждали ее приближения. Когда машина поравнялась с путниками, Туран повернулся к ней лицом так, чтобы на него упал свет фар. Их должны увидеть, должны узнать!

Из машины раздался крик, гортанный мужской голос проговорил что-то на местном языке. Двигатель замер, на дорогу вышел мужчина в офицерской накидке, за ним еще двое вооруженных людей. Все трое держали оружие наготове.

— Кто вы?

Туран выступил вперед.

— Посмотрите на мое лицо, тогда сами назовете имя.

Двое солдат попятились, но офицер не смутился.

— Да, ты похож, даже очень. Но это, скорее всего, какой-то трюк...

Туран, не торопясь, поднял руки к груди, расстегнул пряжку плаща и распахнул полы. Хотя жрецы Вута немало потрудились над ранами Командора, самые глубокие были отлично видны.

— Нет, это не трюк. Видишь?

— Как же ты вышел... оттуда? — Только слегка дрожащий голос выдал смятение офицера. Зианта позавидовала его мужеству и самообладанию.

— Через дверь, открытую для духа Вута, — надменно ответил Туран. — Я иду в Сингакок, там находится то, что вызвало меня из гробницы.

— Ты идешь в башню Вута?

— В дом Турана. Куда мне еще направиться в такой час? А теперь дай мне свой плащ.

Офицер медленно расстегнул накидку и протянул, стараясь не касаться воскресшего мертвеца.

Туран накинул плащ на плечи Зианты.

— Так тебе будет теплее. Потом подыщем что-нибудь получше.

«Ты делаешь ошибку, — мысленно обратилась к нему девушка. — В этом мире Туран и Винтра — враги до самой смерти. Эти люди не поймут твоей заботы обо мне».

«До смерти, — подчеркнул Туран. — Но не после. Мы забыли о нашей вражде, оказавшись на том свете».

«В Нижнем Мире, — мысленно поправила Зианта. — Здесь говорят так. — Думаешь, жрецы удовлетворятся таким объяснением?»

Туран кивнул, затем заговорил уже вслух, обращаясь к офицеру и его людям:

— Мы покинули усыпальницу, дабы воззвать к милости Вута. Мы вернемся в Нижний Мир, когда Вут рассудит нас по справедливости. И не стоит до поры говорить о том, что здесь случилось.

Один из солдат положил у ног свое оружие и скинул плащ.

— Лорд Командор, я был с тобою при Спетцке, где ты сокрушил бунтовщиков. Окажи мне честь, позволь услужить тебе. — Он протянул свой плащ Турану.

— Нынешней ночью я совершил еще более великое дело, друг. Прими мою благодарность за твое добро. А теперь — я рассчитываю с вашей помощью, воины, вернуться в дом Турана.

Зианте оставалось только гадать, что за игру затеял ее компаньон, и следовать за ним, крепко прижимая к себе корону. На ее взгляд, они забираются в топкое болото, полное гибельных трясин, один неверный шаг — и неминуемая гибель. Но она послушно уселась в машину и скорчилась в уголке, кутаясь в плащ. Туран уселся рядом. Машина развернулась и поехала в Сингакок, навстречу неизвестности.

## Глава восьмая

«Эти люди, — пришло ей мысленное послание, — не подозревают о возможности мысленного обмена информацией».

То, что Туран прозондировал мозг их провожатых, обеспокоило ее: это было очень рискованно, а сейчас осторожность необходима им, как никогда. Но дело сделано: теперь они могут безбоязненно прибегать к телепатическому общению.

«Ты можешь читать их мысли?» — задала Зианта беззвучный вопрос.

«Только эмоциональную составляющую. У них другой тип мыслительных процессов, их мысли я воспринимать не смогу. Что же касается эмоций — у всех преобладает сейчас возбуждение, это вполне естественно. Солдаты объяты ужасом и благоговейным трепетом — они поверили в чудо. Но офицер...» — Он внезапно замолк, видимо, проверял его, и Зианта подсказала, что разговор следует продолжить:

«Так что офицер?»

«Он думает о ком-то. Я вижу нечетко, какая-то тень. Этому человеку он намеревается срочно сообщить о происшедшем. Что-то скрытое...»

Зианта решила сама попробовать читать мысли. Отключившись от своего компаньона, начала осторожно зондировать мозг сопровождающих воинов. Она тут же поняла, что имел в виду Туран. Образы расплывались, попытки фокусировать их более четко оказались тщетными. Все же она различила, что офицер собирается с докладом к особе женского пола. И тут же включилась память Винтры.

Зуха М'Туран!

«Та, кому он должен сообщить про нас, — леди Туран, — проинформировала Зианта своего спутника. — По-моему, Командор, мы угодили в гущу опасных интриг, направленных против тебя, вернее, против того, чье тело служит тебе сейчас. Я не в состоянии разобраться в деталях, но уверена, что Турана ждет смертельная опасность...»

«Теперь нам об этом известно, и это уже неплохо, — отпарировал Командор. — Советуешь мне быть осторожным? Пожалуй, это правильно. Людей слишком часто губят интриги тех, кому они доверяют, в чьей любви и преданности не сомневаются. А для начала... Надо попробовать воздействовать на сознание офицера, как-то заставить его не торопиться с докладом. Ты сумеешь войти в его сознание? Мне не удается наладить с ним четкий контакт, я воспринимаю только какие-то обрывки его мыслей».

«Попробую. Не знаю, удастся ли — все как-то колеблется, расплывается...»

Зианта припомнила уроки, полученные в лаборатории Огана. Психолог настаивал, чтобы она приобрела навык предельной концентрации психической энергии на определенном объекте. Эффективность ее усилий регистрировали десятки чутких приборов. Впрочем, у нее не было возможности применить подобную методику вне виллы — такой поток энергии был бы немедленно обнаружен детекторами, и ее ожидало бы полное стирание разума, как незаконно практикующего сенситива.

Она осторожно извлекла она из сознания офицера образ Зухи М'Туран и сформировала его в своем сознании. Тут же пришло подтверждение Командора — он принял от нее эту картину.

Теперь Зианта приступила к осуществлению задуманного. Разум офицера словно все настойчивее концентрировался на мысли, что Зуха М'Туран уже в курсе событий, поскольку они являются частью ее хитроумного плана. Он, простой офицер, по чистой случайности стал участником событий и может жестоко поплатиться за это. Но если он проявит благоразумие и неловким вмешательством не нанесет ущерба замыслам высокопоставленных лиц, его ждет их благосклонность и награда.

«Замечательно! — приняла девушка похвалу компаньона. — Продолжай в том же духе».

Ободренная, она повторила мыслепередачу. Офицер беспокойно заерзал на сиденье: червь сомнения точил его сознание. Зианте с большим трудом, но все же удавалось снова и снова входить в четкий контакт с его постоянно ускользающим разумом. Эта беззвучная борьба, да и усталость от всех предшествующих событий вконец измотали девушку.

Слабость волнами охватывала ее, унося остатки как физической, так и психической энергии. Она откинулась на сиденье —

безвольная, опустошенная, ощущая пульсирующую боль в висках. Добилась ли она успеха — сказать наверняка было еще нельзя.

Они уже ехали по улицам Сингакока. Зианта ощутила страх Винтры — что она ненавидит этот город, боится этих огней, этих людей, чьи фигуры проплывали мимо в мутной пелене дождя.

Они свернули в тихую зеленую улицу. Просторные дома здесь стояли на почтительном расстоянии друг от друга, вокруг каждого благоухал экзотическими цветами и кустарниками ухоженный сад. Это Дорога лордов, извлекла Зианта из сознания офицера. Дворец Турана совсем близко.

Машина остановилась у массивных ворот. Подошедшие охранники направили фонари в глубь кабины. Когда луч осветил лицо Командора, раздался возглас страха и удивления.

— Долго я буду здесь ждать? Вы разучились встречать хозяина? — В голосе Турана слышались нетерпение и гнев.

— Лорд Командор?! — почти в шоке пролепетал один из людей.

— Мне надоело торчать у собственного дома. Отворяйте же ворота!

Охранник бросился отпирать ворота, створки распахнулись, машина двинулась по темной аллее. Сквозь мокрую листву деревьев невозможно было ничего разглядеть по сторонам. Вот машина въехала в туннель, а вынырнув из него, оказалась перед широкой лестницей, ведущей в дом.

Выбираясь из машины, Зианта покачнулась и едва не упала. Ее усталость была так велика, что, казалось, ей ни за что не одолеть эту длинную лестницу. Туран подхватил ее под руку и, поддерживая так, повел по ступеням. Один из солдат бегом поднялся по лестнице и принялся барабанить в дверь. Наконец она распахнулась, зажегся свет.

— Кто осмелился беспокоить высшего консорта Дома Туранов на третий день траура? Кто...

Человек, произносивший эту негодующую тираду, внезапно осекся, увидев на пороге Командора.

— И долго ты будешь держать нас под дождем, Дакстер? Или учинишь мне допрос перед входом в мой собственный дом?

Судя по всему, компаньон Зианты решил действовать напролом. Насколько верным окажется взятый им самоуверенный тон, покажет будущее...

Привратник, услышав знакомый голос, смертельно побледнел и отшатнулся. Его руки взметнулись, заслоняясь от стоящего перед ним призрака.

— Лорд... Лорд Командор Туран...

— Да, Дакстер, это я. Траур закончился — извести об этом всех домашних.

— Командор... Но ведь ты... ты...

— Мертв? Как видишь, я не умер. Могут ли мертвецы двигаться, разговаривать, приходить в свой дом? А где высший консорт? Я хочу, чтобы и она узнала, что в трауре больше нет надобности.

— Слушаюсь, лорд Командор.

— Позаботься, чтобы этому офицеру с его солдатами в моем доме было оказано гостеприимство. Они помогли нам добраться сюда в эту жуткую ночь. — Он скинул с плеч плащ и протянул его солдату.

— Боевой соратник, считай себя моим другом. Мне пришлось испытать нечто более страшное, чем война, выстоять в самой жестокой битве, какую ты только можешь себе представить.

Солдат вскинул руку в салюте.

— Я готов служить тебе, мой Командор. Позови в любую минуту — я тут же отзовусь.

Зианта воспринимала все это отрешенно, словно видеофильм, который смотришь сквозь дрему. Ноги подкашивались от слабости. Ей необходимо срочно восстановить силы, иначе она просто свалится на пол.

— Проводи эту девушку и меня в спальные покои, — распорядился ее спутник. — Принеси нам туда вино и еду, мы проголодались, Дакстер.

Зианта смутно осознавала, что идет по каким-то коридорам, поднимается по лестницам. Она чувствовала руку Турана, который поддерживал ее. Затем она обнаружила, что лежит в постели. Над ней стоял Туран, протягивая высокий кубок с чем-то теплым и пахучим. Она стала глотать эту жидкость, почти не ощущая вкуса. Вскоре озноб прошел, но усталость навалилась еще сильнее. Веки отяжелели, тело казалось одним большим комком боли...

Она открыла глаза — перед ней плавали какие-то размытые цветные пятна. Усилием воли она сфокусировала зрение — причудливый орнамент покрывал потолок незнакомого помещения. Где она? Это не похоже ни на одну из комнат виллы Ясы. Она никогда не видела таких растений и животных, как изображенные здесь.

С трудом повернув голову, девушка осмотрелась. По краям широкого ложа, на котором она раскинулась, стояли четыре столба, увитые гибкими стеблями живых растений с цветами розового оттенка. Сквозь листву проглядывали стены комнаты, украшенные росписью и блестящими пластинами какого-то металла.

Зианта села, обхватив колени руками. Это странная комната... Где она? Мысли путались, она никак не могла припомнить, что с нею было. И вдруг — словно вспышка в мозгу, с удивительной четкостью замелькали события минувшей ночи: Туран — Винтра — гробница — бегство — машина... Она в Сингакоке. Но где Туран... Где он сам?

Она с ужасом оглядела комнату. Вдруг он исчез, бросив ее одну в этом неизмеримо далеком прошлом, в давно умершем древнем мире? Вокруг — никого. Ни шороха, ни звука. Она спустила ноги с постели, попыталась встать. Тут же все поплыло перед глазами, она покачнулась и была вынуждена ухватиться обеими руками за один из увитых цветами столбов.

Прямо на нее со стены смотрело громадное зеркало, в котором отражалась... Винтра! Она отпрянула, боясь глядеть на эту незнакомую женщину. Но ей необходимо знать свое новое обличье! Собрав всю волю, Зианта начала пристально изучать представшее пред ней изображение.

Тело, покрытое прозрачным нежно-розовым хитоном, было не столько стройным, сколько исхудавшим. Лицо, руки и ноги до бедер темно-коричневые, в то время как остальные участки тела лишь чуть-чуть отливали желтизной. Вероятно, эта девушка много времени проводила под открытым небом в коротком платье без рукавов. Особенно поражали волосы — густые, рассыпавшиеся по плечам, они имели необычный светло-голубой цвет. Причем, как знала Зианта, это не было работой экстравагантного парикмахера, такими волосы Винтры были от природы.

Ресницы и брови также были голубыми, но гораздо темнее. Присмотревшись, Зианта разглядела голубоватый пушок на руках и ногах, неприятно контрастировавший с темно-коричневой кожей. Но в общем, среди известных Зианте сотен гуманоидных рас эта девушка была, бесспорно, привлекательной инопланетянкой.

Вот ты какая, Винтра — дочь горских повстанцев, предводительница Воительниц Карка! Эти сведения, подсказанные чужой памятью, почему-то наполнили грудь Зианты горделивым чувством. Доставшееся ей по воле случая тело принадлежало далеко не худшей представительнице женского племени!

Но нельзя давать много воли сознанию Винтры. Иначе она рискует навсегда остаться в этом теле, в этом времени. Ее и так слишком мало связывает сейчас со своим реальным миром...

Корона... Фокусирующий камень... Именно он — ключ для пути назад, причем ключ единственный!

Девушка лихорадочно принялась за поиски. Растущая тревога придала ей сил. Шаг за шагом обследовала она комнату. Рядом с зеркалом — стол, дальше — нечто вроде туалета: множество баночек, коробочек, склянок, щеток и гребней. Она протянула руку и взяла ближайшую коробочку. Куда надо нажать, чтобы открыть ее?

Сзади раздался какой-то звук. Она обернулась и широко раскрыла глаза. Участок разукрашенной стены исчез, а в образовавшемся проеме, надменно вскинув голову, стояла... Память Винтры подсказала моментально.

*Зуха М'Туран.*

356

Манеры вошедшей были властными и уверенными, характерными для людей, привыкших повелевать с раннего детства. Но сейчас даже толстый слой косметики, покрывавший лицо, не мог полностью скрыть царившее в душе леди Туран смятение.

Ее одеяние было столь же тонким и прозрачным, как одеяние Зианты. Сложную прическу из темно-голубых волос поддерживали шпильки в виде искусно скопированных насекомых с небольшими крылышками. При малейшем движении головы они начинали колыхаться и двигаться, как живые. Талию, и без того стройную, туго перетянул широкий пояс, украшенный множеством миниатюрных звонких колокольчиков, и изящные серебристые туфли довершали туалет безутешной вдовы Командора.

Она вошла совершенно беззвучно. Зианту охватила тревога. Даже не прибегая к зондированию сознания, девушка была уверена: с леди Туран в эту комнату вошла опасность. Где же Туран?.. Она представила на секунду, что случится, если Турану перестанет повиноваться тело мертвеца. Его тотчас же возвратят в гробницу, а ей предстоит быть снова заживо погребенной у одра победителя...

Спокойнее. Она все-таки не Винтра, им будет не так-то легко совладать с нею! Сознание и воля — вот ее оружие, и она не сдастся без борьбы.

Сейчас важно выяснить, где Туран, что с ним. С предельной осторожностью, словно воин, имеющий дело с неизвестным взрывчатым устройством, Зианта попыталась проникнуть в сознание этой властной дамы.

Как и в случае с офицером, ей не удалось прочесть мысли женщины. Но Зианта совершенно точно уловила направленную в ее сторону волну ненависти, смешанной со страхом. Нечто подобное она и ожидала. Теперь — Туран. Нужно навести мысли о нем в сознание Зухи.

Результат был подобен взрыву. Мозг буквально опалил поток эмоций, извергнутый в ответ на ее передачу. И этот поток был подобен зловонной ядовитой струе, ибо в нем не содержалось ничего, кроме яростной ненависти к лорду Командору и панического страха, связанного с его необъяснимым освобождением из усыпальницы.

Итак, эта женщина возлагала на смерть Командора большие, очень большие надежды. То, что Туран снова жив, снова в этом доме, потрясло ее и напугало. Но не настолько, чтобы смириться. В мозгу леди Туран уже роятся новые планы, преследующие одну цель: навсегда избавиться от некстати воскресшего супруга.

— Ведьма! — Это слово она выстрелила в лицо Зианте, словно прожгла ее лучом лазера. — Ты ничего не достигнешь своим проклятым колдовством, запомни!

— Ты называешь колдовством волю Вута? — Зианта пожала плечами. — Разве не учат жрецы, что человек может по милости

357

Вута открыть дверь обратно в жизнь? И может ли кто-нибудь допрашивать такого человека о тайнах, известных лишь высшему божеству?

Произнести это помогла девушке память Винтры. В то же время дар Зианты опознал в сознании Зухи недоверие: образованная знать лишь внешне соблюдала требования религии, на деле же никто давно не признавал древних суеверий.

Согласно им, человек может покинуть замурованную гробницу, открыв (обязательно изнутри) дверь для души. Такое якобы случалось в прежние времена с теми, кто душой и помыслами был предан Вуту. На этом и строил свой план Туран. Жрецы обладают немалой властью, но из-за неверия образованной верхушки рискуют потерять ее. Признав возвращение Турана в мир живых, они могут укрепить свое влияние, заставить скептиков вновь уверовать в могущество Вута.

— Туран мертв! Это ты своими чарами управляешь его телом, заставляешь труп говорить и двигаться. Ты откроешь мне тайны своего колдовства, и он снова...

Она вдруг замолкла на полуслове — осторожность победила гнев. Тем не менее Зианте стало ясно, что супруга Командора менее всего склонна верить в чудеса. Она, бесспорно, умна и очень подозрительна. А вдруг она сможет проникнуть в сознание Зианты или Турана? Нет, не похоже, чтобы эта женщина могла быть сенситивом. Или же ее мозг излучает в совершенно ином диапазоне? Но и тогда она безопасна для них обоих...

— Как можно назвать мертвецом живого человека? Или ты отказываешься верить собственным глазам?

Зианта, как могла, играла роль простодушной Винтры. Но при этом чувствовала, как растет ярость в груди у Зухи, и видела, что та, ослепленная этой яростью, может кинуться на нее.

— Верить собственным глазам, говоришь? Как бы не так! Достаточно того, что эти идиоты жрецы на радостях пускают слюни и на все лады славят милость Вута. Даже если они в душе и сомневаются, никому об этом не скажут: возвращение Турана им на руку. Я знаю одно: то, что ходит по моему дому, — это не Туран. — Она выкрикнула эти слова так, словно объявляла войну.

— Но, если это, как ты говоришь, не Туран, то кто?

— Скорее — что это такое? Я правильно говорю, а, ведьма? Разве не ты вызвала из Ледяной Бездны нечто, благодаря чему освободилась от цепей и покинула замурованную гробницу? Трепещи, колдунья: я обещаю узнать все твои чары, и тогда... Смерть рядом с Тураном покажется тебе блаженством по сравнению с моими способами. Я сумею навсегда отучить тебя забавляться черной магией.

— Значит, высокородная высший консорт, моим возвращением к тебе я обязан колдовству?

Обе женщины были настолько поглощены перепалкой, что не заметили появления в комнате свидетеля их беседы. Это был Туран. На его лице багровела рана, полученная в последнем сражении. В ярком свете кожа Командора была мертвенно-серой, местами уже проявились отвратительные трупные пятна. И лишь глаза оставались живыми, источая силу и ум, вдыхая жизнь в тело мертвеца. Зианта, разглядев как следует это искалеченное тело, удивилась огромной воле человека, сумевшего подчинить его себе.

— Почему же ты видишь причину в колдовстве? — Туран подошел к жене почти вплотную. — Почему, спрашиваю, не возносишь благодарность милостивому Вуту, ушей которого достигли твои жаркие молитвы о моем выздоровлении? Или не было никаких молитв, моя подруга, мой высший консорт? Разве не уверяла ты, что моя смерть будет для тебя страшнее твоей собственной? Ты давала клятву остаться верной обычаям предков: если Вут первым выберет меня для перехода в Нижний Мир, ты радостно пойдешь за мной по Темной Тропе. Но когда случилось страшное — кто оказался возле меня в гробнице? Не ты, мой высший консорт. Вместо преданного человека, способного облегчить мне путь своей любовью, ты отправила со мной ту, что ненавидит меня, готовую призвать для борьбы со мной самые темные и злые силы. Так где же все твои обещания, Зуха? Твои заверения и клятвы — все это была мерзкая ложь?

Говоря это, он приближался к ней, а она пятилась от него. Лишь теперь Зианта заметила на лице этой женщины проявление эмоций, которое не мог скрыть даже толстый слой грима. В немом вопле ужаса и омерзения искривились губы, руки изо всей силы уперлись в грудь Турана.

— Нет! Не подходи ко мне, мертвец! Возвращайся назад в Ледяную Бездну, откуда тебя вызвали с помощью черной магии!

— Вернуться в Ледяную Бездну? Наконец-то ты призналась, чего хочешь на самом деле. А ты подумала о том, что именно твоя ложь и лицемерие вынудили Вута вернуть меня в мир живых?

Зуха уперлась спиной в стену. Ее рука лихорадочно заскользила по узорам украшений — и вдруг часть стены повернулась, Зуха едва не упала в образовавшийся проход. Еще мгновение — и на месте потайной двери снова пестрел замысловатый орнамент...

— Она ощущает себя виновной. Вина рождает страх, — задумчиво сказал Туран. — Но как же она ненавидит меня! Хотел бы я знать, в чем корни этой ненависти...

— Туран, — подала голос Зианта. — Здесь, во дворце, тебе удалось что-нибудь узнать?

— Почти ничего, меня ни на минуту не оставляли в покое. Я вынужден был проявить массу изобретательности, чтобы ускользнуть от жрецов. Они хотят как можно эффективнее использовать случившееся, а для этого пытались получить от меня согласие обследоваться. Пришлось выпроваживать их чуть ли не силой. Разобраться в тонкостях дворцовых интриг мне, конечно, не удалось. Но я выяснил хотя бы, что здесь есть не только враги Турана, но и его сторонники. Один из них дал мне сведения насчет камня...

С этими словами он жестом фокусника извлек из складок туники фокусирующий камень.

— История довольно необычная, но все же выслушай ее — вдруг она наведет нас на след.

Перед восстанием мятежников горцев, при подавлении которого Туран был смертельно ранен, он на рыбачьем судне совершал путешествие по южному морю. Внезапно разразился ужасный шторм, совершенно не похожий на обычную для этих широт непогоду. Я расспросил очевидца о признаках этого шторма и сделал вывод, что речь идет, скорее всего, об извержении подводного вулкана. Утлое суденышко довольно долго швыряло, словно щепку. Когда же море успокоилось, корабль остался на плаву — правда, двигатель его не работал. В результате катаклизма с морского дна поднялось на поверхность множество всякой всячины — обломки затонувших судов, останки невиданных глубоководных животных. Но самой необычной находкой был целый остров, поднявшийся из морской пучины. Туран велел сделать высадку на этот каменистый клочок суши лодку, и отправился туда с несколькими моряками. Обследовав остров, они сделали замечательное открытие: вдоль побережья тянулись остатки каменной стены явно искусственного происхождения.

Туран приказал продолжить поиски в надежде узнать что-либо о народе, воздвигнувшем эту стену. Но тут море вновь заволновалось, один за другим последовали два ощутимых толчка. Островок затрясся, и капитан решил отплыть как можно дальше. Людям, находившимся на берегу, был послан сигнал срочного возвращения. Все заторопились к лодке. Но Туран вдруг отделился от остальных и замешкался возле скал. Товарищам пришлось дважды крикнуть ему, даже пригрозить, что лодка отчалит без него. Наконец Туран присоединился к остальным. Он весь был вымазан морской слизью, которой обрастают обычно прибрежные камни. На вопрос, что его задержало, ответил, что он заметил в воде нечто вроде полузатопленной фигуры, высеченной из камня. Затем он принялся настаивать на продолжении исследований, но капитан корабля остался тверд. Он не стал рисковать жизнями своих людей и отошел на значительное расстояние от острова.

Это оказалось весьма разумным. Действительно, вскоре обрушился новый шторм, изрядно потрепавший корабль и полностью лишивший его хода. С трудом, пользуясь веслами и самодельным парусом, добрались они до какого-то порта. Там Туран вновь начал убеждать всех в необходимости повторной экспедиции к безымянному острову. Но осуществить это ему так и не пришлось: вскоре вспыхнуло восстание горских племен и военные заботы вытеснили все остальное...

— Так какое это имеет отношение к фокусирующему камню? — спросила Зианта.

— Связь самая прямая. Насколько я понял, у этого народа нет достаточно одаренных сенситивов. В то же время жрецы содержат в башне Вута нескольких девушек, способных ненадолго впадать в транс и в этом состоянии демонстрировать ясновидение и психометрию. Их возможности весьма ограничены, они истощают свой дар уже через несколько сеансов. Поэтому жрецы всячески оберегают своих воспитанниц и используют их способности лишь в трудный час всенародных потрясений.

Турану, найдя на острове голубой кристалл, с немалым трудом заручился поддержкой жреца Третьей Ступени, имеющего доступ в башню. Жрец пообещал узнать историю камня, полученного от Командора. Неизвестно, что рассказал он Турану, но, видимо, нечто важное: лорд Командор тут же приказал украсить этим камнем корону, предназначенную для высшего консорта. Этот убор она должна была надеть для погребения вместе со своим блистательным супругом. Но когда с Тураном случилась беда и настал час захоронения, высший консорт приказала надеть погребальную корону на твою голову, посчитав тебя вполне способной сыграть трагическую роль, которую в многочисленных клятвах при жизни Турана она отводила себе.

— И все это тебе рассказал один из сторонников Командора? Разве твои расспросы о том, что и так должно быть тебе отлично известно, не вызвали у него недоумения?

Губы Турана искривились. То, что означало улыбку, на лице мертвеца выглядело настолько жутко, что Зианта поспешно отвела взгляд.

— Я просто увидел, что он опознал камень и был озадачен тем, что эта вещь оказалась у меня. Остальное я осторожно извлек из его памяти, он об этом и не подозревает. В этом и заключаются огромные преимущества дара сенситива.

Во всем этом главное — остров. Если у камня имеется двойник, искать его нужно прежде всего именно там. Вопрос только в том, существует ли этот самый остров и поныне.

— Если у нас будут хорошие карты этой планеты, можно попробовать поиск по карте, — предложила Зианта, вспомнив свой успешный опыт поиска по карте звезд.

— Именно этого я и хочу — поскорее раздобыть их. Я не смогу слишком долго избегать встречи со жрецами и их Башней Вута. Как бы ни слабы были их сенситивы, они могут установить, что перед ними — совсем не тот Туран. И тогда Зуха обвинит нас в колдовстве и сумеет добиться уничтожения, как обманщиков и святотатцев. Так что следует поторопиться.

Зианта посмотрела на него и кивнула. Тело Винтры прекрасно повиновалось ей и было полно жизни. Но мертвенно-серое лицо Турана, его зияющие раны... Он выглядел подозрительно, их обман не мог продолжаться долго.


## Глава девятая

Они мчались так, словно кто-то наступал им на пятки, толкал в спину. Зианта нашла короткую нижнюю тунику — вроде той, что была на Зухе, а сверху накинула длинный полупрозрачный хитон. Придерживая его полы обеими руками, она бежала за Командором по коридору, соединяющему женскую половину дома с апартаментами Турана.

Мимо мелькали двери, за некоторыми из которых слышался говор и смех, но в коридор никто не выходил — путь был свободен. Мысленное зондирование указывало, что их пока не заметили и впереди не подстерегает засада. Зианта не могла поверить, что фортуна наконец благосклонна к ней.

Где же искать карту? Если Туран вел какие-то записи о своем путешествии, они должны находиться в его личных покоях. Но как найти эти бумаги? Поиск вслепую — потеря драгоценного времени. Нужно использовать их способности. Значит, один должен быть на страже, а другой вести сенсорный поиск, как вела его Зианта в апартаментах Джукундуса.

В ее сознание все еще не укладывалось, что она заброшена не просто в чужой мир, но в иное время, начисто забытое ее современниками. О людях этого города не сохранилось памяти даже в преданиях и легендах. Ледяное дыхание сотен веков, разделивших ее мир и этот, пугало девушку. Ей ничего не хотелось так сильно, как вернуться в свое время: пусть даже там ее ожидают новые опасности и испытания. Отсюда они казались даже не опасностями — обычной жизнью. Там все было, по крайней мере, понятно и прогнозируемо. Здесь же за каждым поворотом коридора таилось совершенно неведомое, и это пугало более всего.

— Сюда! — Туран вошел в дверь и поманил рукой девушку.

— Здесь хранится информация? — Зианта пыталась углядеть хоть что-то знакомое в обстановке этого помещения. Хотя бы древние свитки, известные ей только по музею. Как отыскать здесь то, что им необходимо?

Туран скрылся в кабинете и вынес оттуда странную на вид связку коротких веревок, на свободных концах которых сверкали бусинки различного цвета и формы. Зианта никогда не видела ничего подобного. Даже если это для запоминания, запись, хранящая информацию, то сочетание веревок и бусинок для нее лишено всякого смысла.

Ее компаньон разглядывал тем временем странный предмет.

— Подобное на некоторых отсталых планетах, не имеющих письменности, применяются и в наше время. Но здесь еще, для сохранения тайны, используется личный код, известный только одному человеку. И можно даже в темноте, на ощупь, прочесть переданное таким образом послание.

— Если это шифр, известный Турану, то разве не в твоих силах...

Он сокрушенно покачал головой.

— Мне почти не удается оживить память Турана. Тем более, что управление этим мертвым изувеченным телом требует большого сосредоточения.

Итак, ее страхи подтверждаются: оболочка, в которой приходится пребывать ее компаньону, весьма ненадежна. Зианта протянула руку и дотронулась до клубка веревок. Нужно сконцентрировать мощный импульс энергии и попробовать разгадать шифр.

Да, по сравнению с этой задачей считывание лент в апартаментах Джукундуса — детская игра. Ведь там информацию ввел такой же человек, как она сама. А здесь кодирование произвел представитель совершенно иного мира, иного времени, с незнакомой психологией... И тем не менее, поскольку других возможностей нет, она обязана попытаться.

— Ты посторожишь у входа?

Он кивнул и направился к двери. Девушка внимательно рассматривала тонкие шелковистые веревки. Бусинки, насаженные на них с различными промежутками, были белые, голубые и красноватые. Она пропустила пучок веревок через пальцы, еще и еще раз. И сразу уловила эмоции.

Ненависть... Жгучая, смертельная ненависть... Это не веревки — это змеи, готовые вонзить жало в любого, кто посмеет проникнуть в смысл тайнописи. С криком ужаса она отшвырнула от себя зловещий клубок.

— Что с тобой? Ты укололась?

Зианта не ответила. Она протянула руку ладонью вниз и поднесла ее к клубку, не касаясь его. Она решила узнать, от кого исходил оставленный в этом предмете заряд ненависти.

— Их... Их недавно брали в руки. Это был человек, переполненный ненавистью и злобой настолько, что эти эмоции экранируют все остальное. Если я не пробьюсь через этот барьер, то ничего не удастся узнать.

Туран огорченно развел руками. Он тяжело опустился возле дверей на скамью и закрыл глаза. Когда его веки сомкнулись, с

363

лица исчезли последние признаки жизни. Зианта содрогнулась от отвращения. Как долго еще ее товарищ сможет поддерживать этот труп в псевдоживом состоянии?

— Кто же это сделал? Ты сможешь узнать это?

Девушка вновь взяла веревки в руки и, сложив их в тугой сверток, поднесла ко лбу. Она старалась отсеять эмоциональный фон, сосредоточиться на изображении того, кто недавно держал в руках этот предмет.

Зуха... Без сомнения, эта тайнопись побывала в руках высшего консорта. Но мозг девушки улавливал еще чье-то прикосновение, почти стертое волной ненависти Зухи. Она продолжала поиск, пытаясь получить имя или вызвать образ, чтобы дать возможность Турану узнать этого второго человека.

— Зуха... И с ней приходил еще кто-то, чтобы получить информацию. Но у них ничего не вышло. Отсюда ее злоба. Тогда она... да, да — она взяла с собой несколько шнурков, которые, по ее мнению, содержали наиболее важные данные.

«У нас нет времени. Нам нужна карта», — отдалась в ее мозгу непроизнесенная мысль Турана.

Время... Она вступила в схватку со временем, но не в силах победить его. Зианта задумчиво перебирала шнурки. Будь у нее дни, даже часы — возможно, она сумела бы разобраться в этом. Но времени не хватало. Нужен другой путь — достаточно посмотреть на Турана, чтобы понять это.

Что им известно? Из моря поднялся остров, на котором есть двойник этого камня. Она привязана к своему камню, а камень, в свою очередь, незримо связан с тем, вторым кристаллом. Если они не разорвет эти узы, Турана снова ждет смерть. Ей тоже уготована мучительная гибель от руки высшего консорта.

Говорят, что после смерти телесной оболочки от человека остается некоторая часть его сущности. Сенситивы знают об этом точно, но Зианту эта идея никоим образом не утешала. Она не могла смириться с мыслью погибнуть в этом чужом, далеком от ее времени мире.

Остров, поднявшийся из пучины, и кристалл, найденный там... Девушка металась взад и вперед, снова и снова ища выход из тупика. Туран в полубессознательном состоянии откинулся на скамье. Есть! Есть один способ, но прибегнуть к нему здесь, среди врагов, под ежеминутной угрозой нападения, ей не удастся. Тогда где же?

Зианта остановилась, осмотрелась вокруг. Здесь спрятаться негде. Но... в этом мире уже известно воздухоплавание, существуют летательные аппараты... Эта информация, подсказанная памятью Винтры, давала неясную надежду. Продолжим... Неподалеку от города есть аэропорт. Если добраться до него, если захватить самолет, если Туран сможет справиться с управлением... Не слишком ли много этих «если»? Но для нее, а если им повезет — для них обоих — это единственный шанс.

Она опустилась на колени возле Турана, взяла его безжизненные холодные руки, пытаясь собственным теплом вдохнуть жизнь в коченеющее тело. Он повернулся к ней, с трудом открыв глаза.

На лице мертвеца снова появилась жуткая улыбка.

— Я справлюсь... — Казалось, что он не ее, а себя пытается убедить в этом. — Ты что-то задумала. Скажи, что. Я способен мыслить, просто забота о теле отнимает все больше сил...

— Я знаю. Ты прав, я кое-что придумала, хотя мой замысел может оказаться невыполнимым. Увы, ничего другого я не могу предложить. Мне необходимо впасть в глубокий транс, а для этого я должна быть в полной безопасности, ни о чем постороннем не беспокоиться.

Он пристально посмотрел на нее.

— Ты знаешь, какие могут быть последствия, и все же готова на это?

— Я не вижу другого пути.

Она хотела, чтобы он начал отговаривать ее, убеждать, насколько опасно испытывать на себе влияние камня, который уже успел принести ей столько несчастий. Но он молча глядел на нее, и его мысли были закрыты экраном. Вероятно, компаньон обдумывал ее план, взвешивая степень риска и шансы на успех.

— Пожалуй, это возможно, — произнес он наконец. — Но ты права, для этого нужно безопасное место, где ты без всяких помех смогла бы заняться этим. Вряд ли мы найдем такое укрытие в доме, да и в городе тоже. Память Турана почти закрыта для меня — я не в состоянии проникнуть в клубок интриг, которые сплела его супруга и ее сторонники. Но абсолютно ясно, что нам следует опасаться всех, вплоть до домочадцев. История знает немало могущественных кланов, которые распались, взорванные изнутри коварством, завистью и алчностью. Итак, как найти безопасное место? Ты знаешь?

— У меня есть план, правда весьма рискованный. — Ей снова захотелось, чтобы его осторожность спасовала перед риском, чтобы он убедил ее отказаться от сомнительного замысла. — Из памяти Винтры я узнала, что у этого народа есть самолеты. Не думаю, что управление ими сильно отличается от наших флиттеров. Если мы захватим один такой аппарат, то сможем достигнуть моря и найти уединенное место на побережье.

— Кажется... — начал Туран, но Зианта предостерегающе подняла руку, уловив легкий шум за одной из стен.

Слабое царапанье, приглушенные шаги указывали, что там потайной ход. Девушка оглянулась вокруг в поисках какого-нибудь оружия и схватила вазу с ближайшего стола, однако Туран не разделял ее беспокойства. Он с трудом поднялся со скамьи и, приблизившись к стене, открыл незаметную дверь.

В комнату с трудом протиснулся человек в глухом плаще с надвинутым до самых глаз капюшоном. Когда он откинул его, Зианта увидела, что его голова перевязана, а лицо иссечено боевыми шрамами.

— Слава Вуту, я нашел тебя, лорд Командор! — Взгляд вошедшего упал на Зианту. — А эта... Она тоже с тобой?

— Какие-то неприятности, Вамадж?

— Более чем неприятности, лорд Командор. Самый настоящий черный заговор. Она... — это слово он вымолвил, вложив в него весь свой гнев и отвращение. — Она послала за жрецами, чтобы они забрали тебя и... — он ткнул пальцем в сторону Зианты, — эту в башню Вута. Пусть, мол, все жители города узнают о чуде. Но при этом не имеется в виду, что вы доберетесь до Башни в целости и сохранности. За всем этим стоит Пувульт, которого ты, лорд Командор, с позором изгнал полгода назад. Пока ты воевал на севере с мятежниками, он, видимо, тайно вернулся в Сингакок. А когда... Когда тебя похоронили в гробнице, он объявился открыто и безбоязненно вошел даже в твой дом.

— Выходит, его призвала сюда высший консорт?

— Это так, лорд Командор. Подтверждаются давние слухи, что она более благосклонна к младшей, чем к старшей ветви вашего Дома.

Зианта заметила, что воин избегает смотреть в глаза Турану. Вряд ли привыкший к смерти ветеран отводит взгляд при виде этого мертвого лица. Скорее всего, у него есть еще новости, но он боится их выложить.

— Продолжай. Впрочем, и так ясно: пока я был в гробнице, Пувульт взял власть, так?

Туран сказал это с такой уверенностью, словно хорошо знал и Пувульта, и связанные с этим именем интриги.

— Так точно, лорд Командор. Они были уверены, что никто не стоит теперь на их пути, и вдруг ты возвращаешься...

— С помощью чуда, — внушительно произнес Туран. — И теперь они хотят покончить со мной окончательно.

Вамадж нервно поежился и снова отвел взгляд, избегая смотреть на Турана.

— Лорд Командор... — он запнулся и как бы набрался смелости, чтобы продолжить. — Она уверяет, что ты по-прежнему лежишь в гробнице, а эта... ведьма, Винтра... сотворила подобие человека. Но я прикасался к тебе, и чувствую, что ты настоящий, не бесплотный! Однако высший консорт говорит, что стоит тебе попасть в Башню Вута, как власть злых сил кончится и колдовство станет видно всем. Жрецы же, напротив, недовольны ей и призывают верить в чудо. Они говорят, что в прошлом Великий Вут, бывало, возвращал в мир тех, чье земное предназначение не было исполнено до конца. Они хотят, чтобы весь народ убедился в могуществе Вута, а для этого согласны забрать тебя в Башню. Она же сделает все, чтобы ты не достиг Башни...

Туран рассмеялся.

— Так, значит, она сама не верит в свою версию о колдовстве. Потому боится предоставить Вуту возможность вынести свое суждение об этом.

— Она конечно боится, лорд Командор. Но полагает, что если ты еще раз умрешь по дороге к Башне, то если Вуту ты чем-то угоден, пусть оживит тебя еще раз.

— Но я не собираюсь умирать еще раз! — Голос Турана был тверд, хотя поддержание жизни в этом неживом теле требовало колоссальных усилий. — По крайней мере, пока. Стало быть, мне придется подумать и о собственной безопасности.

— Мы можем проводить тебя в Башню. Да и жрецы Вута встанут стеной, защищая тебя в случае нападения, — со страстью в голосе ответил Вамадж.

Туран покачал головой.

— Смогут ли мои воины из Туран-ла... — По его лицу пробежала какая-то тень. — Из Туран-ла... — медленно повторил он, словно смысл этих слов был ему непонятен, хотя звучание знакомо. Зианта поняла, что фраза, всплывшая вдруг из памяти покойного Турана, не воспринимается сознанием компаньона. Если его отрешенность будет замечена Вамаджем — конец. Но Вамадж был весь во власти своих мыслей, он не заметил смятения Турана и продолжил:

— Всех их она отправила на север, лорд Командор. Всех, кто знал, как ненавистен тебе Пувульт. Под этой крышей ты можешь довериться только мне и Фоми Тараху, да еще молодым офицерам Кар Су Питу и Джантану Су Ихто. Но у каждого из нас есть преданные люди. Этого хватит, чтобы обеспечить твою безопасность на пути в Башню Вута.

Туран благодарно кивнул.

— Спасибо, верный Вамадж. Есть еще один преданный мне солдат. Он вне подозрений, за ним не следят, как следят за вами. Это воин, что одолжил мне плащ в ту ночь, когда я вернулся...

— Я отыскал этого человека, лорд Командор. Его отец — жрец Вута по имени Гантел Су Рвелт. Их семья живет на южном побережье, молодого человека призвали на службу в прошлом году.

— Уроженец южного побережья? — Глаза Турана на сером лице возбужденно сверкнули. — Ты можешь тайно связаться с ним?

— Постараюсь, лорд Командор, хотя, как ты знаешь, этот дом буквально начинен шпионами — у высшего консорта повсюду свои глаза и уши.

Туран тяжело вздохнул. Лицо, обтянутое серой кожей, вновь стало мертвой маской.

— Вамадж, — он медленно повернулся и сел на скамью, словно больше не доверяя своим ногам. — Мне необходимо убраться из дворца вместе с леди Винтрой. Но прежде чем идти в Башню Вута, я должен сделать кое-что, о чем узнал слишком поздно, уже будучи при смерти. Именно для этого Вут призвал меня обратно. Но мне отпущено немного времени, чтобы сделать намеченное. Я должен спешить, пока мое тело подчиняется мне. Для выполнения своей миссии я должен быть совершенно свободен, сейчас мне не до расследований и доказательств. Я прошу тебя помочь мне получить свободу, — ибо если даже на боевых товарищей нельзя положиться, то есть ли вообще справедливость в этом мире?

— Истинные слова, мой Командор. Ты можешь положиться на нас, — твердо ответил Вамадж. Зианта внимательно всматривалась в его лицо. Похоже, Туран нашел преданного сторонника.

— Так вот, мне нужна помощь. Слушай, что мне нужно. Я рассказывал тебе о моем путешествии на остров, поднявшийся из моря...

— Да, я помню, мой Командор. Ты еще хотел снарядить корабль и отправиться туда на поиски сокровищ, но грянул мятеж в горах. Но что ты хочешь сейчас?

— Там, на острове, я нашел одну... вещь, которая может дать мне защиту...

— Лорд Командор, ты бредишь? Или... — Вамадж повернулся к Зианте и уставился на нее с подозрением. — Нет ли доли правды в речах высшего консорта? Похоже, эта распутная девка действительно околдовала тебя. Разве можно найти в далеком море что-то, способное помочь тебе сейчас?

— Не беспокойся, Вамадж, я не сошел с ума. Именно море хранило нечто древнее и могущественное, и колдовство здесь абсолютно ни при чем. Я нашел это до того, как Винтра вошла в мою жизнь.

Камснь! Тот, что ты привез тогда и приказал вделать в погребальный убор! Ты не хотел, чтобы им владел кто-нибудь, кроме тебя...

— Именно так. Как ты думаешь, что помогло леди Винтре оживить меня и доставить сюда? Этот камень из глубочайшей древности, когда люди обладали неслыханными способностями. Вспомни старинные легенды и преданья!

— Всего лишь сказки для детей и простаков! Чудеса, о которых повествуют легенды, человек делает теперь с помощью техники, не уповая на сверхъестественные силы. Может ли кто летать, не имея крыльев?

— Возможно, раньше могли. На том острове есть вещи, таящие такое могущество, какое даже невозможно представить. Я

368

тоже думал, что найденный там камень — сокровище для глаза, а он оказался сокровищем для разума. Если к нему присоединить то, что я надеюсь отыскать на острове, я получу оружие и защиту от любых козней. Всего лишь одно из сокровищ острова помогло мне победить смерть и вернуться в мир живых.

— Но как ты попадешь на остров?

— Я рассчитываю, что мне поможешь ты и тот парень из Сксарка. Вы подготовите для меня и этой леди, поскольку она тоже причастна к этой тайне...

Вамадж действовал со стремительностью, которую в нем трудно было предугадать. Только обостренная интуиция спасла Зианту от луча спрятанного в рукаве миниатюрного оружия. Девушка бросилась на пол плашмя, а в стене, возле которой она стояла, задымилось обугленное отверстие.

— Вамадж! — Туран вскочил на ноги. — Что ты делаешь?

— Это колдунья, лорд Командор. Если ты хоть в малейшей степени зависишь от нее, она должна погибнуть.

— И я погибну вместе с ней. Вот чего ты достигнешь, Вамадж, если убьешь ее. Я же сказал, что лишь благодаря ей ко мне вернулась жизнь. Без ее помощи я снова умру.

— Это колдовство, лорд Командор. Отдайся в руки жрецов, они избавят тебя от чар...

Не поднимаясь с пола, Зианта послала сильный импульс энергии. Голос Вамаджа внезапно затих, руки безвольно повисли, лазер выпал из разжавшихся пальцев. Девушка быстро схватила оружие. Управлять им оказалось несложно: целься и нажимай гашетку.

«Тебе не следовало быть с ним настолько откровенным», — мысленно укорила она компаньона.

«Он нам необходим. Иначе мы будем делать один промах за другим и в итоге провалим весь наш план».

По мнению Зианты, один промах они уже сделали. Но ей ничего не оставалось, как согласиться с Тураном. Достаточно ли трезво оценивает он обстановку? Быть может, забота о теле отнимает все силы и рассудок компаньона затуманен? Не настало ли время ей взять руководство на себя?

Она неохотно сняла мыслительный замок, обездвиживший Вамаджа. Он растерянно потряс головой, словно оглушенный ударом в темя. Когда он полностью пришел в себя, Зианта положила лазер возле Турана.

— Смотри, человек Сингакока. — Ее голос был резок и груб, это говорила Винтра, предводительница повстанцев. — Я безоружна, а твое оружие лежит на скамье. Подумай: будь я твоим врагом, выпустила бы я его из рук? Да, я ненавижу Сингакок. Но когда мы с Тураном были в гробнице, появилось нечто, что связало нас сильнее кровных уз и что гораздо выше былой вражды. Бери свое оружие, и если по-прежнему не веришь мне — стреляй.

«Если я слишком самонадеянна, — подумала Зианта, — остается уповать, что Туран успеет остановить его».

Но Вамадж, взвесив на ладони лазер, молча спрятал его в рукав.

— Она не лжет, — сказал Туран. — Безоружная, в стане врагов, эта женщина говорит правду.

Вамадж недовольно нахмурился.

— Ты слишком доверчив, лорд Командор. Это всего лишь какая-то новая уловка мятежников.

— Чушь! Сейчас Винтра не имеет никакого отношения к своим соплеменникам.

— Ты хотел бы клятвы на алтаре Вута? — спросила Зианта. — Но меня с Тураном связали более прочные узы. Не зря я провела в гробнице долгие часы, пока не открылась дверь для души. Думаешь, кто-то может пройти через все это и не измениться? Теперь я принадлежу лорду Командору, и буду помогать ему, пока его миссия не завершится.

Вамадж переводил взгляд с военачальника на девушку.

— С самой битвы при Ллимурском заливе я был рядом с тобой, лорд Командор. Я добровольно присягал на верность тебе. И сейчас готов делать то, что ты прикажешь...

Не слишком ли быстро сдался этот воин? Зианта запустила мысленный зонд. Как бы ни расплывчаты были для нее картины, рождаемые в чужом сознании, отличить врага от друга она могла безошибочно. Нет, этот человек не вел двойной игры.

Туран был немногословен.

— Мне нужен летательный аппарат и тот молодой воин в качестве проводника. Времени в обрез, я должен лететь уже нынче вечером.

— Это сложное дело, Командор...

— А разве я сказал, что это просто? Но мне это *необходимо!* — В голосе Турана зазвенел металл. — Если мы не отправимся сейчас же, будет поздно!

— Я понял. — Вамадж засуетился. Он приоткрыл потайную дверь и, втащив в комнату ящик, извлек оттуда длинные плащи с капюшонами, без каких-либо знаков различия.

Часть пути по дворцу они собирались проделать по личному коридору Турана, где не могло быть никого постороннего. Вамадж ушел вперед, проверь, свободен ли дальнейший путь к выходу.

— Ты ему доверяешь? — спросила девушка, когда воин удалился. — Он может сделать что-нибудь, сочтя это полезным для тебя, даже вопреки твоему приказу. Ведь он считает Винтру коварным врагом и вряд ли способен проникнуться ко мне дружелюбием.

— Да, полностью положиться на него нельзя. Но придется рискнуть, другого выхода из этой ловушки для нас попросту нет. Если преданность возьмет в нем верх над подозрительностью — мы выиграем. А если он что-то задумает, мы сможем прочесть об этом в его мыслях. Хотя, конечно, полностью читать их мысли нам не дано.

Вамадж не был предателем. Он благополучно вывел их из дворца через боковой выход, у которого уже стояла наготове машина.

— Тот солдат ждет нас в аэропорту, лорд Командор. Но перед этим нам предстоит проехать полгорода. Всякое может случиться по дороге...

— Поехали, — оборвал его Туран. — Выбора у нас все равно нет.

Вамадж сам сел за руль машины, которая оказалась меньше той, что доставила их ночью во дворец. Зианта оказалась тесно прижатой на сиденье к Турану. Она то и дело посылала мысленные импульсы сидящему перед ней водителю, на тот случай, если воин задумает уклониться от выполнения приказа. Поездка предстоит длительная, и этот контроль отнимет у нее немало сил. Туран не помогал ей, снова отгородившись барьером от всего окружающего, потому что всю волю он сосредоточил сейчас на поддержании сил в своем мертвом теле.


## Глава десятая

Сейчас Зианте следовало бы во все глаза разглядывать проплывающий за окнами машины Сингакок. Вокруг нее было то, чего не могли описать даже закатане, — цивилизация предтеч. Но все ее мысли были сосредоточены на бегстве, все силы — на контроле за Вамаджем.

Пока он оправдывал доверие Турана. Машина мчалась сначала по тихим улочкам, затем по оживленным магистралям центральной части города. Даже если их побег уже обнаружен, признаков преследования пока не видно.

Они свернули в боковую улицу, затем сделали новый поворот, еще один... Зианта не обладала развитым чувством направления, а память Винтры не содержала данных об этом городе. Оставалось только гадать, верен ли избранный их водителем маршрут.

Покружив по улицам, Вамадж направился к площадке, где стояло множество машин. Проехав мимо стоянки, их машина затормозила у большого, сияющего огнями здания. За ним раскинулось огромное поле, залитое светом мощных прожекторов. Вот на одну из освещенных полос вырулил самолет, ничем не напоминающий знакомые ей флиттеры, набрал скорость и взмыл в воздух. Судя по всему, не мог оторваться от земли без разбега.

При виде летящего самолета сердце девушки сжалось — это заговорила память Винтры. В сознании Зианты замелькали жуткие картины: с таких вот самолетов летят на жилища людей какие-то предметы. Они взрываются при падении, сея вокруг огонь, страдания и смерть...

Умел ли Туран управлять самолетом? На мысленный запрос он ответил, что дело это непростое, требующее длительного обучения и постоянной тренировки. Да, самолет — не флиттер, где все автоматизировано, а нажимать кнопки на пульте управления по силам и подростку. Что же им делать? Умеет ли управлять Вамадж? Или Туран намерен подчинить себе волю кого-то из здешних авиаторов и заставить его вести машину? Но ведь удерживать такого человека в подчинении долгое время невозможно...

Вамадж продолжал везти их. Обозначенная цепочкой огней дорога привела их к небольшому самолету, и они остановились. Вамадж погасил фары, высунулся в окно и тихо окликнул:

— Дорамус Су Гантел?

— К вашим услугам, Командор, — последовал столь же негромкий ответ.

— Все хорошо. — Туран впервые открыл рот с момента выезда из дворца. — Спасибо тебе, боевой товарищ.

— Я выполнил твою просьбу, все еще не уверен, правильно ли поступил. — В голосе Вамаджа звучали усталость и тревога. — Зачем ты все это затеял? Я не понимаю. — Он обернулся к Зианте. — Лорд Командор, эта женщина — твой смертельный враг. Она поклялась перед верховным вождем Бенгарила, что принесет твою голову, насаженную на кол. А теперь...

— А теперь, — перебил Туран, — она по воле Вута служит мне так, как не может служить кто-либо иной. Вспомни, Вамадж, откуда она помогла мне вернуться. Сделала бы она это, если бы желала моей смерти?

— Высший консорт уверена, что это колдовство...

— У нее свой интерес, ты должен понимать это. Ты же сам предупреждал меня, что она полна решимости покончить со мной. Поверь, когда я вернусь, все, что тебе сейчас непонятно, будет объяснено. Но если я останусь сейчас между жрецами и высшим консортом, то меня ждет неминуемое возвращение туда, откуда я вырвался благодаря милости Вута.

— Я не должен сомневаться в твоих словах, мой Командор, — произнес Вамадж с тяжким вздохом. — Но неужели нет какого-то другого варианта?

— Такого, чтобы спасти меня — нет. И то, что я хочу сделать, требует спешности. Чем больше я теряю времени, тем меньше шансов на успех...

Он открыл дверцу и сделал Зианте знак выходить из машины. К ним приблизился запомнившийся по ночной поездке молодой солдат.

— К твоим услугам, лорд Командор. Приказывай.

— Летим на южное побережье. Там нужно найти безлюдное местечко, подальше от посторонних глаз. Ты сможешь вести самолет?

— Я часто водил личный аэроплан отца. Но на маленьком разведчике мне летать не приходилось.

Туран ободряюще похлопал солдата по спине.

— Ты быстро освоишься. Не будем терять времени, боевой товарищ.

Он повернулся к Вамаджу:

— Я никогда не забуду того, что ты сделал для нас в этот вечер. Ты спас или, во всяком случае, продлил мне жизнь. Я навечно твой должник.

— Позволь мне лететь с тобой, лорд Командор.

— Ты останешься здесь и будешь прикрывать тылы. Это очень нелегкая боевая задача, но я прошу тебя сделать это.

— Будь спокоен, Командор. Я буду верен тебе, что бы ни случилось. И береги себя. — Произнося это напутствие, воин кинул красноречивый взгляд на Зианту.

По шаткой лесенке они забрались в кабину. Солдат включил двигатель, самолет развернулся и побежал по взлетной дорожке. Зианта решила, что в машине какая-то неисправность — ей показалось, что они мучительно долго не могли подняться в воздух.

Но вот их последний раз тряхнуло, и девушка почувствовала, что они наконец взлетели. Машина дрожала, то и дело проваливаясь в воздушные ямы. Неприятные ощущения усилились, когда у обоих вдруг заложило уши. Да, воздушный транспорт древних рас по комфортабельности явно уступал флиттерам ее времени.

— Хорошо хоть, что маленьким самолетам не требуется специального разрешения на вылет. А то бы...

— А то бы, — подхватил Туран слова солдата, — нам пришлось сочинить какую-нибудь правдоподобную историю. Сейчас главное не это, а наш дальнейший маршрут. От него зависит очень многое. Нужно сесть как можно ближе к морю. Нам нужно найти источник могущества на затерянном среди моря острове. Найти его поможет один... одна... — Туран в замешательстве умолк, затем скороговоркой закончил: — В общем, от успеха поисков зависит будущее.

Он не сказал, чье именно будущее. Зианта усмехнулась в темноте тесной кабины. Авторитет Турана — настоящего Турана — был огромен, если он сумел заставить этих двоих слепо повиноваться себе. Правда, сомнения Вамаджа так и не развеялись.

А этот молодой солдат? Зианта знала, что сможет в случае чего удержать его под контролем.

— Около побережья, лорд Командор, Плато Ксута, — заговорил солдат. — У этого места дурная слава, и там мало кто бывает. Так повелось еще со времен гибели Командора Рольфри. Хотя, конечно, все это только выдумки темных крестьян...

Выдумки крестьян? Зианта уловила в сознании солдата тревогу: он и сам втайне верил, что на Плато существует некая таинственная опасность. Если Туран и почувствовал настроение их проводника, то никак не отреагировал на это и коротко приказал:

— Ксут и есть наша цель. Ты сможешь доставить нас туда?

— Полагаю, что смогу, лорд Командор.

— Вот и хорошо. — Туран наклонился вперед, внимательно присматриваясь к манипуляциям пилота. Судя по всему, он пытался понять принцип управления древней машиной. Если бы все нужные знания можно было бы извлечь из мозга этого человека, задача несравненно упростилась бы. Но... образы, рождающиеся в чужом сознании, воспринимались очень нечетко. Тогда Зианта настроилась на волну своего компаньона и начала сообщать ему дополнительную энергию.

Они сидели молча. Вероятно, солдат решил, что его пассажиры задремали. Несколько раз в иллюминаторах появлялись огни встречных самолетов, но никаких признаков преследования не наблюдалось. Тем не менее Зианту не оставляли сомнения: не верилось, чтобы высший консорт так запросто упустила их!

Ночное небо посерело, близился рассвет. Над горизонтом показался краешек восходящего солнца. Молчавший несколько долгих часов пилот тихо проговорил:

— Море, лорд Командор. Теперь заходим на Ксут.

Туран не отозвался. Зианта с беспокойством повернулась к нему. При солнечном свете он выглядел смертельно истощенным. Сможет ли он выдержать? Похоже, силы компаньона на исходе. Она почувствовала, как страх леденит ее тело.

— Ксут, лорд Командор. Я попытаюсь сесть на вот этом сравнительно ровном участке.

Когда нос самолета наклонился и начался спуск, Зианта зажмурилась. По сравнению с посадкой на флиттере, это казалось падением. Машина стремительно неслась навстречу нагромождениям острых скал, и девушке оставалось лишь надеяться на искусство пилота и милость провидения.

Машина запрыгала по каменистой почве, их отчаянно швыряло и подбрасывало. Один особенно сильный толчок выбросил ее из кресла. Лежа на полу, Зианта услышала стон и взглянула на Турана. Лицо его стало землисто-серым, он с трудом глотал воздух широко открытым ртом. Пилот вцепился в штурвал, маневрируя среди каменных глыб.

Наконец они остановились, надсадный рев двигателя стих. Солдат облегченно выдохнул:

— Судьба благосклонна к нам, лорд Командор.

Зианта огляделась. Утреннее солнце играло на вершине утеса, возле которого они остановились. Среди скал гулял легкий ветерок, до них доносился шум прибоя.

Море оказалось не так близко, как ей подумалось сначала. Их самолет приземлился на узкой полосе, стиснутой с обеих сторон высокими скалами.

Гористая возвышенность была лишена всякой растительности и являла собой весьма мрачный пейзаж: на серовато-красном с прожилками фоне громоздились тут и там неестественно черные камни. Вдруг мозг Зианты поразила болезненная вспышка, заставившая девушку вскрикнуть. Она словно погрузилась туда, в эту почву, из которой торчали черные глыбы камней.

— Ветер... в камнях... — не произнес, а скорее прошелестел Туран.

Зианта внимательно осмотрелась, пытаясь определить, что именно вызвало у нее такую острую реакцию. Невольно всплыл в памяти страх, который солдат связывал с этой местностью. Она ощущала присутствие прошлого — чуждого, враждебного, не совместимого с жизненной энергией. Это не просто камни — это чужие камни, оказавшиеся здесь по чьей-то воле. Руины давным-давно исчезнувшего города? Замка? Зианта не хотела ничего знать об этом....

Над волнами проносились птицы с ярко-желтым оперением, но ни одна из них не подлетала сюда, словно все живое сторонилось Ксута. Девушка обратилась к памяти Винтры и получила тревожный ответ. Да, северяне знают о Ксуте, но только по древним легендам. Это темное место, где в далеком прошлом произошло нечто, изменившее весь порядок в мире, породившее социальные болезни, которые поражают народы и по сию пору, становясь причиной многих мятежей, в том числе и недавнего восстания.

Она начала мысленный поиск. Даже сейчас, через толщу веков, остатки древнего города излучали зло и беду. Сможет ли она выполнить намеченное, если каждый камень здесь является ее врагом, врагом всего живого.

Зианта направилась к кромке берега, стараясь не касаться черных глыб. Она ступила на источенную волнами поверхность, оказавшуюся остатками древней дамбы, воздвигнутой в полосе прибоя. Водяные валы один за другим накатывались и с грохотом разбивались об это сооружение. Нигде ни клочка песчаного берега, лишь торчащие из воды сглаженные временем камни...

Но эти камни, материал уступа, на котором она стояла, не несли зловещего излучения, как те черные глыбы на суше. Значит, здесь единственное место, откуда она может без помех заняться мысленным поиском в раскинувшемся до самого горизонта море. Отсюда придется ей сделать попытку, ради которой они прилетели в этот угрюмый край.

«Начну отсюда, — передала она Турану. — Там слишком много древнего зла, я должна быть свободной от их излучения».

«Я иду...»

Она повернулась. Он двигался медленно, настороженно, будто контролируя каждое движение своего тела, не надеясь на природные инстинкты. Он сделал пилоту знак, приказывая остаться возле самолета, и подошел к девушке. Его голова была высоко поднята, взгляд ясен и тверд.

— Ты готова?

— Насколько это вообще возможно.

Она решила это сделать, хотя в данную минуту ей до боли захотелось отступить, отказаться от их плана. Она один раз уже попробовала использовать фокусирующий камень и из-за этой попытки попала в чужой мир. Что ждет ее на этот раз? Не застрянет ли она снова в каком-нибудь неизмеримо далеком времени? Она с опаской взяла камень в руки, но, прежде чем начать смотреть в него, обратилась к Турану:

— Держи меня. Не дай мне потеряться там. Ведь тогда ни ты, ни я...

— Да, это опасно для нас обоих. Не беспокойся и начинай, я сделаю все, что нужно.

— Что ж, тогда... — Она стиснула камень в ладонях, поднесла его ко лбу...

Море, шум моря... Яростного, разгневанного... Готового поглотить все! Удары волн отдаются в стенах, сотрясают башню, в которой она находится. Ярость моря направлена против Норноха. Выстоят ли стены против такого шторма? Или против следующего, против того, что придет за следующим...

Зианта... Кто такая Зианта? Только звук, неясный проблеск в памяти, который никак не ухватить, он исчезает, тает и забывается, как сон при пробуждении. Д'Эйри!

— Д'Эйри! — Она произнесла свое собственное имя, чтобы придать себе уверенности перед тем, что ей предстоит.

Она растерянно подняла руки, поднесла к глазам... Где? Где то, что она должна держать? Ищи! На полу — смотри!.. Страх потерять что-то сжал сердце. Она упала на колени, шаря, словно слепая, руками по толстому ковру.

Каждое движение тела отзывалось звоном полированных раковин, из которых была сделана ее юбка. Тонкая, почти прозрачная рубаха едва прикрывала маленькую грудь. А кожа... зеленая — нет, голубоватая — или золотая... Цвета менялись, потому что все ее тело покрыто чешуей, переливающейся, словно множество драгоценных камней.

Она — Д'Эйри, Хранительница Глаз. Глаза!

Она прекратила свои бесполезные поиски на полу. Это было глупо — забыть, где могут быть глаза. Разумеется, только там, где находились постоянно с тех пор, как на нее пал выбор и она сделалась тем, что есть сейчас. Она подняла руку и нащупала на голове обруч с прикрепленными к нему двумя камнями. Она не видела, а только чувствовала их — на лбу, возле висков, где они и были всегда. Почему ей взбрело в голову, что они исчезли?

Она Д'Эйри, и в то же время...

Д'Эйри... А Зианта? Она не могла не знать, что она и Д'Эйри, и Зианта! Память будто вспыхнула огнем, нахлынула потоком, очистила мозг. Она с удивлением огляделась.

Стены овальной комнаты гладкие и флюоресцирующие, словно внутренняя поверхность огромной раковины. Пол устлан ярко-красным пружинистым, как живое существо, ковром. Вместо окон — две узкие длинные щели. Зианта заглянула в одну из них. Зианта? Нет — она Д'Эйри, этого требовали Глаза. Она вцепилась руками в обруч, пытаясь стянуть его с головы. Но он плотно обхватывал жесткие, как водоросли, волосы, она не смогла сдвинуть его. Но ей необходимо быть Зиантой, чтобы узнать, где находится Норнох.

Она продолжала стоять возле узкого окна, через которое ей в лицо то и дело попадали соленые брызги. Там, снаружи, были другие такие же башни, и в них другие так же, как она, охраняли Норнох.

Море наступало, как оно наступало на эту страну уже много веков. Ее народ сдерживал натиск моря, отгородившись от него, возведя Три Стены. Стоит им рухнуть, и море опять проглотит эту страну, а ее жители станут тем, чем были когда-то: копошащимися в вонючей тине безмозглыми существами. Этого нельзя допускать! Норнох охраняют Глаза — шесть Глаз и те, кто их носит, по одному на каждую из трех стен...

Она подставила лицо соленым брызгам, пытаясь успокоиться. Нужно сосредоточиться, собрать все силы — и данные ей от рождения, и приобретенные настойчивой тренировкой. Она должна направить их на выполнение своей обязанности — не дать стенам пасть под натиском волн, защитить ее народ от всепожирающего моря.

Стены... Их построили лурлы из собственных выделений. Многие века палец за пальцем, ладонь за ладонью росли стены вокруг Норноха, и все это время его жители кормили лурлов, ухаживали за этими существами, создающими для людей защиту от моря.

Надо заставлять лурлов работать... заставлять... заставлять... заставлять! Она уже не Д'Эйри — она воля, она сила, побуждающая лурлов, когда те только начинают сонно ворочаться. Ну же, шевелитесь! Медленно, ах как медленно они действуют! И все же... большего темпа от них не добиться...

Выделяй, строй, укрепляй... Двигайся, торопись, иначе волны снова превратят мой народ в ничто. Глаза, помогите! Направьте энергию на лурлов, заставьте их работать, работать...

Проклятые твари! Почему так медленно? Быть может, прав Д'Фани? Он говорит, что это кара за то, что народ забыл древние обычаи и больше не делает жертвоприношений? Не думай сейчас об этом, не отвлекайся. Все мысли, всю волю — на главное, на лурлов, чтобы эти неповоротливые слизняки безостановочно ползали взад и вперед вдоль стен, оставляя за собой слой пены. Она затвердевает на воздухе, укрепляя защиту Трех Стен и башен Хранительниц Глаз.

Просыпайтесь, лурлы! Двигайтесь! Старайтесь — ради спасения Норноха!

Что делать? Мне не справиться с ними, они еще более медлительны и неуклюжи, чем обычно... Я вижу это посредством Глаз, вижу, что их толстые тела едва ворочаются. А двое вовсе упали и скатились к подножию стены...

Проснитесь, сейчас не время спать! Шторм крепнет. Я чувствую, как шатается башня под его натиском. Проснись — выделяй — строй — укрепляй! Ну же, лурлы! Она уже не шепчет — она кричит во весь голос:

— Лурлы-и-и!..

Рев моря постепенно стихает, ярость шторма проходит. Видимо, Д'Фани преувеличивал: это не самый страшный шторм. Она справилась, все страхи позади...


— Зианта!

Где окно, через которое она только что смотрела? Где башня? Перед ней море, над которым с криками носятся желтые птицы. А перед ней, положив руки ей на плечи, будто сейчас вытащил этими вот руками ее оттуда, где она была, — перед ней стоит Туран.

Она отвела его руки, повернулась спиной к морю и стала смотреть на камни, бывшие когда-то Норнохом, его башнями и тремя защитными стенами.

«Стены, — всколыхнулось в сознании. — Лурлы не должны спать, иначе... Нет, все это давно прошло. Давно... когда же? Сколько веков минуло с тех пор?»

Она не знала, могла только предположить, что Д'Эйри и Винтру разделяет не меньше веков, чем между Винтрой и Зиантой. Цивилизация, развившаяся в море, люди с чешуей вместо кожи... Какая пропасть лет! Разум не в состоянии измерить ее...

Теперь Зианта понимала, где находится, вернее — когда-то находился Норнох. Она протянула руку и указала:

— Вон там. На суше или под водой, но искать нужно там!

На нее обрушилась слабость, как всегда после глубокого транса. Она обвисла на руках Турана, который повел ее к самолету.

Завидев их, навстречу выскочил из кабины солдат. Его лицо выражало тревогу.

— Лорд Командор, мы перехватили радиосообщение. В сообщении использовался Эс-код...

Ни память Винтры, ни сознание Турана не могли подсказать им, что такое Эс-код и для чего он служит. Зианта прибегла к памяти солдата и, получив ответ, тихо объяснила Турану:

— Военный код для сверхсекретной информации.

— Повстанцы?.. — начал Туран.

Но солдат замотал головой.

— Охотятся за тобой, лорд Командор. Отдан приказ немедленно умертвить тебя!

— Зуха решила идти до конца, — прокомментировала Зианта.

— Не имеет значения, только время — наш истинный враг, — отмахнулся Туран. — Боевой друг, — обратился он к солдату, — теперь нам нужно расстаться. Спасибо тебе за все. Ты даже не представляешь, какую службу сослужил своему Командору. Но дальше мы должны лететь одни...

— Куда бы вы ни отравились, я с вами, лорд Командор, — твердо сказал юноша.

— Только не в Норнох... — невольно вырвалось у Зианты.

— Норнох? — встрепенулся солдат и сжался, словно его ошеломило это. — Что вы знаете о Норнохе?

— Там находится то, что мы ищем, — пожала плечами Зианта.

— Лорд Командор, не верьте ей! Норнох — это просто сказки, рыбаки пугают ими своих детей. Сказки про город людей-рыб... Это всего лишь легенды, кошмарные сны...

— Что ж, тогда будем искать во сне, — усмехнулась девушка.

— Лорд Командор, — в отчаянии заговорил пилот, заслоняя спиной дверцу кабины, — воистину, эта ведьма околдовала вас! Не позволяйте ей вести себя к гибели!

Переборов усталость, Зианта была вынуждена прибегнуть к единственному своему оружию: сконцентрировав психическую энергию, она метнула ее в пилота, словно копье. Солдат пошатнулся, схватился руками за голову и беспомощно рухнул на землю недалеко от тени самолета.

— Плохо, конечно, — развела руками Зианта, — но ничего другого не оставалось.

— Я знаю, — сказал Туран монотонным, тусклым голосом. — Нужно улететь прежде, чем он очнется. Его нельзя брать с собой. Ты точно определила направление?

— Уверена, — просто ответила девушка, забираясь следом за ним в кабину.


## Глава одиннадцатая

Зианте хотелось зажмуриться, когда двигатель взревел, а нос вибрирующего самолета развернулся к морю. Сможет ли Туран поднять машину в воздух? Достаточно ли он узнал, сидя рядом с пилотом, чтобы вести полет, или их ждет гибель в ненасытной морской пучине? Первый вылет новоявленного авиатора может стать и последним. Но вот они над водой, лишь чуть не задевая волны. Турану удалось выровнять самолет, поднять его выше. На лице его страшное напряжение — словно тяжелый аэроплан держится в воздухе только усилием его воли.

Она сжимала в руке фокусирующий камень, ощущая его силу, его притяжение. Отыщут ли они второй Глаз? Вдруг он находится глубоко под водой, откуда им никогда не извлечь его?

Зианта сосредоточилась на камне, стараясь в то же время не потерять контроль над собой, чтобы не погрузиться в транс. Балансировать на тонкой грани между фокусированием и трансом было нелегко, эта игра изнуряла ее. Истощались и физические силы: мучил голод и жажда, клонило ко сну. Но она старалась отвлечься от всего этого, используя приемы, которым обучил ее Оган. Он внушал, что тело — лишь инструмент, и нельзя допускать, чтобы потребности плоти одержали верх над разумом и волей.

Сколько им лететь? Это было жизненно важно: небольшой самолет может оказаться не приспособленным для дальних перелетов. Кончится горючее — и тогда...

Зианта заблокировала сознание, отключилась от Турана, полностью сосредоточилась на маршруте, став частью путеводного кристалла, ведущего их к цели.

Время для нее остановилось. Но по мере удаления от берега незримые нити, связывающие ее с камнем, становятся крепче, ощутимее. Камень в руке начал излучать тепло. Яркость его свечения увеличилась, иногда он вспыхивал, в ее руке будто появилось некое устройство для связи.

— Камень! — Она произнесла это вслух, чтобы не помешать мыслепередачей сосредоточенности Турана. — Он ожил!

— Значит, мы где-то рядом, — тихо, почти шепотом, ответил Туран.

Но если двойник ее камня в глубинах океана...

Она боялась подумать о таком исходе. Приникнув к иллюминатору, девушка пыталась разглядеть, что впереди. Солнце мешало смотреть, било в глаза, — и все же... Какой-то силуэт возвышается там, над водой.

— Туран, остров!

Он заложил вираж, самолет сделал круг. Все, что она видела внизу — острые пики скал, лишенные всякой растительности. Как же им садиться? Для флиттера оказалось бы достаточно маленькой площадки. Но летательным механизмам этого мира необходимо значительное пространство для взлета и посадки.

Туран продолжал кружить над клочком суши, глядя вниз.

— Остров больше, чем я думал. Или рассказы о нем неточны, или с момента своего появления он еще больше выступил из воды.

— Смотри! — закричала Зианта. — Вон туда, на юг!

От утесов прямо в бушующее море тянулся мол, сложенный из огромных каменных плит. Волны бились о них, оставляя шапки пены. Это выглядело как огромный пирс, к которому могло причалить много больших кораблей.

— Ты сумеешь сесть на эту полосу?

— У нас нет выбора — придется попробовать, — последовал еле слышный ответ.

Туран изнемогал от напряжения, он был уже готов садиться куда угодно.

Опять Зианта зажмурилась, когда колеса коснулись камней и запрыгали по мокрой полосе. Судя по тряске и толчкам, плиты были не так гладко пригнаны друг к другу, как казалось сверху.

Но вот мотор замолк, они остановились. Девушка осторожно выглянула в иллюминатор, но ничего не увидела: его весь покрывали водные брызги. Тогда она открыла дверцу. Самолет затормозил у самой воды, но, так или иначе, они были в безопасности — не разбились о камни и не скатились в морскую пучину.

— Туран!

Молчание. Зианта посмотрела: он неподвижно сидел, откинувшись на сиденье. Она потрясла его за плечо.

— Туран!

Медленно, словно преодолевая сильную боль, он повернул голову. В поблекших глазах была смерть.

— Я больше не в состоянии держать тело. Помоги, открой сознание!

Зианту охватил страх. Опустив фокусирующий камень на колени, чтобы его излучение не было помехой, она обхватила руками голову Турана, словно книгу, которую ей необходимо прочесть во имя спасения собственной жизни.

Информация перетекала в ее сознание — все, что ее товарищ узнал от солдата. Он передавал ей инструкции — как действовать здесь, как улететь отсюда, завершив все намеченное. Когда он закончил передачу, она закричала:

— Держись! Ты обязан держаться. Если ты не сможешь, то...

Тогда они останутся здесь навсегда. О, это хуже смерти! Смерть... Может быть, она отпустит его, получив назад тело, которое ему так и не удалось полностью оживить? Этого девушка не знала... Но зато знала то, что не должна позволить ему умереть. Значит, ей надо найти ключ и к их возвращению, и к его оживлению.

Зианта склонилась над телом, в котором угасала жизнь, и инстинктивно попыталась вдохнуть в него жизнь тем способом, который был известен ее народу с древних времен, когда никто даже не подозревал о существовании психической энергии. Ее губы коснулись помертвевших губ Турана. Она хотела, чтобы ее жизненная сила передалась таким путем к нему.

«Держись!»

Но у нее было очень мало времени, нужно скорее действовать! Она выпрыгнула из кабины, прижала к груди камень и двинулась вдоль скользким плит. С воздуха этот путь представлялся короче. Самолет стоял примерно на середине полосы, и ей предстояло немало пройти до самого острова.

Этот пирс, конечно, был делом чьих-то рук, а не слепой природы. Но, пробыв долгое время под водой, плиты обросли раковинами и тиной, в трещинах пустили корни причудливые водоросли, зловонные остатки которых догнивали теперь под ногами. Ее еще раз поразили исполинские размеры каменных глыб, так плотно пригнанных друг к другу, что даже века не смогли их разделить.

Зов фокусирующего камня стал настолько сильным, что она увлекал девушку вперед, словно тащил за веревку. Где-то там, впереди, второй конец незримой нити — двойник этого кристалла. Но как отыскать его в этом беспорядочном нагромождении камней?

Путь по пирсу привел к какой-то груде камней, напоминающей руины древнего сооружения, но фокусирующий камень тянул дальше, прямо, и пришлось искать дорогу среди этих обломков. Скоро легкое одеяние Зианты порвалось в нескольких местах, колени были исцарапаны и покрыты ссадинами, ногти сломаны, а ладонь порезана о край раковины. Но она все лезла вперед, пока не взобралась на вершину этих руин. И здесь...

Невидимая веревка продолжала тянуть, но дальше дороги не было. Часть какого-то древнего сооружения здесь оказалась совершенно целой. Перед ней высились отвесные стены. Они были абсолютно гладкими — тщетно искали ее окровавленные пальцы хоть какую-то выбоину или трещину. Но она чувствовала: там, за стеной, находится то, за чем они летели сюда. Руками тут ничего не сделаешь. Может, в самолете есть какой-нибудь инструмент, с помощью которого она пробьется через монолит? Хотя вряд ли: эти стены много веков выдерживали сокрушительный натиск волн, разбить их почти невозможно.

Остается один путь — тем более опасный, что теперь у нее нет поддержки компаньона. Звать его сюда — значит убить окончательно. Но ей придется пойти на этот шаг, иначе они останутся здесь навеки. Как истинная дочь своего народа, она не могла примириться со смертью — она решила бороться за жизнь до конца. Успокоив дыхание, Зианта поднесла фокусирующий камень ко лбу...


Она снова в овальной комнате. Тяжесть головного обруча, прикосновение Глаз ко лбу, тяжесть во всем теле от изнурения... Вся комната пропитана страхом — ее боязнью того, что призраки задушат ее.

Шторм... Она выдержала его, заставила лурлов работать, укреплять стену — но какими усилиями! Они не хотели подчиняться, они... они сопротивлялись ее воле, воле Глаз! Тяжело дыша, Д'Эйри пыталась понять, что это значит. Неужели ее могущество, ее дар стали слабее? Она не могла поверить, что наступил роковой час, когда...

Нет! Еще не время! Ее срок еще не пришел, она не стара и бессильна! Просто этот шторм был слишком силен, сильнее всех, какие она помнит. И лурлы... они устали. Конечно же, устали. Это не ее слабость виновата, нет! Она прижала к бокам юбку из ракушек, оглядывая свое обтекаемое чешуйчатое тело. Нет, еще не настала пора отказаться от Глаз и сделать необходимый после этого необходимый и жестокий шаг.

Д'Эйри выглянула в щель окна. Волны стали гораздо меньше, но и сейчас море было голодным и злым под низкими зловещими облаками. Если Д'Онги рассчитал верно...

Слабый звук за спиной заставил ее обернуться. В дверях стояла женщина — тонкая и хрупкая. Лицо обрамляли густые жесткие волосы темно-зеленого цвета — цвета юности. Обнаженное тело блестело после недавнего погружения в воду, щели шейных жабр еще не полностью закрылись.

—Приветствую Глаза, — эту ритуальную фразу вошедшая произнесла с нескрываемой насмешкой. — После шторма нам удалось собрать славный урожай, на берег выброшено много интересного. И еще: Д'Хуна заявила, что больше не в силах управлять Глазами.

Все это время она не отрывала от Д'Эйри пристального взгляда, в котором горели жестокость и алчность.

Я понимаю тебя, Д'Атея, подумала Хранительница Глаз, что ты страстно мечтаешь, чтобы и я отказалась от непосильной на-

383

грузки. Д'Эйри с трудом удержалась, чтобы не коснуться рукой головного обруча. С тех пор как Глаза были доверены мне, ты затаила на меня злобу. И все эти годы шпионишь за мной, выжидаешь момент, когда твоя сестра сможет занять мое место. Но Д'Хуна... О море! Ведь она на пять лет моложе меня, а уже истощила свой дар... К тому же в Норнохе у меня нет друзей, а многие откровенно меня недолюбливают. Да, я замкнута, не люблю общества — такова уж моя натура, мне ее не изменить. Но теперь... Если поднимется вопрос о Глазах — кто встанет на мою защиту?

— Д'Хуна хорошо служила Глазам. — Д'Эйри внимательно следила за своим голосом, чтобы не выдать смятения, вызванного сообщением Д'Атеи.

— Ты так считаешь? По мнению многих, могла бы служить и получше. — Острый язычок дерзкой девчонки быстро облизнул губы, словно смакуя что-то очень вкусное. Затем Д'Атея добавила, как о чем-то незначительном: — Собирается Совет...

Д'Эйри почувствовала, как пол уходит у нее из-под ног. Усилием воли она вернула самообладание, надеясь, что для собеседницы этот приступ слабости прошел незамеченным.

— Но... это же против обычаев. Никто не имеет права решать судьбу хранительниц Глаз.

— Д'Фани ссылается на Закон о Тройной Опасности. В таких случаях Совет может принимать любое решение — это тоже обычай предков.

Д'Эйри проглотила подкативший к горлу комок. Д'Фани — поборник старых обычаев, давно забытых людьми, Д'Фани — приверженец идеи Кормления... Если у него найдутся сторонники — о море, что же будет тогда!

— Совет уже заседает... — Д'Атея вплотную придвинулась к Д'Эйри, пытаясь уловить на ее лице тень тревоги. — Д'Фани говорил перед ними. И Голос Скалы...

— Голос Скалы, — перебила Д'Эйри, — молчит уже столько лет, сколько ты помнишь себя, Д'Атея. Даже Д'Рубин не смог заставить его звучать, хотя потратил на это половину прошлого года. У древних были свои тайны, мы давно утратили ключи к ним.

— Утрачено вовсе не так много и не так безвозвратно. Просто мы пытаемся идти другими путями, более безболезненными, но и более слабыми. Д'Тор со своим братом не зря изучили мудрость древних — им удалось заставить Голос вновь говорить. Они предрекают беды для нашего народа, если мы не сумеем умилостивить лурлов. Во время минувшего шторма Д'Хуна не смогла заставить работать троих...

Троих? Она не справилась с *тремя*... А ей, Д'Эйри, отказались повиноваться *четыре!* И Д'Хуна отреклась от Глаз — выходит, и ей следует поступить так же... Так, так... Что еще выболтает эта девчонка?

— Ты сказала, что Д'Хуна могла бы служить лучше? — Она уже не могла скрыть волнения, хотя видела злорадный огонек в глазах Д'Атеи. — Что ты имела в виду?

— Если голос предскажет следующий шторм, авторитет Д'Фани в Совете поднимется. Что с того, что хранительницы Глаз поклялись служить Норноху всю жизнь? Кому нужна такая служба, если их власть над лурлами слабеет? Им даже не удается заставить лурлов давать побольше потомства. Нужно вернуться к Кормлению, напрасно мы отступили от этого освященного веками обычая предков.

Огонек торжества в глазах Д'Атеи был ответом на отчаянный вздох, вырвавшийся из груди Д'Эйри.

— Подумай сама, что ты говоришь. Народ уже давно отказался от Кормления. Ведь есть Наказ Д'Гана, предостережение от слепого следования темным варварским обрядам. Разве для этого наш народ поднялся из мутной тины?

— Д'Фани утверждает, что Д'Ган и ему подобные нанесли вред. Ты наблюдаешь за лурлами. Скажи, Хранительница Глаз: они так же послушны твоим приказам?

— Спроси об этом у стен Норноха. — Д'Эйри сумела изобразить беспечную улыбку. — Разве башни пали? Разве стены рушатся под ударами волн?

— Пока нет. Но если Голос заговорит, будет новый шторм, за ним еще... — Теперь победоносная улыбка сияла на лице Д'Атеи. — Уверена, что после отречения Д'Хуны к мнению Д'Фани прислушаются многие. Он может даже попросить полной единоличной власти — как тебе понравится это, Д'Эйри?..

Она кивнула и выскользнула за дверь. Д'Эйри подставила лицо залетавшим через окно в башню брызгам прибоя. Неужели Д'Фани и его брат Д'Тор сумели восстановить Голос? Скорее всего, это просто трюк, с помощью которого Д'Фани рассчитывает приобрести вес в Совете и столкнуть народ на старые пути, к варварским обычаям древности, от которых их когда-то избавил Д'Ган.

Да, много веков Голос, установленный на высочайшей скале внутри Трех Стен, безошибочно предсказывал приближение шторма. А потом Голос замолчал, и это тоже оказалось следствием обычаев. С древности было заведено, что только определенная группа лиц обслуживала Голос, знала его сложный механизм. И когда в Год Красного Прилива случилась чума, первыми ее жертвами оказались слуги Голоса.

После этого много лет Голос еще продолжал звучать перед штормом, и люди поверили, что он вечен. Но вот он стал ошибаться — сначала нечасто, затем постоянно, а вскоре вовсе заглох. После этого в течение двух поколений энтузиасты пытались запустить Голос, понять его устройство, но безуспешно. В конце концов все уверовали, что Голос, как и лурлы, подчиняется только мысленным приказам, а тех, кто умел с ним общаться, уже не стало. И если средством коммуникации для лурлов были Глаза, ничего подобного для контакта с Голосом не обнаружили.

Глаза... Д'Хуна отказалась от них, отчаявшись заставить двигаться неповоротливых слизняков. Неужели их непослушание — следствие того, что с ними не нянчатся так, как в старые времена? Да нет же, численность лурлов всегда оставалась на нужном уровне. Д'Эйри более склонялась к мнению группы ученых, предполагающих, что в потомстве этих существ появилась некая мутировавшая ветвь, для которой приказы Глаз не обладают прежней магической силой. Ведь и сами люди на протяжении веков неузнаваемо изменились с тех времен, как их предки шаг за шагом выходили из моря. Из рыб они сделались амфибиями, а потом стали людьми! Но над ними неотступно висит страх, что их единственный сухопутный оплот — Норнох — поглотит море. Тогда они потеряют добытый с таким трудом разум и вновь превратятся в безмозглых обитателей морского мелководья.

Возврат к давно отвергнутому Кормлению лурлов — не безумие ли это? Д'Ган учил, что этот обычай — дикий, варварский, он низводит людей до уровня кровожадных морских хищников.

Обруч, поддерживающий Глаза, похоже, уже сильнее сдавливает лоб, она уже не может носить его горделиво, как в молодости. Д'Эйри вернулась к окну, оперлась о стены вырубленной в камне амбразуры. Морской ветерок обдувал, успокаивал покрытую чешуей кожу. Она устала. Пусть бы те, кто никогда не носил Глаз, попробовали походить хоть один день с этим тесным тяжелым обручем на лбу! Нет, их притягивают только привилегии, положенные Хранительницам. Пусть бы испытали ее ответственность, ее постоянный страх — никакие знаки почтительности не стоят этого!

Но если так, то почему она не последует примеру Д'Хуны, не признается, что четыре лурла отказались ей подчиняться? Нет — это значило бы сдать еще одну позицию Д'Фани и тем, кто за ним следует. Другие Хранительницы Глаз слишком молоды, они легко поддаются влиянию. А этой хитрой Д'Васе Д'Эйри попросту не доверяет...

Нет, она, сколько сможет, сохранять в тайне свое бессилие. Тем более если есть опасность вернуться к Кормлению. Это само по себе ужасно, да к тому же Норнох наводнит всякий сброд...

И все же угрозу не стоит преуменьшать. Если Голос действительно заговорит и предскажет новый шторм, Д'Фани может сослаться на закон Тройной Опасности и потребовать себе чрезвычайных полномочий...

Д'Эйри почувствовала вдруг себя беззащитной рыбешкой, плывущей среди клыкастых хищников, готовых ее проглотить. А она так она устала!..

Д'Хуна... Нужно пойти к ней, самой узнать все, убедиться, что в происходящем виноваты не Хранительницы, а мутация лурлов. Темным суевериям необходимо противопоставить знание. Чем больше фактов она соберет, тем надежнее построит свою защиту.

Д'Эйри торопливо семенила по коридорам, уверенно ориентируясь в анфиладе тамбуров, переходов, секций. Лишь избранные бывали в этих галереях, соединяющих между собой башни: покой Хранительниц был священным. Их тревожили лишь в связи с необходимостью осмотра лурлов или когда возникала веская причина использовать их талант. К тому же, сейчас внимание всех привлечено к заседанию Совета, к возможности вновь услышать Голос.

По пути ей никто не встретился. Возможно, во всех башнях сейчас остались только шесть дежурных Хранительниц — по две на каждую стену... Нет, над дверями Д'Какук и Д'Лов тусклое свечение, показывающее, что они не отправились за новыми сплетнями. Вот и башня Д'Хуны.

Д'Эйри отстучала пальцами, соединенными перепонками, свой личный код. Дверь медленно отворилась, и Д'Эйри оказалась в точной копии своей собственной комнаты. Д'Хуна выглядела без Глаз очень непривычно. Такой Д'Эйри никогда ее не видела — они были посвящены в Хранительницы в один день.

— Сестра... — голос Д'Эйри выдавал смущение: Д'Хуна смотрела как бы сквозь нее, словно в комнате никого не было. — Мне рассказали, что... Нет, я не могу в это поверить!

— Во что не можешь поверить? — Голос Д'Хуны, как и ее лицо, был лишен всякого выражения. — Тебе сказали, что я отреклась от Глаз? Что я больше не охраняю? Если ты об этом — все правда.

— Но почему? Все сестры знают, что временами лурлы бывают непослушны, их трудно заставить работать. В последнее время это случается все чаще...

— Во время шторма, — Д'Хуна говорила как бы сама с собой, — я поняла, чем стали лурлы. Трое из них не откликнулись на призыв Глаз, хотя я напрягала все силы. Боюсь, что когда-нибудь стану виновницей гибели Норноха. Пусть та, у которой больше сил, встанет на мое место и охраняет стены.

— Ты уверена, что та, другая, сделает это лучше?

Этот вопрос вернул эмоции лицу Д'Хуны, ее большие глаза блеснули. Она впилась в лицо Д'Эйри так, словно все еще носила Глаза и могла прочесть ее мысли.

— Ты что-то знаешь?

— А ты не думаешь, что лурлы стали другими? Последнее время они медлительны, как никогда. Что, если в этом повинны не мы, не истощение наших способностей — просто лурлы научились сопротивляться приказам Глаз?

— Что ж, возможно. Но многие считают, что Кормление может их умилостивить. Отмена Кормления — причина их неуправляемости. Так или иначе, но пускай теперь другие, тренированные по-новому, займутся этой проблемой. С меня хватит.

Кормление. Они и Д'Хуну почти сумели убедить! Но неужели она не понимает, насколько опасно укреплять и распространять это мнение? Пожалуй, ей, Д'Эйри, не следует рассказывать о своих наблюдениях — это только на руку приверженцам возврата к Кормлению.

И тут на лице Д'Хуны мелькнул интерес.

— Ты замечаешь, что они сделались ленивее, инертнее? Скажи, сколько не подчинилось тебе в минувший шторм?

— Почему ты решила...

— Почему? Да потому, что и ты боишься, Д'Эйри. Я без Глаз чувствую твой страх. Признайся: ты замечаешь, что твои силы слабеют? Но в башне не место тем, кому не подчиняются Глаза. Не лучше ли самой отречься от них и не ждать, когда народ потребует испытания и с позором сорвет их с тебя? Это сделает лже-хранительницу ничтожеством, я не хочу ни для себя, ни для тебя подобного конца.

— Все не так просто... — Д'Эйри пыталась отвести обвинения, но разве можно обмануть ту, которая заслуженно стала Хранительницей? — Подумай, Д'Фани слушают на Совете. Он агитирует за возврат к Кормлению. Он обещает, что Голос заговорит...

— А если это правда, и Голос предскажет еще один такой же сильный шторм? Подумай, что будет, если Хранительница Глаз не сможет совладать с лурлами и из-за ее упрямства, тщеславия погибнет Норнох?

— Нет, не тщеславие. И не страх потерять привилегии, — возразила Д'Эйри. — Я считаю, что вернуться к Кормлению — значит вернуться к нашему началу, забыть учение Д'Гана, погрязнуть в зле. Кормление — тяжкое зло, я в этом уверена!

— Странно слышать это от той, что дала клятву служить лурлам, не щадя ничего, даже собственной жизни, — прозвучал за их спинами мужской голос.

Д'Эйри резко обернулась.

*Д'Фани!* — в ужасе прошептали ее губы, но вслух она это не произнесла.


## Глава двенадцатая


Высокий, выше многих мужчин, хотя и уступающий им в физической силе, он стоял в дверях, насмешливо склонив голову. В глазах светился быстрый острый ум. В этот миг Д'Эйри поняла, почему этот человек опасен. Он обладал даром, но не настолько развитым, как у Хранительниц. Он хотел большего, но его дара было недостаточно, чтобы управлять Глазами. Это бесило Д'Фани и делало его их врагом.

Не был Д'Фани и воином, ему не удавалось достичь искусства в обращении с оружием. Однако он владел другим оружием — это его ум и красноречие. Они помогали Д'Фани побеждать, дали ему место в этом мире. Сейчас он хотел подняться еще выше и уверенно шел к цели: Д'Фани была нужна единоличная власть.

Вся суть этого человека стала ясна Д'Эйри, когда их взгляды встретились. Это опасность не только для нее: чтобы захватить власть, Д'Фани пойдет на все. Он способен перевернуть весь уклад жизни народа, он может погубить Норнох.

— Ты поклялась служить лурлам, — повторил он, не дождавшись ответа. — Не так ли, Хранительница Глаз? — От него исходила та же злоба, что от Д'Атеи, но более жесткая и изощренная.

— Да, я клялась в этом, — неохотно подтвердила Д'Эйри. — Но я клялась также следовать по пути Д'Гана!

Что она говорит? Эти слова не оставляют ей возможности для отступления! Но откуда-то изнутри в ней поднималась упрямая сила. Она должна выиграть единоборство!

— Если лурлы погибнут, как помогут нам идеи давно умершего мечтателя? — Его голос звучал наставительно, даже ласково, будто он объяснял очевидное несмышленому ребенку, тупице... Именно такими были в глазах Д'Фани все женщины.

Спорить с ним бесполезно, ей не удастся убедить его. А если он станет настаивать на испытании — поддержат ли ее остальные Хранительницы? Вряд ли она может надеяться на это, особенно после столь разительной перемены в Д'Хуне. Похоже, откровенность с ней пошла во вред. Но так или иначе, сожалеть поздно, нужно думать о борьбе со стоящим перед ней человеком. У нее мало времени, она должна спешить, иначе...

Время? Что-то смутно шевельнулось в глубине сознания — какое-то слабое воспоминание, быстрое, как искра на ветру. Время очень важно... Для нее? Да, но не только... Есть еще один человек... У нее вдруг возникло чувство, что она — не она, а... В испуге Д'Эйри вскинула руки ко лбу, прижала их к Глазам...

Ее сознание раздвоилось? Миг отчуждения прошел, но где-то в глубине настойчиво билась мысль, что она упускает время, необходимо срочно что-то сделать... Собрав тренированную волю, она отогнала это наваждение. Сейчас главное — Д'Фани. На его сухощавом лице вновь заиграла ироническая усмешка.

— Не обременяет ли тебя вес Глаз, Хранительница? Могу посоветовать хорошее средство: откажись от них. Или ты хочешь потерять их с позором, когда весь народ убедится, что лурлы не слушаются тебя?

— Ты забываешься! — Д'Эйри гордо вскинула голову, странное ощущение раздвоенности полностью исчезло. — Кто дал тебе право оценивать пригодность Хранительниц?

Она бесстрашно бросила ему вызов, она не хотела и не могла терять времени! Ее реплика хлестнула его так же, как действовали на лурлов приказы Глаз. Хотя Д'Фани не двинулся с места, его чешуя резко изменила окраску.

— Есть только один способ судить о Хранительнице — испытание. А поскольку Д'Хуна отказалась носить Глаза, его придется провести. Неплохо бы и тебе принять в нем участие.

Он пытается испугать ее! Она не кинется к нему, не станет просить прощения. Его ждет разочарование Испугаться, отступить — это конец. Ее голос не дрогнул:

— Что ж, тогда так и будет.

Что бы ни привело Д'Фани сюда, теперь, бросив на Д'Эйри полный ярости взгляд, он выбежал из комнаты. Когда шаги в коридоре стихли, она повернулась к Д'Хуне:

— Отказавшись от Глаз, ты открыла ему дверь к власти.

— А ты откроешь другую, — раздраженно бросила Д'Хуна. — Я поступила по Закону, раз не могу больше управлять лурлами. А ты видишь, что теряешь силы, но упрямишься. Чем дольше ты не расстанешься с Глазами, тем хуже для тебя и всех Хранительниц.

— Тебе все равно, если Д'Фани повернет Совет, весь наш народ к варварству? Вспомни хроники хранителей: кто первым шел на Кормление? Тебе неприятно думать об этом? Понимаю. Но подумай хотя бы о том, как ловко Д'Фани укрепит свою власть, устроив подобный спектакль!

— Принимая Глаза, мы клялись в верности Закону...

— Не говори мне о Законе, когда речь идет о Кормлении! Д'Фани вспомнил Закон, чтобы захватить власть в Норнохе! Впрочем, если ему это удастся, тебе нечего беспокоиться: не ты, а я окажусь первой жертвой.

Д'Эйри отошла к окну. Она и так чересчур много сказала Д'Хуне, и вряд ли справедливо винить Д'Хуну в том, что ей не хочется сыграть роль добровольной мученицы.

Вернувшись в свою башню, она пыталась успокоиться, прогнать страх, вызванный намерениями Д'Фани. Но кинув взгляд в окно, тут же забыла обо всем. Море изменило свой цвет — это было зловещим признаком, приметой надвигающегося шторма. Она никак не думала, что это случится так быстро, — предыдущий едва успел отгреметь. Лурлы... Они устали, им нужен отдых, неподвижность для переваривания специально выращиваемой пищи. А в довершение всего — часть стены Д'Хуны останется незащищенной...

С помощью Глаз Д'Эйри посмотрела в норы. Лурлы лежали на полу, как куски мяса, не имеющие костей и мышц. Хоть бы

390

один пошевелился! Она послала мысленный импульс: один... нет — два чуть-чуть приподняли свои передние концы. Остальные не двинулись. И потом, они вовсе не выглядят объевшимися, скорее наоборот...

Впервые Д'Эйри решилась на то, что было запрещено обычаями: заглянула в норы других Хранительниц. Там были лурлы, выглядевшие вполне нормально, сыто; но больше было голодных, они двигались непрестанно, беспокойно... Хорошо, что Д'Фани этого не видит, — такое было бы ему на руку. Лурлы голодны, они больше не принимают растительную пищу!

Многолетний опыт подсказывал: буря разразится через день. Д'Фани успеет нанести удар, а у нее не будет времени что-либо сделать. Или выход все же есть? Может быть, если...

Лурлы питались культурой, выращиваемой по рецепту, разработанному Д'Ганом. Но до этого... Ей снова придется использовать Глаза для необычного дела. Хотя задуманное могло и не получиться... Д'Эйри решила стала обшаривать каменное основание острова и стены, пытаясь найти то, о существовании чего было известно по легендам. Ага, вот! Есть скрытый путь. Проследовав по древнему подземному пути, она облегченно вздохнула, обнаружив, что находится в море. Продолжим...

Чувствуя прилив энергии, Д'Эйри начала концентрировать ее, рисуя картину пути через море. Еще усилие... Отлично, перед ней — открытый океан. А теперь — главное.

Океан богат жизнью, здесь плавало множество живых существ, хотя ей не удавалось почувствовать отдельные особи. Она погрузилась в это пронизанное жизнью поле и, вобрав как можно больше жизнетворной силы, направила ее так, как делала, управляя лурлами. Но сейчас она не подталкивала, а, сформировав мысленную сеть, тянула ее за собой.

Это было непросто. Приходилось создавать силовые поля самой причудливой конфигурации — и тащить, тащить нарисованную в сознании сеть к острову. Наконец, не будучи уверена, что ее замысел удался, Д'Эйри потащила свой улов по давно заброшенным каналам в бассейн, где питались лурлы. И это трудное путешествие из океана — из моря в бассейн — она проделала трижды. Она не знала, сколько и чего ей удалось поймать, хотя чувствовала эманацию живых существ: ее «сети» не были пусты!

Теперь Д'Эйри занялась одним из лурлов, который отказывался от корма: Она стала толкать его к бассейну. Лурл двигался очень медленно, это напряжение было для него затруднительно. Но... он двигался! И вот...

Бесформенное тело, едва заметно сокращаясь, достигло края бассейна. И тут движения стали быстрее — у лурла проснулся интерес! Д'Эйри удовлетворенно улыбнулась: первая часть эксперимента удалась, лурл начал питаться тем, что она добыла в океане.

Насыщаясь, он излучал волны удовлетворения, и этот импульс достиг его собратьев. Сначала один, потом другой — вскоре все они двинулись к бассейну, неповоротливые, обессиленные, стремясь присоединиться к пиршеству. Тяжело дыша, изнуренная Д'Эйри упала на ковер. Теперь нужно восстановить собственные силы. Лурлы питаются! Сытые, они вновь станут работоспособными. Стены устоят против шторма — и Д'Фани со своей идеей Кормления будет посрамлен! То, что она сделала, можно будет делать и в дальнейшем — нужно только расчистить старые тоннели, по которым когда-то прибывала на остров притянутая Хранителями естественная пища из океана. Возврат к старому методу породит, безусловно, и старую проблему: после шторма, когда лурлы истощены, обитатели моря прячутся в глубину, и добыча их затруднена. И все же первую схватку с Д'Фани она выиграла, ему придется отложить осуществление своих планов. Она выиграла главное — время!

Время...

Снова в сознании всколыхнулось какое-то беспокойное воспоминание. Что-то пыталось пробиться из самой глубины памяти. Д'Эйри опустилась на ковер, прижала колени к груди, обхватила их руками. Зачем это непрошеное беспокойство вторгается в нее? Почему она так боится потерять время? Д'Фани? Нет, здесь какой-то другой — непонятный и чуждый ее сознанию страх.

Звук... Он отозвался вибрацией в ее теле, отразился от стен башни.

Голос! Ни она, ни ее сверстницы никогда не слышали его, но она знала — это он. Значит, Д'Фани похвалялся не зря: Голос заговорил!

Ни слова, ни крик — только ритм, пульсация. Но эти звуки проникали в тело, в разум каждого! Д'Эйри вскрикнула: вибрация сфокусировалась в Глазах, и она ощутила такую боль, что покатилась по полу. Забыв обо всем, она старалась сорвать с головы источник своих мучений — обруч с Глазами. И это каким-то чудом ей удалось...

В полубесчувственное тело возвращалась жизнь. Облегчение было таким сильным, что она стонала, мычала от счастья! И только спустя время поняла, что биение Голоса продолжает сотрясать башню, пронизывать ее тело и мозг. У нее не было сил противиться, она просто принимала его, как раковина наполняется шумом прибоя. Понемногу Д'Эйри начала понимать воздействие Голоса.

Как она недавно тянула из моря сеть с кормом для лурлов, так теперь что-то неодолимое тянуло ее саму. Но она была Д'Эйри, Хранительницей, чья воля оттачивалась в многолетних тренировках. Вскоре она почувствовала, что не только может сопротивляться этому притяжению, но способна рассуждать и осмысливать происходящее.

Ни в одном рассказе о Голосе, ни в одном предании не говорилось о подобном эффекте. Здесь было что-то не то, чья-то злая воля. Что-то с Голосом было не так! Д'Фани — это он сделал с Голосом такое, превратив его из друга, защитника народа, в оружие, подавляющее разум и пронизывающее плоть!

Пытаясь разобраться в механизме Голоса, Д'Фани и его брат не думали о благе Норноха — им нужно было средство для управления разумом людей! Это она поняла, когда увидела, что всё же помимо собственной воли продвигается на четвереньках к выходу — туда, на зов неумолимого Голоса.

Нет, она не должна подчиняться Голосу — это означало бы покориться Д'Фани. Борясь изо всех сил с притяжением, Д'Эйри растянулась на полу. Обруч с Глазами был у нее на руке, словно огромный браслет. Что это? Глаза пылают ярко-голубым огнем — такими она их никогда не видела. Глаза? Не смогут ли они помочь ей сопротивляться Голосу?

Нет! Д'Эйри вспомнила о жестокой боли, от которой избавилась, сорвав с головы обруч. Но... это всего лишь боль — неужели она не в силах выдержать ее? Она осторожно попробовала коснуться Глаз. Боль — да, но не такая нестерпимая, как в момент, когда обруч был на голове. Эту боль она выдержит, зато сможет освободиться от влияния Голоса, сможет остаться здесь, не идти со всеми к Скале.

Неправильно! Она должна не отсиживаться в башне, а быть там, с народом, сохранив при этом ясный разум. Тогда она узнает, зачем Д'Фани затеял все это.

Покинув башню, Д'Эйри направилась к сердцу Норноха, куда со всех сторон стекался народ. Люди брели молча, с остекленевшим взором, не пытаясь смотреть по сторонам, поздороваться со знакомыми... Их звал Голос, они не принадлежали себе.

Вот уже перед ней скала, на вершине которой в незапамятные времена оборудовано убежище для Голоса. У подножия скалы Д'Эйри увидела Д'Фани в странном головном уборе, напоминавшем огромную серебряную раковину. Его приспешники — Д'Тор, Д'Атея и прочие — были экранированы подобным же образом.

Люди подходили к Скале, сбиваясь в тупую молчаливую массу. Они покачивались в такт биению, которое хлестало их сверху. С мертвыми глазами, пустыми, ничего не выражающими лицами, они тесно сгрудились вокруг Скалы. Д'Эйри остановилась поодаль, крепко стискивая Глаза, — они защищали ее от опустошающего разум Голоса. В толпе она увидела знакомые лица — сестры, Хранительницы. Не только Д'Хуна — все они сняли Глаза, видимо не в силах выдержать жуткую пульсирующую боль.

Она посмотрела на Д'Фани. Его лицо сияло торжеством. Он медленно поворачивал голову, наслаждаясь созерцанием покорной толпы, своей властью над нею.

Д'Эйри спохватилась, подалась было назад, но поздно: он заметил ее, он понял, что она свободна от воздействия Голоса. Подозвав одного из охранников, Д'Фани что-то шепнул ему, кивком указав на Д'Эйри.

Увидев, что охранник вскинул гарпун, она побежала прочь. Куда? Назад в башню? Но это ловушка, там ее найдут. Она юркнула в одну из боковых улиц и побежала к морю, зная, что только быстрота может спасти ее.

Мысли стремительно мелькали в ее мозгу. Теперь не Совет, теперь Голос управлял Норнохом. Ее открытие — способ кормить лурлов — теряло всякий смысл. Кому расскажет она об этом? Своим преследователям? Но они не дадут ей и рта раскрыть. Гарпун в руке охранника красноречиво свидетельствовал о намерениях Д'Фани.

Она добежала до стены, вскарабкалась наверх по скользким ступеням и помчалась вдоль искусственной преграды. Небо потемнело, лишь сверкавшие в тучах молнии озаряли на мгновение скалы и силуэты Башен. Шторм надвинулся раньше, чем она ожидала... Не Голос ли ускорил его?

Отсюда он звучал глухо, перебиваемый свистом ветра и ревом волн. Лурлы... Их нужно разбудить, послать на посты! Но как? За ней охотятся, а у других Хранительниц нет Глаз.

Нужно где-то спрятаться и связаться с лурлами, дать им приказание. Впереди — башня Д'Хуны, за ней — ее собственная... Оглянувшись, девушка увидела, что охранник все еще преследует ее.

По узкому уступу она обогнула башню, и впереди показалась ее цель — каменный утес, поменьше, чем тот, с которого вещал Голос. В нем была расщелина, где она могла бы спрятаться.

Первые порывы шторма уже кидали высокие волны на берег, когда Д'Эйри спряталась в расщелине и надела обруч с Глазами. Но что это — они уже на посту! И двигаются с такой скоростью, какой ей никогда не удавалось от них добиться. Наверное, это тоже результат воздействия Голоса. Вот почему Д'Фани заставил Хранительниц снять их обручи с Глазами...

Однако... Да, они работают, не без указаний — их быстро застывающая пена льется не только на стены, но и вообще куда попало. Она попыталась войти в контакт с ними, но от этого ничего не изменилось. Д'Эйри попыталась заставить их двигаться медленнее и следовать ее указаниям, но бесполезно: сила, фокусируемая Глазами и воздействующая на них, сейчас подавлялась Голосом. Что же делать? Д'Фани убивает лурлов, и она ничего не может с этим поделать...

Нужно как-то сообщить своему народу об этом! Но как? Если она попытается приблизиться к скале с Голосом — ее убьют прежде, чем кто-нибудь что-то услышит.

Глаза... Хранительницы постоянно связаны с ними. Может, ей удастся пробиться к разуму хотя бы одной из сестер, разбудить, предупредить об опасности? Как это сделать? В свое время она просто так, от скуки, изучала старинную методику коммуникации посредством моря. Тогда она не предполагала, что секреты древних могут когда-нибудь пригодиться ей. Что бы еще придумать? А если попробовать сконцентрировать всю силу и...

Д'Эйри скинула обруч с руки, он со звоном ударился о камни. Она вскрикнула от ужаса: один Глаз отскочил и исчез в расщелине меж камней, она не успела подхватить его. О море, ее сила убавилась наполовину: остался один левый Глаз. И все же нужно попытаться.

Сосредоточившись, закрыв глаза, она попробовала представить лица Хранительниц. Но ей не удавалось держать в уме больше трех лиц одновременно. Ну что же: три так три... Она начала говорить, кричать, будто стояла перед ними. Она снова и снова выкрикивала им свои предупреждения, не зная, доходит ли до них ее мысль, ее беззвучный крик. Наконец она обессилела — обессилела настолько, что уже не могла удерживать в сознании их образы. Она открыла глаза: вокруг только полный мрак.

Шторм? Нет, шум моря звучал как бы издалека. Почему она в темноте? Она пошарила вокруг руками — везде только скользкая холодная поверхность. Что это? Что стоит между нею и морем?

Она стала биться в эту поверхность — еще и еще. Кажется, поддается? Увы, только иллюзия... Она снова принялась ощупывать пальцами то, что окружало ее со всех сторон. Со всех сторон? Но ведь это... Ужас сковал ее тело, затуманил разум. Она... ее замуровали! И запах... Эта слизь так знакомо пахнет... Лурлы! Это — пена, которую вырабатывают лурлы! Выходит, укрытие, в которое она забилась, оказалось случайно замуровано неуправляемыми лурлами. Пена закрыла проход в ее убежище. Замурована... Навсегда...

От нового приступа ужаса ей стало дурно. Прижав к груди обруч, неистово вопя, она слепо тыкалась во все стороны. Нигде ни одной щели. Погребена — заживо — смерть... Это смерть!

*«Нет, не смерть».*

Кто это сказал? Кто проснулся и заговорил в ее сознании?..

*«Выходи... обратно... там не смерть... выходи... возвращайся...»*

Но кто же это внутри нее, Д'Эйри? Нет, она не знает этого имени... Как же ее зовут? И что это за шум?

Море! Оно близко. И она дышит, ее лицо повлажнело от брызг прибоя... А в руках...

Зианта растерянно глядела на свои руки. В одной зажат фокусирующий камень, а в другой... блестящее металлическое кольцо, на нем два гнезда, и в одном из них — такой же точно камень! «Глаза», — всплыло из глубины странное слово... Вспомнила: это Глаза Хранительницы Д'Эйри!

Она опустила взгляд, боясь увидеть чешуйчатое рыбообразное тело, прикрытое нелепым одеянием из раковин... Нет, она в теле Винтры. И ей удалось не только найти двойник камня в далеком прошлом, но и добыть его оттуда. Время... Сколько она прожила в Норнохе? Туран... Что с ним? Он... он мертв?

Вскочив на ноги, ринулась к самолету. Солнце садилось, отражаясь на волнах сверкающей полосой. Остров уже был погружен во мрак. Зианта вздрогнула, припомнив последние мгновения своей жизни там — вернее, жизни Д'Эйри. Какая жуткая участь! Ей удалось освободиться в тот самый момент, когда Д'Эйри уже умирала в своем заточении. И если бы она не успела...

Туран!

Зианта открыла дверцу кабины и заглянула. Он лежал на сиденье, закрыв глаза. Выглядит как мертвый.

— Туран!

Схватив его за плечи, она стала трясти его, принуждая открыть глаза и увидеть ее.


## Глава тринадцатая

Страх настолько овладел Зиантой, что ей даже не пришло в голову прибегнуть к мысленному зондированию, чтобы выяснить, сохранилась ли в этом теле хоть искорка жизни. Но вот веки дрогнули. Помутневший взор сделался яснее, и наконец Туран узнал ее...

— Не умер... — безжизненные губы едва шевелились. — Ты... успела... уйти...

— Ты знал, что я умираю там? И помог вернуться?

У него не было сил даже на то, чтобы кивнуть, лишь слабый проблеск мысли подсказал ей ответ.

— Ты сумел мне помочь!

Он пробормотал что-то невнятное и затих. Глаза опять закрылись, голова свесилась на грудь.

— Нет, не смей, только не теперь... не уходи — ведь мы победили, все получилось! — Она протягивала к нему оба камня — один без оправы, второй вделан в обруч. Никакой реакции, он умирал. Неужели уже слишком поздно?

Зианта постаралась вспомнить, как использовала камни Д'Эйри. Сумеет ли она повторить это, перелить в Турана запас жизненной активности?

Она попыталась надеть обруч на голову, но его форма не подходила для нее. Тогда она взяла оба камня в руки и поднесла ко лбу. Думать — о жизни, о силе, об энергии, найти в Туране еще не погашенные смертью проблески жизни. И она отыскала эти редкие островки, связалась с ними, коммутируя через свою волю, свою силу, веру и надежду.

Туран открыл глаза и едва заметно улыбнулся. Через минуту он уже сидел, с удивлением ощущая прилив сил.

— Нет, — окрепшим голосом произнес он. — Хватит, не истощай свою энергию, теперь я продержусь. Ты и так сделала невозможное. Отдыхай — может случиться, что понадобятся все наши силы. Нам необходимо вернуться к самому началу — туда, в гробницу. И тебе придется управлять этим самолетом.

Зианта подавила возникший в душе протест — иного выхода у них не было. Оставалось надеяться, что в ее мозге достаточно информации по управлению летательной машиной. Но куда лететь? Сможет ли она выбрать нужное направление и не сбиться с курса?

Он, должно быть, уловил ее сомнения и пробормотал:

— Я уже установил правильное направление.

Затем снова погрузился в забытье, возможно стараясь сэкономить силы. Зианта вздохнула: все теперь ложилось на ее плечи.

Она уселась в кресло пилота, осмотрела пульт управления. Весь порядок действий был у нее в голове. Но сумеет ли она поднять самолет? Ей представилась картина их гибели: самолет с разбега врезается в воду и скрывается под волнами... Она тряхнула головой, отгоняя эти мысли. Другой возможности нет, придется рисковать.

Сдерживая дрожь в руках, она запустила двигатель, самолет стронулся с места. Разбег... Ее пальца проворно перещелкивали тумблеры и переключали рычажки... Отрыв... Зианта с трудом поверила, что это она сама подняла в воздух тяжелую машину. Она сделала круг над единственной скалой, оставшейся от Норноха. Стрелка указателя направления металась, рыскала из стороны в сторону. Но после нескольких манипуляций штурвалом она успокоилась. Если Туран выставил направление правильно, они доберутся до Сингакока, до гробницы. Пока машина летела над морем, Зианта обдумывала все случившееся. У нее в голове не укладывалось, почему камень из прошлого вместе с ней попал в это время. Единственное предположение — энергия ее камня пробудилась, и тот оказался притянутым своим двойником из другого времени. И все же это фантастично! Понадобятся сложные и долгие исследования, чтобы понять природу психической энергии в этих камнях!

Эти камни, считавшиеся чрезвычайно древними уже в Норнохе, использовались многими поколениями сенситивов, избранных для защиты города, для управления пенообразующими существами. Понятно, что именно это постоянное общение с разумом генерировало энергию, накапливавшуюся в камнях. Они стали излучать ее, разбуженные Зиантой. Но... сколько здесь этой энергии? Хватит ли, чтобы они могли вернуться в свое время?

Наступила ночь, но самолет продолжал лететь в ночном небе, повинуясь отважной девушке. Она внимательно следила за указателем направления — только бы не сбиться с пути! Туран на соседнем сиденье слабо пошевелился, вздохнул — Зианта не стала сообщаться с ним ни мыслью, ни словом. Он спас ее в минуту опасности, когда умирала Д'Эйри, отдал на это все свои резервы. Сейчас его не следовало беспокоить. Зианта понимала: она в долгу перед товарищем, ей еще предстоит вернуть этот долг.

Начинало светать, впереди засверкал освещенный первыми лучами берег. И тут же в небе перед ней появились движущиеся огни: навстречу летели два самолета. Зианта не умела маневрировать, не знала, имеет ли их машина какое-нибудь вооружение. Она могла только лететь, не меняя курса и надеясь, что все обойдется. И все же, готовясь к любым неожиданностям, она схватила обруч и принялась освобождать камень из гнезда. Когда это удалось, она крепко зажала оба камня в ладонях.

Вылетевшие им навстречу самолеты развернулись, легли на их курс, взяв маленькую машину в «коробочку». Зианта сжалась, каждую минуту ожидая выстрелы. Как ей быть? Из памяти Винтры ей не поступило на этот счет никакой информации — у повстанцев почти не было авиации, Винтра в этих вопросах не разбиралась. Наверное, более безопасно приземлиться, чтобы укрыться от преследователей. Но эту идею она отвергла, взглянув на Турана: в его состоянии надеяться пересечь страну пешком — чистое безумие. Перед ней на приборной панели начали мигать разноцветные огни. Наверное, код — но она не знала его, не могла ни прочесть команду, ни, тем более, ответить на нее. Пока их машина не достигнет цели, они совершенно беспомощны.

Чужие самолеты куда-то пропали, так и не сделав ни одного выстрела. Девушка с облегчением откинулась в кресле. А ведь Зуха приказала убить их при первой же возможности. А может, она потеряла счет времени и они пробыли на острове не один день, а много больше? За это время ситуация в Сингакоке могла в корне измениться.

Самолет продолжал ровно лететь в утреннем небе. Зианта так долго ничего не ела, что даже ее способности не могли заглушить острое чувство голода. Она открыла аварийный контейнер, где обнаружила небольшой пакет с пищей. Девушка жадно высосала безвкусное содержимое тюбика. А Туран? Достав второй тюбик, она собиралась откупорить его.

— Не надо... — послышался рядом шепот. Его взгляд был направлен в сторону — рядом снова возник сопровождающий их самолет...

— Они не стреляют, — проговорила она, хотя это было и так очевидно. — Пытались связаться с нами, но теперь сигналы прекратились.

— Фокусирующие... камни... — Для того, чтобы произнести это, ему потребовалось неимоверное усилие, и это обеспокоило Зианту.

— Здесь, — успокоила она Турана, показав ему оба кристалла.

— Надо... сохранить их...

— Знаю. — Она так и не придумала, куда спрятать камни, если их схватят. Их обязательно обыщут. Куда же? Она коснулась рукой волос; густые и жесткие, они вполне могли стать надежным укрытием для камней, но как их закрепить? Остается рот... Для пробы она засунула кристаллы за щеки. Они были не больше плодовых косточек и почти не прощупывались. Зианта решила, что в случае чего сможет спасти их таким образом.

При этом она к тому же сохранит контакт с камнями. Она ощупала камни языком, с удовольствием водя его кончиком по гладким поверхностям. Пока фортуна их не оставила: они все еще на свободе, им удалось завладеть вторым кристаллом. Но осторожность не давала ей преждевременно торжествовать. Нельзя надеяться на слепое везение — оно рано или поздно подведет, так ей подсказывал опыт.

Тонкий писк и тревожное мигание заставили Зианту посмотреть на приборную панель. С момента вылета они шли на максимальной скорости. Она старалась не задумываться, хватит ли им горючего, тем более что если бы его и было недостаточно, она ничего не смогла бы предпринять. Но сейчас девушка встревожилась: а вдруг это предупреждение, что резервуары опустели?

Нет, сигнал шел от указателя направления. Они где-то близко от гробницы. Надо искать место для посадки. Только куда и как?

Вдруг нос самолета накренился, они начали терять высоту. Девушка ухватилась за рычаги — но что такое? Они не сдвигались с места, они были заблокированы...

— Туран!

Морщась от боли, он через силу повернул голову.

— Они... Они... ведут нас... — услышала Зианта его шепот.

Их сажают насильно! Кто? Зачем? Бросив бесполезные рычаги, она запустила психозонд. Мысли этих людей были неотчетливы, но одно она поняла точно: они с Тураном пленники. Прощай, свобода! И, как назло, они ведь почти добрались до гробницы...

«Нас... хотят... взять... тайно... — Туран пытался устроиться повыше на сиденье. — Чтобы никто не узнал... что здесь произошло...»

Зианта сосредоточилась, стараясь удержать одну из зыбких мысленных волн. Возможно, ей помог контакт с Глазами, лежащими во рту. Так или иначе, она извлекла из мозга преследователя образ.

Зуха!

Зианта продолжала считывание неясных, словно произносимых еле слышным шепотом, мыслей. Туран не ошибся: Зуха отправила их подкараулить здесь, чтобы посадить далеко за городской чертой на маленьком частном аэродроме, в стороне от Сингакока. Высший консорт хотела расправиться с ними без помех и лишних свидетелей. Будь они в своем мире, Зианта сумела бы отключить память людей Зухи на достаточное время, чтобы ускользнуть от преследования.

«Не сопротивляйся... — забилась вдруг в сознании мысль Турана. — Она хочет умертвить нас... Пусть...»

Зианта сообразила, что он имеет в виду. А если бы еще удалось использовать страх и ненависть этой женщины, внушить ей способ их казнить: упрятать обоих туда, откуда они появились, — в гробницу! Но сможет ли она направлять злобную фантазию Зухи?

«Я умру, — продолжил Туран мысленное изложение своего плана. — Ты же покажи ей свой панический страх перед повторным заточением в гробницу, этого будет достаточно...»

— Страх еще раз быть погребенной вместе с тобой?

Зианта усмехнулась про себя. Ей не придется прикидываться испуганной — она в самом деле страшится перспективы оказаться заживо погребенной. Достаточно вспомнить ужас, испытанный ею, когда, будучи Д'Эйри, она умирала, замурованная в расщелине скалы. Но хватит ли у нее мужества для нового испытания? Ведь, возможно, им не удастся вернуться из гробницы в свой мир.

«Другого пути нет, — передал компаньон, уловив ее колебания. — Наш путь отсюда там, в склепе».

Зианта кивнула. Она все понимала, знала, что повторное погребение — их единственный шанс прорваться сквозь толщу веков обратно в свой мир. Но она боялась этого! И все же, этот путь должен быть пройден до конца...

«Все, я мертв, — передал Туран. — Дело за тобой. Ты должна убедить Зуху, что тебе страшно вновь оказаться в гробнице. Действуй сама, я уже не смогу помочь тебе...»

«Я поняла».

Зианта максимально сосредоточилась, как тогда, когда совершила похищение из апартаментов лорда Джукундуса. Ее мысленное излучение не было устойчивым, и потому она не была уверена в том, что чего-то добилась, пока не поняла это по действиям людей, на которых пыталась оказать воздействие.

Она телепатически передавала ужас перед мраком, медленным удушьем в тесном помещении, перед мучительной смертью у гроба Турана. «Только не это — только не гробница! Не ужасная смерть возле мертвеца!» Она как можно четче сформировала в сознании картины агонии от удушья. Сама заразившись собственным страхом, Зианта, вся в липком поту, дрожала, уцепившись руками за мертвые рычаги.

Самолет спускался по спиральной траектории. Уже были видны стремительно несущиеся навстречу вершины деревьев. А вдруг они просто разобьют самолет с беглецами, и точка? Но нет, такую быструю смерть Зуха посчитала бы для них слишком легкой. Она жаждала мести — и Турану, и женщине, которую считала (и не без оснований) пособницей в возвращении Командора в Верхний Мир. Не прерывать внушение! Зианта вела передачу все время, пока самолет не коснулся грунта.

Машину тряхнуло, и тело Турана тяжело навалилось на нее. Это уже был настоящий труп, мертвая масса. Неужели где-то внутри сохраняется еще крохотный маячок жизни? Рискнуть и проверить? Нет, нельзя. Лучше еще раз показать панику... Вслед за телом Командора стенающую, обмирающую от ужаса женщину замуровывают в склепе...

Зианта не двинулась с места, когда самолет остановился, — пусть думают, что она скована страхом. Тем более что это недалеко от истины. А если Зуха не удовлетворится только ее заточением в гробницу? Вдруг ей уготованы какие-нибудь изощренные пытки? Эта мысль и впрямь повергла девушку в полуобморочное оцепенение.

Дверца распахнулась, в кабину просунулся солдат. Он во все глаза разглядывал сидящую на пилотском месте Зианту, Турана, склонившегося к ней на плечо. Затем солдата сменил офицер.

— Лорд Командор! — Он попытался отодвинуть от Зианты тело Турана, оно упало на сиденье. Вскрикнув, офицер отскочил и во всю глотку заорал:

— Он умер! Лорд Командор мертв!

— Ну как, убедились, что я права? — Голос высшего консорта звенел торжеством. — Все это проделки проклятой ведьмы, захватившей власть над телом моего доблестного супруга! Но колдовство кончилось — и он отказался подчиняться ей...

Она пошла к самолету, кутаясь в длинный плащ, защищавший ее от пронизывающего ветра. Глаза ее, возбужденно блестя, перебегали с неподвижного тела на сжавшуюся в комочек девушку. Зуха изогнулась вперед, став похожей на змею перед броском, и прошипела:

— Ему повезло, он мертв. Но ты... ты еще жива, ведьма, и ты — в моих руках!

Солдат с помощью офицера извлек из кабины безжизненное тело, они оттащили его от самолета и положили поодаль на пригорке. Зианта, все так же съежившись, сидела без движения, бросив все силы на последний сеанс контакта с пылающим злобой мозгом этой женщины.

— Ваше высочество, — офицер, стоя на коленях перед телом Турана, поднял глаза на Зуху, — какие будут приказания?

— Каких приказаний ты ждешь? Разве ваш Командор не должен занять свое место там, куда народ с почестями проводил его? Это нужно сделать немедля, при свидетелях, которые разнесут весть по всему городу. Тогда стихнут пересуды, не будет места домыслам о возвращении и прочим сказкам для слабоумных. Доставьте сюда также верховного жреца из Башни — пусть он собственноручно наложит печать Вута на дверь: никакое колдовство не сорвет ее.

Она говорила уверенно и быстро, ибо спланировала все это заранее и теперь стремилась поскорее осуществить свой замысел. Мертвый Туран должен быть снова водворен в усыпальницу, и как можно скорее. Мертвый? Зианта похолодела: а вдруг ей не удастся отыскать в этом угасшем теле хоть искорку жизни? Вдруг она не сможет раздуть ее в пламя?

— А что с... этой, ваше высочество? — Офицер направился к самолету, чтобы схватить Зианту.

— Сюда эту ведьму!

Он грубо вытащил девушку из кабины и, заломив ей руки за спину, поставил перед Зухой. Зианта стояла, потупившись. Она думала только о том, чтобы эти люди не обнаружили спрятанные во рту кристаллы. Нет, не об этом! Она должна и сейчас внушать, внушать, внушать... Больше страха перед гробницей!

— По закону тебя следует передать жрецам Вута, — насмешливо заговорила Зуха. — Они полагают, что умеют проникать в тайные чары таких, как ты. Но... до принятия обета они были мужчинами... — Она скабрезно хихикнула. — Как бы ты не околдовала этих оболтусов... Я могу казнить тебя сама, как казнят ведьм: сжечь на этом самом месте и развеять твой пепел. Однако, — глаза высшего консорта горели злорадством, — для тебя это будет слишком легкая смерть... Отвечай: зачем ты вдохнула жизнь в мертвого Турана?

— Спросите его, — пожала плечами Зианта. — Это была не моя воля, он так мне приказал...

Ее голова дернулась от неожиданного удара. Она тут же забыла про боль, озабоченная другим: если избиение продолжится, камни поранят ей рот и могут быть найдены врагами.

— Впрочем, какое это имеет значение. Ты ли, он ли — без разницы. Так и так, вы проиграли! Он успел вовремя умереть, его место в своей гробнице. Ну, а что касается тебя...

402

Зианта напряглась, мучительно ожидая приговора. Сейчас станет ясно, подействовало ли ее внушение...

— Ты утверждаешь, что Туран заставлял тебя служить себе? — На губах Зухи змеилась сладострастная улыбка. — Тогда он наверняка будет рад, если ты и дальше будешь угождать ему там, в склепе. — Она испытующе посмотрела на девушку, жадно ловя в ее лице печать страха. — Ты поняла, ведьма? Я отправлю тебя туда вместе с ним! Но не надейся: на этот раз я позабочусь, чтобы оттуда не было выхода ни через дверь для души, ни как-нибудь еще...

Зуха повернулась к офицеру:

— Ты должен отвезти тело моего мужа к гробнице. Я пришлю туда тех, кто подготовит его ко сну, и позабочусь, чтобы никто больше не смог потревожить его вечный покой. Бери с собою и эту девку. Не дай ей сбежать, не своди с нее глаз, пока она не попадет туда, откуда выбралась с помощью темных сил. Отвечаешь за нее головой!

— Все будет сделано, как вы приказали, ваше высочество.

Радость Зианты была так велика, что она не обратила внимания на боль, когда грубые руки схватили ее и швырнули в машину. Ехали они недолго. Когда машина затормозила, ее выволокли наружу, связали за спиной руки и втолкнули в какую-то комнату. Дверь захлопнулась. Лежа на полу, она подняла голову и прямо перед собой увидела тяжелые башмаки. Двое солдат стояли, не сводя с нее глаз. Они, судя по всему, боялись, как бы ведьма не вылетела в крошечное окошко, прорубленное под самым потолком.

Пока она лежала, радость постепенно вытеснялась тревогой за тот кошмар, что ее ждет. Что с того, что ей удалось покинуть Д'Эйри в момент ее смерти? Следующий бросок через время может не завершиться столь же удачно... А если учесть, сколько энергии израсходовано за последние сутки, — где гарантия, что ее сил хватит на новый переход? К тому же, ей предстоит еще «перетащить» вместе с собой и Турана...

Просто необходимо хорошенько отдохнуть... Заставив себя отвлечься от неудобств своего положения, Зианта вытянулась на жестком полу и расслабилась, призвав на помощь навыки, полученные под наблюдением Огана: отвлечься от окружающего, полностью уйти в себя, чтобы собирать и аккумулировать запас психоэнергии.

Она погрузилась в собственную память, стремясь воссоздать в мельчайших подробностях обстановку наружного, разграбленного помещения гробницы, откуда началось ее путешествие в этот мир. За что зацепиться? Ей нужен ориентир для фокусировки. В памяти отчетливо проявились руки капитана, держащие ее, заставляя смотреть в кристалл. Нет, не то... Она стала мысленно перебирать детали того помещения: покрытые трещинами стены, пролом, много веков назад сделанный грабителями...

Постепенно перед ней вырисовывалось помещение в том виде, каким она застала его после вскрытия стены. Для гарантии Зианта исключила из этой картины все детали, в которых не была уверена. Не подводит ли ее память? Очень важно сохранить в воображении только подлинные предметы. Если же сознание сфокусируется на иллюзорном, не существующем в действительности ориентире — будет беда: переход или вовсе не удастся, или ее забросит неизвестно куда.

Когда эта скрупулезная работа была закончена, девушка постаралась с максимальной точностью запечатлеть в сознании изображение гробницы. Теперь снова можно отдохнуть... Но беспокойство не давало расслабиться по-настоящему. Туран... Ей страстно захотелось почувствовать его, связаться с ним. Нет, это неоправданный риск: вдруг мысленное прикосновение пробудит его шевельнуться — если, конечно, он сейчас не полностью мертв... Как ни крути, все предстоящее целиком лежит на ней, зависит только от ее знаний, энергии и воли.

Нужно прогнать неуверенность, она мешает погрузиться в прострацию, чтобы не растратить силы на ожидание. Дышать тихо, еще слабее, ровнее... Веки тяжелые, тяжелые... Со стороны можно было подумать, что она уснула, но это не было ни сном, ни явью.

Она представляла себе, что находится в каком-то иллюзорном бассейне, погружена в тишину и покой и лениво покачивается на его водах. Над головой — небесный свод, а она легкая, словно листик на водной глади, счастливая и свободная...

Грубый голос ворвался в дивный мир и разрушил его. Это было настолько неожиданно, что Зианта не успела уловить смысла прозвучавших команд. Ее схватили, подняли с пола... Открыв глаза, она встретила враждебный и подозрительный взгляд офицера. Значит, пора...

Ее снова бросили, связанную, в машину, и при поездке немилосердно трясло, из-за чего она не могла понять, куда ее везут. Но не хотела прибегать к мысленному зондированию. Турана здесь не было, и она надеялась, что он путь к месту погребения совершает с бóльшими почестями.

Ехали они долго, и казалось, что мучениям не будет конца. Тело уже все было в синяках от тряски; в онемевших запястьях, с которых только в машине сняли веревки, никак не восстанавливалось кровообращение. Наконец машина остановилась, ее выволокли наружу. Она узнала это место: подножье холма, с которого они с Тураном проделали головокружительный спуск в ночь побега из склепа. Сейчас, при свете дня, безрадостный пейзаж предстал перед ней во всех подробностях.

Охранник оттащил ее в сторону, освобождая путь процессии, поднимавшейся на холм. Впереди, как подсказывала память Винтры, шел верховный жрец Вута, произносивший нараспев заклинания. С обоих сторон от него шли два жреца рангом пониже: один нес в руках тяжелый молот, другой — ларец, из которого верховный жрец брал горстями что-то вроде пепла и развеивал это по ветру.

За ними следом два офицера несли гроб с телом Турана, до самого подбородка укрытого покрывалом, расшитым золотыми узорами. Оно было прикреплено к ложу золотыми застежками, освященными жрецами Вута. Чуть позади шли несколько вооруженных солдат, а за ними — Зуха в желтых траурных покровах. Вуаль, впрочем, была откинута с лица — вдова Командора хотела видеть во всех подробностях церемонию повторного захоронения мужа, на сей раз, как она надеялась, окончательного.

Зианта вся дрожала. Но не метель, завывавшая вокруг, была тому причиной: ею овладел настоящий, не наигранный страх перед будущим (если оно у нее все-таки есть). Глядя вслед процессии, она видела, как жрец склонился над гробом, бросил на покрывало горсть пепла — видимо, они достигли входа в гробницу. Двое солдат спустились в отверстие и протянули оттуда руки, готовые принять своего Командора.

Гроб обвязали веревками, приподняли, и вот он уже исчез под землей. Солдаты вылезли наружу. Зуха издали махнула рукой конвоирам Зианты. Ее схватили за руки.

Бесцеремонными тычками ее погнали на вершину холма. Зианта изо всех сил вырывалась, кричала. Зуха не должна заподозрить, что девушка сама мечтает попасть в усыпальницу, где находится ее единственный шанс на спасение. И вот она уже на холме, ее одежду пронизывает ледяной ветер.

— Нам все же хотелось бы знать, как она сделала это, — властным тоном обратился к Зухе верховный жрец Вута. — Ведь если повстанцы владеют подобными тайнами...

— То они бы давно стали применять это, — перебила его высший консорт. — Солдат, которого мои люди изловили в Ксуте, под пыткой показал, что эта ведьма управляет телом Командора, что именно от нее получил он на расстоянии необъяснимый удар, когда попытался опротестовать безумные приказы, вложенные этой ведьмой в уста лорда Командора. Она опасна, смертельно опасна для всех. Ее нельзя забирать в башню Вута для исследований, это бомба, способная навлечь беду на весь Сингакок!

Жрец внимательно посмотрел на Зианту. Если он настоит на своем, будет погублено все, что она так старательно подготовила, к чему так неистово стремилась!

— По виду она не внушает опасности, — с сомнением проговорил жрец. — И если бы она обладала теми чарами, которые ты ей приписываешь, разве далась бы так просто в твои руки?

— Теперь у нее нет в подчинении лорда Командора, ее колдовство как-то связано с ним. Я не знаю, в чем тут дело, но это так — она сама призналась. Поверь, она чрезвычайно опасна. Эта ведьма ничего не боится, кроме одного. Взгляни, как она дрожит, — она боится снова вернуться в гробницу. Заточи ее туда, запечатай проход для души печатью Вута — и она больше никогда не сможет вредить кому бы то ни было.

Жрец все еще испытывал колебания. Но увидев, что воины сомкнулись вокруг Зухи, демонстрируя верность правительнице, не решился идти против силы. Зуха поняла это и, вскинув голову, повернулась к Зианте и ее конвоирам.

— Разденьте ведьму, — отдала она приказ. — Если найдете на ней какие-нибудь предметы, передайте их жрецам: это могут оказаться амулеты, дающие ей власть. Пусть на этой девке не останется ничего, кроме собственной шкуры!

Солдаты содрали с дрожащей девушки одежду, затем один из офицеров схватил ее за плечи, грубая веревка вновь впилась в ее запястья. Коченеющая под ледяными порывами ветра, она словно во сне ощущала, как ее поднимают, пропихивают в отверстие и опускают вниз. Затем наступил полный мрак: над ней закрыли проход для души.

## Глава четырнадцатая

Зианта слышала методичное постукивание над головой: проход для души тщательно замуровывали, чтобы быть уверенными, что Туран больше не вернется. Туран... Она послала мысленный импульс — и ничего не нашла.

Его нет... Он умер? Если так, то она осталась одна, и никто не поможет ей бежать из этого жуткого подземелья. Придется полагаться только на собственные силы.

Зианта выплюнула на ладонь камни, прижала их ко лбу: Д'Эйри это помогало концентрировать максимум энергии.

Она не Винтра, брошенная на погибель в этот мрак. Она Зианта, Зианта! Все силы она направила на то, чтобы закрепить это. Она — Зианта, она не хочет встретить здесь смерть!

Этот протест вытеснил ощущение покинутости, безысходности. Глубоко внутрь ушел и страх навсегда остаться здесь, где царила одна только смерть. Она была... Нет, она вновь стала Зиантой — *Зианта!* Она идентифицировала себя, это именно *так!*

*Зианта!* Она выкрикнула это имя, лежа в пустоте и мраке. Оно было проводником из царства мрака и смерти в ее жизнь, в ее мир, в ее время.

*Зианта!*

Она открыла глаза. Все поплыло перед нею, но сзади поддержали крепкие руки. Юбан.

— Она вернулась, — сказал он кому-то, кого она не видела. Радость от того, что переход прошел успешно, захлестнула, заполнила все клеточки — и от этой бури чувств она потеряла сознание.

Шум... Какие-то возгласы, крик, оборвавшийся на высокой ноте... Она в своем мире, полном тревог и опасностей. Снова крики... Зианта увидела, что лежит в пыли: то ли Юбан отшвырнул ее, то ли его оторвали от нее... Темно, только высоко над головой выписывает сложный узор пляшущий луч лазера. Выстрелы? Да, и близко. Голова снова закружилась... Силы истощены до предела... Последним усилием она вжалась в стену, чтобы слиться с ней, не знать ничего о разыгравшейся здесь схватке...

*Зианта!*.. Что это? Мысленный зов... Туран? Нет, он мертв, а это... Усталый мозг не сразу опознал: Оган! Опять знакомое мысленное прикосновение...

Выстрелов не слышно. Яркий луч света обшарил разграбленную гробницу, скользнув, больно ударил по глазам. Неподалеку распростертое тело — один из людей Юбана.

Кто-то наклонился к ней, тронул за плечо... Оган! Она слабо махнула рукой.

— Пошли. — Он помог ей подняться и повел наружу, на свежий воздух. Но и овевание ветерка не придало Зианте бодрости. Она устала, ее силы иссякли... Девушка склонила отяжелевшую голову на плечо Огана, темнота вновь заволакивала сознание.

...Сколько же она спала? Из гробницы Оган вывел ее ночью, а сейчас уже день. Она лежит не в корабельной каюте, а под солнечным небом. Все ее существо пронзило сознание: свободна! Снова в своем мире! И тут же — горечь: тот, другой... Он остался там... И эта горечь придала ее успеху жесткий привкус поражения, стерла радостные краски с сиявших над головой небес.

Зианта села и огляделась. Корабль — он стоял вон там. Но его нет! Как же тогда... Что ей делать на этой чужой планете? Каменные утесы вокруг напоминали руины каких-то циклопических построек. Среди них зажата крошечная долина, где разбит чей-то лагерь. Неподалеку сидит, скрестив под собой ноги, Оган и задумчиво разглядывает ее. А перед ним на разостланном лоскуте ткани... Глаза!

Зианта вздрогнула и отвернулась: они — это то, чего она хотела бы никогда больше не увидеть.

«Но ты должна», — раздался в голове мысленный приказ.

— Зачем? — выкрикнула она вслух.

— Для этого есть причины. Обсудим это потом. — Оган прикрыл камни краем ткани. — Но сперва... — Она жадно схватила из его рук тюбик с Е-рационом.

407

В лагере были еще двое, выполнявшие сейчас функции часовых. С оружием наготове они ходили по периметру долины, охраняя подступы к ней.

Судя по всему, Оган ожидал нападения. Но где же Яса? Саларика вызвала Огана на подмогу. Не попала ли она в плен к Юбану?

— Где Яса? — Покончив с едой, Зианта ощутила растекающуюся по телу энергию.

Оган снова сел, приняв прежнюю позу. Здесь, среди диких скал, строгий наставник выглядел беспомощным, растерянным. Но Зианта слишком хорошо знала этого человека, чтобы довериться внешнему впечатлению.

Оган не ответил ей и к тому же поднял мысленный экран. Неужели... Яса погибла? За последнее время в жизнь девушки вторглось столько всего, что она могла допустить и смерть Ясы, и ее захват Юбаном. Она вспомнила, как ее саму похитил предводитель пиратов, как заставил ее дар служить своим собственным целям. Она попыталась припомнить еще что-то... Какую-то фразу, сказанную Юбаном перед тем, как он принудил ее смотреть в фокусирующий камень.

— Яса, — заговорил Оган, прервав ее размышления, — на корабле пиратов. Думаю, бандиты хотят использовать ее как заложника в переговорах с нами.

— Переговоров — об этих камнях? — Зианта показала рукой.

— Да, они попытались торговаться со мной об этих камнях. Но, — он хмыкнул, — они просчитались. У меня и так есть все, что мне нужно, я вовсе не нуждаюсь в Ясе. Да и охота сотрудничать с нею у меня пропала...

— Яса, — горячо заговорила девушка, — она надеялась, она так ждала, когда ты придешь на помощь...

— Как видишь, я пришел на помощь, и даже собираюсь помочь — но не ей, а тебе. Это на Корваре Яса царит и повелевает, тут же ее власть ничего не значит. Думаю, это она уже ощутила на собственной шкуре!

— Но...

Оган всегда являлся самым верным и преданным приближенным хозяйки... Зианта была ошарашена.

— Тебя удивляет, что я решил сам заниматься этим делом? Но ведь дело с артефактом — мое, оно по плечу только человеку моих способностей! Нельзя отдавать его людям, которые даже не в состоянии понять то, что обнаружат, не смогут использовать это должным образом и в конечном итоге все погубят. Один я в полной мере способен оценить сделанное открытие. Они же только *догадываются*, а я *знаю*, что это.

Оган знал, в чем суть открытия, — Зианта не сомневалась в этом. Знал он и о том, что только ей дано использовать открытое.

408

А он — он будет использовать ее, будет выжимать из нее всю информацию, полученную посредством кристаллов. Он сделает ее... Искра протеста вспыхнула где-то глубоко и стала разгораться... Она не желает оставаться безгласным инструментом, перешедшим к новому хозяину!

Как ей вести себя? Опасность вынудила ее обрести четкость мысли. Где-то здесь есть еще один сенситив — ведь не Оган последовал с ней в прошлые времена и разделил все встреченные там опасности. Еще — она вспомнила короткий контакт в корабле Юбана, когда прилетела на эту планету. Тот сенситив работал вместе с Харатом... Быть может, он послан сюда Оганом? Но почему тогда психотехник не упоминает о нем, не спрашивает о судьбе своего посланца?

Девушка решила во что бы то ни стало проникнуть в эту тайну. Но тут она почувствовала зонд Огана. Вместо того чтобы, как обычно, открыть ему свое сознание, она опустила барьер.

Он нахмурился, давление зонда усилилось. В ответ Зианта смело посмотрела в глаза психотехнику. И этот открытый взгляд, и ее сопротивление — в их многолетних отношениях такое случилось впервые.

— Если хочешь о чем-то знать, спрашивай вслух, и все.

Попытки зондирования прекратились. На лице Огана заиграла усмешка.

— Ты просто глупая самонадеянная девчонка. Неужели ты вообразила, что эти камни, к использованию которых ты кое-как приспособилась, сделали тебя равной мне? Вспомни, кто я такой, и кто — ты...

— Я не пытаюсь оказаться больше, чем есть в действительности.

Кто подсказал ей эти слова, кто дал силы высказать их в лицо Огану? Неужели все пережитое настолько изменило ее саму? Ведь этот человек может полностью подчинить ее тело и разум. Но что-то он не торопится воздействовать на свою строптивую ученицу. Быть может, та уверенность и сила, что появились в ней, ослабляют его возможности? И все же, пока она не будет уверена, что способна в любой момент оказать Огану сопротивление, следует быть осторожной.

— Это хорошо. — Несмотря на явную двусмысленность ее заявления, он сделал вид, что удовлетворен. Возможно, ему проще считать ее тем, чем она была всегда, нежели приспосабливаться к тому, чем она стала теперь.

— Где Харат? — спросила она, пытаясь выяснить о том сенситиве, что был с ней и в ее «путешествии», но опасаясь задавать прямой вопрос.

— Харат? — Он удивленно поднял брови. Она поспешно укрепила барьер. Ошибки быть не могло — в ночь перед высадкой на эту планету Харат был здесь, она узнала его импульс. Почему же Огана удивил ее вопрос? Харат — его инструмент, и то, что они вместе, — наиболее естественное предположение.

— Харат на Корваре.

Неужели Оган думает, что она поверит в эту ложь? Разве он забыл, что у Харата был с нею контакт? А если он об этом и вправду не знает — тогда кто же тот, другой сенситив? Или этой неуклюжей ложью психотехник пытается скрыть потерю мохнатого союзника? А тот, другой, завладел Харатом и действовал без ведома Огана?

Зианта почувствовала, что снова теряет опору для суждений. Она не могла разгадать игру Огана. Или он проводил с нею очередной заумный тест?

Ударивший внезапно в сознание зонд был настолько силен, что прежде без труда пробил бы ее защиту. Но сейчас она устояла. Девушка поняла: барьер нужно поддерживать непрерывно...

— Почему ты решила, что Харат здесь? — спокойно спросил Оган, внешне не проявляя своего поражения в попытке принудительно проникнуть в ее мысли.

— А где же ему быть, как не с тобой? — ответила она вопросом. — Ты всегда подключаешь его, если хочешь умножить свою мощь. Разве теперь не такая ситуация?

Зианте это казалось логичным. Но примет ли ее логику Оган? И почему старается скрыть от нее присутствие на этой планете Харата?

— Харат слишком уникален, чтобы рисковать им, — бросил Оган, поднимаясь на ноги. Он отвернулся и молча постоял, будто к чему-то прислушиваясь. Затем отправился к часовым и тихо заговорил с ними.

Зианта наблюдала за ним. Оган чего-то боится, это ясно. Почва для опасений есть — терпение Юбана может истощиться, да и Яса отнюдь не дура: узнав о предательстве Огана, она вполне может вступить в сговор с пиратами. Ее план отделаться от Юбана, чтобы единолично завладеть сокровищами, теперь мог измениться.

Глаза... Зианта схватила их и спрятала под одеждой. Она твердо знала — это ценнее любых сокровищ гробницы. Оган подозревал это, и Яса тоже. Но у самой Зианты, в отличие от них, были доказательства волшебной силы Глаз. Но очень важно узнать: использовать кристаллы может определенный сенситив или любой, в том числе и Оган?

Там, в иных мирах, Зианта работала с ними дважды. Винтра, не подозревавшая об их могуществе, насильно получила кристалл от врагов. Д'Эйри, напротив, прекрасно знала силу камней и использовала ее. Даже сейчас девушка не думала об этих женщинах, как о ком-то постороннем: в ней продолжали жить частицы и

Винтры, и Д'Эйри. В силу своих каких-то особых свойств именно она оказалась наследницей этих несчастных обладательниц кристаллов. Выбор судьбы пал на нее — так нужно ли ей вступать в сделку с Оганом?

Но правильно планировать не позволяла еще одна большая дыра в ее информации. Тот, другой сенситив... Он постоянно занимал ее мысли. Кто этот сенситив, пожертвовавший собой, чтобы помочь ей вырваться из прошлого? И где все-таки Харат, этот удивительный источник психической энергии? Туран... Эту проблему она обязана разрешить — для своей собственной безопасности, для планирования своих взаимоотношений с Оганом. Зианта постаралась отбросить покров мрака и смерти, который застилал ее сознание при мысли о Туране. В его мертвом теле остался тот, кто сопровождал ее в невероятном путешествии к далеким предкам. Все, что она могла о нем предположить — что этот незнакомец подчинялся Огану. Нужно узнать о нем все! То, что Оган его использовал, не принижало незнакомого сенситива в ее глазах. Ее саму Оган использовал много раз, заставлял выполнять то, чего хотели он и Яса. Тот сенситив — ее товарищ по несчастью, так же зависимый от психотехника. Теперь он умер, выполняя задание Огана. Если потребуется, Оган без раздумий пошлет на смерть и ее...

Зианта нащупала под одеждой камни. Огану еще ждет сюрприз, если он надумает избавиться от нее. Д'Эйри в минуту опасности использовала Глаза. Если Зианта овладеет таким искусством, она станет гораздо могущественнее, чем может предположить психотехник. А обстановка вокруг такова, что это могущество может потребоваться очень и очень скоро...

И еще, где-то здесь есть Харат. Если он все еще на планете, она свяжется с ним. Связь между ними возникла благодаря Огану, но из всего своего прошлого именно это она хотела бы сохранить, это было все, что у нее осталось: только Харату из всех существ на этой планете она могла доверять.

Оган вернулся.

— Нам надо идти.

— Куда? На твой корабль? — Зианта таила надежду на отрицательный ответ. Пока они были здесь, среди скал, у нее сохранялась иллюзия свободы.

— Нет, пока не на корабль. — Он, склонившись, собирал вещи.

Взяв увязанные тюки, они вчетвером пробирались среди скал и каменных обломков, пока не выбрались на равнину. Неширокий ручеек, чахлые кустики и клочки жесткой травы по его берегам — вот единственные признаки жизни на планете.

Что же случилось с миром Турана, что стерло с лица этой планеты и Сингакок, и другие народы? Разрушительные войны

411

или неслыханной силы катаклизм? Сколько веков уже пустует эта планета?

Дорога была трудной. Как ни старался Оган двигаться быстрее, это удавалось плохо. Приходилось искать расщелины в скалах, пробираться между острых камней. Бесконечные спуски и подъемы утомили всех, особенно устал Оган: он задыхался, порой останавливался, чтобы прийти в себя.

Они вышли на ровную местность, и здесь растительность оказалась богаче. Хотя даже самые крупные кусты были им по плечо, необходимость продираться сквозь жесткие ветки еще больше замедлила движение отряда. Снова и снова ныряя в заросли, Зианта удивлялась неистребимой силе природы, сумевшей оживить эту местность после постигшего планету кошмара, судного дня Сингакока.

Вдруг один из мужчин разразился бранью, полыхнул лазером в кусты. Зианта успела увидеть, как на его ноге сомкнулась чья-то зубастая пасть. Нападение неизвестного хищника было отражено, но на ноге пострадавшего остались клочья желтой слюны. Он стал поспешно смывать ее в ближайшем ручье.

— Было похоже на огромную ящерицу. Здесь надо быть настороже. Хорошо хоть, что не прокусила насквозь, — бормотал он. Второй охранник поливал кусты огнем своего лазера. Оган остановил его:

— Не стоит расходовать на это заряд.

— Я не хочу, чтобы меня укусила какая-нибудь ядовитая тварь, — крикнул тот в ответ, но лазер все же выключил.

Дальше они шли совсем медленно, озираясь по сторонам, чтобы не подвергнуться новому нападению. Зианта, не привыкшая к подобным путешествиям, уже едва двигалась: ноги нестерпимо ныли, каждый шаг отдавался болью.

Оган дважды делал короткие остановки и прислушивался к чему-то. Возможно, в эти минуты он вел мысленный поиск — проверял, нет ли погони. Зианта не стала ему помогать: возможно, это всего лишь уловка, чтобы отвлечь ее и прорвать барьер.

Долина уперлась в каменную стену, с которой низвергался сверкающий водопад. Им ничего не осталось, как взбираться по почти отвесному склону. Поднявшись, отряд оказался на открытом голом плато. Видимо, угроза нападения оставалась, так как они по требованию Огана пересекли этот участок почти бегом. Оган тащил обессиленную девушку за руку, не обращая внимания на ее протесты. Лишь достигнув укрытия за грудой камней, они наконец остановились.

Здесь они развязали тюки и перекусили. Растирая ноющие ноги, Зианта решила узнать, кого так опасается психотехник. Скорее всего, Юбан, так и не завершив переговоры с Ясой, решил действовать самостоятельно, как тогда, в разграбленной гробнице.

— Это Юбан? — спросила она, скатывая пустой тюбик из-под Е-рациона в плотный шарик.

Оган лишь невнятно хмыкнул. Девушка поняла, что сейчас он полностью поглощен сканированием окружающей местности, стараясь выявить чье-то присутствие. При этом ее наставник выглядел расстроенным: видимо, его усилия не увенчались успехом. Это насторожило и встревожило девушку: для такого сенситива, как Оган, обнаружить обычного человека, того же Юбана — детская забава. Выходит, те, кого он опасается и не может найти, имеют мыслезащиту? А если это так, почему он борется в одиночку, не приказывает ей подключиться? Не хочет посвящать ее в какую-то тайну?

Ничего не понимая, Зианта прислонилась спиной к холодному камню и закрыла глаза. Но тревога не покидала ее. Ладно, Оган не просит ее помощи. Но ведь она может сама попробовать! Не ради помощи психотехнику, а хотя бы из-за Харата.

Узнав, где он, она сможет понять, почему Оган скрывает его присутствие на планете. Ведь это Харат направил к ней Турана — вернее, не Турана, а... кого же? Девушка принялась вспоминать людей, приходивших на виллу, посещавших лабораторию. Это мог быть один из них. К сожалению, Оган всячески старался оградить ее от контактов с другими участниками своих экспериментов. Но, правда, еще непонятно, почему сенситив такой мощи, как Туран (для нее он будет Тураном, раз другого имени она не знала), позволял Огану использовать себя. Такой человек в роли инструмента? Что-то не вяжется — он сам способен использовать других.

Думая о нем, Зианта невольно представляла себе внешность Турана. Но ведь это — только навязанная обстоятельствами физическая оболочка. А как выглядит ее товарищ на самом деле? Ему не удавалось отделить его от воспоминаний давно умершего лорда Командора. Попытка воссоздать его истинный облик ни к чему не приводила — это было как из кусочков собирать вещь, которую ты никогда не видел.

Да и сама она что собой представляет? Всю жизнь — сначала в Диппле, затем в доме Ясы — она действовала, выполняя чужую волю. Саларика дала ей кров, пищу, образование — но не ради ее блага, а чтобы использовать необычный дар подобранной случайно попрошайки.

Огана Зианта сначала почитала, как идола. Потом стала бояться и ненавидеть, признавая его мастерство, но вместе с тем... зная, как оно может обратиться против нее. Сейчас, обретя опыт Винтры и Д'Эйри, девушка осознала всю глубину своей ненависти к Огану. Он никогда не считал ее полноценным человеком. Он мял ее, как глину, придавая своему творению желаемую форму. Но теперь... Она будет отстаивать право на свободу, право быть собой. И если понадобится — не побоится противодействовать Огану, как бы силен он ни был!

Яса и Оган стали людьми, определявшими всю ее жизнь. Что ж, она заплатила долг и ничем больше не обязана ни саларике, ни психологу. А был ли в ее жизни хоть кто-то, к кому она питает добрые чувства? Да, Харат... Он — ее друг, если это понятие применимо к смешному негуманоидному созданию.

И еще: Туран. Он относился к ней не как учитель, не как хозяин — они были товарищами. Так взаимодействуют члены одной команды, воины одного отряда — у них общие и опасность, и радость. Вот и Туран — он поддерживал ее, но и сам в то же время полностью зависел от нее. До самого конца...

Под сомкнутыми ресницами проступила ожигающая влага. Прежде она плакала только из-за физических страданий — боль, холод. Еще голод — когда ребенком жила в Диппле. А эти слезы вызваны ощущением невосполнимой утраты. Через ее душу легла кровавая рана, причиняющая постоянную боль. И нанес эту рану Оган, пославший к ней незнакомца и бросивший его умирать в чужом мире.

Она просто обязан отомстить — и за него, и за себя. Этот час настанет! Оган заплатит сполна, она найдет способ стать сильнее его...

От этих мыслей ее оторвало прикосновение Огана:

— Вставай, нам нужно спрятаться. Маут отправился на разведку и обнаружил подходящее убежище...

Девушка осмотрелась. Один из людей Огана отсутствовал, другой держал возле уха рацию, слушая сообщение. Охнув, Зианта с трудом поднялась на ноги. Если путь предстоит дальний, она может просто не дойти.

— Быстрее! — прикрикнул Оган.

И конечно, они снова карабкались, спускались, продирались. Дважды Зианта падала, во второй раз ушиблась так, что ей потребовалась помощь, чтобы встать. Но Оган, бранясь сквозь зубы, все тащил ее вперед.

Наконец он привел ее в какую-то пещеру и толкнул в дальний угол, и девушка упала, застонав от боли и бессилия. Но Оган даже не попытался помочь ей, оставив лежать на голых камнях. Он вернулся к выходу и отослал куда-то одного из своих людей.


## Глава пятнадцатая

Сгущались сумерки, наступала ночь. От солнца, днем в этой безлесой стране казавшегося по-особому ярким и жгучим, теперь остался лишь его краешек, золотивший полоску неба. Зианта лежала в глубине пещеры, тело ее ныло после непривычной физической нагрузки, но разум оставался ясным, она была настороже.

Человек, посланный куда-то Оганом, еще не вернулся, но переданные им дважды кодированные сообщения усилили тревогу Огана. Похоже, весь его замысел расстраивался. Мягко ступая, он приблизился к ней и, склонившись голова к голове, прошептал:

— Не бойся. Здесь ты в безопасности...

— От Юбана? — с внешним безразличием спросила Зианта. — Это его люди идут за нами?

— Юбан? Если бы... — Он небрежно отмахнулся, будто капитан пиратов был не опаснее назойливой мухи, которую легко прихлопнуть в любой момент. — Увы, дело гораздо хуже. Здесь появился корабль Патруля!

— Патруль? Но как...

Среди всех возможных вариантов этот был наименее вероятным, но и наиболее страшным.

— Откуда я знаю как! — пожал плечами Оган. — Впрочем, везде найдутся уши, которые слышат, и глаза, которые видят. Вы с Ясой летели через Вэйстар... А он не контролируется гильдией, достаточно одного шпиона, чтобы... Потом, не исключено, что выследили не только вас, но и меня. Впрочем, какая разница? Они здесь — это факт, об этом и надо думать сейчас.

Он замолчал, пристально глядя ей в глаза.

— Ты помнишь, что грозит сенситиву, работающему на Воровскую гильдию? Советую не забывать об этом...

Во рту у нее пересохло. Это вдалбливалось в нее с первых дней на вилле. Зианта должна была знать, что будет с ней, если служители закона схватят ее во время какой-нибудь операции Воровской гильдии. Смерть? Если бы. Они убивали не тело — разум! Полное стирание... Вместо человека, носившего имя Зианта, думавшего, как Зианта, действовавшего, как она, — появится безвольное тупое существо, не имеющее ни воспоминаний, ни мечты, способное только на такую же тупую механическую работу. Воспоминания, личность — все это исчезнет.

Тень удовлетворения мелькнула на освещенном закатом лице Огана: он заметил ее смятение.

— Не забудь, девушка. Все время помни: стирание!

Он вновь помолчал. Может быть, ему пришло в голову, что в случае захвата Патрулем и его ожидает такая же жуткая участь?

— К несчастью, — опять заговорил психотехник, — Патруль сел там, откуда может контролировать всю эту местность. Нам придется затаиться в укрытии — пусть они убедятся, что на планете нет никого, кроме Юбана с его людьми.

— Но твой корабль... Они могут его обнаружить.

— Корабля нет, Зианта. Я спустился сюда на шлюпке, защищенной от детекторов. Корабль остался на дальней орбите, он недосягаем для приборов Патруля.

— Но ведь у них есть еще индивидуальные детекторы? Что, если Патруль ими воспользуется? — Она изо всех сил старалась не дать страху, который поселил в ней Оган, перерасти в панику.

— Само собой. С помощью этих детекторов они сейчас прочесывают местность. Что ж, они наткнутся на пиратов и заберут их, а мы — в надежном укрытии, нас не найдут, у нас исказители.

Она знала, что исказители делают человека недоступным для обнаружения детекторами. Но для подобных операций Патрулю, кроме детекторов, придается еще и сенситив...

— У них нет сенситива. — Оган словно бы подслушал ее мысли. — Я прощупал их и не обнаружил сенситива. Нам повезло! Правда, есть одно неприятное обстоятельство: мой шлюпка запрограммирована на взлет в определенное время. Если мы не успеем к ней — она улетит без нас.

— И что же делать?

— Попытаюсь в одиночку пробраться к шлюпке, а дальше по обстоятельствам: либо перелечу на ней за тобой сюда, либо хотя бы отключу таймер-программу.

— А я?

— Жди здесь. Оставлю с тобой Маута. Надеюсь, что Патруль и пираты будут заняты друг другом и не отыщут вас. Ну а если это случится... Сама понимаешь... Никто и пальцем не пошевельнет, чтобы выручить тебя. Поэтому... фокусирующие камни — они у тебя? Дай их мне, так будет надежнее.

— Для тебя эти камни бесполезны. — Зианта начала свою игру. План Огана стал ей ясен. Он заберет камни, и если будет хоть малейшая опасность — улетит с ними на свой корабль. Но поверит ли ей психотехник? — Они связаны со мной, и только со мной. Одна я знаю их тайны, к тому же они реагируют только на того, кто разбудил их.

Она должна убедить Огана! Тем более что без лаборатории, которая находится на Корваре, он не сможет проверить ее слова.

— Ну а зачем эти камни тебе? Как ты сможешь их использовать? — насмешливо спросил Оган.

Зианта лихорадочно искала ответ. Необходимо придумать что-то достаточно важное, чтобы сохранить Глаза у себя.

— Раз у Патруля нет сенситива, я могу с помощью камней помутить их рассудок, сбить их со следа. И потом — в древности их применяли для управления... — Для управления лурлами, животными, но возможно, что, их удастся использовать для управления людьми. Но стоит ли объяснять это Огану?

— Молодец, вижу, ты уже многое извлекла из артефакта. Позже расскажешь мне все. Слышишь, все!

— Все... — произнесла она с безвольной интонацией, словно, как в прежние времена, находилась в полной власти Огана и его приказов. Психотехник довольно усмехнулся, прошелся по пещере.

— Пожалуй, ты права. Пусть камни будут пока с тобой. — Девушка едва сумела подавить вздох облегчения. — А до моего возвращения, — продолжал Оган, — ты останешься здесь под охраной Маута. Ждите, я вернусь!

Еще бы! Теперь, заинтригованный тайной камней, он вернется, чтобы выпотрошить из нее всю информацию, чтобы заставить снова и снова смотреть в кристаллы и добывать для него еще более важные сведения о предтечах... Он вернется сюда несмотря на любые опасности — когда дело касается парапсихологии, Оган забывает про терпение и осторожность.

Зианта следила, как он покидает пещеру, с радостью сознавая, что сумела отстоять свое право на Глаза. Она прошла с ними путь Винтры и Д'Эйри, она сроднилась с этими таинственными кристаллами. Ее рука нащупала камни, Зианта зажала их в кулаке. Если опять посмотреть в них, куда ее забросит — в Сингакок? В Норнох? Она не хотела видеть ни того, ни другого.

И она не хотела служить Огану, не хотела по его приказу использовать Глаза. Тогда уж лучше, чтобы они потерялись здесь, среди скалах, где отыскать их будет невозможно.

Еще есть еще и Харат. Скорее всего, Оган оставил его в шлюпке. Но почему он скрывает от нее, что взял Харата с собой на планету? Теперь, когда Оган ушел, она может послать вызов. Она отыщет маленького друга и узнает всю правду!

Держа камни обеими руками, Зианта — впервые с тех пор, как Оган нашел ее — опустила мысленный барьер. Затем, создав в мозгу четкое изображение Харата, начала посылать сигнал — все дальше и дальше.

«Харат?».

Ответное прикосновение, неожиданное и краткое. И прежде чем она успела задать какие-то вопросы, в ее сознании забилось:

«Предупреждение... Очень важно... Угроза... Обмениваться опасно... Оставь только маленький маяк, только прикосновение...»

Значит, Харат не на шлюпке. Сбежал от Огана, покинул аппарат? Зианта не могла получить ответ на свои вопросы — по воле Харата, нить между ними была слабой, почти неощутимой. Он только предупредил — и оборвал контакт... Зианта положила подбородок на согнутые колени, обхватила их руками. Она держала в сознании образ Харата — путеводную ниточку, по которой он идет к ней, отыщет ее... Опасность... Что он имел в виду?.. Патруль? Юбана?

Прерывистый зуммер кодированной передачи прервал ее раздумья. Она подняла голову. В пещере царил почти полный мрак, силуэт стража темнел у выхода смутным пятном. Его рация продолжала тоненько попискивать — шифр, которого она не знала.

— Джентль фем, — подал Маут голос из темноты. В нем чувствовалось почтение к женщине, обычное в нормальной обстановке и казавшееся странным в этом мрачном убежище. — Сообщение от Огана: нам надо убираться отсюда. Идем на восток.

Уходить сейчас, когда Харат на пути к ней? Ну уж нет!

— Оган велел оставаться здесь!

— Все изменилось, джентль фем. Сюда кто-то идет — то ли Патруль, то ли Юбан. У них сильнейшие детекторы неизвестной модели.

Неужели они засекли ее короткий контакт с Харатом? Зианту охватила тревога.

— Скорее! Надо идти! — Маут подступил к ней, отбросив деликатность. Наверное, ему велено тащить Зианту силой, если она заартачится.

Девушка лихорадочно соображала бешено работал. У нее есть Глаза, с их тайной силой. Перед ней обычный парень, не сенситив — и это ее шанс! Нужно обмануть Маута и дождаться Харата.

— Я иду, — произнесла она, но не двинулась с места. Оборвав нить связи с Харатом, Зианта полностью сосредоточилась на своем конвоире.

— Вниз. Спускайся за мной. — Он вышел из пещеры, даже не оглянувшись. Удалось! Маут был в полной уверенности, что девушка неотступно следует позади!

Зианта была удивлена и горда: она сумела это. Наводить такие иллюзии мог только Оган. А теперь и ей удалось сформировать иллюзию в чужом сознании. Да, эти камни действительно обладают могуществом.

Но... галлюцинация вскоре ослабнет, и Маут вернется за ней. Значит, ей придется покинуть пещеру.

Пошарив в поклаже, она достала тюбик с таблетками Е-рациона и маленький контейнер с водой. Больше ничего брать не стоит. На пороге пещеры ее охватила неуверенность — в черноте ночи скалы казались какими-то таинственными существами, от них исходила угроза. Зианта упрямо тряхнула головой. Ей нужно найти другое убежище, дать Харату новый ориентир и дождаться его там.

Маут пошел вниз? Что ж, она отправится наверх и где-нибудь там найдет место, откуда можно просматривать окрестность. Бережно спрятав камни, Зианта начала взбираться по крутому склону.

Она преодолела уже порядочное расстояние, когда снизу донесся неясный звук. Она замерла, распластавшись на каменистом выступе. Маут — он вернулся! Нельзя выдать себя ни движением, ни шорохом.

Ночь была на редкость тихой, ветер не свистел в изъеденных эрозией камнях. Зианта на грани слышимости следила за тем, как Маут бродил внизу. Вот он выругался — видно, обнаружил, что пещера пуста. Затем до нее донеслись сигналы рации. Он докладывает Огану о ее исчезновении или выслушивает приказ? Жаль, что она не знает кода. Не рискнуть ли на мысленное зондирование? Но пока она раздумывала, сигналы смолкли. Раздались шаги... Он движется в ее сторону!

Вдруг темноту ночи прорезал яркий луч света. Он был направлен не на Зианту, а на Маута.

— Замри, стой на месте!

Маут замер, беспомощно моргая. Послышались голоса приближающихся людей. Патруль? До нее донеслись обращенные к пленнику вопросы — спрашивали о ней. Зианта сжалась. Она не менее беспомощна, чем Маут. Любое ее движение будет услышано, и тогда...

В круг света, где находился Маут, ступил какой-то человек. Он не был в форме Патруля, его костюм больше походил на комбинезон космолетчика. Выходит, их выследили люди Юбана. Если Яса, как предполагал Оган, заключила с ними сделку... Может, окликнуть их, обнаружить себя? А вдруг Яса — не союзница, а пленница Юбана? Нет, пока возможно, она должна остаться свободной, должна найти Харата и узнать обо всем.

Маута разоружили и повели вниз. Никто из этих людей не догадался подняться выше. Но наверняка скоро они станут искать ее здесь? Зианта не питала иллюзий по поводу стойкости Маута: у пиратов найдутся эффективные методы, чтобы вырвать у пленника нужную информацию. В общем, ей надо уйти отсюда как можно дальше, потом будет поздно.

Шум внизу усилился: они обыскивали пещеру. А потом? Как ей хотелось, чтобы эти люди ушли отсюда! Она не рискнула прибегнуть к психическому внушению, помня предупреждение Огана насчет детекторов. Но иногда даже просто сильное желание тоже может оказать действие — она слышала о подобных случаях.

Вскоре девушка облегченно вздохнула — они действительно уходят! Она чутко прислушивалась к шумам внизу, терпеливо дожидалась, пока звук шагов растает вдали.

Теперь — быстрее! Она стала поспешно карабкаться вверх, стараясь действовать бесшумно, что было не просто в царившей вокруг кромешной тьме. Зианте приходилось ощупывать путь руками, а сделав шаг, долго пробовать надежность опоры. Тем не менее она дважды сорвалась и с бешено бьющимся сердцем подолгу замирала, слушая, как затихает стук летящего вниз задетого ею камешка, который несомненно привлечет сюда ее преследователей.

Прошло немало времени, ей показалось — вечность, пока она достигла вершины склона. К своему огорчению, девушка обнаружила, что на этом голом участке нет ничего, похожего на укрытие. Ей не оставалось ничего другого, как спускаться по противоположному склону. Где-то рядом послышалось хлопанье крыльев. Здесь есть птицы! Почему-то это небольшое открытие придало ей уверенности. Набравшись духу, Зианта начала спуск.

Этот склон оказался гораздо более пологим. Но девушка заставила себя не суетиться и двигалась медленно, осторожно, прислушиваясь к каждому звуку. И все же она поскользнулась и вынуждена была уцепиться руками за колючие ветки какого-то куста. Но и после этого она продолжала с шумом катиться вниз, пока другой, более укорененный в грунте куст не задержал ее падения. Зианта буквально оцепенела от ужаса: такой шум наверняка слышен во всей округе. Далеко ли ушли люди Юбана? Она рискнула на мысленное зондирование. И...

*Харат!*

Она еще в пещере разорвала с ним связь, а потом была занята только тем, чтобы скрыться. И вот теперь... По четкости ощущения девушка поняла, что Харат где-то совсем рядом.

Чуть позже до нее донесся слабый звук. Неужели Харат здесь, на этом склоне? Во всяком случае, по косогору что-то двигалось в ее сторону, двигалось гораздо бесшумнее, чем мог это делать в темноте человек. Ну конечно, ведь ее маленький друг ночью видит не хуже, чем днем; ему гораздо сподручнее пробираться среди камней. Она ждала, ухватившись за куст, как за спасительный якорь.

И, наконец, — Харат! Он бежит к ней, раскинув в стороны две пары щупальцев. Зианта прижала к себе маленькое пушистое тельце, и Харат, обычно разыгрывающий из себя недотрогу, сейчас весь отдался этой горячей ласке.

«Успокойся, — передала она. — Ты что же, отстал от Огана? Потерялся?»

«Нет! Скорее... иди... с Харатом!»

Она никогда не видела своего приятеля настолько возбужденным, он рвался из ее рук, теребил платье.

«Надо... скорее... он умрет!»

«Кто умрет? Оган?»

Неужели психотехник попал в беду, пробираясь к шлюпке?

«Он!»

Казалось, Харат уверен, что Зианта должна знать, о ком идет речь. Словно человек, к которому он звал, был настолько известной персоной, что любое упоминание о нем все должны понять с полуслова.

«Идем! Скорее!»

Возбуждение Харата еще усилилось. Он не отвечал на ее расспросы, старался освободиться из ее рук с той же решительностью и горячностью, с какой минуту назад кинулся в ее объятья. Он требовал одного — чтобы она повиновалась! Полная недоумения, Зианта опустила Харата на землю.

«Скорее!»

Он тут же устремился вперед, оглядываясь, требуя идти за ним. Девушка осторожно двинулась следом, хотя, не имея способности к ночному видению, не в состоянии была поспеть за своим проводником.

«Харат! — Она послала это как можно убедительнее. — Подожди... иди тише... я не вижу тебя».

«Я жду, — пришел ответ. — Идем... Скорее!»

Она уловила слабое движение ниже по склону, будто Харат в нетерпении бегал взад-вперед, охваченный желанием пуститься дальше.

Забыв об осторожности, Зианта поспешила вниз и наполовину спрыгнула, наполовину съехала туда, где ее поджидал Харат. Чтобы они вновь не разъединились во мраке, он цепким щупальцем схватил ее за одежду и потащил за собой.

«Скорее».

Зианте осталось только положиться на своего проводника. Во всяком случае, он вел ее *куда-то*. К счастью, на небе выглянуло ночное светило и мрак сделался не таким густым. В тусклом зеленоватом свете здешней луны все вокруг приобрело нереальный, какой-то болезненный вид.

Харат тянул ее на восток. Присмотревшись, девушка узнала эту местность. Конечно же, где-то неподалеку должен находиться корабль пиратов. Яса? Не похоже — Харат называет этого человека «он», к тому же вряд ли он станет так горячо печься о саларике, к которой всегда относился довольно холодно. Сейчас ее проводник двигался медленнее, осторожно выбирая путь между разбросанных тут и там острых камней.

«Ты ведешь к кораблю пиратов?» — осмелилась предположить Зианта.

Вместо ответа он резко дернул ее за платье, как бы запрещая вступать здесь в психоконтакт. Они пробирались между скал и наконец оказались там, где каменные пики сомкнулись в сплошную стену. Харат со всей доступной ему скоростью кинулся к этой стене, мигом взобрался на какой-то уступ и исчез в расщелине.

«Сюда! Скорей!»

Зианта сомневалась, что сумеет протиснуться в эту узкую щель. Когда ей это все же удалось, она едва не лишилась своей одежды, клочьями повисшей на плечах и бедрах.

Под защитой стены располагалась небольшая впадина. Свет луны не проникал сюда, но девушка все же различила силуэт лежащего человека и Харата рядом с ним.

Кто этот незнакомец? Это же тот, другой сенситив! Ее товарищ по путешествиям в миры предтеч... Что с ним? Он, должно быть, еще жив — иначе зачем Харат так торопил ее? Сердце гулко стучало в ее груди. Девушка опустилась на колени перед тем, кого не могла разглядеть в этой жуткой темноте.

Она ощупала руками его одежду: костюм космопилота, тяжелые башмаки исследователя планет. Голова не покрыта. Он лежит ничком, тело холодное. Лишь поднеся руку к губам незнакомца, Зианта уловила слабое дыхание. В трансе? Вполне вероятно. Но тогда она бессильна, у нее нет нужных знаний. Только Оган мог бы вывести сенситива из такого состояния.

«Нет! Оган убьет!»

Мысль Харата ощущалась, как панический вопль, так что Зианта даже отпрянула.

«Тебя... Харат... достичь его... достичь...»

Похоже, упоминание об Огане так потрясло Харата, что он утратил способность связно передавать мысли. Зианта не понимала, откуда возник этот страх, но в его реальности сомнений не было. Если уж Харат уверен, что Оган опасен, ей надлежит разделить эту уверенность, не требуя объяснений.

«Харат... — в этот призыв она вложила все спокойствие и выдержку, какие могла изобразить. — Подумай, как нам сделать это?»

К ее пушистому союзнику вернулось самообладание.

«Посылай... с Харатом... посылай... ему...»

Он предлагает ей метод, обратный тому, каким она пользовалась, работая с ним раньше. Если тогда она брала энергию от Харата, то сейчас должна через него реализовать свою волю.

«Да... именно так... посылай!» — пришло торопливое подтверждение: она верно уловила идею.

«Я готов... начинаю».

Расстегнув платье, Зианта достала фокусирующие камни. Насколько они окажутся эффективны в данной ситуации, она не знала. Но была уверена, что они хотя бы помогут ей сконцентрировать энергию.

Наклонившись над беспомощно распростертым телом, Зианта коснулась пальцами холодного лба. Щупальце Харата крепко обхватило ее запястье. Обеспечив физический контакт, они должны теперь наладить психосвязь. Справятся ли они с этой, неизмеримо более сложной, задачей?

У нее появилось странное ощущение, что она — нет, не вся она, а какая-то ее часть, ее внутреннее «я» — несется со страшной скоростью куда-то вдаль, в пространство, где царит хаос, где все беспорядочно кружится, смещается, где нет ничего прочного — только ее связь с Харатом. Они неслись все дальше и дальше, кристаллы нагрелись в ее ладони, излучая устойчивый поток энергии. Он тек через ее руки — к пальцам, через них — к щупальцам, к той точке, где сосредоточился их тройной контакт.

Несутся, кружатся, снова и снова и снова, — пока Зианте не захотелось крикнуть: «Хватит!» Им нельзя больше лететь в этом круговороте, иначе их связь с реальностью может оборваться, и они навсегда потеряют этот мир, как потерял его тот, кого они пытаются и не могут отыскать в зыбком головокружительном хаосе...

## Глава шестнадцатая

Все мелькает, плывет перед глазами, невозможно ни на чем сосредоточиться, сфокусировать энергию... Нужно создать мысленный образ, но она не знает облика этого человека, лежащего лицом вниз.

Видел ли его Харат? Может ли она рассчитывать на его помощь? Совпадет ли его зрительное восприятие с человеческим? Кружение постепенно затихало.

«Скорее!» — Маленький помощник царапнул ее по запястью.

«Нам нужно изображение. — Она попыталась объяснить причину своей неудачи. — Создай картинку, Харат!»

То, что появилось в ее мозгу, было так искажено, карикатурно, что Зианта едва не прервала контакт. Она увидела уродливую помесь человеческих черт с чем-то, отдаленно напоминавшим клювастую голову Харата.

«Нам нужна истинная картина».

Они все еще соприкасались физически, но психический контакт распадался: ее союзник не понимал, чего она добивается. Недоумение Харата тут же перешло в негодование. Сознавал ли он, что тоже повинен в неудаче? Зианта мобилизовала все свое терпение.

«Это человек, такой же, как я, — объясняла девушка. — Но хотя он следовал за мною в прошлое, я не знаю, как он выглядит в действительности. Не увидев его, я не смогу зафиксировать изображение».

Новый импульс ярости: Харат мало что понял из ее объяснений. Он с досадой и разочарованием отдернул щупальце от руки девушки.

Лишь на самый край расщелины попадал зеленоватый свет луны. Если она сумеет дотащить туда тело, чтобы увидеть лицо... Но другого пути нет. Вздохнув, она спрятала камни и принялась тащить лежащего человека. Хотя он меньше и легче Огана и его охранников, для нее это была тяжелая работа. Наконец ей это удалось, и свет луны упал на лицо незнакомца.

В этом призрачном освещении трудно судить о цветах. Ей однако показалось, что она видит темный загар, характерный для космонавтов. О принадлежности к звездопроходцам говорила и короткая стрижка — так удобнее носить шлем.

Правильные черты лица — по стандартам ее расы этот человек мог считаться даже красивым. Зианта внимательно всматривалась, стараясь зафиксировать в памяти мельчайшие детали. Ей нужно знать его облик так, словно видела много-много раз — ошибка может обернуться трагедией.

Девушка протянула руку и легким прикосновением пальцев провела по лбу, по переносице, пытаясь запомнить рисунок чуть припухлых губ, твердую линию подбородка — все это нужно запомнить.

Харат нетерпеливо бегал вокруг.

«Торопись... он потерялся... если он будет там слишком долго...»

Зианта знала об этом кошмаре, издавна преследующем сенситивов, впадающих в транс: боязнь потеряться в нереальном мире, не найти своего тела, не вернуться. Но теперь она запомнила, кого им следует искать на тех зыбких путях, куда обычным людям хода нет.

«Теперь я знаю его». Зианта надеялась, что это действительно так.

Достав Глаза, сжала их левой рукой, правую положила на лоб незнакомца, вновь почувствовала на запястье щупальце Харата.

«Начнем...» — передала она уверенно: теперь ее не пугало сумасшедшее кружение. Теперь поведет не Харат, она сама будет направлять поиск, держа в памяти только одно — лицо незнакомца.

В этот раз они не искали, а звали — сложив свои силы, получая добавочную энергию от камней. Зианта не знала имени этого человека, что дало бы их вызову большую точность, но зато вся их объединенная мощь была брошена на передачу изображения.

«Ты, кого мы ищем, где бы ты ни странствовал... *Приди!*»

Ее тело, сознание — все слилось воедино: в поток энергии, в беззвучный крик. Долго ли ей удастся поддерживать это неимоверное напряжение?

*«Приди!»*

Что-то шевельнулось, царапнулось... Слабо, издалека... Словно что-то едва ползет.

*«Приди!»*

Да — смутный ответ, но адресованный конкретно ей! Она не решалась прекратить сеанс, боясь поверить, что у нее получилось это! Нет, нельзя торжествовать и даже на миг прерывать эту тончайшую нить.

*«Приди!»*

О, как медленно крепнет эта нить... А силы все слабеют, ей уже не хватает энергии, получаемой и от Глаз и от Харата.

*«Приди!»*

В это последнее усилие Зианта вложила все. И оборвала связь, больше не в силах поддерживать контакт.

Она упала ничком, безвольно откинув руку на тело незнакомца. Сознание не покинуло ее, но она была настолько изнуренной, что не могла ни пошевелиться, ни издать хоть один звук, когда ощутила, что незнакомец шевельнулся.

Он трудом, сел. Харат суетился рядом, неистово щелкая клювом и размахивая щупальцами, проявляя свое возбуждение. Как бы издали донеслись до Зианты невнятные слова. Все это задевало девушку лишь чуть-чуть, скользило мимо сознания, отвергавшего сейчас все, что требует хоть крохотного напряжения воли или мышц. Она хотела сейчас лишь одного: лежать. И чтобы прошел наконец этот гул шум в голове...

Но все же она пыталась понять, добилась ли все-таки успеха? Вдруг этот человек не сможет вспомнить себя, понять, где он и что с ним. Но незнакомец сориентировался на удивление быстро. Он склонился над ней, всматриваясь в ее лицо... Вид у него озадаченный, он снова что-то бормочет на своем языке.

Сильные руки подняли ее и положили удобнее. Чувствовалось, что он понимает ее состояние, знает его причину. Не потому ли он не пытается вступить с ней в мысленный контакт? Или длительное погружение в транс истощило его психику не меньше, чем измотал ее предпринятый поиск?

Когда он выпрямился, Зианта открыла глаза, с любопытством окинула взглядом его фигуру, наполовину скрытую в тени. Этот человек не отличается высоким ростом, он строен — пожалуй, даже худ. Лицо не молодое — скорее моложавое. Увидев, что незнакомец встал, Харат радостно защелкал клювом и, цепляясь за его комбинезон, вскарабкался по нему и уселся на плече. Так Харат вел себя только с теми, с кем его связывает многолетняя дружба.

Носить его на плече не показалось незнакомцу чем-то непривычным. Он подбежал к краю расщелины и выглянул между камней, внимательно прислушиваясь. Что ж, пусть возьмет на себя охрану — ей, Зианте, необходим длительный отдых.

И вдруг девушка обмерла. В момент, когда этот человек повернулся, она заметила на нем очки ночного видения, а на его одежде разглядела... Даже в этом тусклом зеленом освещении ошибиться невозможно: эмблема Патруля!

Что ты наделал, Харат! Уж лучше Оган, даже Юбан... Это все же меньшее зло, чем... Самое ужасное, что этот сенситив знает о ней все: кто она, чем занимается на этой планете. Еще бы, он ведь сам сопровождал ее... Теперь ей не скрыться.

Ее ждет полное стирание...

Непередаваемый страх, такой, какого она еще не испытывала в жизни, охватил Зианту. Она считала Харата другом... Он привел ее прямо в руки врагу! Нужно бежать! Немедленно!

Она напрягла мышцы: удастся ли заставить двигаться свое измученное тело? Приподнялась — и тут же упала от бешеного головокружения. Кто может помочь ей, вольет свою энергию? Харат? Нет, ему она доверять больше не может.

Оган? Она всей душой восставала против его власти, но все же психотехник не угрожал ей таким жутким наказанием, как этот незнакомец. Но если она сейчас попробует установить контакт с Оганом — либо сенситив Патруля, либо Харат, либо оба вместе тут же засекут ее попытку. Но даже если свяжется — Харат знает волну ее излучения и без труда выследит ее.

А впрочем, Харат ведь физически беспомощен, и если найти способ избавиться от незнакомца... Словно краб по каменистому дну, Зианта пядь за пядью отползала от места, где ее положили. Слабость сковывала движения, но воля и отчаянный страх двигали ею.

Девушка не спускала глаз со своего врага. Он же, не оборачиваясь, все смотрел вдаль, явно не ожидая каких-либо неприятностей с тыла. Зианте вдруг захотелось зашипеть, как Яса.

Харат тоже повернул голову в ту сторону, куда глядел незнакомец. Вероятно, он вел мысленный поиск, сообщая результаты новому компаньону.

Рука девушки наткнулась на камень. Им можно оглушить этого человека! А вдруг она промахнется? Нет, кидать камень не стоит, но пусть он будет при ней на случай, если незнакомец попытается захватить ее силой. Продолжая передвигаясь, Зианта уже почти доползла до гребня, преодолев который надеялась оказаться в безопасности. Сейчас или никогда!

В этот момент незнакомец повернулся. Сбросив очки ночного видения, он с удивлением обнаружил девушку совсем не там, где оставил ее. Она сидела, опершись спиной о скалу. В руке зажат каменный обломок — первое оружие ее далеких предков.

— Что случилось? — этот вопрос он задал на знакомом Зианте бейсике.

Вместо ответа она подняла камень. Похоже, он без оружия, к тому же он наверняка ослабел после всего, что перенес...

— Не подходи!

— Почему?

Зианта не видела выражения его лица — оно было в тени. Но удивление в голосе разозлило ее. Он еще удивляется, прекрасно зная, что они — смертельные враги?

— Стой! — крикнула она.

Но он двинулся к ней. Зачем, зачем она вывела его из транса! Идиотка, доверилась Харату! А он на самом деле такой же, как Яса, как Оганом, как все другие, для кого она — только орудие, а не живой человек.

— Почему ты боишься? — мягко проговорил сенситив. — Я не желаю тебе зла.

В ответ она рассмеялась. Но смех ее был более похож на стон.

— Не желаешь зла? Я понимаю — всего лишь приятная прогулка к Координатору, а там — стирание...

— Нет!

Он воскликнул это слишком горячо, чтобы поверить ему. Она не такая дура, чтобы не понимать, что ее ждет после всего, что она сделала (кстати, и для него тоже). Ей известно, чем кончают сенситивы, работающие на Воровскую гильдию и попадающие в руки Патруля.

— Послушай, пойми наконец...

Из последних сил Зианта швырнула обломок, использовав свой последний шанс остаться свободной. Нельзя позволить ему приблизиться... Но в тот миг, когда камень покинул ее руку, в голове у нее взорвалась боль — настолько ужасная, всепоглощающая, что она упала, не имея сил даже исторгнуть вопль, который рвался с губ.

... Над ними вовсю бушует буря. Необходимо оказаться в башне. Лурлы... Они неподвижны, они не хотят повиноваться ее приказам. Необходимо заставить их работать, иначе ее сбросят со стены в бушующие волны, а Глаза отдадут той, что сумеет лучше, чем она, защищать Норнох. Почему на лурлов не действуют Глаза? Что с ними? О море — кристаллы стали тусклыми, по ним побежали трещины. Вот они уже раскалываются, рассыпаются в пыль, просачиваются между пальцев... Их нет — и она осталась совершенно безоружной перед лицом стихии...

Они притаились на высоком холме, ставшем для них ловушкой, и смотрят вниз, где расположилась вражеская армия. Над лагерем повстанцев непрерывно барражируют самолеты, посылая убийственные лучи, а она не знает, как защитить своих людей от смерти с воздуха. Когда ловушка захлопнется окончательно и враги окружат лагерь, ей останется одно: умереть быстро и без мучений. Попасть в плен к этим, из Сингакока, — страшнее смерти. Она Винтра, дочь своего племени! Это нестерпимо — чтобы ее водили по улицам и враги осыпали ее насмешками! Конец уже близок — самолеты прямо над ними. Их лучи расплавляют укрытые между скал орудия. Это — смерть, и она готова встретить ее с радостью.


Тепло... Свет... Она жива... Они найдут ее и доставят в Сингакок... Нет! У нее есть руки, есть ноги — враги сейчас узнают их силу! Но почему не удается шевельнуться? Ранена? Откуда эта тяжесть во всем теле, почему оно не слушается ее?

Охваченная страхом, она открыла глаза. Над головой безоблачное небо. Вокруг скалы. Ну да, она среди родных гор Куэйита. Тишина, не слышно ни рокота самолетов, ничего. Лагерь уничтожен? Она одна осталась в живых? Нет, и ее путь лежит туда, где она встретится со своими погибшими товарищами. В смерти она соединиться с ними...

Звук... Кто-то идет... Кто это? Один из повстанцев? Она попросит у него удар милосердия. Это ее священное право... Винтра не должна попасть в руки врагов!

Винтра... Но ведь у нее есть и другое имя... Д'Эйри!

Но еще и Зианта! Имена всплывали, и каждое формировало вокруг нее другой, непохожий мир. Кто же она? Нужно собрать мысли... Зианта! Вот это правильно. Кто швырнул ее туда, в чужие времена? Необходимо зацепиться в своем мире. Она Зианта! Зианта...

Ее память... Она вся распалась на лоскутки, вся в прорехах. Что это за мохнатое чудовище, склонившееся над ней, пугающее взглядом круглых глаз?

Она знает. Надо только вспомнить... Харат! Он пришел на выручку...

В этот миг память восстановилась полностью. Харат — не друг, а враг! Бежать! Но она не в силах шевельнуться. Что с ней? Извернувшись, Зианта обнаружила, что спутана прочной веревкой. Теперь она — пленница, теперь ей дано полностью разделить ненависть и отчаяние забытой в эпохах отважной Винтры...

То, что Харат оказался изменником, перестало удивлять Зианту. На него не распространялись законы цивилизованного мира, ему не угрожало стирание разума. Да и есть ли у этого существа разум, мораль, интеллект в человеческом смысле? Был лишь факт: Харат теперь помогает Патрулю столь же охотно, как прежде помогал Огану. Понимает ли он, что стал предателем? Скорее всего, ему просто недоступна мораль, вот и все.

Зианта не пыталась вступить с бывшим союзником в мысленный контакт. К чему? Она убедилась, как рьяно Харат сотрудничает с незнакомцем. Как настойчиво требовал он, чтобы она вернула его нового покровителя из призрачных миров! Можно ли винить Харата? Нет, это она — идиотка, согласившаяся на такое!

Она отвернулась, не желая видеть Харата. Теперь перед глазами были только скалы, освещенные ярким солнцем. Место отличалось от ложбины, где ее поразил тот жуткий удар. А чуть в стороне Зианта увидела незнакомца.

Он лежал на животе у края обрыва, всматриваясь вниз. Там слышались выстрелы — где-то под ними шел бой.

Харат защелкал клювом, пытаясь, очевидно, привлечь ее внимание. Девушка упрямо лежала, отвернувшись, наглухо закрыв свое сознание. Но вот она почувствовала боль: Харат тянул ее за волосы. Зианта была вынуждена повернуть голову, но тут же зажмурилась, не желая видеть его взгляда и игнорируя настойчивые попытки пробиться зондом через ее барьер. Впрочем, стоит ли тратить силы на эту борьбу? Они могут понадобиться в более важный момент. Она опустила барьер.

«Почему ты боишься?» — Харат глядел на нее невинными глазенками.

И он еще спрашивает об этом! Как будто ему неизвестно, что ее ждет!

«Ты... Ты выдал меня Патрулю, и еще смеешь спрашивать! Они... они убьют мой талант, превратят меня в ничто!»

«Нет! — Харат возбужденно дрожал. — Человек просто хочет понять... Без него ты бы уже погибла...»

Ей вспомнилось, как этот сенситив помог ей покинуть каменную темницу, в которую попала Д'Эйри. Лучше бы она погибла там — то, что останется после стирания, уже не будет Зиантой!

«Лучше бы я погибла!» — ответила она, с презрением глядя в круглые глаза Харата. Внезапно он убрал щупальце с ее волос, оборвал контакт и устремился прочь. Она глядела, как он на бегу щелкает клювом, будто пережевывая полученную информацию. Вот Харат подбежал к лежащему у обрыва незнакомцу и обвил свое щупальце вокруг его руки. Тот повернулся, посмотрел на Харата — Зианта была убеждена, что сейчас они общаются между собой, но не сделала попытки узнать их мысленный диалог.

Незнакомец повернулся к ней, но встретил ненавидящий взгляд. Он пожал плечами и снова прильнул к обрыву, считая, видимо, происходящее внизу более важным.

Раздался оглушительный грохот. Над утесами показался нос корабля, направленный в небо, затем и весь корпус, поднимающийся на столбах пламени — а через мгновение звездолет растаял в небесах, оставив внизу временно оглохших людей.

Это не шлюпка Огана: она не способна на такой эффектный взлет. Значит, она видела корабль пиратов — свою последнюю надежду ускользнуть от Патруля. Что ей теперь остается? Кричать, плакать, молить о пощаде? Но гордость заставила ее упрямо сжать губы, ничем не выказать смятение и страх.

Итак, Юбан со своими людьми улетел — или по собственной воле, или захваченный Патрулем. Еще одна возможность: корабль сумел увести Оган. Оган... А если он до сих пор на планете? Она могла бы попробовать связаться с ним...

Незнакомец встал и направился к ней. Зианта смогла наконец разглядеть его при свете дня. Она знала этого человека, как Турана, хотя тело Командора было лишь временной оболочкой. Теперь же неодолимой преградой их разделила надетая на него форма. Это было больше, чем боязнь Патруля, — это был страх перед уничтожением.

Жизнь Зианты на Корваре была уединенной, она не встречалась ни с кем, кроме домочадцев Ясы. Налеты, к выполнению которых привлекала ее хозяйка, требовали глубочайшей концентрации — девушка не имела права думать ни о чем, кроме того, от чего зависел успех или провал акции. На вилле в основном жили женщины. Словом, жизнь Зианты протекала так, будто она служила жрицей какого-нибудь божества.

К Огану она никогда не относилась как к мужчине. Это был одержимый ученый, полностью поглощенный совершенствованием своих знаний и способностей. Отрешенный от внешнего мира, погруженный в себя — он внушал благоговейный трепет, иногда страх. Ну а немногие слуги мужского пола воспринимались Зиантой просто как часть обстановки в доме Ясы.

Но этот человек... Он мужчина, причем обладающий даром, как у нее самой. Зианта пыталась — и не могла забыть, как они вместе, рука об руку, боролись с опасностями в эпоху Турана. Боевые товарищи там — здесь они сделались врагами. И при этом она почему-то не смогла подавить чувство благодарности: этот человек, одетый в ненавистную форму, дал ей почувствовать себя личностью, дал силы выдержать обрушившиеся на нее испытания.

Зианта скользнула глазами по его ничем не примечательной фигуре. Будучи среднего роста, он из-за худобы казался еще ниже, чем в действительности. Зеленоватый лунный свет не обманул ее ночью: кожа незнакомца была темно-коричневой, хотя эта пигментация оказалась натуральной, а не приобретенной под воздействием космических лучей. Его жесткие волосы слегка курчавились. Он, несомненно, терранин, из выходцев с Земли, но тысячи сменившихся поколений изменили потомков, из-за мутаций все они были уже не такими, как Первая Волна поселенцев.

Он присел на корточки, задумчиво глядя на нее, точно перед ним было уравнение, требующее решения. Зианте стало не по себе от этого изучающего взгляда, она нарушила тишину:

— Чей это корабль?

— Грабителей, — ответил он. — Они перессорились, перебили друг друга, а те, кто уцелел, улетели, напоследок окатив бывших соратников пламенем дюз. Если, кроме нас, кто-то здесь еще остался — это два-три человека, не более.

— Оган! Он будет искать... — Это вырвалось непроизвольно, Зианта тут же ужаснулась своему промаху и прикусила язык.

— Искать? Нет, он не сможет обнаружить нас при всем старании. Ему не пробиться через мой экран.

— И что же мы будем теперь делать? — Она решила действовать прямо. Вряд ли удастся чего-либо достичь ложью — не стоит недооценивать профессионалов Патруля.

— Ждать. — Он протянул руку и коснулся опутавших ее веревок. — Но мне бы не хотелось, чтобы ты оставалась в таком виде.

— Ты рассчитываешь, что я дам обещание не пытаться бежать? Хотя прекрасно знаешь, что мне грозит...

— Бежать? Куда? Эта голая планета отнюдь не для путешествий. Вода, пища... да еще эти бандиты... — Незнакомец красноречиво обвел рукой обступившие их каменные громады. — По-моему, самое безопасное место — здесь, особенно по сравнению с Сингакоком. — Он впервые дал понять, что не забыл их совместных приключений. — По крайней мере, здесь высший консорт не охотится за нами со своей сворой...

Он достал курительные палочки, зажег одну прикосновением ногтя и задумчиво вдохнул пряный аромат. Она удивилась его спокойствию — этот человек будто находился не среди голой пустыни, а в изысканном дворце удовольствий на Корваре.

— Но чего мы будем ждать? — резко спросила Зианта, решив не оттягивать, поскорее узнать свою дальнейшую участь.

— Нам нужно добраться к моему кораблю. Но не могу же я тащить тебя на руках, тем более что по пути придется, быть может, вступить в бой. Все зависит от тебя. Если ждать — то лучше уж здесь. А если идти — ты должна пообещать, что будешь благоразумна. Нам бы попасть на корабль, а уж там, поверь, будет гораздо приятнее и уютнее.

— Это для тебя там будет приятнее. А меня приблизит к тому, что меня ожидает!

— Ты способна хотя бы выслушать меня? Почему ты вообразила, что знаешь все наперед?

— Я достаточно много знаю о Патруле, чтобы предвидеть дальнейший ход событий! — воскликнула она, не в силах сдержать рыдания.

— А почему ты решила, — спросил он мягко, — что я имею какое-то отношение к Патрулю?

# Глава семнадцатая

Сперва Зианта даже не поняла, что он имел в виду. Затем ее губы тронула ироническая усмешка. Неужели он считает ее полной дурой и надеется успокоить такими словами, сидя перед нею в форме Патруля? Это просто...

— Одежда, — продолжил он, — вовсе не бесспорный признак. Да, я работал в Патруле, но делал это в собственных целях. Причем работал только в космосе, потому что при этом мои и их цели совпадали. Эти самые Глаза я искал много лет, не зная точно, что именно разыскиваю; как это может выглядеть, для чего предназначено.

Глаза! Пока она лежала в беспамятстве, куда они делись? Он нашел и забрал их? Она стала судорожно извиваться, пытаясь ослабить веревки, но вскоре убедилась в тщетности своих попыток: путы только сильнее затягивались.

Хотя Зианта не ощутила никакого вторжения в свое сознание, он, наверное, прочел ее мысли.

— Успокойся, они при тебе.

Но история с якобы отставным Патрульным только усилила беспокойство девушки. Она спросила резко и недоверчиво:

— Кто же ты, если не Патруль? Почему по-прежнему носишь эту форму?

— Я сенситив, работающий с истортехом Зорбьяком, руководителем экспедиции закатан на Икс Один. К твоему сведению, Икс Один — другая планета в звездной системе Яка, той, где мы находимся.

Он опять затянулся ароматным дымом. Откуда-то из-за камней появился Харат и, подбежав к незнакомцу, устроился у его ног. Тот замолчал, на чем-то сосредоточенный. Наблюдая за этой парой, Зианта почему-то решила, что Харат побывал на разведке и теперь делится информацией. Ее догадка тут же подтвердилась: она ощутила в сознании знакомую волну маленького компаньона: «Оган поблизости. Другой ранен. Остальные мертвы».

С сознанием выполненного долга Харат расправил все четыре щупальца и стал наводить красоту, вычищая из пуха, покрывавшего тело, прилипшие соринки и песок.

— Год тому назад грабителями были похищены находки, сделанные на Икс Один, — снова заговорил незнакомец. — Ко мне обратились с просьбой отыскать украденное, так как моя специализация — археологическая психометрия. Следы пропажи привели меня на Корвар. Мне удалось найти семь предметов — тогда меня и пригласили на службу в Патруль. А восьмой предмет — то, что ты похитила из апартаментов Джукундуса. Налет не прошел незамеченным, к тому же Харат... словом, я отправился по твоему следу.

Он ласково потрепал Харата по голове, и даже Зианта уловила ответную волну благодарности и удовольствия.

— Значит, ты побывал и на Вэйстаре?

— Естественно. Я был уверен, что сенситив, сумевший телепортировать предмет из запертого помещения, похитил его не случайно, а располагая предварительной информацией. И конечно, ему захочется узнать историю того, чем он завладел. На Вэйстаре у нас есть свои люди, мы узнаем обо•всех необычных посетителях. Капитан корабля, перевозившего вас, — не единственный, кто получает от нас за информацию больше, чем может заработать грабительством.

— А чем ты подкупил Харата?

Он рассмеялся.

— Спроси его. Харат сам пришел ко мне: быть на службе у Огана ему не очень понравилось. Я предвидел, что, когда возникнет надобность, смогу связаться с тобой через Харата. Кто мог подумать, что эти поиски вынудят меня превращаться в Турана! — При воспоминании о теле мертвеца он поморщился и покачал головой. — Не хотел бы я снова испытать то, что произошло с нами там.

Зианта не смогла скрыть досаду. У нее было чувство, что ее одурачили: заставили решать головоломную задачу, хотя знали ответ.

— Так ты все это время знал про Глаза?!

— Я знал только, что невзрачная фигурка, купленная Джукундусом, гораздо ценнее, чем может показаться. Почувствовать это мог любой сенситив. Но Глаза... Нет, я не подозревал о них. Лишь теперь можно утверждать, что они являются самой значительной находкой из всего, что обнаружили закатане за все годы своей работы.

Мысли Зианты вернулись к собственной участи.

— Но, так или иначе, ты вступил в Патруль, чтобы преследовать нас. Для этого надел их форму.

Он вздохнул, как вздыхает взрослый, отчаявшись втолковать малышу очевидную истину.

— Это было необходимо. Мне нужны были широкие права. Но я — не из Патруля!

— Кто же ты тогда?

Он со смехом развел руками.

— Чувствую, мне пора представиться. Мое имя Рис Ланти, я обучался у вайверн, если это что-то тебе...

— Да, говорит, — сказала она. — Ты лжешь. Всем известно, что вайверны не имеют дел с мужчинами.

— Это так, — кивнул он. — Но мой случай особый, я родился с талантом. Когда эксперты Совета убедились в этом, меня отдали на обучение. Послушай, разве может один сенситив солгать другому? Хочешь — проверь, я без защиты.

433

Зианта поняла: он открыл ей сознание для зондирования. Но не рискнула опустить собственный экран — свою единственную защиту. Он подождал, а затем, поняв, что девушка отклонила предложение, слегка нахмурился.

— Из-за твоей подозрительности мы теряем драгоценное время. Я понимаю: у тебя много недругов. Но если бы я был из их числа — разве открыл бы тебе свое сознание? Ты же знаешь, при этом скрыть что-либо невозможно.

— Знаю, — пожала плечами Зианта. — Вернее, думала так до сих пор. Но ты назвал вайверн, а эта раса известна своими талантами по части галлюцинаций.

— Чувствуется, у тебя хорошая подготовка. Ты многое знаешь.

— Огана интересовала любая информация о проявлении психической энергии. Он собирал ее по всей Галактике. Потому и я о многом имею представление.

— Это соответствует тому, что мне известно о тебе и об Огане, — сказал тот, кто назвался Рисом Ланти.

— Ладно, допустим, что ты не из Патруля, — Зианта вернулась к теме, беспокоившей ее больше всего. — Но Патруль где-то близко. Что ты собираешься делать со мной? Передать в их руки, как того требует Закон? Твоего свидетельства достаточно, чтобы меня приговорили к стиранию...

— Твое будущее зависит... — Он сделал паузу.

— От кого или от чего? — настойчиво потребовала продолжения Зианта.

— В основном от тебя самой. Дай мне слово, что не будешь пытаться бежать, и пойдем к моему кораблю.

Зианта не торопилась с ответом, стараясь выбрать из всех зол наименьшее. Она верила Харату: Оган на свободе. У него где-то здесь спрятана космическая шлюпка, которую автомат заставит взлететь в заданное время. Стало быть, шансы покинуть планету у Огана остаются. Корабль пиратов уже взлетел, значит, на помощь Юбана или Ясы рассчитывать не приходится. К тому же саларика наверняка уже исключила ее из круга своих доверенных людей — в таких делах леди Яса весьма решительна.

Перед ней остается выбор: Оган или Рис Ланти. И хотя последний имел какое-то отношение к Патрулю, девушка больше склонялась к мысли довериться ему. Придется дать требуемое обещание. Главное — остаться на свободе, избежать приговора суда...

— Ты говоришь, — она постаралась придать голосу оттенок усталой покорности, — что бежать здесь некуда. — Что же, мне ничего не остается, как дать слово.

— Вот и отлично.

Он разрезал веревки. Зианта села и принялась разминать запястья. Потом попыталась встать, но тут же опустилась обратно — затекшие ноги не держали ее. Тогда сильные руки обхватили ее плечи и помогли подняться, сделать первые шаги...

Харат вскарабкался на плечо Риса Ланти, продолжавшего поддерживать девушку под руку. Они медленно двинулись вниз по склону горы.

— Закатанам известно о Сингакоке? — спросила Зианта, чувствуя, как с каждым шагом восстанавливается пульсация крови.

— О Сингакоке? Нет. Но на Икс Один сохранились руины древних построек. Вполне вероятно, что когда на Сингакок обрушилась катастрофа, его жители переселились на соседнюю планету. Будучи Тураном, я заметил сходство архитектуры города с теми руинами, что видел на Икс Один. Но теперь, когда у нас есть Глаза... — В его голосе прорвалось возбуждение. — Теперь для нас нет ничего невозможного. Мы проникнем в тайны предтеч!

Возбуждение в голосе, одержимость в погоне за уникальной информацией напомнили девушке Огана. Что ее спутник имеет в виду, говоря о проникновении в...

— Ты намерен снова отправиться в прошлое — после всего, что нам пришлось перенести!

— На тщательно подготовившись. Рядом будут сенситивы для подстраховки, они помогут выйти из транса. В общем, ты угадала, я собираюсь повторить визит к предтечам. Не желаешь составить компанию?

Почему-то ей стало стыдно признаться, что она боится. А он сразу же уловит этот страх, стоит ей опустить барьер.

— Даже не знаю.

— Полагаю, что если у тебя будет право выбора, ты не устоишь перед желанием получше узнать этот мир.

Их беседу прервал Харат, тревожно застучав клювом. Рис Ланти стиснул руки девушки и приостановился, на минуту замер. Зондировал?

— Оган где-то совсем близко, — объявил он.

— Ты же говорил, что способен создавать защиту...

— Против вторжения в сознание — да, могу. Такой же экран, каким ты отгородилась от меня. Но не стоит недооценивать Огана: он может произвести очень мощный импульс. Для безопасности нам следует втроем объединить силы.

Вот он, ее шанс! Подать сигнал Огану, и... Увы, мир, в котором она оказалась, был словно весь путах, лишь недавно снятых с ее тела. Что она выиграет, убежав от этих двоих на поиски Огана?

— Что он может использовать против нас? — озабоченно спросил Рис.

— Не знаю. — Зианте очень не хотелось, чтобы он подумал, что она что-то скрывает. Действительно, откуда ей знать, какую аппаратуру мог взять с собой Оган? Гильдии было известно, что он добывает для своей лаборатории уникальные устройства, способные влиять на психическую деятельность. Не исключено, что в коллекции психотехника есть нечто аналогичное Глазам.

— Я... — продолжала она.

Но вдруг весь мир странно исказился. Камни, пучки жесткой травы — все внезапно стало плоским, заколыхалось, словно картина, изображенная на легкой прозрачной ткани, которую тронул легкий ветерок. Еще миг — и вместо пустыни она оказалась в мире, полном жизни.

Два ряда зданий образовали улицу, посреди которой она стояла. Городские башни четко вырисовывались на фоне голубого неба, на их верхушках играли яркие солнечные блики. Вокруг кишел народ — люди шли пешком, двигались в машинах, и все же что-то во всем этом было ненастоящее.

Зианта вскрикнула, попыталась отпрянуть, когда прямо на нее надвинулся большой грузовик. Но она не могла сделать ни шага: что-то крепко держало ее, и этой силе она не смогла оказать сопротивление. Вот грузовик приблизился вплотную — и машина прошла сквозь нее! Через мгновение точно так же промчалась другая машина... В ужасе Зианта закрыла глаза и сделала отчаянную попытку перебороть силу, которая вернула ее в Сингакок и теперь держала здесь. А то, что она в Сингакоке, сомнений не было.

Глаза! Это они швырнули ее сюда, хотя она не смотрела в них. Они захватили власть над нею? Нет! Ее рука потянулась к груди. Зианта расстегнула карман, достала камни и отшвырнула их прочь.

Не помогло: она по-прежнему в Сингакоке! Кто запер ее в этом чужом мире? Изо всех сил, удвоенных, учетверенных паникой, Зианта металась, стараясь вырваться из непонятных уз, что привязали ее к этому месту. А вокруг нее, через нее, не замечая ее — продолжали свой путь люди, машины давно погибшего города...

— Зианта!

Девушка вздрогнула и лишь теперь осознала, что несмотря на кажущуюся подлинность возникшего вокруг нее города, в нем не было ни звука. Произнесенное рядом имя вернуло реальность, но она и теперь страшилась открыть глаза.

— Зианта!

Она рванулась, но чьи-то руки крепко держали ее — такие же реальные, как и голос.

— Что ты видишь? — Тот же голос, настойчивый, требующий ответа.

— Я... Я стою в Сингакоке. — Страх вновь погрузиться в транс пересилил осторожность, и она сняла мысленный барьер.

В тот же миг ее согрела ободряющая волна товарищеского участия, напомнившая минуты общения с Тураном. И она отдалась этому дивному ощущению, позволяя вливаться в себя этим волнам, несущим уверенность, стабильность, возвратившим ее из зыбкого мира галлюцинации. И эту уверенность, поддержку дал ей Рис Ланти.

Почему она боялась довериться ему? Человек, излучающий такую добрую энергию, не может желать ей плохого! Это вместе с ним она боролась за жизнь в Сингакоке. Это он отдал последние силы, чтобы вызволить ее из Норноха. И сейчас этот человек вовремя подставил плечо, чтобы дать ей опору.

Зианта открыла глаза. Город — он все еще перед ней! Но ей не страшно. Просто странно видеть эти здания, колоннады, людей, машины, сознавая, что все это — только галлюцинация. Но... Кто вызвал это видение? Рис? Это невозможно, ведь сейчас он в ментальном контакте с нею. Харат? Это не его амплуа, да и о Сингакоке он ничего не знает. Глаза? Но она ведь выбросила их...

— Глаза! Рис, я выбросила их, но все равно вижу Сингакок!

— Ты видишь то, что хранит твоя память. Кто-то вторгся в нее. Оган...

Голос друга был совсем рядом, она чувствовала теплую руку на своем плече, но... не видела Риса Ланти — перед нею все тот же Сингакок.

— Не смотри, попробуй прозондировать... Улавливаешь чьи-нибудь мысли? — тормошил ее Рис.

Она напряглась, закрыла глаза. Нет, никого постороннего — только Рис и Харат. Город не нес ни звуков, ни мысленных ощущений — он воспринимался только визуально.

— Зрение... Это только видимость...

— Ну, вот и хорошо. — Голос Риса был уверенным, как у врача, знающего и диагноз, и снадобье для излечения больного. — Это чисто зрительная галлюцинация. Она наведена специально для того, чтобы ты испугалась и выбросила Глаза.

Чтобы выбросила Глаза? Что ж, в таком случае наводивший галлюцинацию достиг своей цели.

— Я действительно выбросила их, Рис.

— Не слишком далеко. Харат отыскал их и принес. Ничего не скажешь, придумано ловко. Ведь это наваждение предназначалось для всех нас. Но я — человек иной расы, Харат — вообще не человек, поэтому подействовало только на тебя. Я понимаю, как тебе сейчас трудно, но у нас нет времени ждать, когда ты сможешь освободиться от видений. Оставаясь здесь, мы рискуем подвергнуться новой, более изощренной и мощной атаке. Надо уходить. Прошу тебя: пересиль страх, отрешись от всего, что видишь, полагайся только на внутреннее зрение и другие органы чувств. Я поведу тебя к кораблю. Ты поняла?

— Да. — Зианта снова нахмурилась. Сможет ли она двигаться вслепую, даже с поводырем?

— У тебя все получится, не бойся. — Всем своим тоном Рис показал, что уверен и в себе, и в ней. — Ну, двинулись. Я пойду впереди, а Харата посажу тебе на плечо.

Она ощутила тяжесть, острые коготки вцепились в одежду.

— Не открывай глаза: Харат хочет кое-что попробовать.

Зианта почувствовала, как щупальца коснулись ее головы, затем легонько приложились кончиками к векам. Зрение? Да, странное — но зрение! Она видела местность: камни, растительность, словно и не было галлюцинаций.

— Главное, не открывай глаза, — услышала девушка и двинулась вперед, держась за руку Риса и смотря глазами Харата. У нее было необыкновенно легко на душе — впервые за долгое время. Она знала, что обрела верных и заботливых друзей.

Впереди показался небольшой ручеек. Вспомнив не столь давний эпизод, Зианта предупредила Риса о ядовитых ящерицах.

— Не беспокойся, я все время посылаю вперед отпугивающие сигналы, — ответил Ланти и крепче сжал ее руку. — Я думаю о другой опасности. Идти еще немало, а Оган наверняка следит за нами. У него, скорее всего, есть какое-нибудь оружие. Свой экран я считал достаточно мощным, но он сумел прорвать его и воздействовать на тебя. Теперь же, увидев, что мы не потеряли Глаза и вообще справляемся с ситуацией, Оган может решиться на прямое нападение.

Прямое нападение — это луч лазера из кустов? Зианта никогда не видела психотехника вооруженным, но не сомневалась: этот человек способен на все, вплоть до убийства, если кто-то встанет на его пути.

Девушка тут же заставила себя прогнать мысли о возможной схватке, нужно все внимание сконцентрировать на передвижении, которое давалось непросто. У нее с Харатом было все же неадекватное зрительное восприятие мира, ей стоило труда приспособиться к передаваемой им искаженной картине местности. Но идти так все же было лучше, чем совсем вслепую.

Спуск сменился подъемом на очередной холм, этот участок пути показался девушке очень трудным. Затем — новый спуск, во время которого оба спутника заботливо предупреждали ее о препятствиях на пути. Наконец, они оказались возле корабля. Аберрация, вносимая зрительным аппаратом Харата, не давала рассмотреть опознавательные знаки, но почему-то она решила, что перед ней — корабль Патруля.

— Подожди! — Рука Риса удержала ее на месте. — Дальше ни шагу!

— Что случилось?

— Корабль... Он был на потайном замке, трап я убрал вовнутрь...

— Но теперь трап, — несмотря на искажение, она ясно увидела это, — он спущен!

— Вот именно. Мы идем прямо в капкан. Неужели Оган воображает, что мы настолько испуганы, что совсем обезумели? Придется его разочаровать...

Зианта замерла на некоторое время.

— Его в корабле нет, — проговорила она наконец. — Ему хочется, чтобы мы думали, что перед нами корабль, в котором кто-то есть.

Она слышала рядом его взволнованное дыхание. Харат тоже напрягся, острые коготки впились в плечо Зианты. Эта боль вернула ее в реальность.

«Искажение! Разве ты не чувствуешь?»

Еще бы! Маленький союзник судорожно сглатывал, пытаясь побороть возникшее внутри жжение, вращение, стремящееся отделить, затуманить сознание и обездвижить тело.

Эти ощущения передались и Зианте. Долго выдержать подобную Харат не смог, его щупальца ослабли, соскользнули с ее головы. Теперь он не помогал ей, и она утратила ориентировку.

Невидимая атака подействовала на Харата сильнее, чем на людей. Испустив пронзительный крик, он сорвался с плеча Зианты и упал бы, не подхвати девушка этот дрожащий пушистый ком. Прижавшись к ней, Харат расслабился, контакт с ним исчез.

— Назад! — Она почувствовала, как Рис тянет ее за собой. Но образ корабля преследовал их, накладываясь в ее сознании на сутолоку сингакокской улицы. Галлюцинация, словно приклеенная, отступала вместе с ними. Зианта обреченно вздохнула: Оган сумел пробить все барьеры, воздвигнутые Рисом. А когда защита будет полностью разрушена, галлюцинации овладеют их разумом, превратят людей в беспомощных кукол.

— Я укрепил барьер. — Голос Риса был спокоен, ее спутник пока не поддался панике. — Но мне не выдержать долго на такой мощности.

— А когда ты сдашься, — досказала девушка, — он подчинит нас себе.

— Еще рано сдаваться. — Он потянул ее. — Сядь сюда, за эти камни. — Руки мягко надавили на плечи, принуждая Зианту опуститься на колени. Яркость галлюцинаций уменьшилась.

— У нас есть еще кое-что против Огана.

— У нас? Ты имеешь в виду...

— Глаза.

— Но ведь я выбросила их. Ах да, Харат...

— Харат нашел. Держи. — Его руки разжимают ее пальцы, ладонь ощущает знакомую гладкость камней. — Поскольку ты имеешь с ними устойчивую связь, у тебя получится лучше. Слушай, Оган навел на тебя галлюцинацию — для этого он должен находиться где-то поблизости. Попасть внутрь корабля он не смог, но создал иллюзию, будто он там, чтобы окончательно сбить нас с толку, не дать улететь. Попробуй перенаправить на него собственную же иллюзию.

— Такое возможно?

Зианта слышала о чудесах внушения, которых достигают мастера Колдуна, о вайвернах, создающих неотличимые от яви химеры. Они подчиняют своему воздействию любого, заставляя его жить в мире фантомов. Рис обучался у вайвернов, но... поразить кого-то его собственной галлюцинацией — о таком она никогда не слыхивала.

— Получится или нет, но попробовать стоит. Итак, твоя иллюзия — Сингакок. Если сумеем — отправим Огана туда же!

Зианта ахнула: ничего подобного ей в голову не приходило. А Рис — обучавшийся у вайвернов, народа, способного вызывать самые невероятные галлюцинации — поручает эту работу ей. Такого никогда не было в ее прежней жизни. Для Ясы, для Огана, для гильдии она была всего лишь воровским орудием. Рис Ланти же приглашал ее к сотрудничеству, которое вело их обоих к общей цели.

— Я... Я никогда не делала такого, — пробормотала она, уже заинтересованная идеей Риса, но опасаясь, не переоценивает ли партнер ее силы и возможности.

— Я тоже умею лишь отчасти, — развел руками Рис. — Но другого способа нейтрализовать Огана у нас нет, так что придется рискнуть. Слушай внимательно. Сейчас ты откроешь глаза и будешь смотреть на Сингакок — если, конечно, ты еще там и не освободилась от видения.

Она чуть приоткрыла глаза и инстинктивно отпрянула от летящей навстречу машины.

— Сингакок...

— Прекрасно. Теперь, с помощью Глаз, как только можешь, усиль восприятие — сделай видение реальным.

Она испугалась. Испугалась чужого города, чужого мира, чужого времени, испугалась смотреть в кристаллы, которые могут навсегда забросить ее в далекую древность. Но девушка твердо посмотрела в лицо своим страхам и заставила себя забыть о них.

Прижав камни ко лбу, как это делала Д'Эйри для высвобождения максимальной энергии, Зианта открыла глаза. Улица с транспортом и пешеходами теперь была у нее за спиной, а она стояла посреди парка перед возвышающимся зданием, похожим на дворец лорда Командора. Впрочем, только похожим — это было какое-то учреждение. У дверей стояли охранники, то и дело входили и выходили люди — здесь, судя по всему, вершились важные дела. Память Зианты сейчас покинула ее, да и с нею она вряд ли смогла бы узнать это здание — настолько реальное, что она словно вновь очутилась в прошлом, если бы не абсолютное отсутствие звуков.

«Давай», — раздалась в голове команда. Она не совсем поняла, что хочет от нее Ланти, но всеми силами сфокусировалась на видении, стараясь создать как можно более яркую и точную, со всеми деталями, картину.

Вдруг и парк, и здание, и люди — все заколыхалось, подернулось дымкой, стало разрисованной тонкой вуалью, сквозь складки которой просвечивал корабль — настоящий, с убранным внутрь трапом. Он словно указующий перст был направлен в небо, в космос, на свободу!

Еще мгновение — и от иллюзии не осталось и следа. В тот же миг ушло отвратительное ощущение искажение восприятия. Она освободилась! Девушка вскочила на ноги. Харат от резкого движения едва не упал, но все же удержался у нее на плече. Рис? Он стоял рядом на коленях, уткнув лицо в ладони.

— Рис?.. Рис Ланти!..

Он оставался в прежней позе. Она приблизилась и положила руку с зажатыми в ней камнями ему на плечо. От этого прикосновения его начала бить дрожь. Сенситив поднял голову: глаза закрыты, с лица струйками стекает пот.

— Рис, что с тобой?

Он открыл глаза и бессмысленно уставился на нее. Неужели теперь ее спутник оказался во власти иллюзии, так долго терзавшей ее? Но вот он заморгал и узнал Зианту. Девушка открыла рот, чтобы что-то спросить, но не успела: сзади раздался дикий вопль. Она вздрогнула от неожиданности и обернулась.

По камням, спотыкаясь, мчался Оган, обхватив голову руками. Он выкрикивал что-то невнятное, делал нелепые скачки в стороны, словно увертываясь от чего-то, видимого ему одному.

— Идем. — Рис взял ее за руку.

— Но... он увидит нас...

— Сейчас он видит Сингакок и только Сингакок — таким, каким видела его ты. Но я не знаю, как долго это будет продолжаться. Нужно поспешить, пока иллюзия действует.

Оган продолжал дико вопить, бесцельно бегал взад-вперед между камнями. Они прошли мимо совсем рядом, но он не видел их. Рис Ланти поднес к губам передатчик и произнес кодовую фразу. Люк корабля откинулся, выполз трап — настоящий.

Зианта, обмирая от страха, торопилась подняться по ступеням, придерживая вцепившегося в плечо Харата. Она боялась, что океан безумия опять настигнет ее, насланный бывшим наставником. Только вбежав внутрь корабля, девушка перевела дыхание. Рис следовал за ней.

Не теряя времени, Рис проводил их в рубку управления, усадил в кресло и запустил усыпляющую аппаратуру. Сквозь дымку

Зианта видела, как его чуткие пальцы забегали по клавиатуре пульта.

Первые мгновения взлетной перегрузки, и темнота...


...Холодные капли пота катятся по подбородку. Лицо Риса. Он склонился над нею, выжимая ей в рот какую-то жидкость из тюбика. В тело вливалась энергия, она помогала девушке полностью очнуться. Зианта выпрямилась в кресле.

— Куда...

— Куда мы направляемся? На Икс Один, — с улыбкой проговорил Рис Ланти.

— А Оган?

— Ему недолго осталось дожидаться Патруля.

— Но... ведь он расскажет...

Даже если Рис действительно не планирует выдавать ее, он не сумеет скрыть ее от преследования властей. Раньше или позже — но ее схватят, и тогда... Стирание — от этого ей не уйти!

О том, что ее сознание после пробуждения не защищено мысленным барьером, Зианта вспомнила, увидев, как ее спутник энергично затряс головой.

— Если Патруль и появится здесь, они ничего не добьются. Закатане редко вмешиваются в дела живых, но если делают это — значит, имеют на то веские причины.

— Ты просто успокаиваешь. Зачем археологам помогать мне? — с горьким недоумением спросила девушка.

— А затем, уважаемая леди Зианта — Винтра — Д'Эйри, что ты для них — самое ценное из найденного за последние века. У тебя ключ к неизвестной прежде двери в прошлое. Закатане приложат любые усилия, чтобы иметь возможность пользоваться этой дверью. Стирание... Неужели ты могла вообразить, что можно позволить уничтожить такую ценность?

Его рука ласково легла на разгоряченный лоб девушки. И от этого мягкого прикосновения ей сделалось не так страшно. Она слышала его уверенный голос и хотела тоже верить в то, что он говорил. Хотела — но не решалась...

Он снова прочел ее мысли.

— А ты попробуй. Надо только хорошенько поверить в невероятное — и оно может стать реальностью. Подумай сама: что мы с тобой здесь делали? — Рис кивком указал на экран. Там виднелась быстро уменьшающаяся планета, где когда-то шумел, поклонялся Вуту, воевал, плел интриги древний Сингакок. — Разве то, что было с нами, не невероятно? Ты умирала дважды, я умер тоже — и мы оба живы — надеюсь, ты не отрицаешь этого факта? Подумай, как много невероятного на свете, и ты поймешь, что не следует бояться будущего.

— Я сомневаюсь именно потому, что раньше такого никогда не бывало, — неуверенно произнесла Зианта, хотя всем сердцем чувствовала: он говорит правду. Ее всегда убеждали: смерть — конец всему, любому существованию. Но она дважды прошла через смерть — и вернулась к живым. Если это и было галлюцинацией, то чересчур уж реальной! Кусочки чужих жизней навсегда слились с ее собственной и остались в ней, в ее памяти. Было ли все пережитое иллюзией, вроде той, какую они оставили Огану? Если так — все равно, пусть они остаются с ней.

Рис в ответ на ее мысли улыбнулся. Харат одобрительно щелкнул клювом.

— Вот увидишь, так и будет.

Мысли их обоих были исключительно доброжелательными, и дружеское тепло исходило от Глаз, которые она продолжала держать в руке. Они все вместе и ждут... следующей иллюзии? Или следующего приключения?

# СОДЕРЖАНИЕ

Литературно-художественное издание

**Андрэ Нортон**
**БУРЯ НАД ПЛАНЕТОЙ КОЛДУН**

Ответственный редактор *Д. Малкин*
Редактор *Н. Беркова*
Художественный редактор *С. Курбатов*

В оформлении переплета использована работа художника *D. Mattingly*

ООО «Издательство «Эксмо».
107078, Москва, Орликов пер., д. 6.
**Интернет/Home page — www.eksmo.ru**
Электронная почта (E-mail) — info@ eksmo.ru

*По вопросам размещения рекламы в книгах издательства «Эксмо»*
*обращаться в рекламное агентство «Эксмо». Тел. 234-38-00*

*Книга — почтой:* Книжный клуб «Эксмо»
101000, Москва, а/я 333. E-mail: bookclub@ eksmo.ru

*Оптовая торговля:*
109472, Москва, ул. Академика Скрябина, д. 21, этаж 2
Тел./факс: (095) 378-84-74, 378-82-61, 745-89-16
Многоканальный тел. 411-50-74. E-mail: reception@eksmo-sale.ru

*Мелкооптовая торговля:*
117192, Москва, Мичуринский пр-т, д. 12/1.
Тел./факс: (095) 932-74-71

ООО «Медиа группа «ЛОГОС».
103051, Москва, Цветной бульвар, 30, стр. 2
Единая справочная служба: (095) 974-21-31. E-mail: mgl@logosgroup.ru
ООО «КИФ «ДАКС». 140005 М. О. г. Люберцы, ул. Красноармейская, д. 3а.
т. 503-81-63, 796-06-24. E-mail: kif_daks@mtu-net.ru

**Книжные магазины издательства «Эксмо»:**
Москва, ул. Маршала Бирюзова, 17 (рядом с м. «Октябрьское Поле»). Тел. 194-97-86.
Москва, Пролетарский пр-т, 20 (м. «Кантемировская»). Тел. 325-47-29.
Москва, Комсомольский пр-т, 28 (в здании МДМ, м. «Фрунзенская»). Тел. 782-88-26.
Москва, ул. Сходненская, д. 52 (м. «Сходненская»). Тел. 492-97-85
Москва, ул. Митинская, д. 48 (м. «Тушинская»). Тел. 751-70-54.

**Северо-Западная Компания представляет**
**весь ассортимент книг издательства «Эксмо».**
Санкт-Петербург, пр-т Обуховской Обороны, д. 84Е
Тел. отдела рекламы (812) 265-44-80/81/82/83.

Сеть магазинов «Книжный Клуб СНАРК» представляет
самый широкий ассортимент книг издательства «Эксмо».
Информация о магазинах и книгах
в Санкт-Петербурге по тел. 050.
Вы получите настоящее удовольствие, покупая книги в магазинах ООО «Топ-книга»
Тел./факс в Новосибирске: (3832) 36-10-26. E-mail: office@top-kniga.ru
*Всегда в ассортименте новинки издательства «Эксмо»:*
ТД «Библио-Глобус», ТД «Москва», ТД «Молодая гвардия»,
«Московский дом книги», «Дом книги в Медведково», «Дом книги на ВДНХ».
Книги издательства «Эксмо» в Европе: www.atlant-shop.com

Подписано в печать с готовых диапозитивов 06.12.2002.
Формат 84x108¹/₃₂. Печать офсетная. Бум. газ. Усл. печ. л. 23,52.
Тираж 10 000 экз. Заказ 4202331.

Отпечатано на ФГУИПП «Нижполиграф».
603006, г. Нижний Новгород, ул. Варварская, 32.